БОЛЬШАЯ
ПРОЗА

**АНДРЕЙ
ИВАНОВ**

АНДРЕЙ ИВАНОВ

ОБИТАТЕЛИ ПОТЕШНОГО КЛАДБИЩА

МОСКВА
2019

УДК 821.161.1-31
ББК 84(2Рос=Рус)6-44
И17

Художественное оформление серии *С. Власова*

В оформлении переплета использована фотография:
pisaphotography / Shutterstock.com
Используется по лицензии от Shutterstock.com

Иванов, Андрей Вячеславович.

И17   Обитатели потешного кладбища / Андрей Иванов. —
Москва : Эксмо, 2019. — 704 с.

ISBN 978-5-04-098685-9

Новая книга Андрея Иванова погружает читателя в послевоенный Париж, в мир русской эмиграции. Сопротивление и коллаборационисты, знаменитые философы и художники, разведка и убийства... Но перед нами не историческое повествование. Это роман, такой же, как «Роман с кокаином», «Дар» или «Улисс» (только русский), рассказывающий о неизбежности трагического выбора, любви, ненависти — о вопросах, которые волнуют во все времена.

УДК 821.161.1-31
ББК 84(2Рос=Рус)6-44

ISBN 978-5-04-098685-9

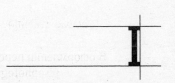

1

Мы нашли мсье Моргенштерна в Люксембургском саду. Вытянувшись во весь рост, он лежал на скамейке, над ним покачивались грустные ветви раскидистого каштана. Закат и камнеломка выстлали за его временным аскетическим ложем пурпурный ковер. Чуть поодаль из-за листвы выглядывала одна из тех статуй, что в сумерках производят гнетущее впечатление.

Мари негромко вскрикнула и побежала к нему.

— Альфред? Альфред, проснитесь! Вам нельзя здесь лежать...

Она пыталась привести его в чувства. Взгляд старика блуждал. Я подумал, что он, должно быть, сильно пьян. Он не узнавал ее совсем. От досады Мари выругалась, по-французски. Старик что-то пробормотал и отвернулся. В полной растерянности, я стоял в стороне, чувствуя, как вокруг меня нарастает волнение. Ветви шуршали, змеилась пыль, старые сухие листья танцевали. Что-то происходит, понимал я, что-то таинственное. Я ощутил мягкий толчок в спину. Подумал, кто-то шутит, хотел оглянуться, но мгновенно догадался, что в этом нет никакого смысла. Теплая волна воздуха мурашками пробежала по спине, клубок переживаний, которые мне еще предстоит разобрать на строки и нити, кровью прилил к шее, ударил в голову и с отчетливым хрустом в позвонках сдвинул во мне давно застывшие части. С той самой минуты, когда мы нашли мсье Моргенштерна недалеко от выхода из Люксембургского сада на бульвар Сен-Мишель, я совпал с движением, которым был охвачен Париж, я ожил.

— Да помогите же, Виктор! — крикнула Мари, и я окончательно очнулся.

— Да. Иду!

Город волнуется с конца прошлого года. Я наблюдал зарождение агонии как лаборант, изучающий какой-нибудь вирус, привитый лошади. На все смотрел с улыбкой: люди бегают, в окнах лица, разгоряченные, любопытные, напуганные. Я с детства обожаю хаос, люблю бывать на вокзале, смотреть, как пассажиры торопятся на поезда. Эвакуацию в Чистополь в 1941 году я воспринял с энтузиазмом. Мама плакала, папа был белый как мел, а в моей груди гудел пламень; когда мы оказались посреди пустырей и ледяного ветра, в деревянной избушке с земляным полом недалеко от длинной-предлинной пристани, они пришли в ужас, а я был в восторге. Сколько впечатлений! Сколько свободы! Наконец-то я сбежал из пыльной Москвы. Никогда ее не любил и не хотел идти в школу. Я знал, в какую меня поведут, она проглотила многих моих знакомых, и все они ее ненавидели. Здание походило на казарму. Мы с мамой часто ходили мимо, и я, глядя на парадный вход с колоннами и лепниной, содрогался от мысли, что вскоре эти огромные двери проглотят и меня тоже. По битым ступеням, хрипло переругиваясь, скакали заматерелые мальчуганы. Я глядел на них и представлял, как они будут мне давать тычки, подзатыльники и щелбаны. Мама останавливалась и показывала мне учителя, — а этот, думал я, будет мне ставить двойки и вызывать в школу отца. От рутины спасла эвакуация. В Чистополе была совсем другая школа, там все учились понарошку...

Серый мятый плащ, черные брюки, штиблеты; одной рукой он держался за спинку скамейки, другая безжизненно свисала. Мы склонились над ним. Нет, мсье Моргенштерн не был пьян. Он что-то лепетал. Листва вмешивалась, не давала понять.

В тот день мы смотрели Alphaville в полупустом синема-клубе. Случайно забрели. Мари увидела афишу, сказала, что у нее устали ноги, фильм ей советовал посмотреть Клеман.

— У него безупречный вкус. Я читаю все, что он мне приносит. Я полностью ему доверяю. Он немного чокнутый, но это пустяки. Я вас обязательно познакомлю! Вы его полюбите, вот увидите! Идем?

У меня не было денег, но было поздно — мы вошли в клуб, мы подошли к кассе, она купила билеты. Было страшно неловко. Мари пропустила мои извинения мимо ушей, она смело шла к своему любимому месту, в самой середине.

— Я обычно сижу здесь, в каждом синема! — Села и быстро расстегнула туфельку. — С самого рождения со мной было что-то не так. Вечная путаница в документах! Я родилась во время немецкой оккупации, моя сумасшедшая мать собиралась меня назвать Марией Антуанеттой. Представляете, какая дура! Была бы я сейчас... — Расстегивала другую, посмотрела на меня и встряхнула волосами, чудесными волосами. Я не успел ничего ответить, даже улыбнуться не успел. — Дед хотел Сталиной назвать, в сороковом-то году... Отца никто не спрашивал, считалось, что у меня его не было, но потом все выяснилось... По паспорту я — Мари Анн, но так меня никто не зовет.

Дома она Марианна, для лучших друзей — Мари; во время учебы на филологическом факультете в Нантере она по вечерам работала в пансионате, где одна русская аристократка звала ее Нюрц, и каждый раз, когда Мари входила в пансионат, глаза пожилой дамы наполнялись слезами: «А вот и моя милая Нюрц! — брала Мари за руку: — Посиди со мной, дорогая

Нюрц». Единственный, кто звал ее Мари Анн, был директор маленькой строительной конторы, ему позарез нужна была знающая английский стенографистка, однако за неполных два месяца, что Мари у него проработала, он ни разу не попросил ее что-нибудь перевести или стенографировать, зато вежливый негодяй распускал свои лапы, и она ушла.

— Отец и его друзья зовут меня Маришкой. Красиво?

— Очень.

Мари родилась в Аньере, на собачьем кладбище, смотрителем которого был ее дед; роды приняла бабушка...

Еще Мари говорит по-польски.

— А вы говорите по-польски?

— К сожалению, нет.

Я был очарован и не хотел этого скрывать. Пусть видит! В зале тихо щелкали перекидные часы. Во мне закипало желание. Минута за минутой... Погас свет, — «смотрите туда, не надо на меня смотреть». Я услышал, как звякнул замочек на туфельке, она их легко скинула, с мягким шуршанием падали цифры на часах. Вдруг она поставила ножки на мой ботинок...

— Позволите?

— Да.

И время остановилось.

Я приехал в Париж в октябре 1967 года; до того, как познакомился с Мари и поселился на rue d'Alesia, я не мог надышаться Парижем, он затмевал мои мысли, я чувствовал присутствие города даже во сне, меня здесь все волновало, белых пятен на карте становилось меньше и меньше, в некоторых местах образовались дыры, несколько раз меня посещало тревожное ощущение, будто мне что-то сейчас откроется, какая-то великая тайна, вокруг меня оживал воздух, он начинал струиться, над головой что-то колебалось, меня овевали струи ветра, поднимался шорох, я спешил найти тихую улочку и затаиться в ней, чтобы наедине разобраться с этим явлением, но восхитительное ощущение присутствия чего-то великого быстро меня покидало, я оставался истуканом стоять в парке или долго сидел на скамейке, во мне струилась тоска, как давно забытый мотив, я что-то писал, но ничего не складывалось, отправлялся гулять по набережным, и тогда на меня находило другое странное чувство: будто я обернут в целлулоидную пленку из фантазий и историй — всего того, что я навоображал об этом городе; оглядываясь на собор Парижской Богоматери, я на мгновение видел открытку, ту самую открытку собора, что висела у меня над кроватью в Ленинграде на Гаванской, 8А (там были и другие: кенотаф на могиле Бодлера, Триумфальная арка и, разумеется, Эйфелева башня); сделав несколько шагов, снова оглядываюсь: собор на месте, настоящий, огромный, и я себе говорю: это не фильм, не сон, не открытка.

Редакция находилась в двух шагах от Пер-Лашез, я неминуемо оказывался там каждый день, бродил по влажным дорожкам кладбища, смотрел, как безразличное солнце облизывает монументы, скользит по холмам некрополя, сдвигает тени, словно пытаясь заглянуть в склепы; напоследок таинственно блеснув в серой лужице, образовавшейся на плите старинного надгробья, солнце исчезало, и только тогда я замечал какие-нибудь детали: на огромную бабочку похожий лист, упрямое пламя свечи, рассыпанные монетки, поломанные ступени, из-под которых уродливыми рептилиями выглядывали извивающиеся корни — воистину деревья здесь питаются мертвецами и превращаются в монстров! На скамьях и булыжниках медленно тлели розовые отпечатки заката; последний слабый луч, облюбовав длинную поэтическую эпитафию, полз от слова к слову, как рука слепца, читающего шрифт Брайля. Помню, как увидел ворота Пер-Лашез в первый раз. Я зашел туда только потому, что слишком рано было идти на рандеву. Позвонил в редакцию, сказал, что у меня есть рекомендация, моего звонка ждали, Роза Аркадьевна, главный редактор «Русского парижанина», предложила встретиться, продиктовала адрес. «Вы знаете, где это?» Я ответил, что знаю. «Вот и отлично. Так будет проще. Даже если я вам скажу, как найти нас, вы вряд ли найдете. Адреса в Париже обманчивы. Это не совсем на rue de la Roquette. Тут все немножко хитро устроено. Нужно свернуть на rue de la Folie-Regnault и зайти через синие ворота. Но кто их вам откроет? Тут у нас к тому же такой привратник своенравный...» (Я это выяснил чуть позже, мы сдружились со стариком.) И я пошел по бульварам, заглядывал в книги на лотках, выхваченные строки сплетались в поэму, все казалось связным, все волновало. На Монмартре была сутолока. Хотелось есть, но денег хватило только на бокал вина в небольшом кафе. Входили и выходили шумные посетители, появлялись официанты и исчезали, каждый спешил добавить свой собственный звук, точно они были джаз-бэндом. Я выпил и пошел гулять. Ветер-мим подбрасывал листья. В отдалении звучал колокол, квакали клаксоны. Я был легок, хотелось танцевать. Мое приподнятое настроение развеялось, как только я оказался за воротами кладбища. Приветственно зашелестел древний кедр, приподнял ветви и с медленным вздохом их опустил, — стало тихо и тяжело на душе; мне подумалось: невинность моей жизни кончилась (в мои неполные тридцать три я был относительно невинен). Ноги привели меня к монументу спящей виконтессы; я долго стоял, глядя на то, как она лежит, тени и блики приводили в движение складки мраморного савана; от ее лица веяло покоем; ветерок трепал мои волосы, я хотел уйти, но почему-то удерживал себя, вглядывался в ее черты, в ней было что-то знакомое, я смотрел и не мог понять, а потом неожиданно понял: она напоминала мне маму! Мне захотелось поцеловать ее, но кругом были люди, что-то выискивали, перекрикивались до неприличия громко, я ушел (с тех пор, сколько ни бродил там, ни разу не нашел того монумента). Прогулка меня отрезвила, мне казалось, будто покойники наблюдают за мной из окошек своих каменных домиков и шепчут: эй, чужестранец, что ты ищешь здесь?

С первых дней Париж меня дурачит и кроит на свой лад, навязывает свою пульсацию, свой телеграфный код; город не оставляет меня без присмотра, сопровождает звуками, тенями, запахами. В сумерках я теряюсь, они наваливаются внезапно, как пьяный прохожий, который кладет тебе на плечо руку, говорит несколько слов и лезет обниматься. Огни фонарей сдвигают перспективу, щекочут глаза, — я хожу медленно, осторожно, боюсь наступить на спящего на решетке бродягу, вздрагиваю от хлопка ставни или скрипа витринной решетки. А как таинственно порой на ветру колышутся тенты, как крылья! Приноравливаюсь и к ночным крикам, и бесцеремонным утрам... пению птиц, гаму, толкотне... Голоса, шарканье, грохот грузовиков, позвякивание цепей — все обладает характером, насмешливым и высокомерным, каждый звук одергивает: чужак, что тебе надо? Ты входишь в тень и потихоньку прозреваешь, но тут тебя небрежно задевают плечом, в лицо летят обрывки фраз, которые ты долго пытаешься склеить, но надоедливый скулеж тележки, сливаясь с голосом попрошайки, не дает собраться с мыслями. Ты раздражаешься, идешь, жмурясь на солнце, а из-за плеча вырастает фигура соглядатая. «Эта авеню бесконечна», — говорит некто, я ничего не отвечаю, не до конца веря, что обращаются ко мне. «Я не ел со вчерашнего дня», — продолжает незнакомец с ясными от голода глазами, — его, наверное, подослал город. «Я спал под открытым небом... Нет, нет, мсье, не лезьте в карман, я не прошу милостыню, мне заплатят завтра. Я просто хотел сказать, что в Париже много улиц и бульваров, и бывают такие дни, когда

11

они становятся длинней, а бывают дни, когда они кажутся короткими... Город словно сжимается и разжимается, как пружина». — «Город дышит», — говорю я, мой попутчик радостно соглашается.

Я видел, как поймали вора в метро, сначала услышал истошный вопль, протяжный, переходящий в завывание, и вспомнил: так кричали ослы, у нас в Чистополе были ослы, иногда они кричали совсем как люди; вору, наверное, было не больше семнадцати, мальчишка, тощий, с красивыми вьющимися волосами, сразу двое мужчин заломили ему за спину руки, прижали к каменному полу туннеля, он плакал и молил отпустить. В тряских тесных вагонах все пропитано близостью, доступностью, в них появлялись демоны, облаченные в человеческую плоть, одетые в изношенные манто, с испещренными, как исцарапанная лакировка, физиономиями, и ангельские лики девушек утонченной, невиданной восточной красоты, с черными густыми бровями, насмешливыми, слегка выпученными губами, раскосыми глазами, тяжелыми от туши ресницами и ослепляюще белой холодной кожей. Ты сидишь в полудреме, и вдруг тебе бросаются в глаза открытое плечо, декольте, колено, черные локоны, вздернутый носик — Незнакомка! Она сидела, забросив ногу на ногу, и смотрела перед собой, безразличная ко всему: к пассажирам, к грохоту, к болезненно подмигивающим лампочкам; ее легкое для осени платье шевелилось — васильки, на платье были васильки, колокольчики; я стеснительно оглядывался, стараясь, чтоб никто не приметил, как я любуюсь ею, смотрел на ее отражение в пыльном вагонном стекле (там, в стремительно летящей сквозь мрак перспективе, она казалась еще прекрасней и более недосягаемой): белая грудь, тонкие лодыжки, тонкие руки, хрупкие пальцы, платье приоткрывало ее голени; воздух в метро такой живой, такой участливый, он доносил до меня запах ее духов, ее дыхание, — я долго ею любовался, думая заговорить с ней, но неподвижность ее взгляда меня парализовала, так и не решился. Была одна проститутка. Она села напротив меня, я услышал ее дыхание, намеренно громкое, призывное. У нее был хищный рот и развратные глаза, тушь и помада немного размазались, но это ее не портило, наоборот, придавало больше шарма. Сильно прогнувшись, она откинулась назад и закрутила волосы. Нет, красивой она не была, но меня возбуждали ее легкое тесное платье и большая грудь (наверняка эта грудь потом вызвала бы во мне тошноту, и, как часто бывало, у меня бы ничего не вышло). На ее плечах лежал мятый арабский платок. Незаметно она стянула его и обвязала вокруг талии; туго затянутая, вызывающе соблазнительная, она играла концами платка, поочередно ударяя ими по колену и посматривая на меня; платье поднималось выше и выше, оно будто сжималось, приоткрывая ее сытную плоть; она была так доступна... но денег не было, и даже если бы были, я голодал, мои натруженные от ходьбы ноги ныли, мозоли щипали пятки, в тот день я много ходил, был в гостях у нескольких человек, которые согласились дать интервью, весь вечер занимался расшифровкой. Отвернулся и уставился в мелькающую черноту туннеля. Проститутка поняла, что я пустой, что не только в моих карманах ничего нет, но и желание мое поедено коррозией усталости, вмиг ее поза перестала быть вызывающей, спина ослабла, грудь обмякла, она натянула платок на плечи и пересела. Я не сразу пошел домой, долго в полумраке бродил по улице Тольбиак, заходил на улицу Артистов, ходил по прилегающим тихим улочкам, прогуливался по rue de la Santé, и когда пошел к себе, изможденный от впечатлений, работы и голода, услышал, как в клинике Святой Анны кричала сумасшедшая, на минуту я впал в оцепенение, затем быстро поднялся к себе, чтобы посмотреть из окна, но так ничего и не увидел, было темно, фонари светили слабо, крик терзал темноту, где-то за стенкой работала швейная машинка, хозяйка квартиры сделала телевизор погромче, послышались еще голоса (санитары, возможно), хлопнула дверь, и все прекратилось. Роза Аркадьевна поселила меня к своей старой знакомой, которая укрывала ее с мужем во время оккупации, мне повезло: мое окно выходило на сад психиатрической клиники, и я часто туда посматривал, я решил, что это неслучайно — Париж с первых дней дал мне понять, что знает о моем прошлом. Я смотрел на темно-зеленые ворота, воображением просачиваясь в запертые комнаты, где находились пациенты, и видел тех, с кем когда-то делил мою не-свободу, на койках лежали те, с кем я пил чай, чьи рассказы слушал, от кого прятал глаза, кому улыбался; глядя на охряную стену клиники Святой Анны, я чувствовал, что часть меня еще томится в застенках и, может быть, никогда не будет свободной, потому что однажды перенесенный ужас будет сжимать мое сердце, как неизлечимая судорога, во всяком случае, пока будут решетки, запертые двери, за которыми томятся люди — хоть бы и один человек! — я не успокоюсь. По выходным я смотрел, как они, в тапках или галошах, халатах и смешных шапочках, прогуливаются в своем дворе. Там был настоящий парк, с дорожками, статуями, красиво постриженными кустами и клумбами. Они сидели на скамеечках, курили, разговаривали. Я видел, как некоторых уговаривали выйти: санитар стоял у дверей и приглашал, делая театральные жесты, даже кланялся. К ним приходили посетители... На черепичную крышу одного из отделений (старинное здание из серого камня с маленькими окошечками) листья падали, падали, покров делался плотней и плотней. Для меня эта крыша стала своеобразным указателем смены сезонов. Я следил за тем, как приближается зима. Дождь смывал листья с крыши, они снова падали, украшая черепицу, застревали в водостоке, прилипали к карнизам. В погожие дни ветер их срывал, уносил, но листья собирались вновь, однажды они покрыли крышу плотным слоем и лежали так до весны.

С февраля в воздухе зреет что-то предгрозовое, гул идет по Парижу, неслышная дрожь закрадывается под кожу, все кажется чуть более настоящим, отчетливым, ярким, — так бывало в детстве перед каким-нибудь праздником или ответственным днем: от волнения в голове хрустело, как в скрипучий мороз. Впрочем, буря — еще тот праздник. В марте началось: Нантер. Пришлось ехать, смотреть, говорить, писать... Хотя казалось бы, какое нам, русским, дело до их забастовок?

— В нашей газете должно быть все, — отрезала главный редактор. — Мы тут живем. Мы — часть этой страны. Другой у нас нет.

Честно говоря, я с ней согласен: зачем себя ограничивать «эмигрантской жизнью»? Ехал в Нантер воодушевленный, ехал и думал: в Советском Союзе меня и близко к газете не подпускали, и не допустили бы, пациент психиатрической клиники — жирный крест, а тут — материал для первой полосы. Жаль, что ехать было недалеко. До этого я ездил в Страсбург на встречу с бывшими эльзасскими солдатами вермахта, которых насильно погнали на Восточный фронт, где они сдались на милость Красной армии и затем отбывали срок в лагерях, кто под Тамбовом, кто в Ульяновске. После возвращения газетчики их осаждали. Они не хотели ни с кем встречаться. Говорят, переговоры тянулись не один год, еще задолго до моего приезда эпопея началась. Наконец-то сломались; их уговорил местный пастор. Собирался ехать Вазин, старый эмигрант, перхотью обсыпанный кряхтун, ходил, посвистывал от удовольствия, но поехал я. Озлобившись, Вазин несколько дней со мной не разговаривал, желваками поигрывал; он меня не терпел еще до того, как я увел у него поездку в Страсбург, а с тех пор — всякое лыко в строку. Хотя моей прямой вины в том не было; *les malgré-nous*[1], когда узнали, что среди репортеров есть молодой человек, который бежал из СССР, сами попросили, чтоб я приехал (хотели расспросить о жизни в Советском Союзе). Они были милые и еще крепкие, чуть за сорок. Большинство из них гитлеровцы забрили семнадцатилетними. Правда, война, плен, лагерь оставили на них отпечаток. Такие глаза — с глубоко погребенной надеждой — я видел только у тех психических, кого очень долго держали. На Арсенальной был один старик, учитель истории, попал в плен в Харьковском котле, выжил в Шталаге 338 в Кривом Роге, оттуда был угнан в Германию, после освобождения ему дали инвалидность, он преподавал в школе, через несколько лет арестовали, пошел по психиатрическим клиникам, как бревно по реке, плыл из одного отделения в другое: электрошок — аминазин — допрос — рентген — аминазин и так далее. Когда я оказался с ним в одном коридоре, он уже провел семь лет в психушках и выглядел настоящим стариком, а ему было едва за пятьдесят; в его взгляде была животная затаенность, он настороженно вглядывался в лицо говорящего, даже если говорили не с ним, в его глазах тлел огонек ожидания, он смотрел на человека, как собака, которая пытается предсказать следующий жест, мимическое движение, сигнал, от которого зависела его судьба, в этом взгляде было глубинное ожидание, надежда величиной с кратер. В глазах эльзасских пленных я подметил похожее тление надежды, с тех пор не угасшей (наверное, они ждут, что их наконец-то поймут). Я видел их семьи. Дома у каждого было как-то особенно тихо, как после похорон. Они говорили, что их дети не имеют ни малейшего представления о том, через что им пришлось пройти,

---

[1] В переводе с французского термин «malgré-nous» означает «против нашей воли», так называли эльзасских солдат, большинство из которых насильно демобилизовали в немецкую армию в 1942 году.

они им не рассказывают. Как рассказывать? С чего начинать? С чего ни начни, всюду стыд, страх и боль. Тем не менее чувствовалось, что тут что-то известно, о чем-то догадываются даже дети. Старый пастор мне устроил экскурсию по городу и окрестностям. Показывал, где и какие улицы во время германской аннексии были переименованы. Он хранил старые таблички с немецкими названиями улиц и плакаты, один впечатлил особенно: большая метла выметает красного французского петуха с обозначенной на карте территории Elsass-Lothringen. Я фотографировал, записывал интервью. Один из них настолько хорошо выучил русский, что преподавал его в университете, он катал меня на машине, тоже показывал город, после чего отвез в Тан на встречу с еще двумя узниками Тамбовского лага. Мы ехали чуть больше часа. Вогезы, церквушки, река. Встали на холме с видом на руины замка Энгельбург, он дал мне полюбоваться; наконец, спросил:

— Ну, как?

— Красиво.

— В России тоже красиво... Я бы остался в России. Мне очень природа понравилась. Воздух морозный. Простые люди, замечательные. Только не дадут жить начальники. В России над каждым человеком есть начальник. Над ним другой. И так далее. Чувствуешь, что они есть, и их много.

— А тут разве не так?

— Во Франции? Нет. Здесь другие люди. Все друг за другом смотрят.

Мы посмеялись, помолчали. Снег падал на лобовое стекло. Бежала река.

— Хорошо, — сказал я. — Тихо.

— Да.

Приезжаю в Париж — а тут тепло, люди ходят расстегнутые, взбодренные, вдоль бордюров ручьи, в парках над землей дымка, в небе висят мягкие облака, и ноги подкашиваются, иду, улыбаюсь — дурак дураком!

Из статьи моей половину, если не больше, выбросили, она стала чем-то вроде гарнира к мясу: соглашение о взаимной репатриации советских и французских граждан, выдержки из переписки представителей французской и советской делегаций по делам репатриации, воспоминания генерала Пьера Келлера о том, как он отчаянно добивался аудиенции с главой советской делегации генералом Голиковым, о котором, по словам Келлера, отзывались, как о божестве (часто просто называли *Он*), в газетах писали, что генералу Голикову вручали награды, Келлер получал им подписанные письма и отчеты — прихотливая закорючка, навьюченная на большую букву «Г», о нем говорили по радио, доходили слухи, будто генерал Голиков любит охотиться с русскими борзыми на зайцев и даже ходит на кабана, залпом выпивает стакан водки, после чего танцует вприсядку с медведями; несмотря на все эти убедительные свидетельства существования главы советской делегации, Пьер Келлер допускал, что Голиков был таким же мифом, как садовник Пютуа, и выдумали его для того, чтобы как можно медленней возвращать французских военнопленных, — все это, несомненно, намного интересней бесед с самими *malgré-nous*.

Ничего, говорил я себе, у меня все сохранилось. Тем же вечером подробно описал; не для газеты — для себя: их лица, взгляды, напряженное молчание, которое переполняло наши беседы, не давали мне уснуть.

Меня отправили в Нантер. Поездка оказалась бестолковой. Было много суеты и пустословия. Факультет — чудовищен. Народу — тьма. Жужжат как улей. За два дня две пленки извел, взял интервью у тринадцати человек: троцкисты, маоисты, анархисты всех мастей, только что возникшее *Дви-*

жение 22 марта[1], поэты, актеры, писатели, философы, безумцы — все хотели со мной говорить, стоило только сказать *je suis journaliste russe*[2], и от меня не отходили, смотрели мне в рот, осыпали словами. Это был настоящий базар! Многое упускал. Насобирал листовок. На обратном пути чуть-чуть подвезло: ехал в одном вагоне с младшим преподавательским составом — ассистентами, копировальщиками, секретарями, профсоюзными деятелями — и пестрой ватагой студентов; преподаватели с ними говорили на равных, не «либеральничали» и не дискутировали, а вместе обсуждали общую ситуацию — и пили вино! К сожалению, моего знания французского не хватило, чтобы как следует подслушать, но самое главное я подглядел: единодушие студентов и преподавателей (из тех, кто ездит поездом и носит дешевые костюмы). Я понял: это была не только «студенческая забастовка». Вернувшись, всем громко объявил:

— Не думайте, что этим кончится. Вот увидите, рванет и у нас тоже.

— Да ну, бросьте, молодой человек, — возразил Вазин, — у нас это невозможно. Не сейте панику почем зря. Покричат и разойдутся. Париж будет стоять. Вот увидите. Тут совсем не такие люди. Это вам не бидонвиль.

— Вы не представляете запала...

— Да все я представляю. Не надо грандировать единичный случай.

— Да я вовсе не...

— О да! Еще как! — Вазин решил придавить меня перед всеми. — Я вас понимаю, мон жён ами. Вам хочется события.

---

[1] Le Mouvement du 22 Mars — Движение 22 марта: спонтанно возникшее 22 марта 1968 года студенческое движение.

[2] Я — русский журналист *(фр.)*.

Наскучило писать о всякой ерунде: о *malgré-nous*... об эмигранте-мемуаристе, который застрял в лифте и умер... о стертых с карты города детских домах и еврейских приютах... Хочется чего-то громкого. Да, да, вижу. Сам таким был. Но беда в том, что *события* случаются редко. Жизнь по большей части состоит из будней. Шедевры не пишутся каждый год. В театрах чаще всего тривиальность. О синема я молчу. Что остается? Терпеть. Не пытайтесь бежать впереди события, которого нет и наверняка не будет.

Хотелось ответить крепко, но лучше не ругаться. Кто я такой? Беглец сомнительного происхождения, без опыта, без родственников и друзей, за плечами у меня только советский институт дураков, да и тот дипломов не выдает.

Написал хорошо, меня похвалили, и все равно, изрядно порезав, статью поставили сопроводительным материалом к большому интервью с Пьером Граппеном[1], которое взял по телефону проклятый Вазин; интервью получилось мягкое, декан отшучивался, опровергал почти все, о чем писал я: о самоуправлении, захвате студентами зала советов профессоров, ни о каком *Mouvement du 22 Mars* он, понятное дело, не слышал, никаких троцкистов не существовало, просто мальчики хотят ходить в общежитие к девочкам, а девочки хотят ходить к мальчикам, вот и все, беспорядки?.. да всюду есть беспорядки, Факультет строится, у декана в туалете, например, до сих пор нет света, электрикам некогда, всему свое время, троцкисты тут ни при чем, ну, может, они и существуют, дети в разные игры играют, и вообще, все это пустяки, электричество проведем, Факультет достроим, побузят и успокоятся, заверял нас декан Граппен, все это временно; Вазин был этим очень доволен, он

---

[1] *Пьер Граппен* — декан факультета филологии и гуманитарных наук Нантера с 1964 по 1968 год.

поддакивал декану Граппену, он с ним соглашался, выражал надежду, что скоро все утрясется — «о, поверьте мне, очень скоро!» — восклицал тот, Вазин развел руками: «Ну-с, молодой человек, материальчик ваш никуда не годится... у страха глаза велики...»

Я держался на ниточке, на тоненьком волоске.

Стояли чудесные ландышевые дни; я почти не спал; птицы поднимали ни свет ни заря, я выходил и шел вдоль стены клиники, на бульваре Араго прикидывал, где бы я поставил для Вазина гильотину, мочился в вонючем виспасиенне, пил кофе стоя, шел пешком до станции Сен-Марсель. После работы я ждал Мари на площади Republique, она брала меня под руку, и мы шли на левый берег... прощались перед самым закатом. В поезде я читал книгу или вспоминал стихи, не подпускал тоску; на безымянном перекрестке, где обрываются семь улиц (урбанистический абсурд, дыра в карте города), я дожидался заката. Очень подходящее место, неживое, тут нет ни скамейки, ни даже столба, к которому хотелось бы прислониться, редко и ненадолго появлялся автомобиль с сигаретным огоньком. Закат сгорал, смывая с меня тоску, он грелся на моей рубашке, лизал ботинки, льнул ко мне, ручейки уносили фантики и окурки, я шептал стихи, они вылетали из меня, как сорванные ветром лепестки черемухи... они сгорали в зареве, и наконец, все погасало; я медленно шел по rue d'Alesia, сикоморы серебрились, от их шуршания пробирала приятная дрожь... и это были уже не деревья, а... я не знаю что... я знаю точно: *Мари, мы бы могли тут остаться навсегда.*

Весь апрель сплошное благоухание, пыльца в воздухе. Не надышаться, голова кругом...

И вдруг в редакцию заявился полицейский. Спрашивает меня.

Почему меня?

Ничего не объясняет, хочет говорить тет-а-тет. Но не увозит, подумал я с надеждой. Один пришел, значит, не все так плохо. Заходим в кабинет главного редактора, она остается. Полицейский бросает шляпу на стол и садится в ее кресло. Я вальяжно устраиваюсь сбоку, чтобы не оказаться напротив него, как подследственный. Роза Аркадьевна стоит, скрестив руки, поглядывает на нас. Ну и сцена! Волнуюсь, но ничего не спрашиваю, жду. Изображаю улыбку, вздергиваю легкомысленно бровь. Он не торопится, осматривается. Лет пятьдесят, в штатском, одет невзрачно. Приглаживает прядки на темени, смотрит на меня и вкрадчиво объясняет:

— Студенты снимали любительский фильм в развалинах Бушонвьерской церкви, начали разгребать кучу камней, а там — тело мужчины. Сохранился хорошо. Практически мумия. Опознать пока не удалось, эксперты над этим работают.

— А я тут при чем? Я не эксперт и об этом ничего не писал.

— Да, вы не эксперт, — полицейский осклабился, смотрит на меня, на свои ногти, снова на меня, — и об этом вы пока не писали. Об этом никто еще не писал. В кармане пиджака мумии нашли клочок бумаги со списком имен. Три имени тщательно зачеркнуты, их мы пока не разобрали, но экспертный отдел обязательно разберется. Зато одно сохранилось совершенно отчетливо.

Он достал вчетверо свернутый листок. У него были неловкие руки, или, может быть, он сознательно изображал неловкость, чтобы помедленней развернуть бумаженцию. Похрустывая пальцами, он почти любовно разглаживал складки. Наконец, справился, разровнял бумагу и придвинул ее так, чтобы она легла передо мной, ровнехонько. Я поднялся и склонился над столом, так, согнувшись, я смог прочесть мелкими буковками написанное имя.

— Это ваше имя?

Я с облегчением понял, в чем дело.

— Нет, — усмехаюсь, — не мое.

— Вы уверены?

— Да, я уверен, уверен! Это не мое имя. Это мой псевдоним! Имя мое вот. — Достал из внутреннего кармана пиджака мой американский паспорт, сделал несколько разглаживающих движений, распахнул, снова погладил и только затем передал полицейскому. Наслаждение было невероятное. — Я в Париже недавно. Меньше года. Уверен, что это недоразумение.

— Да, да, — мямлил тот, изучая мой документ. — Паспорт новенький. Недавно сделали?

— Недавно, да. А кто вам сказал, что я пишу под этим именем, интересно?

— А давайте съездим ко мне в участок! Там и разберемся...

Ох, натерпелся я этих *разговоров*!..

Редактор заметила, что я побелел, вот-вот взорвусь и испорчу все (она помнила, как я вышел из себя во время антракта в театре), налила мне воды, положила руку на плечо и твердо сказала:

— Тут нечего разбирать, детектив. Псевдоним использовали в нашей газете задолго до прибытия молодого сотрудника из США, которого нам, кстати говоря, рекомендовал старейший эмигрантский журнал в Нью-Йорке. Мы слишком дорожим людьми, чтобы в такие дни отпускать их по пустякам. Поймите, этот псевдоним ничего не значит. Чуть ли не каждый из нас под этим псевдонимом хотя бы раз да писал. Обычное дело.

Говорить о причинах, по которым я не хотел писать под своим именем, было нельзя, пришлось бы разворачивать всю историю, пришлось бы ехать в участок. Я негодовал: псевдоним-то мне *подсказали*, а он *поношенный* оказался! И только теперь я об этом узнал. Ну, спасибо, удружили, нечего сказать. Я пил воду и рассматривал туфли, носки, брюки полицейского, бросал редкие взгляды на его унылую бледную физиономию. Он смотрел на нас с едким прищуром, двигал складками у носа.

— Отчего вы так волнуетесь, мсье журналист?

— А давно это тело там лежит? — задал я встречный вопрос (хотелось разбить стакан). — Как давно? Что говорят эксперты?

— Ох, журналисты, журналисты, — проворчал он, возвращая мне паспорт.

— Если не верите, можете посмотреть наши архивы, пожалуйста! — воскликнула редактор и распахнула шкаф, доверху забитый папками.

Он отмахнулся обеими руками, взял шляпу, попросил разрешения показать фотокарточку всем в редакции. Картинка оказалась жутковатой.

— Это же не человек!

— На что тут смотреть?

— Чудовище какое-то.

— Как можно такое показывать людям?

Галдели по-русски, полицейский не понимал и раздражался. Спрятал карточку; ушел ни с чем, недовольный.

Я попросил два выходных. Хотелось бежать к Мари, сидеть у нее в парикмахерской, с чашкой кофе и дурацким журналом, бессмысленно листать, курить и смотреть, как она стрижет... История с полицейским казалась отличным предлогом.

— Да это ерунда, Виктор, — успокаивала меня редактор. — Все это ошибка. Работайте! Вы мне нужны. Мне сейчас все нужны. Дни какие стоят! Неспокойные.

— Я понимаю, да, но все-таки, Роза Аркадьевна, посмотрите на мои руки. — Они тряслись на самом деле. — Нервы ни к черту.

Отпустила. Зашел в ближайшее кафе, а там проклятый Вазин:

— Париж, знаете ли, молодой человек, такой город, он принадлежит и живым и мертвым. Некоторым мертвым он принадлежит даже больше, чем живым. Нужно еще доказать, что ты имеешь право в нем жить.

И рассказывает о золоте какого-то дантиста.

— Разыгралась целая драма. Всех пересажали. И виновных, и невиновных. Как знать, может, вообще никто виноват не был. Ну, умер. Старый был. Ну, пропало золото. Может, и не было. Мало ли, что закупал. Да подумаешь! Какая разница? Но полиция начала копать под каждого. Как же, золото! Если было золото, значит, убили. И в итоге посадили всех, кто хоть сколько-то знал этого дантиста. Даже случайных пациентов из его записной книжечки привлекли. Под любого копни хорошенько — что-нибудь найдешь обязательно. Вот что иной раз творят с живыми мертвецы. Вот такая полиция во Франции.

Ах ты, старый черт!

На следующий день редактор звонит мне домой:

— Ну что, накаркали.

— Это вы о чем?

— Включайте радио. На улицах беспорядки. Как вы и предупреждали.

Я подавил легкий укол тщеславия — вот, мол, утер я нос старому пердуну, говорил же: «рванет», — овладел собой и спокойно ответил:

— Ну что вы, Роза Аркадьевна? Я-то тут при чем?

Она отметила, что чутье меня не подвело, в Нантере я справился, и она хочет, чтобы я снова мешался со студентами, был в эпицентре событий, дала несколько имен.

— Отправляйтесь в Латинский квартал. Поговорите с ними, они вас сведут с лидерами студенческого движения. Берите интервью и приносите материал!

Деваться некуда, дело свое я сделаю, только всё это — шелуха, мелочи жизни, пена дней. Ох, что в душе моей теперь, какая там стоит тишь и кристальная ясность! За эту неделю во мне многое изменилось. С какими волшебными людьми я сошелся! И превыше всего, я влюблен. Впервые! По-настоящему! Чувствую себя счастливым глупцом. Встречи, прогулки, стихи... По ночам я судорожно веду мои записи, не хочется ничего упустить, тут каждое мгновение насыщено незнакомыми запахами, таинственными звуками и совершенно необыкновенным светом, будто он проходит сквозь какой-то невидимый витраж, распадается на лучи, просеивается сквозь мозаику. Иногда меня посещает сомнение: все забуду... что-нибудь упущу... Отсюда моя одержимость — записать!

Мы вышли из киноклуба и пошли в Люксембургский сад. В аллеях было тихо и пусто, только ветер раскачивал ветви, в отдалении журчал фонтан. Выпили по бокалу вина в литературном кафе, опять платила Мари, опять смущение — нас придирчиво изучали снобы, на ножки Мари таращился косоглазый господин в коротких брючках, выпучивал нижнюю губу, поправлял очки и снова пялился... его шнурки были перевязаны узелками, на грязном ботинке красовалось жирное пятно птичьего помета... Мы ушли. Молодая листва бросала живые тени на мраморные фигуры, солнце садилось. Мы двигались в направлении бульвара Сен-Мишель, прошли мимо статуи худенького мальчика с маской Гюго; я говорил о дуэли с полицейским, Мари смеялась и вдруг увидела мсье Моргенштерна. Тогда-то все и сдвинулось. Я еще не понимал, что происходит, я не знал, кем был этот старик и почему она к нему побежала, почему так изменилась в лице... У него на затылке была большая рана, похожая на красный кленовый лист, я хотел его снять, не догадываясь, что это была запекшаяся кровь и слипшиеся волосы; несколько секунд я верил, что трогаю осенний кленовый лист. Мсье Моргентшерн застонал. Я уставился на мою руку. От вида крови Мари стало нехорошо. Я испугался, что она упадет в обморок. Где-то неподалеку заиграл оркестр. Она дала мне платок, сказала приложить его к ране и убежала ловить такси. Я осторожно держал голову старика, заглядывая в его серо-голубые глаза; я видел в них туман, реку, стальное холодное небо... Меня пробрала дрожь от его улыбки. Он что-то сказал. Я не понял и отвел глаза. Марш приближался. Деревья, прутья решетки, красные мундиры, блеск инструментов, прутья решетки, деревья...

Мсье Моргенштерн вдруг негромко пропел:

> Monsieur Marlbrough est mort
> mironton mironton mirontaine

Таксист въехал на тротуар к самим воротам, но когда увидел меня в обнимку с вялым стариком, хотел сдать назад. Мари подбежала к его окошечку и впилась в его руку, он ей кричал, чтоб мы вызывали «скорую».

— Laissez-moi, mademoiselle![1]

Она не отпускала его.

— Aidez-nous, je vous en prie![2]

Ох, дерьмо! Толстяк выскочил и помог мне, но был недоволен: здесь нельзя задерживаться, меня оштрафуют! Оркестр развернулся и пошел на нас. Я вдруг понял, что они играют ту же мелодию, что пропел старик. Пока ехали в больницу, Пантеон рос в моем воображении, разрастался; мсье Моргенштерн бредил, впадал в странное состояние, говорил на трех языках вперемешку, как казалось, с разными людьми, но все время об-

---

[1] Пустите меня, мадемуазель! *(фр.)*.
[2] Помогите нам, пожалуйста! *(фр.)*.

ращался ко мне: принимая меня за кого-то, он говорил о том, что произошло элементарное недоразумение, вы понимаете, мой друг, меня с кем-то перепутали... quiproquo[1], приняли за богача... он беззвучно смеялся, стонал, его глаза уплывали в облако обморока... Мари пришла в ужас: на вас напали, Альфред!.. Мсье пострадавший, выглянув на нас из обморока, усмехался, но очень вяло: напали?.. ну, так, чуть-чуть... страдальческая улыбка... забрали кошелек... Вас ограбили, возмутилась Мари... пустяки, у меня ничего не было, медальон... ах, la roupie de sansonnet[2]... И снова туман затянул глаза; старик бессвязно бормотал, задавал мне вопросы, на которые я не мог ответить; кажется, и не подразумевалось, чтобы кто-то отвечал на те вопросы, их мог бы запросто задавать Сфинкс, настолько бессмысленны они были... Мари оборачивалась с переднего сиденья, я в растерянности смотрел на нее, она отвечала пугливой улыбкой, протянула руку, я ее отчаянно поцеловал. Были и другие прикосновения, непонятные, таинственные, будто подстроенные, например: когда мы вместе помогали мсье Моргенштерну втиснуться в авто, моя рука оказалась плотно сжатой между ребрами старика (а худящий!) и ее грудью. Затем мы столкнулись, но не лбами, я ткнулся ей лицом в шею, и она засмеялась, отметив, что я колючий. Уже внутри она мне передавала салфетку и угодила пальцем в глаз — «Ой, прости, дорогой!» — это прозвучало так, будто все происходит в каком-то будущем, когда мы женаты не один год. И еще несколько мимолетных касаний, незабываемых заплаток на моей израненной чувственности. В общем, из такси я вылезал совершенно распухшим от человеческой близости. Вечером на куртке нашел два больших пятна крови, но не позволил себе расстроиться.

---

[1] Неразбериха, путаница (*фр.*).
[2] Мелочь, безделушка (*фр.*).

«Вот как хорошо! Как после убийства», — и рассмеялся, дурацкая привычка одинокого человека.

Таксист привез нас в Pitié-Salpêtrière. Старик с удовольствием сдался медсестрам. Его уложили на носилки и укатили по коридору. Его рука взлетала, бессильно жестикулировала, наконец, медсестре надоело, она поймала его лапу и держала, так они и уплыли. Мы долго стояли в очереди у телефона. Мари кому-то звонила, оказалось, это не первый случай, *но чтоб так, я и представить себе не могла...*

Я ее успокаивал, она мне рассказывала, как важен для нее мсье Моргенштерн... я держал ее руки, гладил плечо...

Люди у телефона были нервные и взъерошенные.

Тут произошло нечто необыкновенное. Прискакал смешной человечек — крепко сбитый, невысокого роста, лет семидесяти, седая шевелюра, пушистые усы, густые брови, выпуклый живот в клетчатой жилетке с часами на цепочке, на нем был белый костюм, такая же белая широкополая шляпа, ярко-красная рубашка, на шее белая бабочка. Экземпляр прямо из кино! Минута близости, волшебная минута была разбита, она со звоном ключей выпала из кармана рассеянного господина, когда он вытаскивал платок, чтобы поймать в него свой чих, ключи зацепились за платок, он так смешно прыснул, и ключи взвизгнули, Мари засмеялась, ничуть не стесняясь смутить старика, он и не смутился; я поднял ключи, он глянул на меня поверх кругленьких очков и очень значительно поблагодарил:

— Весьма признателен, молодой человек. Шершнев, — представился он, и меня как током ударило: «Не может быть!» — Серж Шершнев.

Я растерянно пожал его руку: «Не может того быть! Тот самый Шершнев! Что за наваждение!»

Мсье Шершнев сказал, что с утра на ногах:

— Неуемное утро, складчатый день, весь в клетках — дождь, солнце, весь в мостах, и я по этим мостам бегаю, будто какие-то застежки на Париже расстегиваю, все время в поисках Альфа.

Утром Сержа разбудила пани Шиманская, «мажордом» мсье Моргенштерна, она позвонила по телефону и кричала: «пан Альфред пропал, пошел вчера искать сына и пропал, на всю ночь исчез! Ярек его искал, искал, не нашел! мсье Шершнев, помогите!»

Он артистично передал польский акцент, вышло почти как в стихах Чуковского. Мари улыбнулась, приговаривала: ах, пани Шиманская, пани Шиманская...

— Ну, что делать, Маришка? Помогать так помогать. — Он обегал чуть ли не весь Селль Сен-Клу: — Альф туда имеет привычку ездить, ну, вы знаете. — Мари с пониманием кивнула (как ребенок). — Вот, кто бы мог подумать, Люксембургский сад, как просто. — И странно посмотрел на меня.

Я с запозданием представился, сказал, что работаю в «Русском парижанине», недавно... и выпалил:

— Я хотел бы о вас написать очерк. Что скажете, Сергей Иванович?

Он махнул на меня платком:

— Серж! Зовите меня Серж! Никаких Ивановичей! Очерк, говорите? Ого! Вот так сразу?

— Я давно о вас слыхал. Еще от Валентина Яковлевича Парнаха. Он был нашим соседом по общежитию в Чистополе. Он много рассказывал о парижской жизни, о дадаистах, кабачке «Хамелеон»...

— Oh là là! И когда же он успел вам об том рассказать?

— В сорок первом — сорок втором...

Шершнев вздохнул, опустил глаза, снял шляпу и стал ею обмахиваться, приговаривая «mon dieux», «ну, дела», «невероятно». Стараясь произвести на него впечатление, я торопливо припоминал то, что слышал от Парнаха: Шершнев участвовал в дадаистских спектаклях, делал выставки, выпускал листовки, знал Тцара и др.

Вышло как-то слишком в лоб.

Шершнев слегка нахмурился, почти шепотом сказал:

— Чистополь, говорите. Нет, ну, надо же! Как бывает... — Постояли, и вдруг он стал прощаться: — Ладно, наш друг нашелся, остальное потом расскажете. Не стану вам мешать, — шляпой сделал салют, элегантно наклонил набок голову и — шаг назад, шаг назад — повернулся и ушел, хромая. Мне показалось, на его плечи легла тень.

— Не надо было, наверное, — пробормотал я, глядя ему вслед и сильно сожалея. — Эх, смутил старика.

— А Чистополь, это где?

О, Чистополь... мне там очень нравилось; и с учителями и воспитательницами повезло. Конечно, было страшно, грустно, голодно, грязно, много чужих, по духу других людей, они смотрели иначе, мы часто дрались с местными (они нас караулили в сквере возле школы), были болезни, самоубийства, некоторые сходили с ума, все чего-то ждали, кто-то рвался на фронт, кто-то в Ташкент, к черту на кулички, все равно куда, лишь бы покинуть обледенелый Чистополь, там были вши, малярия, непролазная грязь... и там случилось самое страшное — умерла мама, и как только ее не стало, для меня наступили дни сплошного интерната, который был похож, теперь я знаю, на вокзальную ночлежку, дети так быстро сменялись, не успевали сдружиться, — я тогда бросил ходить в школу, никто не принуждал, именно в те дни во мне встрепенулось что-то, какой-то нерв самосознания вздрогнул и вибрирует по сей день, тогда же у меня появились первые друзья, все они были старше, мы сошлись с местными, собирали грибы, делали свечи, масляные коптилки, удили рыбу, жарили картошку в углях, метали ножи, стреляли голубей из лука, там я впервые услышал французский, познакомился с замечательными людьми, ходил на чтения писателей, учился самостоятельно мыслить — вслушивался в слова и всматривался в образы, которые оживали в моей голове, гулял один, воображая себя первооткрывателем посреди бесконечных белых полей, которыми был обнесен наш городок пять, а то и шесть месяцев в году, так я обрел ощущение свободы, понял, какова она на вкус.

Pitié-Salpêtrière, многоокий и мрачный, возвышался над нами (я подумал, что это не госпиталь, а настоящий дворец). В парке почти никого не было. Мы кружили по дорожкам; после стольких прикосновений расстаться было очень непросто, — здание старинной больницы, казалось, связывало нас сильными чувствами, которые, я боялся, будут угасать по мере того, как мы станем от него удаляться.

Эспланада Ламарка.

Воздух слегка курился, свет сделался сизым и живым. Тени разрослись. Я говорил, говорил... Слова звучали значительно, и меня покинуло привычное чувство безответственности (моим мнением так долго пренебрегали, что я частенько переставал за собой следить, позволяя себе ляпнуть такое, о чем потом долго жалел, случалось это только по одной причине: я думал, раз все мною пренебрегают, то слова мои, должно быть, ничего не значат, и потому я их произносил — да и писал тоже — с ощущением безнаказанности, с легкостью недопустимой, даже преступной, так, словно они тут же испарятся).

Я не хочу показаться странным, напугать, оттолкнуть, поэтому говорю обрывками, а вечерами добираю недосказанное и выплескиваю на бумагу. Я не боюсь написать *не то*, это — естественно. (Если машину времени когда-нибудь изобретут, то путешествия на ней будут сопровождаться небывалым экстазом, без которого свобода немыслима, а без нее никак: каждый человек, к сожалению, заложник прошлого и будущего, он — собственность, на которую покушаются предки и претендуют потомки: первые всегда знают лучше, ловят на каждом слове, а последние готовы твою могилу сровнять с землей; даже если ты ничего не имеешь, ничего собой не представляешь, как только склоняешься с карандашом над листом бумаги, всё, ты пропал, ты принадлежишь всем, поэтому: требуй свободы, во что бы то ни стало — свободы!) Я не боюсь поражений — сколько у меня их было, и чего только за каждой дверью я не встретил! Во мне так много имен, лиц, событий — все они явились ко мне после моих нелепых ошибок, как в утешение; по ночам, вместо снов, я слышу голоса, не скажу точно, из прошлого доносятся эти голоса или откуда-то еще... Я не знаю, с чего начать, какой образ должен стать первым стеклышком в этой мозаике, впереди длинный путь — это я понимаю, и этого я боюсь меньше всего, уверен, мелодия вывезет, да и всегда можно исправить, а вот заговорить на этом проспекте, где небо склонилось, расстелило тени и подслушивает... *Мари, ты мне как-то сразу стала дорогой и близкой!* (Зыбкая связь, призрак ее сливается с моим, и это бесценное чувство так легко потерять.) Я не боюсь упустить нить мысли, не боюсь опростоволоситься в письме, в статье, в моей полуночной блошиной беготне глаз с одного клочка бумаги на другой, рассыпая пригоршни букв, я мусолю карандаш, свеча слабеет (удушающий утренний сомнамбулизм чувств)... *Мари, если б ты знала, как боюсь я тебя потерять!*

На ее лице появилась нежная улыбка, точно она вспоминала что-то очень ей дорогое, и рассказала анекдотическую историю о том, как мсье Моргенштерн после продажи на аукционе какого-то старинного музыкального инструмента подал в метро нищему тысячу франков; за этой историей всплыла другая, за ней третья... Мари поступала в Парижский университет, а попала в Нантер, как раз к открытию факультета в 1964 году: вокруг стройка, пыль столбом, в коридорах зданий стук молотков и визг пилы, зимой мерзли, но были счастливы: пирушки, веселье... Ее руки мелькали, глаза блестели. (Завтра, увидимся ли мы завтра?) Проучилась два года, бросила, не признавалась родителям, три месяца жила у Альфреда...

— Жила бы до сих пор, если б не попалась матери в городе. Не умею врать, призналась сразу. Мать взбесилась, стала во всем его винить. А он тут при чем? Ни при чем, конечно.

Мсье Моргенштерн — что я знал о нем тогда?

Я, разумеется, видел его на старых, аляповато крашеных открытках, в редакции висит календарь: на фоне подобия Башни Николы Тесла он появляется из дыма и молний в щеголеватом серо-голубом костюме (под цвет его больших глаз), в плотно застегнутой на серебряные пуговицы жилетке, на шее шелковый аскот темно-синего цвета, на голове котелок, в одной руке он держит трость, на ладони другой — только что вылупившегося цыпленка (Paris, Novembre 1923). Я спросил Розу Аркадьевну, почему на стене висит старый календарь? Почему бы не повесить новый? Она застенчиво улыбнулась, со снисхождением сказала: «Ну что вы, молодой человек, Альфред незаменим».

Русский по матери, эмигрант, поэт-дадаист или сюрреалист (я пока не разобрался), довольно известный пианист, играл в кинотеатрах, ресторанах и в джаз-бэндах, актер театра и немого кино, коллекционер антиквариата, во время оккупации был участником Сопротивления, но прославился он прежде всего серией картинок l'Homme Incroyable, она выходила с двадцатых по пятидесятые и была очень популярна, открытка с образом Невероятного Человека (я не совсем понимаю, кем был этот персонаж: магом или фокусником, изобретателем или искателем приключений), которого изображал Альфред Моргентштерн, была чуть ли не в каждом доме, но после войны по каким-то причинам (возможно, возраст) Альфреда заместил сильно похожий на него человек, и серия угасла. Не так уж и мало мне известно! Но все это как-то поверхностно. Факты, сведения... Зеркала, в которых человек отражается, намеренно приняв позу, почти всегда врут. Ты можешь оказаться в истории кем угодно.

Есть люди, которые, проживая свою молодость интенсивней, чем другие, впитывают эссенцию времени, задерживают его в своем образе, превращаясь в бродячий фотоснимок.

Но может быть, это только образ? Un image, и ничего больше? Перевернешь его, а там — пустая страница...

С вкрадчивым шелестом мимо пролетел велосипедист, фалды пиджака взлетали, показывая заклепки подтяжек. Покурили на скамейке и пошли по бульвару. Сверкая фарами, с рыком неслись машины. Иногда из них высовывались молодые люди и что-нибудь кричали.

Я рассказывал о Чистополе, о нашем знаменитом своими посиделками общежитии, мама и папа работали в литфондовском буфете на кухне, Парнах стоял на дверях... А другой работы там не было! Кое-кто делал портянки, шил гимнастерки. Время было бедственное. Мы там жили, как на острове. Я задумался...

— Я как будто только родился.

Да, я так сказал (мое горло пересохло, там что-то слиплось, мне показалось, слова вырвались из спаек моей души; моя душа, она как мученик в смирительном камзоле).

Она тихо улыбалась, а потом взяла меня под локоть.

— Привыкнете. Поверьте, вам все это быстро надоест.

— Последний год в Ленинграде — такая была слякоть и тоска!

— Расскажите! Как там? Я ведь никогда не была в России.

— Пошлость, цинизм, материализм, матерщина и хулиганье на каждом шагу.

— О, у нас этого добра тоже хватает.

— Не видел пока. Видел образованных и удивительных людей.

— Мне кажется, вы идеализируете здешнюю жизнь. Все вас восхищает, даже простые французские слова.

— А как не восхищаться французским? В нем столько очарования!

— Не знаю. Видимо, потому что я его знаю с рождения, как и русский. Это просто языки. Как посуда или какой-нибудь... fer à boucler[1], — и засмеялась, я тоже улыбнулся. — А вот английский мне нравится. Он мне кажется таким величавым, таким гладким, округлым и — как бы это сказать — на все случаи жизни, что ли. Стараюсь говорить на нем при любой возможности и читаю. — Я видел книги в парикмахерской и в ее сумочке тоже была (*The Bell Jar*). — Жаль, что пришлось бросить учиться. — Погрустнела, замолчала (наверное, что-нибудь случилось, лучше не спрашивать).

— И еще, я никогда не летала на самолете.

— О, вы ничего не потеряли. Очень неприятная вещь.

— Правда?

— Уверяю вас.

Я боялся спать, когда летел в Америку, был очень тяжелый перелет; возможно, потому, что он был неожиданным. Меня очень долго расспрашивали агенты английской спецслужбы, они хотели знать всё: мою биографию подробно, всё о моих родителях, друзьях, все адреса, по которым я проживал, школы, техникум, места работы, а когда дошли до психушек, их интересовали не только лекарства и процедуры, но и каждая ничтож-

---

[1] Щипцы для завивки *(фр.)*.

ная мелочь, даже имена санитаров и пациентов, просили их описать, всё-всё, и не один раз. Это длилось около двух месяцев, а потом неожиданно меня отправили в Штаты, поздним вечером пришли и сказали, что мы летим; я испугался, весь полет в сон тянуло невероятно, я засыпал, вздрагивал и просыпался, как во время пытки, в голову лезла редчайшая дичь, например, я боялся во сне вылететь из самолета, как в поезде скатываются с полки. Об этом я, конечно, умолчал. Зачем ей знать о моих страхах?

— Боюсь, разочаруетесь скоро.

— Почему?

— Привыкнете ко всему — и к французскому, и к Парижу. Не хотелось бы вас видеть в такой день, когда вы вдруг поймете, что нет большой разницы между нами и советскими. Везде жизнь, везде всего лишь люди.

И я подумал, что людей она, должно быть, знает и чувствует лучше меня.

Стемнело. Один за другим зажигались огни. Сумерки подъели столбы, светильники высовывались из тумана, как огромные сказочные грибы. Мы медленно шли по Аустерлицкому мосту. Вода становилась черней с каждым шагом, чернее и ближе.

Я с раннего детства верю, что человек может больше, чем ему предписано. Я верю, что где-то есть ангелы, которые ждут тех, кому удалось себя раскрыть. Больше всего на свете боюсь утратить эту веру (религия тут ни при чем). Она озаряет мой путь, придает смысл чепухе, которой приходится заниматься. Мне это открылось, когда я поселился на краю Василеостровского, в подвальной комнате двухэтажного ветхого дома на Гаванской, 8А. Там было холодно и сыро. Гололедица, хмарь, помои, пьянки. Я работал маляром-штукатуром, платили ничтожно мало, хватало на суп в столовой, гречку, картошку, хлеб, если б не мой тульский дед, я бы голодал. Он писал мне длинные письма, он тоже был ужасно одинок, бабушка в войну умерла («наши женщины не пережили войну», писал он). Он учился в петербургском университете, женился на простой, почти безграмотной девушке и бросил учебу, они жили душа в душу, она знала наизусть много стихов и песен, дедушка говорил, что по ее пению он угадывал, в каком расположении духа она была. Если бы я сохранил его письма... Мой дедушка родился в Выборге в 1882-м, затем Петербург, вернувшись после женитьбы в родной город, он поступил работать в районную больницу, писал, что чудом спаслись во время апрельских расстрелов 1918 года, бежали к друзьям в Шлиссельбург, где он работал санитаром до начала войны, оттуда их с бабушкой вывезли на барже в Чувашию, год в Кисловодске, еще какие-то странствия вплоть до уральских заводов, ее сердце не выдержало длинные смены за станком, остановилось, делали снаряды для «Катюши»: гора стружки возле станка в конце смены превышала человеческий рост втрое, пайки были мизерные; дед остался один, после войны у него была одна сплошная Тула. Он так и не выучился на врача, но был добросовестным медбратом. Его посылки меня здорово выручали. Он хотел приехать, но так и не собрался; а мне, чтобы навестить его в Туле, денег не хватало — и чего-то еще. Я повидался с ним только перед самым побегом. Маленький, сухощавый, с узеньким добрым лицом, чеховской бородкой и удивительно проницательными, но не въедливыми глазами. Он не пил и пропагандировал здоровый образ жизни, не одобрил мои сигареты. У него было чисто, вещей было мало, на стенах — портреты и чеканки, медали в открытых коробочках торжественно лежали под стеклом в трюмо рядом с бабушкиными брошками, булавками, пуговицами (простые пуговицы — срезал с ее кофточки), дневник донора и еще какие-то документы. Я пробыл два дня и поехал обратно, торопился; казалось, что в мое отсутствие мою комнатку обыщут, найдут записи, сожгут или отнесут в КГБ, я был уверен, что соседи следили за мной. Именно на Гаванской у меня случались глубокие красочные сны, просторные, как сады или немыслимые фортификации, в этих снах я много странствовал, посещал неведомые города с чудно завивающимися улицами, в нарушенной перспективе которых было что-то намеренное, чья-то воля, чей-то взгляд, способный преодолеть любые законы, на тех улицах мне встречались странные существа, похожие на людей, но с алмазными взглядами, там были дома без окон, с просверленными ходами вместо дверей, там, в странном видении, как на дне колодца, отворилась створка в иное бытие и больше не затворяется, я знаю, гуляю по Парижу и знаю: глубоко во мне, как в раковине, растет и вьется сон — ленточка серпантина, залетевшая в дурдом с маскарада. Мои дни были стеклянными, я шел сквозь них, как луч проектора... у меня были необычные отношения с девушками — нет, об этом лучше не стоит... белые ночи терзали меня избытком, ты не знаешь, что это такое, когда бессонная белая ночь (ни капли сна ни в одном глазу) переходит в ослепительно прозрачное утро, за моим подвальным окном идут ноги, едут машины, мотоциклы, трещит мотороллер соседа, который зачем-то, прежде чем уехать, должен проехаться по нашей ухабистой улице туда, обратно и снова туда, в обед он возвращается, чтобы разогреть щи и шумно сходить в общий туалет... мои прокуренные белые ночи, как заплатки плохих стихов, выбитые доски в заборах; по утрам я слышал, как алкоголики крадутся вдоль раскаленных стен к пивной, потрескавшимися тенями ощупывают путь, мочатся подле моего окна, мочатся и бранятся. Моя душа похожа на пепельницу, на гренку, на горький желудевый кофейный напиток из студенческой столовой, на заляпанный граненый стакан... тебе не надо этого знать, потому что самый распоследний черствый бутерброд в самом грязном парижском кафе прекрасней всей моей тамошней жизни.

Я шел рядом с чудом — нет, она даже больше, чем чудо. Она хотела, чтобы я рассказал об Америке... Я не знал, с чего начать; я посмотрел много фильмов в «Гермесе» — всегда полупустой кинотеатр, который находился на задворках Бруклина неподалеку от того места, где мне подыскали временное обиталище. «Гермес» не шел ни в какое сравнение ни с «Художественным» на Арбате, ни с «Гигантом» на Кондратьевском. Обшарпанное неприглядное здание, без афиш и стеклянных витрин, без длинных ступеней, высоких дверей, ручек с медными набалдашниками — ничто не сообщало о том, что это был кинотеатр, разве что на козырьке горели буквы H E R M E S. Он скорей походил на небольшой провинциальный клуб, зато билеты в кассе были всегда, и показывали такое, чего в Советском Союзе нипочем не увидишь; фильмы там крутили почти всегда старые и не самые популярные, однако для меня они были манной небесной, я ходил туда каждый день, утром и вечером, а когда не спалось, шел на ночной сеанс; в том замусоренном душном кинозале я провел примерно столько же часов, сколько и на улицах Бруклина. Времени у меня было много, девать было некуда! Я жил на небольшое пособие, которое иронически называл пособием за измену родине. Некоторые доброжелательные чуткие эмигранты просили меня так не выражаться. Их многое не устраивало в моем поведении. В моем положении они находили что-то сомнительное, подозревали во мне бог весть кого — нового Иуду, что ли! — они меня чурались, а я и не тянулся: американские русские мне не казались интересными. Америка меня обдала своим холодом, — я кое-что понял об этой стране. Во время просмотра очередного фильма я подумал, что мне будет достаточно Америки в виде голливудских фильмов, я смогу Америкой довольствоваться на расстоянии, проживая в какой-нибудь другой стране, например, во Франции. Бруклин мне нравился, — я жил в хорошем местечке: Park Slope, в большом доме из красного кирпича, с чугунной белой обшарпанной лестницей, которая гремела под моими ногами, как трап (на корабле я никогда не плавал, но, поднимаясь к себе на третий этаж, я закрывал глаза и представлял, будто я на корабле), у меня была уютная комната с подозрительно высоким плинтусом, она была даже больше той, что у меня на d'Alesia, — однако оставаться там не хотелось. Я знал, от чего бежал, но плохо сознавал, к чему стремился. Просиживал штаны в кинотеатре и библиотеках, шатался по музеям и шопинг-моллам, изъездил все линии сабвея из конца в конец, прошел пешком Atlantic avenue туда и обратно, сигареты быстро сгорали, а проспекты не кончались, киоски, антикварные магазинчики, лавочки зябких букинистов — в скверах на ветру они потягивали спиртное из своих фляг, я останавливался возле каждого, что-нибудь обязательно покупал, мне давали хлебнуть кофе и виски, несколько ничего незначащих фраз и — я шел дальше, так шатался до темноты, читал газеты в автобусах и поездах, вечерами перебирал книги: прочитаю страницу и отложу... возьму другую, открою и читаю, едва ли понимая... рылся в словаре, выписывал слова... ни одной не дочитал... привез с собой чемодан непрочитанных книг. Они пахнут Бруклином, в шелесте страниц живет эхо голосов букинистов, фразы случайных прохожих... я читаю и не читаю, вместо слов вижу высоких девушек в джинсах и коротких курточках, они улыбаются мне, я улыбаюсь в ответ, они смеются, земля под ногами трогается, надо мной развертывается высокое осеннее небо, слева и справа протягиваются проспекты, по которым летят машины, спешат прохожие, скользят тени облаков, бегут дети; я слышу музыку уличных музыкантов, свист полицейского, в душе моей появляется сквозняк; закрываю книгу, надежно застегиваю чемодан, он набит до отказа моим чувством смутной вины, толстый чемодан моего предательства, которое стало расплатой за свободу.

Я смотрел на Мари, и в моем сердце вспыхивала мелодия, вспыхивала и пропадала, сердце словно делало сальто-мортале, в голове все путалось, обрывки мыслей волочились за мной поодаль. Я что-то говорил, сильно не договаривая, все остальное удерживал в скобках. Петербург? Да, удивительный город, жить в нем надо уметь, но мало у кого выходит, столько калек и психопатов... У меня ничего не получалось, я боялся жизни, стыдился приглашать к себе девушек (с самого начала ощущал неисполнимость моих желаний). Много читал. Учил языки, брал уроки английского и французского у старой поэтессы, она жила на набережной Мойки в большой коммунальной квартире, ее подъезд было не просто найти, я плутал и путался в проходных дворах, темных пассажах, всегда не в ту дверь, не в тот коридор... дабы соседи не заподозрили, я выдавал себя за ее внука, расплачивался с ней книгами, их было полно в моей комнате, они там спали с довоенных времен, кое-что совсем античное, поэтесса взяла том Соловьева за три урока, и два потрепанных сборника Гумилева — за один (я долго размышлял над этим: то ли она по весу или внешнему виду взяла, то ли Гумилев не настолько хорош? — спросить, естественно, не решился). Окно комнаты я до форточки заставил папками с рисунками предыдущего жильца (художник, умер в блокаду, рисовал углем, вся комната в угольной крошке, с войны не убирались). Девушки со мной ссорились. Друзья от меня быстро отворачивались. Меня считали чудаком. Это было после первого залета в дурдом. Рано или поздно о таких вещах узнают все. Мы живем в домах, в которых полным-полно отверстий. Я никому ничего не рассказывал. Отец меня сдал в дурдом. Что тут рассказывать? Избавился. Но это наше дело. Он испугался. Я писал всякое, читал стихи с балкона, все слышали, разбрасывал их — весь двор был белым, дворник ругался. Я говорил о том, о чем следовало молчать, приставал к друзьям отца, задавал вопросы, читал странные книги, занимался йогой, сидел на подоконнике в позе лотоса и вдыхал солнце, разглагольствовал о реинкарнациях, теософии, эзотерике... Отец позвонил в психушку — меня забрали на восемь месяцев. Никакого следствия не было. Он написал заявление, будто я голым с кочергой по подъезду бегал за каким-то человеком, которого никто не видел, сосед-собутыльник все подтвердил, его жена тоже поставила подпись. Все прошло быстро: очень просто оказаться в институте Сербского, исчезнуть в одном из коридоров какой-нибудь клиники навсегда. (Много позже, когда я попал на Арсенальную, Михаил Александрович Нарица мне сказал, что отец меня спас: «Он видел, что вы дров можете наломать, и спас вас. Вы стали дураком для органов до того, как сделались диссидентом. Благодарите отца за это, не держите на него зла», — но даже после этих слов я вернуться к отцу не смог.)

О другом я говорил, о другом... о том, как все-таки хорошо весной в Ленинграде, как блестят купола, как просторно на набережных, и мосты, да, я всегда любил мосты — в них есть что-то сказочное: переходишь из одного мира в другой... и музеи, в них чувствуешь, насколько все-таки наш мир придуман; страсть к музеям, в конце концов, подвела... Так, не сказал ли я чего-нибудь лишнего? придет ли она завтра? наступит ли завтра вообще? Этот мост, пусть он не кончится, пусть сольется с рекой, и мы уйдем в подводное царство теней!

2

гадать с закрытыми глазами
за шторой мира
складывать вкрадчивые ноты дождя
в сумеречный мотив
дорисовывать пейзаж

спящий в дымке под веками
скрещивать свою судьбу
с судьбами призраков
хлынувших на тебя эшелонами сновидений

Что-то будто трепыхается, шуршит. Бывает, проснешься посреди ночи, чувствуя, что в комнате кто-то есть, бросишься к спичкам и, минуту спустя, когда страхи сдавят грудь, с облегчением слышишь бархатный шелест крыльев залетевшей в окно бабочки.

Альфред веером выгнал бабочку на свободу. Несколько секунд смотрел, как она летит в свете фонаря: кардиограмма ночи. Закрыл окно, задернул штору. Свеча на терракотовом бюсте Вольтера погасла. На Дидро и Руссо они еще горели, но тоже вот-вот. Он достал еще свечей из шкафа. Не люблю электричество. Когда открывал дверцу, показалось, что на него посмотрели, точно он распахнул ставенку, за которой сидела старушка в чепце.

Я путаю даты, забываю имена, события, но прошлое от этого не изменится. А кто его помнит достоверно? Все помнят только то, что хотят помнить. С годами корректирую, вычеркиваю, приписываю. Нет истории, нет прошлого. Сколько бы редакторов над книгой ни трудилось, у всех событий есть единственный верный текстовый оттиск. Ключи к нему хранят призраки, с которыми мы говорим по ночам. И что это за язык, на котором мы говорим? Язык теней, шифр складок бесконечно тонкой материи.

Он закрыл шкаф, зажег свечу, поставил на блюдце, зажег другую, разогрел тыльную сторону и примостил на челе Вольтера.

Хорошо бы радио включить.

Есть в этой ночи какое-то зыбкое воспоминание. Оно тревожит воздушным прикосновением, как невидимая вуаль. Набегает волна образов. Как только я пытаюсь их рассмотреть, вуаль исчезает, я забываю увиденное. Мимолетные сны. Это напоминает быструю реку. Возможно, она и не была быстрой, когда мы неслись на поезде, шляпка спорхнула, послышался чей-то смех, мне захотелось зло посмотреть на того, кто смеялся над мамой, но тут и мама засмеялась, и папа, и все…

Он включил негромко радио. «Орфей» Монтеверди. Хорошо. *Les Enfers*[1]. Тем лучше.

С ранних лет я относился к костюму с щепетильностью, был бережлив, ценил красивые вещи, любил постоять перед зеркалом.

Он останавливается перед зеркалом, рядом с которым — в один рост с хозяином — навытяжку стоят контуазы, старинные, «беременные», часы из Безансона. Они перестали звонить в 1958 году. Зеркало дышит изменчивыми бликами свечей; согласный ход часового механизма сообщает процедуре созерцания драматическую напряженность. За пятьдесят с лишним лет отражение помутнело, покрылось царапинами, как потрескавшийся фламандский портрет, и облупилось по краям, но ход — всё тот же, всё та же поступь.

Глаза смотрят с мольбой, странно. Я мог бы сыграть нищего, а если учесть, что за скорбной маской часто скрывается подлость, теперь, пожалуй, хороший бы из меня вышел Трусоцкий или Полоний. Но откуда во мне скорбь? Я всегда ощущал себя счастливым человеком, и я это тщательно скрывал.

Он долго смотрит, пока не начинает видеть свое лицо таким, каким оно было в тридцатые годы: большие голубые глаза, русые волосы, мягкие, редкие, с пепельным отливом и серебряными струнами седины, легкая бледность, маленькие тонкие, слегка детские губы. Бледность и глаза никогда не менялись,

---

[1] Царство мертвых (*фр.*).

даже во время болезни, которая напала на него в последние годы. В чертах его всегда жило медленно твердеющее страдание; каждый, кто встречал его, полагал, что Альфред Моргенштерн перенес трагедию, утратил близких, мало кто знал, что с этим выражением страдания, с этой трагедией в лице он родился. Ему всегда шло серое, белые бабочки, платки с голубым отливом, запонки с лазуритом или галстук с зажимом из золота с крохотными изумрудами. Альфред не любил роскошь, никогда не был слишком богат, жил скромно, но ценил эти украшения, они напоминали ему о родителях; воскрешая близких в памяти, он старался не представлять их лиц, ему было достаточно ощутить их присутствие, мимолетное тепло, дающее понять: ты не один, уверенность присутствия струилась из-за левого плеча и наполняла тяжестью грудь, — длительные свидания с прошлым не выносил, заболевал.

Вчера было нехорошо с сердцем. Опять оно ворочалось, недовольное, будто в груди ему тесно. Что был за день, из которого эта ночь вышла? (Если это ночь, позволь мне быть одной из ее мерцающих звезд!) К каким событиям она прирастает? Из какого черенка растет твоя боль?

По ночам являются призраки. Комнаты превращаются в склепы. Сквозняк наполняет занавески силуэтами давно ушедших.

Влажный лунный след. На моей груди. Сырая дорога пота, как подтаявший снег. Родная бессонница. Знакомые перебои. Лед, снег, лед. Раздробленный, как битое стекло, свет падает на мою грудь осколками и царапает душу ветвями, капает, холодный, лунный, на самое дно, где растекается струйками, жилками, одинокими, как я.

Мы жили на Остоженке в большом доходном доме № 7, на третьем этаже, без балкона (я все детство мечтал о балконе, у соседей был, а у нас его почему-то не было). Другая жизнь, запахи, звуки, ритм, даже пыль другая... Теперь Россия мне кажется фантасмагорией, сотканной из той же эфемерной ткани, что и всякий заурядный бред. Я износил мою память, она ни на что не годится. Там было огромное зеркало, втроем помещались, и даже бонна (теперь безымянная) отчасти попадала; вскоре ее заменила гувернантка Франсина. *Le petit monsieur*, — так она называла меня. Бедняжка, я так ее гонял! Я любил играть с зеркалами, просил ее подержать круглое настольное зеркальце, чтобы осмотреть себя и со спины, просил ее опустить его, чтобы взглядом захватить пятки.

Когда мне исполнилось шесть, исключительно для меня отец приобрел большой дорожный чемодан-шкаф из коричневой кожи, перепоясанный золочеными коваными полосами, тяжелый, лет до тринадцати мне запрещалось его передвигать; на его дверце были две крупные стальные защелки, какие бывают на каретах; чудо-чемодан закрывался на висячий замок, ключ к нему тоже был позолоченным.

Мебель в моей комнатке меняли по мере того, как я рос. Всегда с трудом расставался с вещами. Я живу посреди самой настоящей свалки. Магазин на Pas de la Mule превратился в хранилище. Навести бы там порядок... и сделать *веселую распродажу*?.. Нет, у меня уже не хватит сил. По франку за вещь?! «Это не в твоем стиле, Альф. Не смеши меня. Под шумок растащат бесценные артикли». Да, так скажет Серж, и будет прав: *не в моем стиле*. В последнее время мною овладевает пугающее безразличие ко всему. Я сдаюсь потихоньку забвению. Мне все равно, что думают обо мне люди, каким я отражаюсь в предметах. Я не хочу их подле себя удерживать. Отпустить хватку, позволить миру уйти в безмолвие. Привычка говорить с вещами. Не от одиночества. Я никогда не был одинок, всегда ощущал присутствие — призрака, Бога, ночной бабочкой впорхнувшего в мою комнату. Взгляд. Мое существование прошло под пристальным наблюдением невидимых зрителей, оно всегда зависело от них. Взять да и продать этот секретер! Сколько можно! Скоро полвека, как тут все на своем месте. Я ничего не меняю в интерьере — в жизни слишком много перестановок, наш мир стоит не на твердом грунте, а на реке раскаленной лавы. Некоторые районы Парижа за последние десять лет изменились до неузнаваемости.

Мою улицу будто разворовывают. Срубили каштан на углу возле дома, в котором коротко жили Бриговские, в самом начале двадцатых, а следом снесли и сам дом, за ним ушли фонарные столбы, исчез дворик с беседкой. Внизу, возле улицы Пасси, когда-то были фруктовые сады, фермы, конюшни. На их месте что-то строят. Любимые кафе, в которых меня баловали, от них и следа нет, даже обшарпанной краски, ни буквы на стеклах; появлялись другие, улица перекрашивалась, переустраивалась, — где-то все это записано, я вел учет. Когда мы только въехали, недалеко от кондитерской, в стареньком, наполовину деревянном доме, ютилось маленькое кафе «Пирамида», так получилось, что мое увлечение Египтом совпало с нашим приездом, и кафе со всеми безделушками и картинками, якобы привезенными хозяином из Египта, пришлось очень кстати, мы ходили туда, как в музей, я с восторгом рассматривал фигурки божков, перерисовал иероглифы с деревяшек, папирусов и камней, которые хозяин кафе выдавал за осколки пирамиды, все это меня волновало, все казалось аутентичным, хотя папа говорил, что не раз видел хозяина на барахолке покупающим африканские бусы. Посетители кафе «Пирамида» мне казались необычными, особенно по вечерам, когда мы, покачиваясь как на волнах, медленно проезжали мимо в фиакре, сквозь мутные стекла маленьких низеньких окошек я видел: они смеялись, пели, танцевали, медузами плавали шляпки дам, их шали тянулись подобно водорослям, энигматический свет масляных ламп превращал лица в морские раковины, из которых выглядывали сверкающие иноземным пламенем глаза. Нежданно кафе закрылось, недолго притворялось магазинчиком рыболовных снастей, было что-то еще, кажется, до войны держалась галантерейная лавка, затем дом будто заболел и торопливо умер, жарким пыльным июлем 1918-го его сломали, улица долго зияла вырванным зубом, было больно ходить мимо. Теперь стоит безликое здание с конторами внутри. Из него выходят незнакомые люди. Их в Пасси все больше и больше, разгуливают с видом биржевых работников, жуют или курят, без пиджаков, с галстуками по пояс, сутулые и наглые, кучерявые, лысые, небрежные, с чужестранными манерами и акцентом...

Rue de la Pompe в начале века: высокие развесистые каштаны, виллы с запущенными садами, застенчивые деревянные домики, широкий удобный тротуар. Места хватало всем: и прохожим, и велосипедистам, и торговцам с их тачками. После Первой мировой деревянные домики снесли, на их месте построили внушительные каменные здания — улица стала уже, а каштаны ниже; из окон домов смотрели новые люди, молоко, фрукты, овощи, булки поднимали на веревочках в корзине, на подоконниках появилось много цветов, улица стала праздничной, и в привычку вошло улыбаться. Каштаны... теперь это замершие инвалиды, ветераны, прожившие три войны, в некоторые ветви вкручены штифты, стволы поддерживают тросы, большинство ветвей подпилены, они сохнут, и листва не шумит, как прежде, а тени акаций и платанов, когда-то чернильные и плотные, теперь полиняли, став прозрачными и не столь обширными.

В трех домах от нашего была бакалейная лавка с горбатым стариком, я видел катафалк, на котором его увезли, я запомнил, что люди на улице останавливались и снимали шляпы, я видел надпись *à vendre* на стекле его лавки и мне хотелось плакать.

Я обожал сказочную пекарню двух пожилых сестёр, которые с годами сами стали походить на свои изделия; любил зайти в охотничий магазинчик, подолгу рассматривал ружья, чучела, шкуры, слушал небывальщину старого охотника на деревянной ноге, хотя половину слов не понимал, он говорил очень невнятно, на каком-то странном диалекте, у него были забавно грубоватые манеры.

На rue Victor Hugo мама делала покупки, на rue Picot жила красивая русская барышня, она всегда мне давала конфеты. Я не понимал, что она очень молодая. Странно, но не помню её имени. Она была из Петербурга, её рано выдали замуж за суховатого французского инженера много старше её. Он работал над конструкциями мостов, часто уезжал куда-нибудь, привозил ландшафтные снимки, которые они с отцом, покуривая трубки, серьёзно обсуждали. У них дома на стенах висели заводские детали, красивые, отполированные до блеска, мы спрашивали: «Зачем они тут висят?» — «Для красоты, — отвечал он. — Разве они не красивые?» Мы с ним соглашались. Однажды на старинной крепкой конторке появился маленький двигатель (или часть двигателя), весь в масле, пахнущий цехом, бензином и дымом, инженер гордился им, говорил, что это зародыш технической революции. «Мы входим в эпоху новых скоростей», — говорил он. В кабинете инженера было полно чертежей, он бывал так занят, что к нам не выходил. «Муж работает, — говорила его жена с грустью в лице и тут же улыбалась своей чудесной улыбкой, — но это ничего, вы заходите, заходите, я вас пирожными угощу!» Она всегда нам радовалась, у неё были длинные рыжие волосы (думаю, она очень нравилась папе). Она танцевала со мной, и с папой; инженер выглядывал из своего кабинета с карандашом за ухом, весь взлохмаченный, просил прощения, требовал кофе, мой отец спрашивал, не мешаем ли мы ему, он отвечал, что ему ничто не мешает. «А патефон?.. шум?..» — «Нет, — говорил он, — шум мне никогда не мешает», — и затворял дверь.

В Ранелаге, кажется, собираются делать теннисный корт. Надеюсь, что не доживу. Настанет день — исчезну я, и это будет другая улица.

Посередине комнаты вертикально стоит *l'armoire-valise*[1]. Распахнут. Три ящичка торчат, из них выглядывают язычки бумаг. Альфред — рывками (шкаф не сразу отпустил) — выдвинул маленький столик. Отдышался. Поставил перед ним детский стульчик. Нашлась чернильница. Разложил перья. Счетная машинка с обломленной ручкой. Ничего, можно карандаш вставить. А вот и он — обглодыш. Эти бумаги я исписал шестьдесят лет назад. У меня ком в горле встает, когда я смотрю на них... это моя рука, моя детская рука.

Я любил отгородиться.

Он ставит один стул. Рядом другой. Срывает с софы одеяло. Оно летит на пол. Набрасывает на спинки стульев простыню. Расправляет ее.

Voilà! Моя крепость. Так она строилась.

Бюст Вольтера на столик. Руссо и Дидро на этажерке, как зрители в бельэтаже. Хорошо.

Он обходит свое сооружение, заглядывает из-за дверцы внутрь.

Теперь я на голову и плечо выше чемодана. Наверняка я выше отца.

Альфред садится на софу, вздыхает. Под руку попадается трубка. Ах, вот ты где! Он долго ищет кисет. Наконец-то закурил.

Чемодан раскрывался, как настоящий шкаф, внутри левой части были вделаны вешалки и полки, а правая часть состо-

---

[1] Шкаф-чемодан *(фр.)*.

яла из трех отделений, каждое из которых имело несколько выдвижных ящичков; кроме того, крышка выпускала тонкую ширму: с внешней стороны на ней был узор со странствующим посреди джунглей Святым Кристофором, а внутренняя сторона была до пола зеркальной. Я прятался за ширмой и переодевался то в пирата, то в мушкетера. Костюмы, оружие, парики, банты, ленты, пояса хранились в шкафу.

В Париже мы намеренно приобрели мебель очень схожую с той, что была у нас в Москве. Папа беспокоился, что переезд я перенесу тяжело, поэтому мы несколько лет и не переезжали, бывали на новой *парижской* квартире наездами — два-три раза в год, родители делали вид, будто мы вовсе не собираемся переезжать, отсюда мы ехали на Ривьеру, в Биарриц и Монако, сюда мы возвращались, изучали Париж, ездили в Версаль, если папа получал приглашения, посещали салоны известных русских аристократов, которые, давно переселившись во Францию, интересовались у него, что нового в России; а затем возвращались в Москву, где все шло привычным чередом (у меня были навязчивые идеи, будто меня готовят к чему-то неизбежному и трагическому, чему-то вроде разлуки, кадетского корпуса или boarding school; некоторых моих знакомых детей это постигло, и они исчезли из моей жизни, при случайной встрече они мне казались сильно измученными, очень несчастными, точно они прошли через пытки, я сильно боялся, что и мне что-то подобное предстоит).

До конца двадцатых годов я не вполне сознавал, что живу в Париже потому, что так хотел папа, такова была его воля. Париж очаровал его, он был влюблен в этот город; он одинаково любил неоготику и Art Nouveau, обожал Эктора Гимара и Жюля Лавиротта. Отец нарочно выбрал небольшой домик в шестнадцатом округе, чтобы поселиться неподалеку от Триумфальной арки и Елисейских Полей. Он хотел, чтобы я жил в его мечте!

И я в ней себя чувствовал прекрасно. Я был счастлив. Я полюбил мой второй дом всем сердцем. Мысль съехать отсюда, хотя бы в другой аррондисман, ни разу не посетила меня. Я ничего не менял в комнате отца (самая большая перестановка случилась в 1961 году, когда я продал приобретенный им клавикорд и вместо него поставили этот клавесин). Некоторые мои знакомые удивляются, но те, кто меня знает давно, свыклись. Это меня характеризует, так они говорят, и вряд ли ошибаются.

В каком-то смысле, я живу в музее, однако замечаю это только поздно ночью. Появляется такой специфический запах, и все предметы, подернутые сумраком, приобретают значимость, точно они под стеклом. Это немного пугает. Я всегда терпеть не мог музеи: насильно обращенные в экспонаты вещи дают ложное представление о мире, истории, человеке; вырванная из своей среды безделушка частично теряет свои свойства, перестает казаться обычной, превращается в терафим (у меня их целая коллекция, я знаю, о чем говорю); наполнившись исключительностью, музейный экспонат лжесвидетельствует не только о своем прежнем владельце, но о человеке в целом. Музей напоминает сумасшедший дом. Если спрятать среди идиотов психически здорового человека, то никто не отличит его от больных. Так и вещи. Я могу поместить в музей что угодно. Мои носки. Мои галстуки. Огрызок карандаша, которым пишу. Запросто. Они все равновелико достойны внимания потомков. На мой дом можно повесить табличку Un Musée, и все, без объяснений: *un musée*. Ничего никуда носить не придется. Весь Париж — музей. Весь мир. Потому что... нет, об этом я писал в другом месте, надо поискать.

Теперь мои недели похожи на старую расческу с выпавшими зубцами: то забылось, это стерлось.

В нашем доме всегда был граммофон. Первого учителя музыки я не помню. Когда я пошел в школу, в моей миниатюрной взрослой жизни появились настоящие записи. Иногда я воображал себя нотариусом, как отец, заполнял бланки, ставил на них печать и подпись, завел карточки, на которых записывал имена своих друзей, вписывал дату рождения, цвет глаз и волос, собирал открытки, марки и монеты. Особое место в шкафу занимал набор детектива: увеличительное стекло на эбонитовой ручке, перчатки, кисточки, игрушечный пистолет, связка ключей, фонарик, — к нему отец добавил книгу «Приключения Шерлока Холмса», трубку, настоящий английский карманный нож с двумя лезвиями и штопором (на ноже была гравировка: James Fenton & Co, Sheffield). Отгородившись от всех, я возился с игрушками, перекладывал их из одного ящичка в другой, что-нибудь рисовал или изучал через увеличительное стекло. Передвижной шкаф был моим кабинетом. С ним я объехал весь свет! Карта и глобус были моими первыми друзьями. Путешествовал я просто — достаточно было вращать глобус. Я хотел, чтобы моя комната была точной копией папиного кабинета: бюро, массивный стол с множеством ящичков, вдоль стен тянулись полки с книгами, в углу стоял шкаф с большими стеклянными дверцами.

Меня преследует редкого рода кошмар: бесконечное здание, из которого мне не вырваться и никак не проснуться; квартира на Остоженке, московская гимназия, дом на rue de la Pompe, лицей, Сорбонна со своими коридорами и лестницами — все, перемешавшись, превращается в чудовищный лабиринт. Очень редко случается и наяву. Как эпилептик предчувствует припадок, так и я научился предугадывать, когда вдруг комната начнет растягиваться, стены расти, и я знаю, что за дверью может быть все, что угодно. Если я трезв и бодр, то могу перенестись в комнату отца — она есть, я вижу каждую книгу на полке! Кто бы в ней теперь ни жил, там все как прежде. Я вижу его: он сидит и что-то читает.

Альфред встает. Выбивает погасшую трубку. Ох уж эти марокканские трубки... Наливает из графина вино. Рука трясется. Черт. Пьет жадными глотками.

Я обожал комнату отца. Забирался в кресло-качалку, раскачивался, напевая себе под нос, наблюдал, как он работает: перекладывает бумаги, заглядывает в толстые книги. Кресло похрустывало, бумаги шуршали, отцово перо скрипело, иногда он что-нибудь подчеркивал, и тогда перо смешно взвизгивало, меня это веселило, я просил: «Папа, сделай еще! Еще-еще!»

— Еще-еще, — говорит Альфред в темноту. — Еще! Еще!

Я хотел, чтобы у меня было все так же, как у него. Я собирал в шкафу на полочках бумаги, отец отдал мне старые перья, и я ими скрипел, старался.

«Наш Альфред превратился в маленького клерка», — говорила мама гостям, приотворяя дверь в комнату, они заглядывали за ширму, я замирал — от удовольствия (мне нравилось, когда на меня смотрели, но виду не подавал).

Однажды я расслышал, как какая-то подруга матери (или наша дальняя родственница) воскликнула: «Господи, какой он у вас кукольный! Ну, прямо игрушечка!» Хоть и смутился, я сделал вид, будто пишу и ничего не слышу, так и не показался в гостиной.

Я родился в 1896 году (в день, когда умер Морис фон Гирш[1]); отцу было тридцать четыре, — эти цифры не укладываются в моей голове. Я почти ничего не знаю о папиной жиз-

---

[1] Maurice de Hirsch (1831—1896) был потрясающей щедрости человек. Например, обеспокоенный еврейскими погромами в России, он хотел переселить две трети евреев из России в Аргентину, а когда этот план не удался, сделал российскому правительству щедрое предложение: принять 2 млн фунтов с целью основания фонда финансирования образовательной системы для евреев в черте оседлости, — Россия отказалась. В конце концов, он создал Еврейское колонизационное общество.

ни тех лет, потому что все принимал как должное и думал, что сверх того, что я вижу, ничего не происходит (мои родители появились вместе со мной). Теперь я бы отдал руку или ногу (зачем они мне, в конце концов?), чтобы узнать хотя бы чуточку побольше о нем. Знаю, что у моего деда был вздорный характер, он рассорился со всей своей родней и уехал из Германии в Петербург (вел тайную переписку с сестрой), можно представить, чего он натерпелся: работал репетитором, коммерческим агентом, газетчиком, снимал очень маленькую комнату, о чем каждый день напоминал отцу. Деду повезло жениться на неглупой и не самой бедной русской девушке, вот тогда он и открыл свой книжный магазинчик, который наполовину был газетным ларьком. Друзья у него заводились исключительно русские и деловые, мелкие предприниматели, он превозносил русскую культуру и на немецком старался не говорить. Своих детей он отдал в обычную русскую школу. Отец — старший из двух братьев — получил возможность поехать учиться в Москву (он самостоятельно учил немецкий), а на образование младшего брата денег не хватило, ему пришлось трудиться, он рано женился, работал в типографии, доходили слухи, что он выпивал и играл, бросил семью, стал анархистом, угодил в острог. В Петербурге мы побывали только два раза, зато в Германию ездили часто, и когда дед узнал, что папа поехал к родственникам на поклон, сильно разозлился.

Отец работал в крупной московской нотариальной конторе, из которой затем ушел, открыл свое скромное бюро и был сам себе голова. Мы с мамой нередко встречали его на ступенях здания, где находилось бюро, и оттуда все вместе шли на Арбат, Пречистенский бульвар или Тверскую; гуляя среди людей, я чувствовал себя очень маленьким, мне казалось, что я гуляю среди деревьев; я придумал, что у этих людей есть не только руки, ноги, но и длинные-предлинные ветви, уходящие в иные миры, и на тех ветвях растут волшебные цветы — те цветы, что были на шляпах и лацканах, я полагал, символизировали *другие*, подлинные, скрытые от глаза бутоны, — может быть, так на меня сильно действовало величие церквей, по воскресеньям мама ходила в Страстной монастырь, иногда брала и меня с собой. Мне было важно, как я выгляжу, как на меня смотрят. Я пытливо вглядывался в лица прохожих, гадая, какое произвожу на них впечатление; я искал отклика, всем улыбался...

Впервые чемодан отправился в свое настоящее путешествие только в 1906 году (в дороге он был страшной обузой). Мы переехали в Париж навсегда, но папа продолжал работать в Москве. Моим образованием и введением в светские круги парижской жизни занимался все тот же мсье Леандр. К тому времени он пообтрепался, распустился и частенько заявлялся с перегаром, но ему прощалось. «И это тоже, дорогая, часть парижского воспитания», — успокаивал маму отец. Скоро вместо Руссо я читал вслух Гюисманса, безуспешно разучивал фортепианные пьесы Шабрие. Когда мы приезжали в Париж, наша жизнь напоминала сказку: нас встречал на вокзале шофер, на пороге появлялась накрахмаленная кухарка, в доме пахло свежими булочками, в клетках щебетали канарейки, на подоконниках цветы, каждое субботнее утро мы отправлялись на автомобиле за город через Елисейские Поля. После нашего окончательного переезда сказка поблекла; осталась только сонная Франсина, готовила она неплохо, но довольно скучную еду, убирать ленилась; одной из ее обязанностей было водить меня в лицей и обратно, по пути я постоянно на что-нибудь отвлекался, и она меня дергала за руку, я жаловался, мама ее ругала, но Франсина так и не отвыкла.

Я учился в lycée Janson-de-Sailly: все было непонятно и давалось с большим трудом, даже немецкий. Один год потерял; пришлось нанимать репетиторов, чтобы наверстать; помимо всего этого я посещал учителя игры на фортепиано — вредный глухой старик с дурной привычкой что-нибудь бормотать себе под нос, он ничему научить не мог, поэтому все свое внимание сосредотачивал на правильной осанке и движениях рук своих учеников, даже побивал нас немного, на него жаловались, я слышал, как родители между собой выражали недовольство его методами, манерами, внешним видом, но все равно вели к нему детей: считалось, что побои в небольшом количестве полезны; по субботам я полтора часа проводил в обществе еврейской тетушки мадам Кафрель, которая преподавала нотные знаки и страдала от сомноленции.

Лицей находился недалеко от нашего дома, очень скоро меня стали отпускать одного, иногда я спрашивал у мамы немного мелочи. Какое давнее воспоминание! Поражаюсь, что оно сохранилось. Закрываю глаза, боюсь упустить, вижу лицо мамы, чувствую ее руки на моих плечах, аромат легких духов овевает мое лицо, мамины волосы падают мне на лоб, когда она меня целует, слышу, как щелкает кошелечек... и падает монетка! Это видение такое же хрупкое, как те старинные елочные игрушки, которые находишь на антресолях и долго, осторожно разворачиваешь, гадая, уцелела она или ты сейчас найдешь осколки. «Что ты с ними делаешь, Альфред?» После окончания занятий возле коллежа нас караулили бедняки, просили подаяния, я подавал маленькой старушке-оборвашке, она походила на тряпичную игрушку, до сих пор помню ее голосок: «Vous n'auriez pas deux sous, mon petit m-sieur?[1]» — «Я ей подаю, мама». Мама обняла меня и долго не отпускала, тискала и шептала нежные слова. Мне было одиннадцать. Теперь мне семьдесят два. Я закрываю глаза и возвращаюсь в те мгновения. Мне все еще необходимо ее призрачное присутствие. После стольких

---

[1] Не найдется ли у вас, мой маленький господин, два су? *(фр.)*

лет, стольких метаморфоз... Мне нужно ощутить ее губы на моей щеке. Ее поцелуй очищает мое сердце от скверны, напоминает мне о том, кто я есть.

Мир в те дни был более пестрым и более целостным: стены были стенами, плотными, твердыми, несокрушимыми, крыши могли отразить какой угодно удар, грозы, штормы, наводнения были не страшны, приезжал папа, и мы катались на авто. Несомненно, это воспоминание — послание с Елисейских Полей: там всегда было пыльно. На авеню Фош, по пути в Булонский лес, часто приходилось прикрывать лицо платком и щуриться. Удерживаю кадры прошлого дрожащими ресницами, стараясь не заплакать.

Благополучие нашей семьи строилось отнюдь не на папиной смекалке. Перед отбытием во Францию мама продала фамильное имение и еще какую-то мануфактуру, что вызвало сильную критику со стороны всех ее родственников, этим и объяснялось их категоричное нежелание с нами поддерживать отношения. Я об этом узнал в середине двадцатых, когда мама забегала в банк, спасая остатки нашего состояния, — кое-какие ценные бумаги и драгоценности я получил в наследство после ее смерти, благодаря чему на фоне общей эмигрантской бедности я мог более-менее беспечно существовать вплоть до начала оккупации (разумеется, я испытывал горечь и известную долю смущения, часто ссужал, иногда не тем людям).

Почти всю жизнь я прожил на rue de la Pompe, где и пишу эти строки, на правом берегу Сены. О, мраморные колонны кладбища Пасси, вы ждете меня напрасно, я уже выбрал место!

В Москве время течет медленней; даже голуби перелетают улицу с ленцой; мгновение задерживается, ты пробираешься толчками, будто рождаясь несколько раз. Париж тебя подгоняет, дает пинка ботинком, осыпает пыльцой смеха, окропляет дождем, брызгами из луж, подшучивает над тобой, плюется в тебя ругательствами, нашептывает сплетни, распахивает витрины и платья, прижимает к себе, целует в обе щечки, выуживает из тебя деньги, машет шляпой, томно заглядывает в глаза и затягивает в объятия темной бархатной ночи. Морозной зимой и душными летними днями жизнь в Москве напоминает плавное вальсирование, масляные краски, густое крепкое вино. В Париже живешь на бегу — крещендо, акварель, кофе.

Я простился с детством в Jardin du Ranelagh[1], там я катался на лошадях, смотрел марионеточный театр, мы с мамой и Франсиной бросали кольца, играли в бадминтон, к середине дня я так уставал, что чувствовал тяжесть в теле и гул в голове. Мы шли в ресторан Passy, что находился при вокзале, пили соки или теплый шоколад с печеньем, и — домой, я бросался в мою кровать и спал три часа как убитый. С папой у нас бывали длительные пешие прогулки: сначала до port de la Muette, смотрели старый замок и шли дальше в Булонский лес почти на весь день, катались на лодке, бродили по дорожкам запущенного парка Pré-Catelan, — остатки этнографических выставок я использовал как декорации для моего воображаемого приключения. Мы шли дальше, дальше, глаза отца горели, вдвоем мы забредали в самую глушь, до одури фехтовали деревянными шпагами или стреляли тупыми стрелами из лука в деревья, они глухо ударялись и падали, но если улетали, я долго искал их в высокой траве и капризничал. Возвращались на извозчике в сумерках. Мать нас встречала слегка раздраженно: «Ну, и где вы так долго? Посмотрите, на кого вы похожи! Ни дать ни взять, Сатана и его чертенок!»

Первые годы в Париже были непростыми. Город меня немного пугал, я в нем терялся. Для мамы тоже было все в но-

---

[1] *Сад Ранелаг* — парк в шестнадцатом аррондисмане.

винку. Мы жили довольно замкнуто. Я много болел, странный доктор лечил меня миррой: заставлял пить настой, вдыхать испарения благовоний и натираться мирровым маслом. Мама стеснялась говорить по-французски. Я переживал, что мне придется учиться в новой школе, и я тоже совсем плохо говорил по-французски. Отец нас ободрял, уверял, что мы скоро освоимся. Но меня трудно было расшевелить, я все время сидел дома, предпочитал поездки на машине, поиграть с папой в шахматы или поваляться с книгой. Каждое воскресенье мы обязательно ходили по букинистическим и без покупки не возвращались. Мой папа с упоением читал популярные романы Джорджа Чеснея, Уильяма Лё Кё, Гораса Лестера и др. Нашей читальной комнатой была гостиная, здесь мы валялись с книгами (ужас! в этой самой гостиной!): он на диванчике, я на канапе. Освобожденный от груза дел, по-юношески увлеченный, отец казался особенно беззащитным. Мама заходила посмотреть на нас, с деланым осуждением качала головой, уходила, но я успевал поймать умиление на ее лице. Так мы могли проваляться вплоть до ночи, и даже ночью втайне друг от друга мы мусолили книжки, утром отец как бы ненароком сообщал, что незаметно закончил свои приключения с Алланом Квотермейном, я делал встречное признание, и мы, слегка чумные, спешили на набережные, где проводили часа два в поисках приключенческой дребедени. Это было счастье! Читать до глубокой ночи, засыпать с книгой в руках, ехать в отдаленный Salon du Livre на rue de la Fayette, где наш знакомый букинист оставил для нас стопку новых книжек, о чем сообщало послание, прибывшее с курьером, оно лежало в моем кармане, и я знал наверняка, что неделю-другую мы с отцом будем запоем читать — это было счастье с привкусом бесконечности! Я до сих пор ношу в себе его осколки.

3

Мы навестили мсье Моргенштерна; ничего серьезного, как оказалось, не произошло: сильный ушиб; возможно, сотрясение мозга, легкое, тошнота есть, но это скорее от выпитого накануне; о нападении ни слова. Был в сознании, говорил связно, выглядел слабым, подержал Мари за руку, назвал ее Маришкой.

— Голова немного кружится, Маришка. А так, все в порядке, — и улыбнулся.

Не думаю, что он понял, кто я.

Он был доктором, практиковал на дому, на его двери до сих пор висит табличка:

Dr Morgenstern
Médecine générale

Мари сказала, что такая же была и на входной двери, но ее сняли. Вход в апартаменты начинался с улицы, посетители поднимались длинной, достаточно широкой деревянной лестницей — девять ступенек, пролет, семь ступенек и комната налево с табличкой, направо: душ, туалет и комнаты для гостей, но мне не удалось ничего рассмотреть при первом визите (это позже, когда мне довелось даже пожить у него, я все рассмотрел), нас быстро выставила пани Шиманская, ее муж Ярек, веселый, полный, совершенно лысый простоватый пожилой поляк (управляющий антикварным магазинчиком мсье Моргенштерна), отвез нас на левый берег, по пути сказал, что дела в магазине идут из рук вон плохо, а тут еще эти манифестации, того гляди стекла побьют; мы заглянули в магазинчик, я там был впервые, и меня, само собой, все изумляло: столько мелочей, столько редких безделушек, тканей, книг, журналов, бюстов — живого места не найти! Мари показала мне старинный, медью обшитый стереоскоп на толстой ноге с плотным кожаным перископом, тут же в коробке была большая коллекция объемных фотографий из серии приключений Невероятного Человека, который путешествовал, совершал подвиги, творил чудеса, обедал с красивыми женщинами в фантастических ресторанах и дарил человечеству магические знания — сияющий шар на ладони, магнетический взгляд, росчерк молнии: «Укроти стихию!» Я был заворожен, всматриваясь в его лицо, мне не верилось, что это был тот же самый человек, которого мы только что навещали на rue de la Pompe. Дело было не в возрасте, а в преображении. Молодой актер в стереоскопе был одержим ролью: блеск глаз, болезненный излом улыбки, неестественность поз, умноженная оптикой и странным покроем костюма, — всего этого не было в старике, таком земном, тихом, смиренном. Это был другой человек! Это был даже не человек — чужеродная субстанция!

Мари усмехнулась.

— Нет, конечно, это он, Альфред.

Какая-то магия, — даже не верилось, что это был обычный смертный! На некоторых снимках он смотрел пронзительно в самое сердце, казалось, он видел меня... Чертовщина какая-то! Я чувствовал странное притяжение. Может быть, это был эффект стереоскопа? Возможно, работа ретушера, — успокаивал я себя, — да, несомненно, ретушер постарался. Но не мог оторваться, прилип к стереоскопу, ставил серию за серией, эффект повторялся не всегда, но каждый раз пробирал морозом по коже. Наконец, стереоизображения кончились. Я спросил, нет ли еще. Ярек полез в большой металлический шкаф, где под замком хранились наиболее ценные предметы, он перебирал вещи, поддерживая разговор с Мари. Шкаф меня тоже поразил: он был не только просторен — три метра в ширину! — но и вглубь уходил на метр, не меньше; ряды пленок, пластинок, коробок с фотографиями и проч., и проч. Ярек долго искал что-то такое, что Мари мне хотела показать, редкие изображения кукольного городка, в который она в детстве играла, потом был продан; пан Шиманский с головой забрался в шкаф, продолжая поддерживать с ней беседу, его польский был по-деревенски теплым, как парное молоко, он напоминал мне о Чистополе, у нас там были поляки. Маришка ему отвечала очень бойко, ее польский слегка звенел, она хмурила бровки, ее губы двигались совершенно иначе, она казалась намного серьезней, более практичной, чем когда говорила по-французски. Когда Мари говорит по-французски, она кажется легкомысленной, немного кокетливой, но напряженной, иглистой, на взводе, готовой гавкнуть или укусить. Русский язык ее расслабляет, она даже двигается медленней, ею овладевает томление, жесты делаются плавными; польский ее тоже изменил, появилась немного капризная улыбка. Все эти изменения восхитительны, да и только! Не нашлись. Ничего. В другой раз. Маришка его поцеловала, и мы отправились в Люксембургский сад искать запонку.

Мсье Моргенштерн сказал, что потерял одну из своих любимых запонок, Мари пообещала, что мы поищем. Я был под сильным впечатлением от мира, в который заглянул. Пересекли огромную стройку, где, как для свадьбы украшенные красными лентами, стояли тракторы, экскаваторы... на подножке грузовика аккуратно сложенные рукавицы — и ни души! Белые бетонные блоки, сваи, кучи щебня, арматура, кучи песка, пустые бутылки... Все выглядело так, будто тут только что снимали советский кинофильм. На изрытой гусеничным следом площадке шевелились клочья разорванных газет. Между грузовиками повис транспарант с призывом к всеобщей забастовке. Прекрасная прелюдия к тому, чем мы собираемся заняться — искать запонку в Люксембургском саду!.. разве не безумие? ведь он мог потерять ее где угодно! Я думал о мсье Моргенштерне: необычный старик; дело даже не в том, что он говорит с акцентом (а может, так и должен звучать русский язык?) и одет, как человек из прошлого века, — в его лице очень сложная система морщин, которая была вырезана потусторонним резцом, такое лицо в наши дни большая редкость, как какая-нибудь древняя ваза. Мы гуляли по парку в поисках той скамейки, где давеча нашли его простертым, отчего-то никак не могли ее отыскать... О запонке и говорить нечего! Но с Мари я был готов искать что угодно — хоть зайцев на Луне. После нескольких часов в парке, когда мы вышли на бульвар Сен-Мишель, мне стало казаться, будто в моей груди раздвигается прорезь, сквозь которую за нами подглядывает небо, оно рассматривало ее... Спешно отвернулся, чтобы застегнуться; старался смотреть на прутья ограды, деревья... Я не выспался, всего-то не выспался... И *это* ушло, я снова стал собой, чувствовал притяжение земли, но был не в себе, я едва дышал. Мари заметила мое состояние.

— Что-то не так?

— Да, не выспался. Смешно. Голова кружится.

Мы пошли в первое попавшееся кафе, — кажется, Rostan, — я пил апельсиновый сок, она — кофе; я сказал, что некоторые снимки, которые я увидел в стереоскопе, мне показались странными...

— Как странными?

Я не смог объяснить.

— А вам или кому-нибудь еще они никогда странными не казались?

Она пожала плечами.

— Это, наверное, потому, что вы не выспались, — улыбнулась.

Я торопливо согласился; да, не выспался, поэтому; все просто; выкурив сигарету, я обмяк, глаза слипались, хотелось зевнуть, но я держался; кажется, я потихоньку обретал связь с происходящим; она сказала, что ее раздражает советское радио, которое ее родители слушают чуть ли не каждый день, я спросил, а не думали они уехать в СССР?

— И да и нет.

— Как это?

— Понимаете, это такая история. Мы же чуть не уехали, когда мне было пять лет. Мало что помню, я тогда совсем не понимала, что творилось. А это же было такое сумасшедшее время. Наш дядя все-таки уехал, но я не хочу об этом. Как-нибудь в другой раз, хорошо?

— Конечно.

— Вы не обиделись?

Это прозвучало неожиданно.

— Я? Да почему же?

— Ну, могло показаться, будто вы недостойны знать нашу маленькую семейную историю. Поверьте, это не так. Я всего лишь не знаю, как рассказать. Я даже не знаю, что из этой истории правда, а что ложь. Кажется, родственники все врут, и гораздо больше правды можно узнать от какого-нибудь соседа. Дело в том...

Она вздохнула, и я не удержался:

— Мари, ради бога, не церемоньтесь со мной. Я ценю каждое мгновение рядом с вами. Можем просто сидеть и глазеть на людей, они все такие чудные.

— А мне кажется, что все вокруг такие особенные, все модно одеты или понимают, как надо одеваться, а я не понимаю. Я с детства себя чувствую чужой здесь и всегда за это винила родителей. У нас совсем мало друзей. У нас было так много семейных ссор, вы не представляете. Вот можно подумать, русские должны держаться друг за друга, в чужой стране каждый свой дорог, а не тут-то было, все так перегрызлись, по улице идут и даже не поздороваются. Со мной не здороваются. А я чем виновата, что они пересорились? Мать и отец живут в своем замкнутом мире. Я всегда видела, как они держатся — отдельно от французов, да и с прочими русскими они сохраняют дистанцию. Особенно с теми, кто приехал из СССР. — Ах, вот как! Я понял, почему она не хотела, чтоб я ее провожал до дома (будет трудно, будет очень трудно). Она в сердцах воскликнула: — Мы живем, как сектанты, ей-богу! — И засмеялась; я поспешил улыбнуться, но не вышло, хотел сказать, что Советский Союз — вот грандиозная секта, но не успел, она продолжала: — Я работаю с семнадцати лет, и учусь и работаю, а мать все ради нас с братом живет: *работаю, как проклятая, и все ради вас.* Как это у нас принято детишками и работой оправдывать собственную темноту. Сидят с отцом и советское радио слушают, водочку пьют и вздыхают. Ничего вокруг видеть не хотят. Не так они живут. Вопреки всему. Наперекор всей Франции.

Ее лицо пылало, голос дрожал. Я забылся, пока она говорила. Моя голова стала словно стеклянной, сердце налилось — ее образом, ее словами, ее голосом. Я не заметил, как взял ее руку и поцеловал, еще и еще... Она гладила мои волосы. Я посмотрел ей в глаза, хотел — не знаю, что я хотел сказать: попросить прощения или дать какое-то безумное обещание, сказать, что готов сделать все, чтобы она была счастлива. Вместо этого я снова поцеловал ее руку, и снова, и снова...

— Успокойтесь, — шептала она, не переставая гладить мои волосы, — успокойтесь...

Я целовал ладонь, каждый бугорок, каждую выемку, каждый пальчик... меня охватило страстное желание... голова закружилась, мне опять показалось, что небо вошло в меня и готово вытеснить мой разум, я закрыл глаза, потому что они были бесполезны... от наплыва чувств я был в полуобморочном состоянии, но все же умудрялся произносить что-то...

— Вы прекрасны... бесценны... у меня никого, кроме Вас, в этом мире нет...

И это была правда, чистая правда. Большей правды в те мгновения сказать было нельзя.

На улице она меня торопливо поцеловала в губы, как-то смутилась, вырвалась из моих объятий и, запыхавшись от чувств, вся омытая внутренней свежестью, сказала:

— Встретимся завтра на rue de la Pompe. Провожать не надо. Я еще к Жюли забегу. Давно ей обещала. Мы как с вами познакомились, так я и пропала. Она уже три пневматички прислала. Ну, все. До завтра!

На этот раз мы поцеловались в обе щечки, и она побежала, цокая каблучками и отсвечивая икрами.

Ночью меня сводили с ума и ее икры, и пальчики, и голос, от которого я просыпался, а потом вновь проваливался в сон. Мне снилось, что я на Арсенальной, заперт в карцере, в сырой смирительной рубашке, которая становится тесней и тесней, а комната кажется просторней, ужас разрастается вместе с пространством, пока ты усыхаешь до косточки; под конец мне грезилось, что я лежу в церкви, в Чистополе, кругом сугробы, я иду сквозь высокий снег, ноги вязнут: — «Начинают действовать барбитураты», — думаю я. Барбитураты, смирительная рубашка, холод, зыбкий свет, спертый воздух, расслоение сознания. Ты лежишь и задыхаешься, но сил даже на то, чтобы предаться панике, у тебя нет, как нет сил, чтобы кричать, ты просто лежишь и превращаешься в кусок вяленого мяса, покорного и бездушного, слушаешь, как из тебя выходят моча, газы, дыхание, слюни, и проваливаешься в кошмар. В этом кошмаре вдруг появляется Мари, целует меня, обнимает, мы танцуем, вокруг нас кружится Париж, я свободен, я кричу: «Я свободен!» Вздрагивал и просыпался.

Все это от избытка чувств, говорил я себе, вставал, закуривал. Нервы расшатались от впечатлений. Даже Америка на меня так не подействовала, как Париж. В Америке я ко всему относился с осторожностью. Меня предупредили эмигранты: «За вами еще долго следить будут. Не думайте, что вы свободны. В любой момент могут вышвырнуть или запереть. Запрут и будут допрашивать. А могут и вернуть, обменяв на кого-нибудь своего...»

Поэтому я старался быть аккуратным. Ходил в кино, проедал деньги в барах; по шопинг-моллам гулял с легким вызовом, голова кружилась от блеска, запахов и — женщины, женщины кругом! Как-то на Бродвее я увидел небрежно одетого актера, который играл в одном из мною отсмотренных мюзиклов, он сидел в эркере шикарного кафе, листал газету, курил трубку. Своей естественностью и вписанностью в окружающий мир он произвел на меня такое сильное впечатление, что я не удержался и прошелся мимо кафе несколько раз, посматривая то на него, то на витрину (точно так же я прохаживался по Невскому возле Елисеевского гастронома). Он все так и не замечал меня, листал газету, пил кофе, курил трубку, а потом встал и ушел, ни на что не обращая внимания. Он, конечно, видел, как я прогуливаюсь, небось вообразил, что я — поклонник, вор или нищий актер, который мечтает с ним завязать разговор, рассчитывая просочиться в какой-нибудь театр. Эта мысль меня захватила. В каком-то смысле она меня освободила от моей скованности. Я понял, что могу быть кем угодно: в том числе и актером! Бродвейская действительность для него была чем-то таким же обыденным и скучным, как сухие листья для метлы дворника. Если я буду себя вести точно так же, будто бродвейская действительность для меня мусор, то и принимать меня будут соответственно. У меня были деньги, я сразу вошел в кафе, занял его место в эркере с газетой и заказал кофе. Я чувствовал себя восхитительно! Я стал актером. Потому что мог им быть. Никто не знал, кем я был на самом деле. Я мог быть кем угодно! Я неторопливо наслаждался моей постановкой, листал газету, курил Camel и пил кофе. Это был самый потрясающий кофе в моей жизни! В Париже я понял, что такое настоящий кофе, но тогда, в тот холодный осенний бледнолицый день, я пил кофе и пьянел, листал газету и не мог унять восторг. Нет, все-таки были, были у меня волшебные моменты в Америке, — да, но окончательно я расслабился только здесь, понял, что можно стряхнуть с себя этот дурной сон прошлого, и начал хмелеть вольнее. Я чувствовал уже нечто иное. Будто не тайная агентура, а сам Париж за мною присматривает.

Зажигаю спичку, закуриваю; по дороге крадется прохожий, возможно, видит меня, и в это мгновение прохожий уже не просто прохожий, а соглядатай Парижа. Париж там крадется внизу по rue de la Santé, Париж смотрит на меня из темноты, смотрит зарешеченными окнами клиники Святой Анны и думает: куришь? на меня в окошко посматриваешь? заслужил ли ты эту свободу? что ты с этой свободой будешь делать? как себя поведешь? посмотрим, посмотрим...

Я полюбил улицу d'Alesia, полюбил мой дом. Тяжелая кованая дверь, на ней узор — вьюн, оплетающий герб: щит, копье, меч и рыцарский шлем с плюмажем. Мозаика из мрамора на лестничной площадке на первом этаже. Деревянная лестница, узкая, истершиеся поручни перил, лак еще чувствуется, но не холодит руку; запахи и звуки незнакомой жизни (отчетливо слышу, как носится над головой ребенок, а в коридорчике по плиткам расставляют пунктуацию каблучки). Два входа: к одному подвозит старый тесный лифт (почти шпионское изобретение), к другому ведет скрипучая винтовая лестница. Та дверь, что со стороны лифта, запирается на один замок; на другой аж целых три замка и каждый особенный: первый заедает, второй *исторический* (как говорит хозяйка), к нему и ключа нет, а третий — основной, упрямый английский замок, тоже с норовом, французская дверь с ним никак не соглашается, по ней надо слегка наддать ногой, тогда она отворится. Оттуда я попадаю прямо в гостиную, где у телевизора сидит пожилая мадам Арно, хозяйка апартаментов. Роза Аркадьевна здесь вместе с мужем прожила всю оккупацию, только во дворик ночью подышать выходили, а так, почти три года взаперти, мадам Арно их прятала, кормила и посылки им носила, письма, газеты. Как-то так получилось, что муж ее умер сразу после войны («всю войну держался, а потом перестал», сказала Роза Аркадьевна).

Моя комната — самая маленькая, с видом во двор, и еще у меня есть что-то вроде закутка, куда я свалил мои американские чемоданы с книгами. Мне тут все нравится: шершавые стены коридора, дверные ручки (особенно в туалете: повернул — *occupé*, обратно — *libre*); ненавязчивые половицы хрустят так, будто кто-то потягивается. Длинный коридор, настолько узкий, что когда мсье Жерар, другой постоялец, идет по коридору, то мне приходится пятиться, потому что у него очень большой живот, мы никак не разминемся; а вот мадам Арно я могу запросто пропустить, она маленькая и сухонькая, ей было, наверное, очень одиноко в такой большой квартире, одна в гостиной она пропадает, не сразу заметишь такую маленькую старушку, перед телевизором она делается еще меньше, седая, бледная, в белой вязаной кофточке, она носит под кофтой рубашку с кружевными рукавами и воротничком, она похожа на куклу, и мсье Жерар справедливо, хоть и невежливо, за глаза зовет ее «мадам Пупе́». Меня он называет «месье», потому что никак не запомнит моей фамилии, а по имени звать не решается, несмотря на то, что я много моложе, но даже просто «месье», — ах, как приятно, когда тебя называют хотя бы просто «месье»! Впервые это случилось в редакции. Я стоял, скрючившись над бумагами, в ту самую минуту, когда в стеклянную дверь постучал курьер пневматической почты. Краем глаза я его заметил и узнал: по косичке над козырьком фуражки, по лацканам и пуговицам форменного пиджака, кроме того, его выдавала нервозная вертлявость, присущая именно этим курьерам, нетерпеливость и важность (они считаются королями в курьерской иерархии); так как в те дни я не имел отношения к редакции и не мог подписывать никаких бумаг (даже пневматичку не мог принять у него), то не стал беспокоиться, продолжил писать, никак не отреагировав на его стук. Да и писал я своё, оттого чувствовал себя совершенно выключенным из жизни. Рабочие дни мои еще не начались, в редакцию я приходил за заданием (телефона у меня тогда не было, я жил на окраине, в Иври, в грустном общежитии иностранных рабочих, среди африканцев, индусов, итальянцев и поляков), зачислен в штат я еще не был, находился на испытательном сроке, предстояло проявить себя с лучшей стороны или хотя бы не опростоволоситься. Я задержался затем, чтобы не идти писать в кафе, с деньгами было ужасно плохо, хотелось сразу наметать то, что на меня внезапно нашло, кое-какие воспоминания, нечто зыбкое, такое лучше записывать сразу (на память мою я не полагаюсь, психиатрия над ней поглумилась изрядно), в общежитии в те дни писать не удавалось, у меня и стола не было, со мной в комнате были два поляка и один африканец, размотать, расширить, превратить клочок в снежный ком было негде, оказавшись в редакции, я воспользовался случаем и стремительно выносил на бумагу накопившееся. Двадцать минут попишу, пока никто не видит, думал я, — мне казалось, будто стук машинок меня каким-то образом оберегает, делает невидимым, но от него меня еще и лихорадило, этот слитный многорукий стук подстегивал, и я торопился, чтоб не попасться кому-нибудь на глаза, боялся, что спросят: «Как, вы еще здесь?» Вопросы, достаточно мне их задавали, вздернутые брови приводили меня в ярость, опущенные уголки губ... ненавижу... Записать было важно — где еще я смогу выскрести из мятых, машинописью изборожденных листов мой тревожный мир? Написав с исподу свое, я словно столбил участок, — с моими словами эти листы мне принадлежали по праву. В те дни как раз начали возникать связные фрагменты, большие части чего-то сложного, я трепетал, во время каждого такого внутреннего толчка меня обдавало потом: скорей записать... пока не развеялся волшебный туман! Комично сгорбившись в сторонке от всех (редакция мне казалась столь же причудливой, что Зазеркалье), я спешно делал мои записи. Курьер начал выходить из себя, он смотрел на меня (я это чувствовал), постучал во второй и сразу в третий раз, настойчиво, с раздражением, требовательно ко мне. Входить он, конечно, не хотел, он и так уже достаточно далеко зашел: ворота, которые ему открыл дворник-консьерж, внутренний дворик с розовыми кустами и акациями, в поисках необходимого учреждения он осмотрел облупившиеся вывески, за стеклянными легкими дверями таились угрюмые лохматые механики, маляры в газетных пилотках с закатанными рукавами, художники, евреи с пейсами в черном облачении выкраивали костюмы, глухой ко всем ключник точил до искрометного визга свой шершавый день, смеялись вертлявые модистки, — там, в глубине двора, располагалась наша редакция. Я продолжал писать, как вдруг уловил краем уха, что Роза Аркадьевна, отчитывая по-французски курьера, говорит и обо мне: «Что ты ломишься! Не видишь, *месье* работает! Зачем так громко стучать и беспокоить *месье*?» С одной стороны, я жутко испугался за посыльного, потому что своим присутствием возле двери (я был настолько близко, что мог запросто ему открыть на первый стук, но, как я уже сказал, к редакции в ту минуту я имел очень эфемерное отношение, я с ней был связан даже меньше, чем с чистопольским пустырем, по которому на меня летела пыль прошлого, и тяжелые воды Камы, бурые от паводка, были куда реальней Парижа и самого курьера) я невольно его спровоцировал; вместе с тем меня охватило знакомое чувство стыдливости и довольства: я понял, что Роза Аркадьевна говорит обо мне, этим «месье» был не кто иной, как я, мне стало совершенно ясно, что она видела, чем я был занят, и я услышал, что в ее голосе струилось подлинное негодование. В эту минуту я оказался на своем месте! Истома пробежала по моему телу (как если б тело было связано с тем, что я пишу). Еще и в чужих глазах я стал тем, кем должен был быть! На минуту... Но разве минуты мало? Из этих минут и складывается мое бытие; я плету из слов веревку, спускаюсь в прорубь неведомого, с каждым разом чуть глубже... Теперь у меня появился сообщник. Судя по тому, как редактор вознегодовала, можно было понять, насколько она сама ценила такие мгновенья. (Позже она стала проявлять обо мне заботу, подыскала квартиру, здесь, на rue d'Alesia, оплатила ее и дала еще немного на первое время.) Да, если учесть все, она правильно отчитала курьера: он стучал в стеклянную дверь, намеренно стараясь меня побеспокоить, потому что хотел побыстрее отделаться от послания, заполучить подпись и смыться — в конце концов, им за это платят: у него в сумке дюжина таких посланий, дюжина адресов, дюжина дверей, консьержей и всяких там «месье», которые скрючились над своей писаниной и не желают реагировать на его стук, с такими месье он считаться не станет, вот еще! Да, но я-то к этой посылке отношения не имел! В любом случае: по-настоящему впервые оказавшись в роли «месье», я понял, что хотел бы им оставаться до конца своих дней. Я представил, как благородно бы звучало, например, сообщение о моей смерти в самом обыденном разговоре, хотя бы с тем же посыльным: «А где мсье Липатов?» — «Как, вы не знаете? Мсье Липатов умер». О! Пускай это и не моя подлинная фамилия, как было бы замечательно! На фоне советского обращения «товарищ», которого, ввиду всех моих проступков, я так и не заслужил, «месье» звучит почти как «маэстро»!

Пуская дым в темноту, я считал живые окна в доме, что выглядывал слева, насчитал шесть, я путешествовал по ним взглядом справа налево, пытаясь придумать подходящее слово — из шести букв, но такое, чтобы оно соответствовало расположению окон. Это очень странное занятие и объяснить его невозможно. Так я делал в детстве. Привычка. У меня полно таких дурацких привычек: не наступать на трещины в асфальте и на канализационные люки, ни в коем случае не закончить лестничный пролет левой ногой, докурить каждую сигарету тремя короткими затяжками. Эти привычки я привез с собой, я с ними не расстанусь, они, подобно булавкам, не дают мне расползтись на лоскуты, в конце концов, человек и есть связка привычек, система метафор, да, всему подыскивать метафору — тоже привычка, инерция ума, поиск убежища, самая пещерная привычка человека; есть еще и другие вещи, философские: моя система координат, моя собственная теория предназначения, моя собственная парадигма — линза, сквозь которую я смотрю на наш нестабильный мир, мифы, почерпнутые из эзотерических книг, — я связан из этих мифов так же плотно, как пасхальный агнец из шерсти. Мадам Арно их уже столько связала... и вяжет и вяжет каждый день, впрочем, тем же занимаюсь и я: каждый день обнаруживаю себя в своей системе и на каждом шагу убеждаю себя в том, что она работает, и я там, где я есть. Пусть в моей системе Иисусу и прочим пророкам не нашлось места, но я не настолько эгоистичен и высокомерен, я признаю: моя система ничуть не лучше общечеловеческих, доступных, как меню в ресторане, просто я предпочел отказаться. Но и в моей комнате он есть, агнец работы мадам Арно, стоит на книжной полке и смотрит на меня стеклянными пуговичками. Я же не выкинул его. Не засунул под кушетку. А мог бы...

Клиника спала, в доме слева тоже ложились: в одном окне слабо тлел оранжевый светильник, в другом свеча озаряла стекла колебанием. Завтра из этих окон будут выглядывать люди, переговариваться, смеяться, курить, зевать, напевать песенки; кто-нибудь высунется с чашечкой кофе и скажет непристойность, все засмеются, даже я, не поняв, все равно засмеюсь... Я быстро свыкся с их голосами; я их всех люблю. Они как птицы — каждый в своем скворечнике.

Ну, все. Три затяжки и тушу сигарету. Завтра рано вставать. Спать!

Ноги дрожали. Ныла спина. Постелил тонкое шерстяное одеяло прямо на полу; чтобы не было сквозняка, подоткнул под дверь одежду и плотно закрыл окошко, выкрутив рукоятку до упора; под голову положил вдвое свернутое полотенце, завернулся в простыню, закрыл глаза, и на меня хлынул поток побочных деталей этих дней: в кафе был проигрыватель, двое молодых людей и три девушки ставили пластинки, шуршали большими конвертами, спорили из-за каждой песни; в трамвае видел пожилую пару: очень сухонькая бодрая старушка и высокий дряхлый старик с пышными усами, она держала его руку, нежно сжимая, в уголках его глаз скапливались слезы; в Люксембургском саду я видел двух конных наездников, оба были на темных конях, степенно покачиваясь, они проплыли по бульвару, шум машин заглушал цокот. Возможно, они мне уже снятся. Я иду по бульвару Сен-Мишель. Наездники медленно скачут за бесшумным оркестром. Вместо машин и дороги — река, быстрая, яркая, металлическая. Увиденное переходит в сновидение, обрастая фантастическими подробностями, ради которых я готов терпеть повседневность. Мир под веками, как затянутый туманами фламандский пейзаж. Исписанный нотными знаками. Вот ветер, вот росчерк дождя, кляксы клаксонов, карканье, лай, стук колес, крик, шуршание занавески, клейкие поцелуи, звонкие ключи летят, вращаются, поблескивают, падают, рассыпаясь на миллиард стеклянных капель. В нос ударяет запах ладана и еще чего-то. Я оглушен ветром, шумом сочной листвы. Едва уловимый, почти прозрачный луч прошмыгнул в мою душу и ощупывает ее рубцы, как гравюру. Звуки плывут над Камой или Сеной. Аккордеон. Где слышал эти куплеты? Ускользающие ноты. Сквозь русскую речь пробиваются французские слова. Как блики на воде. Вой поезда в подземке. Шепот влюбленных. Капли смолы. Соленые губы. Вздохи. Караван образов шагает по гребням холмов. Я иду по улице. Из укрытия выскакивает мальчишка с бенгальским огнем, вскрикивает и убегает по вымытой мостовой. Ближе, ближе. Звякнул колокольчик распахнувшейся дверцы, брызнул солнечный зайчик, кто-то дунул в ухо: *salut!* Мелодия ворвалась и понесла. В большой комнате мадам Арно сидит на своем диванчике и вяжет. Очередной агнец. Вместо телевизора — голое окно. Яркое небо, ослепительно яркая картина, отлитая из чистого солнца: крыши домов, маревом окутанные сады, блестящие люди, столбы, скамейки, трамвайчик... Сквозь сады змеится серебряная нить ручья. Выбегая на волю, ручей превращается в бурную реку. По мосту через нее летит поезд. Ух, таких я не видел! И мост невероятный. За холмами парк — тоже невидаль! Облачком или воздушным змеем повисаю над замком. Огромный и мрачный, он походит на психиатрическую клинику. Тропинки как вены. По ним бродят люди. Снижаюсь. На поляне в бадминтон играют две девочки, еще трое ребят стоят в стороне, верно, ожидая своей очереди. Волан то и дело относит ветром, он повисает и — подумав — клюет вниз прямо перед ракеткой девочки, махнув, она проваливается в пустоту. Встаю возле пруда. Мягко сложились за моей спиной невидимые крылья. Пруд цвел. Ряска, тина, ленивый всплеск плавника. Неторопливо, немного прихрамывая, подходит пожилой человек в кепке, плаще, серых без стрелок брюках, заправленных в голенища черных резиновых сапог. Задумчивый и абсолютно прозрачный, будто отлили из стекла. Сквозь него я видел стрекоз, майских жуков, камыш мерно покачивался. Между кувшинками плыла лягушка, прочь от нее расходилась ряска. Незнакомец смотрел в пруд бессмысленным остановившимся взглядом, хмурился. Я спросил, в чем дело. Меня не услышали. По его контуру пробежала едва заметная искра. Он словно поймал и пропустил сквозь себя луч солнца. Я увидел, как свет наполняет человека, завязываясь в узелок. В небе послышался грохот. Аэроплан. Откуда-то я знал, что это — почта. Я оказался на тропинке; мимо шли строгие русские лица (не разобрал, о чем они говорили). Их сердца, проглядывая сквозь одежду и хрупкую оболочку, горели надеждой. Взволнованы — их что-то ждет. Аэроплан, наверное. Тропинка вывела к замку. У его стен курили военные, на ступенях сидели девушки в легких светлых платьях, перед ними кривлялись молодые люди, изображая боксерский поединок. Девушки смеялись. Перебирал письма офицер. Без фуражки, без ремня, с расстегнутыми верхними пуговицами. Сквозь него я видел работавших лопатами и граблями солдат в майках. Они ровняли площадку, бегали с тачками, полными дерна и земли. Довольные и стеклянные. Их голоса едва доносились до меня. Вместе с ветерком поплыл вдоль стены замка. Скользя взглядом по колоннам и ставням, оконным рамам, побитым водостокам и решетчатым полукруглым окнам подвальных бойниц. Углы стен, неровные, иззубренные, кое-где поросли мхом. Большие окна. Некоторые раскрыты. Женские и детские голоса. Счастливые, веселые. Кто-то настойчиво забивает гвоздь за гвоздем. Мимо меня пронесли свернутый транспарант. Я хотел дождаться, когда его развернут, чтобы посмотреть, что на нем написано, но услышал мелодию и оказался перед статуей Геркулеса Фарнезского. Я решил, что я в Ленинграде, огляделся и понял, что это был неизвестный мне город. Площадь с внушительной Чумной колонной, сложенной из многочисленных тел, костей и черепов. На вершине колонны златокрылый ангел с жезлом. Смотрит на меня. Чувствую себя прозрачным. Его улыбка меня и пугает и восхищает. Он знает обо мне все. Больше, чем я мог бы от него утаить. Я опускаю глаза. Мне стыдно. Я спускаюсь по ступеням. Долгие ступени. Жарко. По кругу площади бежит узенький трамвайчик. Миниатюрные машины, мотоциклисты. Полицейский в рубахе с коротким рукавом. Шлем в форме яйца. Проспект приносит все новые и новые машины и трамваи. Вдоль витрин магазинов идут чужестранцы. В конце проспекта огромное здание, похожее на Пантеон. Вдруг грохот, вылетела из вагона и поплыла по реке шляпка. Река спешит, пытаясь угнаться за поездом, но отстает, шляпка вот-вот исчезнет. Бант развязался, тянется извиваясь. Поезд летит. Река-лента загибается. «Смотрите — шляпка!»

Мама досадовала, папа разводил руками, мальчик смеялся; мост остался позади; поезд мчался дальше; река исчезла, остальное папа додумал и рассказывал не один месяц: как мамина шляпка плыла под мостом, как ее нашла прачка, стиравшая белье в реке, высушила, выгладила и носила, он придумывал истории, которые приключались с прачкой, каждый вечер мальчик просил, чтоб папа рассказал новую историю из «путешествий маминой шляпки», папа усаживался на край постели и говорил: «Прачке той повезло! Мамина шляпка приносила ей удачу. Благодаря ей прачка вышла замуж за богатого купца. Где они только не были! Объездили весь свет, даже в Китае и Египте побывали. Стоило ей надеть шляпку, как они оказывались в неизвестной стране...»

Мальчик слушал и засыпал.

Жил да был мальчик. В тяжелом московском интерьере на заре века он сидел за пианино и боялся разочаровать отца. Картины смотрели со стен, слишком живые, участливые.

Отец был высокий и солидный, он работал нотариусом, каждый день случались деловые встречи, шустрые посыльные приносили письма, бывали генералы в мундирах, приходили дамы с веерами в необыкновенно длинных платьях, их украшения озаряли комнаты, появлялись бесшумные чиновники с тесными саквояжами, голоса за дверью звучали таинственно. «Там решается война», — думал мальчик. Он учил французский и играл ноктюрны: Шопена, Шумана, Листа... Музыку поймать труднее, чем французскую поэзию, к тому же когда рядом такой надзиратель — мсье Леандр, экстравагантный, вызывающе изысканный, любвеобильный, он часто уезжал за город пострелять из пистолета, любил лошадей, скорость, спорт, отец от него был в восторге, француз был прекрасным шахматистом и знал философию, сыпал цитатами, изумлял гостей фокусами, но от тоски быстро сделался волокитой и скандалистом. Мальчик играет, учитель сидит на стуле прямо, как деревянный, и напряженно слушает, он неподвижен, точно позирует, его глаза закрыты, но губы вздрагивают; мальчик знает, что и ноздри тоже вздрагивают, он много раз наблюдал за учителем, когда играли другие, он знает, что сейчас его сердце бьется сильнее обычного, можно заметить, как дыхание раздувает его грудь, в любой момент он может вскочить, взмахнуть дирижерской палочкой или даже стукнуть по пианино. Мальчик вздрагивает, отдергивает руки, начинает сначала, старается, он крадется вслед за музыкой, разгадывает ее... То же происходит на уроках французского: мальчик читает вслух, а мсье Леандр поправляет, прерывает и требует своими словами пересказать. Мальчик говорит, старательно подбирая слова, мсье Леандр напряженно слушает. Портреты следят. В погожие дни картины светлеют, в дождь — там тоже пасмурно, а теперь по обе стороны чувствуется война; картины обладают этим странным свойством: они не только показывают запечатленное, но и отражают настоящее. Мальчик думал, что картины — это зеркала с замершими отражениями; он верил, что война нужна, как напыление для зеркал. По вечерам в комнатах стояли отголоски улиц; особенно живым становился венецианский торговец с жестким змеиным взглядом. Самой пугающей была нищенка, которая с порога богадельни смотрела вслед богачу, за ее спиной приоткрыта дверь и виден рождественский вертеп. (Да, как это верно, я всегда это чувствовал: у каждого за спиной есть дверь, которая ведет в другой мир, такой же бесконечный и таинственный, как твой.) Он помнит каждую картину, каждую игрушку, он не предал ни одной минуты детства; он любит свою жизнь и стережет каждое мгновение.

Этим утром он слышал за окном копыта и скрежет окованных колес, и вспомнился мороженщик, который прикатил вместе с циркачами, чумазые, шумные, разбили шатер в парке Ранелаг, дали несколько представлений и скоро укатили, а мороженщик остался; у него было бурое лицо южанина, провансальский акцент и подагра. Он никуда не хотел ехать, на пять лет застрял в своем фургоне, пока не потребовали убрать, приходили с полицией, он ругался, плакал, а потом взял и умер. В один из таких же теплых дней... Стояли ясные, душистые ночи. Астроном ходил по крыше, варил кофе, курил, смотрел в телескоп, ворчал, шелестел бумагами.

Звоночек. Должно быть, велосипед.

Неужели в парке уснул?

Он не чувствует тела. Одеревенел. Во сне гораздо ближе сердце. Тяжелое и усталое. Как измученная планета, которая вращается в пустоте.

Он видит пустынное плато. Каньоны, воронки, траншеи. Будто гигантским плугом прошлись.

Какая тяжесть!

Долгий, как проспект, гудок.

Труба Гавриила.

Он шевельнул пальцем. Господи, как давит! И холод. Откуда во мне столько холода? Где я зачерпнул его?

Он ощущает себя остывающим куском мяса в лавке. Он стоит в лавке. Смотрит на кусок мяса. Ему пять лет. Ему жаль это животное. В куске мяса оно все еще живет. Потому что он видит пар. Пар — это тепло, тепло убитого животного. Это был буйвол или корова. Это буйволиное сердце, мальчик. Папа покупает кусок. Ему заворачивают в бумагу. Они идут вон. Китай-город.

Открывает глаза. Окно. Занавеска взлетает и опускается.

Прекрасный беспорядок. Вещи давно живут отдельно от меня. Я им не хозяин. Раб вещей. Я все забросил, и жизнь меня за это вышвырнула — сначала на обочину, а теперь... мое сердце, как непослушное дитя, перестает мне служить.

Он снова открывает глаза. Молодой человек — очень знакомая улыбка — по-домашнему расположился. Я его где-то видел.

— Как дела, Маришка?

Кажется, она говорит: «хорошо».

— Говори громче, — он не слышит своего голоса. — Я вас не слышу. А, вот теперь слышу. А вы...

— Виктор.

Он встает, и вместе с ним наклоняется комната. Мсье Моргенштерн чувствует руку. Пожимает. Чернила на пальцах... замусоленные манжеты... это успокаивает...

— Верно. Вы из газеты. — Кивает. Угадал. — Маришка, как родители, как брат, все хорошо?

— Все хорошо. Что с вами происходит?

— Стервятники довели. Приходили, выживали... На аукцион или продать...

— Чего на этот раз хотели?

— Не помню... Как всегда... Офорты, картины, книги, мебель, весь дом! Я их послал ко всем чертям. Я пока не в таком отчаянном положении, чтобы все пустить с молотка. Вот помру, тогда...

— Не волнуйтесь так.

— Им волю дай, все растащат. Ничего святого...

Захлестнул внутренний ветер. По стене с подносом приближается пани Шиманская.

— А где?.. Тут только что были... Мари!

Мсье Моргенштерн пытается встать, но не может. На минуту он закрывает глаза, им овладевает беспамятство. Его затягивает сосущая вглубь пустота. Он ей сопротивляется. Делает над собой усилие и встает. Подходит к окну, смотрит — на самом деле: Маришка и высокий молодой человек в голубых американских брюках, легкой куртке и нелепой шляпе.

Он смотрит им вслед. Голова кружится. Болит. Трогает. Что это мне прилепили? Ах да, да... Сальпетриер.

Все хорошо, говорю я, когда они — Клеман, Мишель-Анж, Маришка — приходят ко мне. А что еще могу я сказать? Что по ночам превращаюсь в ребенка и странствую? Они видели мой чемодан... Интересно, что подумали? Не имеет значения. Беспорядок, обыкновенный беспорядок.

Маришка выглядит поникшей, нет, она просто слушает, что рассказывает ей новый друг. Они идут, а дома на них смотрят, деревья шуршат, люди и машины торопятся мимо. Маришка...

Есть женщины, которым не везет на мужчин — все время к ним франты липнут.

Был один француз из бидонвиля... с железным зубом... лет на семь старше... да что теперь его вспоминать, наверняка в карты играл. Она скрывала от родителей (но мне рассказала), что жила — полтора года! — с мальчиком из богатой семьи, он изучал психологию и социологию, снимал квартиру в Нантере на rue de La Gare, часто болел, она ухаживала за ним, принимала таблетки от зачатия, мальчик выучился и уехал домой, в Марэ[1], она не вернулась в общежитие, бросила учебу, приехала ко мне (на левой руке свежий розовый шрам — сказала, что случайно порезалась осколком разбитой бутылки), жила у меня несколько месяцев здесь; и как я был счастлив! Ее пение в моем доме, ее легкие быстрые ноги, а как она замечательно бросала книги, роняла карандаши, сколько разбила чашек, и запах ее сигарет, дым сигарет, которые она курила, был нежнее всех ароматов! И когда я смотрел ей в глаза, я словно смотрелся в ручей... Ее мать, опять скандал, опять меня называли самыми низкими словами... В прошлом году появлялся и исчезал туманный дипломатический работник советского посольства, который хотел *блеснуть кондисьонелем* или *ввернуть сюбжонктиф*, она о нем говорила с деланым пренебрежением, но говорила, и говорила чуть чаще, чем хотелось о нем слышать, — ох, ничего нового, ничего нового о них, кажется, узнать уже невозможно! Он платил ей мало, делал жалкие подарки, потом совсем не платил, уроки предлагал перенести в ресторан, но вел в кафе, где, естественно, не мог сосредоточиться, после чашки кофе срывался и спешил в магазины, просил Мари помочь ему с подарком для жены: *что-нибудь такое, не самое дорогое...*

Они ушли. Мсье Моргенштерн постоял у окна, посмотрел на дом напротив, поглядел на омытую дождем молодую листву.

Обрили затылок... Как гадко. Так помрешь, и с тобой будут делать, что им вздумается. Будет ли мне все равно? Потом — да, а сейчас — нет. Мир всегда жил помимо меня и творил со мной что хотел.

С противоположной стороны улицы из-за угла вышел человек, торопливо стал перебегать улицу. Шершнев? Он замахал

---

[1] Аристократический район Парижа.

руками, будто подавая какие-то знаки. Мсье Моргенштерн поторопился выйти. Ноги дрожали. Голова немного кружилась. Спускаясь по лестнице, он услышал звонок, два раза, три.

— Пани Шиманская? Пани Шима…-

— Что такое, пан Альфред?

— Откройте ему!

— Разумеется, открываем. Мсье Съерж, просим! Кофе? Вино?

— Ни-ни-ни. Я на минутку. Дела. Простите. — И он галантно поклонился.

Пани Шиманская улыбнулась и ушла к себе.

— Что случилось, Серж? Что это все значит?

— Наверх! Сейчас ты поймешь. Надвигается безумие, Альф.

— Безумие?

— Да, безумие, вихрь.

Они поднялись наверх. Шершнев плотно притворил дверь, пересек комнату, выглянул в окно.

— Серж, это похоже на паранойю. — И засмеялся.

— Не смейся. Сейчас объясню. К тебе только что заходил журналист. Я понял, он здесь неслучайно.

Они располагаются: Серж в кресле, Альфред на софе.

— Тот, что из Америки?

— Начнем с того, что он *не* из Америки, мон шер. Он вырос в Советском Союзе. Насквозь советский человек. Неотесанный болван прямо с советского конвейера. С ним, Альф, надо бы поосторожней. Подозрительный тип, многое в его истории меня заставляет сомневаться. Зачем он здесь? Маскируется? Внедряется? Биографию делает? Бежал из СССР, говорит. А может, переправили? Никто не знает. Он не тот, за кого себя выдает.

— А ты?

— Что я?

— Ты уверен, что являешься тем, за кого себя выдаешь?

— Ах, ты опять! Я не шучу, Альф. Все очень серьезно. Он тут с заданием. Он не только к нам притирается. Иду на трамвай, а он мне навстречу, машет рукой: А я, говорит, к вам, Сергей Иваныч! Так растягивая Ива-аныч, будто я родной ему. Предлагает зайти в бистро, ну, заходим, он тарахтит без умолку, предлагает угостить, а у самого денег шиш с маслом, и вдруг — будто бы ни с того ни с сего — начинает про эту мумию...

— Про какую мумию?

— Как про какую? Весь Париж жужжит: мумию нашли! Во всех газетах... Молодые кинолюбители фильм в руинах церкви снимали, нашли тело, а оно, как назло, сохранилось. *Мумия из руин Бушонвьерской церкви*. Такие макаберные заголовки. Полагают, что с войны. Ты понимаешь, кого они там нашли?

— Да ты что! А мы его разве там...?

— Бушонвьер-сюр-Луар, все сходится. — Он встал и начал нервно ходить до окна и обратно, туда и сюда, туда и сюда...

— Луар, мда, и мост над рекой был...

— Ну, вот и все. Или ты хочешь проверить? Съездить? Думаешь, часто хоронят мертвых в старых заброшенных церквах? Черт, давай возьмем себя в руки и начнем думать трезво!

— Ты что так разнервничался, Сережа? Я не пойму, тебя трясет, точно полиция уже у твоих дверей. Мы тут при чем? С точки зрения закона...

— Да, с точки зрения закона мы почти ни при чем. Ну, почти!

— Двадцать лет прошло...

— Двадцать один, *plus précisément*[1]. Может, нас и выпустят из зала суда. Но ты точно хочешь там оказаться? Хочешь

---

[1] Точнее *(фр.)*.

допрос? Хочешь себя проверить? Подумай только! Мы знали о преступлении и помогали. Тут не отвертеться. Мы помогали преступнику, с точки зрения закона, заметать следы, и это, между прочим, наказуемо. Сколько ударов ты перенес за последние пять лет? Два? Еще один нужен? Мне как-то не очень. Удар — это рулетка. Не люблю орлянку. Я существо рациональное. Искусство значит искусство. Суд значит суд. Кстати, что касается человека, который совершил преступление, а мы о нем, разумеется, в первую очередь печемся, так вот, Сашка, если узнает, сломается. Уверяю тебя. Он не выдержит. Элементарно. Он сразу сломается и все расскажет. Еще и рад будет! Он сейчас в таком состоянии... психического расслоения, мягко говоря. Я видел его в прошлом году. Он вздрагивал от каждого шороха. Трепетал как лист. На каждого проходимца в кафе пялился. Все ему казались подозрительными.

— Работа в Мюнхене не пошла на пользу.

— Равно как и Швейцария с тамошними клиниками. Ему нехорошо. И вряд ли будет лучше. Даже не представляю, что с ним случится, если он узнает, что мумия эта из-под обломков церкви выползла. И как назло, в трамвае этот журналист мне рассказывает: к ним в редакцию следователь приходил. Ну ты подумай. Его в участок вызывали. Столько впечатлений... Ха-ха-ха!

— Сережа, не суетись. Я не пойму что-то... Он-то, этот Виктор, как он с этим делом вдруг оказался связан?

— Да никак. О чем и речь! В кармане мумии нашли бумажку с псевдонимом «Антон Кречетов». Какая ирония! Наш Виктор под этим псевдонимом теперь в газете пишет. Вот они и пришли к нему. Понимаешь, откуда ветер дует?

— Ах, Роза, Роза...

— Ну, теперь понимаешь...

— Вот так история. Нет, ну какое невероятное совпадение!

— Да не совпадение, а сентиментальная привязанность. Глупость.

Серж прошелся по гостиной, постоял перед шкафом-чемоданом, сел на стул, глядя себе на ботинки.

— Глупость-то глупость, — бормотал мсье Моргенштерн. — Ее тоже можно понять — трудно с прошлым расстаться... Только что тут может всплыть? Я лично не вижу никакой возможности связать псевдоним с Сашкой. Мало ли кто там писал. Всех не упомнишь! Да и плевать французам на наши русские дела, как ты знаешь. Где зацепки?

— Нет, зацепок нет, — Серж встал, перенес стул к софе, развернул его таким образом, чтобы упереться руками в спинку, придвинулся чуть ли не вплотную к другу и заговорил как можно тише: — логических, понимаешь, зацепок... — Взмахнул руками. — Я-то не об этом! Не о логике говорю! Французы-то — бог с ними, с французами! Не французов я боюсь. Не полицейских. Ни один французский следопыт в этом русском клубке не разберется. И не из-за своей шкуры трясусь. Я-то выдержу, и все могу на себя взять. Молчи, слушай. Во-первых, Альф, тебе здоровье не позволяет идти по этапу, во-вторых — Сашка. Я тебе еще раз говорю. — Серж подался вперед, ножки стула заскрипели. — Крушевский в ужасном состоянии духа, Альф. Клянусь тебе! В прошлом году он был, прямо скажем, плох. Вот так плох, что не в себе. В религию ударился...

— Ну, это-то... — Альфред накинул на себя одеяло, — он давно верует, — ногами расправил складки, — к тому же до нашего возраста атеисты просто-напросто не доживают. Не знаю, как ты этого не заметил...

Серж отодвинулся, выдохнул пары, посмотрел в окошко:

— Не знаю, мон шер, не знаю...

— Так он что, в прошлом году приезжал? И ко мне не зашел...

— Ты в больнице лежал! Я его отговорил. Как все некстати! — Шершнев поднялся и начал ходить, поглядывая в окно. — Такая шумиха. Может и до Сашки дойти. Я помню, он сказал, что перестал газеты читать...

— Ну, это слабенькая надежда. Он все еще в Бонне?

— Нет, опять в Брюсселе. И он там абсолютно несчастен! В крайнем расстройстве, в крайнем!

— Опять двадцать пять.

— Вот и я о чем! Спрашиваю, зачем же ты перебрался туда? Там же тоска! А он: мне она и нужна, тоска. Представляешь?

— Еще как представляю. Что ж я Крушевского, что ли, не знаю... Подай мне табачок-с. Спасибо. Будешь?

Они закурили: Альфред — трубочку, Шершнев — папиросу.

— А если приедет? Тьфу! — Шершнев снял с губы табачинку, осмотрел папиросу.

— Посмотри, там на столе должен быть мундштук...

— Да ну его! В прошлом году он приезжал. Что, если приедет и все узнает? Он в таком состоянии... Хм, а знаешь что. — Шершнев сделал паузу, выпустил дым в потолок, многозначительно посмотрел на друга, поднял руку с папиросой, описал ею дугу в сторону окна и прошипел: — Он побежит в полицию. Точно! Побежит в полицию каяться! Раскольникова ломать! Что тогда?

— Ну, тут мы бессильны...

— Так вот, чтоб этого не случилось, надо все предусмотреть. — Серж опять пустился ходить по комнате, в задумчивости бормоча: — Предусмотреть надо... Предусмотреть...

— Все предусмотреть невозможно...

— Надо попробовать просчитать на несколько ходов вперед, хотя бы попробовать! Хотя бы в его связи, оградить, расставить стены, чтобы предупредить судьбу, фатум, укрепить фигуры, так сказать... Ох, я могу себе представить... Я могу себе... Пойми, Альф! Что начнется... Да начнется безумие! Настоящее безумие. Ведь одной мумией не обойдется. Дело такое тонкое, целая паутина. За одну ниточку потянул, все пауки повыползают. А их лучше не трогать. Сам знаешь, куда ниточки тянутся. Агентура. Недавно опять нашли прослушивающие устройства в разведывательном бюро. Ну и как они туда попали? Постоянно находят предателей, больше ста левых газет... Тут еще эти детишки взбунтовались...

— Черт, ты прав. Все газеты загавкают.

— Ага! Начинаешь понимать?

— Стоит им только взяться...

— Из всех щелей полезут языки! Представь, какой я хожу эти дни. Мало того что Париж на копытах, так еще этот тип по городу бегает с воплями: «мумию нашли!.. мумию нашли!» Ну, куда это годится?

— Надо бы с Розой поговорить...

— Это хорошая мысль. Да, хорошая. Она его может осадить. Поговорю, зайду к ним... Да и хватит этот псевдоним пускать по третьему разу! Сколько можно! Кстати, как он с Маришкой познакомился, не знаешь?

— Не знаю.

— Боюсь, неслучайно это. Завтра еще раз приду. Буду присматривать за ним. Постараюсь быть рядом и регулировать незаметно. Расспроси Маришку о нем. Интересно, что она скажет. Будь осторожен. Мало ли. Я перестал верить в случай, Альфред. Во всем вижу железную закономерность. И мне все больше и больше кажется, что она — эта чертова закономерность — по кое-кому может ударить. Черт бы подрал эту мумию! Ну что за ерунда! И Розанчик... Господи, боже мой! Через столько лет взять и подсунуть молодому кадру старый псевдоним, ну что за головотяпство?

— То-то я думаю: кого-то мне этот молодой человек напоминает...

— *Кого-то*... Ха! Это же бросается в глаза. Видишь, сколько всего? Кольцо времен, кольцо времен... И все мы в этом кольце вращаемся. — Он удавил окурок в пепельнице, подул на пальцы, постоял перед зеркалом, одернул рукава, поправил галстук. — Ну, пойду, пройдусь, пока нет дождя и солнце играет.

Мсье Моргенштерн хотел подняться; Серж сделал движение рукой, чтобы тот не вставал.

— Что я, дверь не найду, что ли? Отдыхай, дружище. Набирайся сил. Они нам скоро понадобятся.

Альфред положил трубку на подоконник и послушно вытянулся, зевнул, закрыл глаза. А сердце-то как бьется! Под веками плавали пузыри, переливались красками. Шаги Сержа топтались на месте. Лестница стонала под его весом. Ох, грохот поднял. Пришел, расшумелся... Хлопнула дверь. Ушел. Но не совсем; не весь ушел; оставил шум, оставил слова, эхо, свое присутствие. Определенно! Серж продолжал ходить — и по лестнице, и в комнате, он и на стуле сидел, нависая над Альфредом, и стоял возле походного чемодана, выглядывал в окно, курил папиросу... прищуривался — чужим, не своим прищуром... Чья это мимическая привычка? Кто опять на тебя повлиял, Серж? С кем ты связался? Я никогда не упускаю твои перевоплощения, всегда чувствую, когда подле тебя образуется чья-нибудь тень... Ну, тише, тише, Альфред кладет руку на сердце, ох, как грохочет и возится, ну-ну, будет... Альфреду кажется, будто Серж внутри его — ходит и чертыхается, встряхивает шевелюрой... молодой, Шершнев образца тридцатых годов. Альфред поморщился и повернулся на бок, накрылся одеялом с головой. Это дурное. Это надо гнать. Вот бы провалиться в беспамятство. Только беспамятство ограждает от повседневных треволнений. Уйти в себя! Уйти в себя, чтобы там обрести всех!

Тени, шаги, отголоски...

...по длинной вьющейся лестнице вниз. Многоступенчатые перекаты смеха. Свет фонаря облизал мраморную статую. Каблуки, позвякивание бус. Руки в перчатках, руки гладили его лицо. «Ну все, тебе пора!» (Голос узнаю, не помню имени, помню, что она играла Сибил Уэйн в 1921 году, в «Модерне».) Силуэты уходят. За ними! Он прощается с Сибил, торопится. Керосиновая лампа, плывущая с обрубком руки в маслянистых сумерках. Ухо, щетка стриженых волос на виске. Быстрые задорные шаги. Дыхание, голоса призраков. Все вместе по скелету лестницы они спускаются в подвал старого театра. Арка. Еще арка. Лампы. Две статуи атлантов. Над входом лепная надпись: *Facilís descensus Avérni*[1]. Что это за мотив? Кто там за роялем? Аккорды задерживаются, как составы, как корабли, как тяжелые тучи. Нужно идти дальше. В направлении движущихся ламп. Мимо несут картины. Извивается балерина — нет, это какие-то ткани шевелит сквозняк. Альфред бродит по загадочному зданию, не понимая, что это за место, в каком временном отрезке: «из моего ли прошлого?» — спрашивает он себя, глядя на мраморного амурчика в купели, — «где я мог видеть эти ясли?.. этот фонтан?.. et ce retable, d'ou vient-il?[2]» — и не может ответить. Память подвешивает на столб громкоговоритель, — были дни, когда я ходил по этим улицам под лай голосов. Синица. Над самой головой. Похожа на капель. Вьется Птичка-печалька, вьется. Тинь-фьюить, тинь-тинь, фьюить! Сейчас увижу. Весна, *та* весна. Монпарнас. Вижу «Куполь», «Дом». Крушевский. Он

---

[1] Легок спуск через Аверн *(лат.)*.

[2] ...и этот заалтарный образ, откуда он взялся? *(фр.)*

сидит за столиком в «Селект». Александр выглядит робким. Печать узника на сером лице. Он в те дни не брился — руки тряслись, носил козлиную бороденку, которую с братской заботой остригал Егор Глебов. Обоим тогда и тридцати не было, но голод, плен, война их состарили. Крушевский сидел в самом дальнем углу кафе, отгородившись вешалкой, на которой висело его пальто песочного цвета, такие раздавали американцы. Со стороны оно походило на военную шинель. На столике лежала шляпа с довольно широкими полями и бордовой лентой вокруг высокой тульи с глубокой седловиной (почти чайльдгарольдовская). Свой мятный чай он давно выпил и терпеливо просматривал газету, сильно жмурился и что-то шептал себе под нос. Сразу подойти я не решился, сел в сторонке. Крушевский ждал, теребил бородку, вдруг оделся, вышел, курил, нервно прохаживался по улице возле дверей кафе. У него были просторные штаны, сильно мятые и подогнутые (может быть, даже прихваченные ниткой), ветер трепал их. Он выглядел измученным и отупевшим. Человек прошел через ад и вернулся обратно. А тут жизнь, ландышевые девушки в ситцевых платьях. Солнце, ветер, весна. Благоухание! Я засовестился и подошел к нему. Ботинки... его ботинки... Они были похожи на бездомных щенков.

Сильно заикаясь, Крушевский спросил:

— А где С-с-с... Съергей? — Лицо обезобразила судорога; он схватился за щеку.

— Серж скоро будет, Александр. Он пошел проведать Зинаиду Николаевну. Меня отправил вас встретить. Убить двух зайцев, так сказать. Скоро будет. Не беспокойтесь. Хотите выпить?

Вошли обратно в кафе. Крушевский от алкоголя отказался. Я взял два чая, сели подальше от окна. Людей в кафе почти не было.

— Серж ко мне вечером вчера пришел, говорит, что Зинаида Николаевна слегла. Мы предприняли кое-что. Он понес ей нашу посылку. А вас мы устроили. Серж ходил к Арсению Поликарповичу. Обо всем договорился. Боголеповы вас ждут. Не надо благодарить.

Мы так сидели минут двадцать: то я говорил что-нибудь, то он вымучивал два-три слова; а потом пришел Грегуар Вересков, громкий, жаркий и пестрый, как цыган.

— Ха-ха-ха! Какие люди! Вот и ты, Моргенштерн!

— Ба, Грегуар!

— Ну, где ж тебе еще быть, как не тут? Ах, как я рад, как я рад! — Грегуар сгреб меня, что стало полной неожиданностью (я даже не припомню, когда мы перешли на ты), приподнял, поставил, похлопал. — Ах, как я рад вас всех видеть! А вы...? — Он присмотрелся к Александру. — Вас не припомню...

Я их познакомил.

Большими друзьями с Грегом Вересковым мы никогда не были. Он работал в советском торговом представительстве в Англии, откуда бежал сразу, как только в Москве сняли Шейнмана[1]. Поговаривали о каких-то махинациях, во что очень хотелось бы верить, если бы Вересков не был в постоянной нужде, о которой ничуть не стеснялся громко заявлять чуть ли не со сцены (пел в ресторанах). Тогда у него повсюду были покровительницы, женщины его любили. Был он высокий, плечистый, с чубом, черными густыми бровями, красавец, но быстро пополнел, в конце тридцатых у него почти не осталось волос. Чем он занимался, никто не знал. Чем-то торговал, все время в разъездах. «Одной ногой в Лондоне, другой — в Париже.

---

[1] *А. Л. Шейнман* — председатель Госбанка СССР, снят с должности 20 апреля 1929 года, остался за границей.

В Англии я — Грегори, Грег, а в Париже — Грегуар». Поговаривали, что продолжал работать на Шейнмана или кого-то из его круга (хотя могли и сочинять). В Париже Грегуар участвовал в журнале «Борьба», обличал советскую власть, произносил речи. Ни ему, ни его шайке бывших коммунистов старые эмигранты не верили, подозревали в своекорыстии и приспособленчестве. «Борьба» быстро зачахла, их громкие призывы к свержению большевистского ига скоро выдохлись, кое-кто попал под трамвай, а другие ушли — кто к младороссам, кто к Милюкову. Грегуар немного писал для «Возрождения», но больше играл в карты, шлялся по казино и охаживал овдовевших аристократок. Мы с ним частенько оказывались в одной большой компании, я даже аккомпанировал ему пару раз, у него был красивый баритон, но слабое дыхание. Лет семь-восемь не виделись. Возможно, он по мне и правда соскучился, только я не уверен. Скорей всего он по чему-то другому тосковал: по абстрактной парижской атмосфере, а так как я был в его представлении частью этой атмосферы, то и по мне он скучал заодно. Очень импульсивный, азартный, говорят, много проиграл на скачках и в казино...

Грег плюхнулся и развалился аж на двух стульях: на один сложил плащик, шляпу, кашне, на другом сел как-то нелепо, правую ногу выпростал, трость отставил и тяжело дышал.

— Ах, Париж, Париж... — напевал он с грустинкой. — Давно я не был на Монпарнасе. Ехал, аж горело все внутри. Думал, приду, выпью, посмотрю на моих старых-добрых монпарно... И так меня влекло сюда все эти годы, особенно в плену немецком, жмурился и думал: увижу ли?.. Не поверите, слышал в бряцанье амуниции звон колоколен... Велосипед проедет — озноб по спине! Да, хотелось многих повидать, тех, кого уж нет, а теперь, так и кое-кому в глаза посмотреть...

— Кому в глаза посмотреть? — удивился я.

— А тем, кто в совпредство с поклоном ходил.

— Ах, ты об этих...

— Да, странное это чувство, когда люди радикально меняют свои взгляды. Пугает. Один писал у Жеребкова в фашистском листке, а теперь в Союз русских патриотов подался. И вообще... Париж-то пробуждается после войны, как после жуткой спячки. Меня поражает в людях воля к развлечениям. Какое страстное стремление забыть ужас! Залить его вином и разгулом похоти... Захожу в варьете, а там те же лица, что и до войны, смотрят на голых танцовщиц, глаза от похоти горят, лица цветут, как бутоны на солнце. Все они готовы наверстывать. А меня не отпускает вчерашний морок. Не могу. Так, а где Шершнев? Он обещался быть...

— Серж скоро будет. — Я повернулся к Крушевскому: — Подойдет, не волнуйтесь. Я его знаю. В Булонский лес пошел погулять, наверное...

Так и было. Зинаиде Николаевне стало лучше, но врач сказал, чтобы ее не беспокоили. Серж оставил посылку и пошел в Булонский лес. Все ожило. Он заметил, что различает пение птиц. Ухо отпускает. Полгода мучился. А теперь птицы, птицы. Пошел по узенькой тропинке. Немного хлюпало под ногой. Самые узенькие тропинки всегда такие топкие. Тревожил запах гнили. Откуда-то долетал мусорный душок. Пьянящий запах тления. Встал на сухой, солнцем залитый бугорок и зажмурился.

Вчера он был у Боголеповых. Ему не обрадовались. Они готовились принять детей какой-то родственницы, которая скончалась при очень странных обстоятельствах (слушок прошел, будто покончила с собой). Все было как-то некстати. Арсений Поликарпович снял до времени гипсовую повязку, сидел на безобразной постели и шевелил прелыми пальцами, с изумлением рассматривая их.

— Как будто новые выросли, — сказал он недоверчиво и ухмыльнулся.

Серж подумал, что бинтов неожиданно много, сесть некуда. Оккупация и была этакой гипсовой повязкой. Нарисовать ее. Непременно. Из вежливости справился о том да о сем, выразил соболезнование в связи со смертью родственницы...

— Черт бы ее душу забрал, — прорычал Арсений Поликарпович, и тогда Шершнев спросил, не примет ли он одного человека.

— Он бывший пленный. И не может больше в гаражах ночевать. Он болен.

— Чем болен? — вдруг забеспокоился Боголепов.

Не все ли равно тебе, старый черт? В летнем домике отдельно спать человек будет...

— Контузия. Головные боли.

— А, контузия. Нам известно, что это такое. У самого была. В девятнадцатом году получил. Что ж, это ясно. Не туберкулез, главное.

— Нет, не туберкулез. Он очень сильно заикается. У него спазмы. Руки трясутся. Сейчас в гаражах Saint-Ouen.

— А разве там союзнички не разбомбили все к чертовой матери?!

— Значит, не все.

— У нас тут так палили... Я думал, все сметут к едрене фене. Мы заперлись в подвале у Теляткиных... Выли, как звери, все... честное слово... земля тряслась, дом ходуном... Думали, конец. А вы где все это пережили? У себя, на Монмартре?

— Нет, я не был в Париже...

— А вам повезло! Ох, и повезло! Да-а, повезло... А что там в Сент-Уане свояк ваш делает? Он откуда сам? Из СССР или местный? Как звать?

— Александр Крушевский...

— Крушевский, Крушевский... Нет, не слыхал, но имя как будто знакомое.

— Вряд ли. Он из Бельгии. Там родился, вырос, в Париже почти не бывал. Бежал из немецкого лагеря, в Сент-Уане он временно находится вместе со своими друзьями. Люди — беженцы, пленные, советские, местные — все ютятся в гаражах, доках, вагонах, сараюшках. Тысячи людей...

— Да, беда. Воевал, да?

— Да, доброволец. Санитаром в бельгийской армии был, форт Баттис.

— Ух ты!.. Пленный, значит?

— Да, бежал из лагеря, чуть ли не всю Германию пешком прошел.

— А, ну! Такому ходоку все нипочем! И Скворешня наша в самый раз будет. Пусть живет у нас, пособит мансарду поправить. Детей нашей бедовой берем. Не будешь же в орфелинат[1] сдавать. А, что скажешь, Сергей? При живых родственниках-то и в орфелинат! Не по-людски.

— Верно.

— Вот и готовим для них комнатку.

— Можно у вас попросить это? — Шершнев кивнул на гипсовую повязку.

— Это? — нахмурился Арсений Поликарпович. — А зачем вам?

— Нарисую.

— Что? Нет, нельзя, конечно.

— Почему?

— Некрасиво. Да и самим пригодится.

— Для чего?

---

[1] Приют (от *фр.*).

— Материал в хозяйстве пригодится, — сухо отрезал старик и спросил: — А что, еще там, в доках, или где он там работает, место найдется?

— В каком смысле?

— Сына на работу устроить хочу. Засиделся он без работы.

— Вот завтра и спросите, — отвечал Шершнев, рассматривая повязку, ногу, бинты, одеяла, впитывая каждую складочку. — Только там все работают за хлеб, табак и американскую тушёнку. Стоять в очереди за супом в Красном Кресте и то проще.

— Ох ты, голь перекатная! Ну и времечко! И когда оно кончится? Ладно, сам спрошу. Контузия, говоришь. Не психический?

— Нет. Заикается сильно.

— Ну, это пустяки. Учти, ему самому топить придется. Домик слабо утеплен. Ночи холодные. От реки туман.

— Все лучше, чем в гараже.

Назло старику он решил Крушевского втиснуть — coûte que coûte![1]

— Ну, пусть придет, посмотрит. Я попрошу дочерей Скворечню помыть, проветрить и протопить.

Парило. Птицы пели. Солнце перекатывалось по свежей листве. Шершнев жмурился. Ветка хрустнула. Он обернулся. Вдруг кто-то в самое ухо гаркнул:

— Ну вот, наконец-то все и разрешилось, Сережа!

Серж отпрянул. Усокин!

— Фу ты, бес! Чтоб тебя...

Усокин захохотал.

— Испугался?

— Что разрешилось-то?

---

[1] Любой ценой (фр.).

Усокин стоял и покачивался. Пьяный, понял Шершнев.

— Сталин обещает принять всех, кто покается.

— В чем?

— Во всем, Сергей Иваныч, во всем. Не притворяйтесь, будто не понимаете. Не стройте из себя невинного агнца. Все мы в чем-нибудь провинились перед Родиной. Тем, кто покается и присягнет Сталину, тем — Амнистия. Всё, я для себя решил: возвращаюсь домой!

— Что за ерунда! Вам это приснилось.

— Никакая не ерунда. Не приснилось. По радио говорили: готовят указ. Из Монголии-Китая уже пошли первые поезда с эмигрантами. Всех примут, отовсюду! В Париж будет направлена специальная комиссия.

— Какая комиссия?

— Комиссия! — Усокин поднял указательный палец. — По договоренности с союзными силами французы обязаны сотрудничать и способствовать.

— Чему способствовать?

— Выдаче перемещенных лиц. Репатриация начинается!

— Ерунда, мы с вами никакие не перемещенные.

— Еще как перемещенные!

— Чепуха! Слыхали звон и трубите в водосточные трубы. Речь о пленных.

— Те самые трубы! — Усокин хлопнул в ладоши и подпрыгнул как в танце. — Те самые, Сергей Иваныч, трубы! Знаю, что говорю... Я-то знаю... Дни наступают, те самые Дни! Что, от жидовки топаешь? Болеет жидовочка небось? Помрет — плакать будете?

— Идите вы знаете куда!

Усокин гадко хохотнул, проскочил мимо Шершнева, прошел несколько шагов гарцуя, обернулся и все с той же улыбкой, но уже спокойней сказал:

— Давеча шельма отиралась на черном рынке, я сам видел, как она с америкашками заигрывала, глазками стреляла, торговалась, а теперь слегла? Помрет скоро!

И на козлиных ногах побежал.

— Ах ты, бестия!

Усокин обернулся и ядовито прошипел:

— Начинается! Начинается!

Серж пришел в «Селект» взведенный, растрепанный, в грязных ботинках; от быстрой ходьбы он взмок, его щеки горели; никак не мог отдышаться... Обмахиваясь шляпой, ходил и возмущался: «Ах, ты черт!.. Ах, бестия!..» Его успокаивали. Смеялись. — Пустяки, Серж! — Не надо так близко к сердцу принимать дураков! — И что он делал в Булонском лесу? — Вот именно! — Спекулировал чем-нибудь... — Шпионил за тобой, Серж, определенно шпионил! Ха-ха-ха!..

— Смейтесь, смейтесь! Вам смешно, но в этом было что-то. Явление. Он был как вещун какой-то!

Грег заказал вина. Серж выпил свой бокал залпом и спрятался в уборной (может быть, спешил что-нибудь записать или зарисовать). Пока он бродил с юродивым по парку, пришли Анатолий Васильевич Игумнов и Илья Гвоздевич. Я уверен, что Гвоздевич пришел случайно, вряд ли Серж его приглашал: Илья ссорился со всеми в последние годы, а в его теперешнем положении — с маленьким ребенком и больной, только что освобожденной из концентрационного лагеря женой — он был сам не свой, с ним происходили неприятные вещи, не было дня, чтобы до нас не доходил очередной печальный анекдот, над которым нисколько не хотелось смеяться. Илья был почему-то одет в очень дорогой костюм, с бабочкой, в новых лакированных штиблетах, весьма старомодных, но тем более они придавали ему особый вид, как если бы он собирался на бал, даже белые перчатки торчали из кармана, добавим отсутствующий взгляд, бледность, серебро пуговиц, густые черные волосы и замаранные краской пальцы — все вместе производило подозрительно яркое впечатление (для чего он так вырядился? куда собирался?); обычно он был трогательно неряшлив, носил невзрачный серый костюм, туго застегивал нечистый жилет, бывало, ходил со шнурком вместо галстука, в нечищеных штиблетах, и ничего; теперь он выглядел, как те заправские ловкачи, что проникают на похороны и свадьбы совершенно незнакомых людей. Он тут случайно, понял я. Серж пригласил Грегуара с Игумновым, по ним было видно, что они этой встречи ждали: поздоровались так, словно недавно виделись и знали, что встретятся сегодня. Я по двенадцать часов в сутки провожу в подвалах пневматической почты, бью штемпелем по маркам и сортирую письма, но от меня не ускользают новые слова и жесты в речах старого друга, недовольное кудахтанье, с которым ко мне на rue de la Pompe заглядывал в те дни Серж, меня настораживало, — в нем появилась какая-то чуждая ему живость, несомненно, кем-то вдохновленная, он говорил с испариной, которую я замечал прежде, когда он был увлечен Устряловым. К сожалению, Шершнев склонен поддаваться влиянию; политика — это хроническое заболевание, хуже сифилиса, раз переболев, страдаешь всю жизнь: особенно это связано с изменениями на карте Европы. Серж, мой друг, по тому, как звучит твой голос, я могу судить о происходящем в мире! Когда в кафе вошел сутулый Игумнов, блеснул очками, с подозрением лиса огляделся и сказал своим зябким голосом «бонжур, мезами!», я подумал: что-то тут не то... и как-то мешкотно Шершнев выбирает стул, стягивает с себя шарф, ищет, куда бы шляпу пристроить, стараясь ни на кого не глядеть... да, думал я, несомненно, Серж, ты нам устроил эту встречу, не верю я, что мы тут случайно. К тому же Грегуар только-только приехал из Дордоня, а Игумнов из Марселя, где встречался со своим старым другом, Палестинцем. Анатолий Васильевич привез его рукопись, собирался издавать книгу[1], о чем говорил, сбиваясь и нервничая, наконец, основательно отклонившись от своего рассказа о похождениях Палестинца, Игумнов говорил только о митрополите Евлогии: о его походе на улицу Гренель, о собрании, которое устроил Маклаков, где Евлогий заявил, будто в СССР наступила свобода вероисповедания, и призывал *возвращаться домой*; откуда-то Игумнов знал, что на Епархиальном совете позицию митрополита сильно осудили.

— Владыка слег, — сообщил он с несвойственным ему холодком, — но поездку в Москву не отменяет, собирается делать полный медицинский осмотр, чтобы получить справку для выезда.

Я понял, что Игумнов выбрал для себя Евлогия очередным объектом своей маниакальной ненависти; наверняка он знал о митрополите все — что тот ест на завтрак, обед и ужин, какие лекарства пьет и проч.

— А вы как себя чувствуете, Анатолий Васильевич? — спросил я.

— Ах, лучше вам этого не знать! Проклятые болячки едят меня, как пиявки. Но черт со мной! Вот лучше послушайте... — И он перешел к перечислению злоключений, выпавших на долю его друга Палестинца, который на несколько лет куда-то пропал, а когда объявился, выяснилось, что он был в советских ла-

---

[1] *Палестинец* — фигура почти мифическая; так как никто не мог запомнить его имени (по причине неблагозвучия), его звали просто Палестинец; некоторые не верили, что он существует: когда книга все-таки появилась — а это было уже после смерти Игумнова, в 1954 году, — многие считали, что ее написал сам Игумнов. Анатолий Васильевич был человек сложный, непредсказуемый, поверить, что кто-то с ним так преданно и долго сохраняет дружеские отношения, было непросто, но я это допускал, потому что со слов Игумнова получалось, что они по большей части переписывались, а для такой дружбы Анатолий Васильевич годился.

герях. Игумнов теребил рукопись, обещал, что скоро издаст роман друга. — Вот тогда все и узнаете... во всех деталях... там такое, ахните! Копию сделали в Марселе... роман пока в работе... Я тут некоторые фрагменты размножил на машинке, кое-что собираемся выпустить в журнале, надо издавать прямо сейчас, здесь и сейчас, пока разгорается пламя любви к большевикам, прямо на наших глазах, прямо тут, в Париже! — Сделав несколько глотков чая, он продолжал: — Человек поехал в Польшу навестить родителей, ему предложили прочитать лекцию, он вышел из дома, сел в машину, и его вывезли на советскую территорию. Вместо университета — ГУЛАГ, вуаля, мезами!

Крушевский вскочил. Все уставились на него. Он сел и с трудом объяснил, что ищет отца — он тоже выехал в Польшу в 1939 году и пропал.

— Мы с вами поговорим, — пообещал многозначительно Игумнов, написал свой адрес на клочке, который отодрал от рукописи, дал его Александру, — приходите, мы с вами обязательно поговорим. Да, тут о многом можно поговорить. Мой друг очень многих поляков и евреев встречал в лагерях. В его рукописи, — он постучал пальцем по стопке бумаги, — их просто полным-полно, на каждой странице по дюжине. Кстати, напишем ему письмо. Спросим, не встречал ли он вашего отца. — Окинул всех взором и очень громко сказал: — Думаете, что это такая необычная история? Вы даже не представляете себе... То ли еще будет! — Он сделал несколько глотков чая. — В такой момент, когда *эти* побежали на поклон в посольство, а Союз патриотов распушил перья, самое время такое напечатать, чтобы ни у кого не было иллюзий относительно этой страны!

Вересков с кряхтеньем распрямился, встал, прошелся, произнес короткую, но громкую речь, в заключении которой заверил Игумнова в том, что достанет денег.

Денег?! Ему бы куда-нибудь на воды, на Ривьеру или в Швейцарию, подумалось мне. В прежние дни ему удавалось расшевелить какого-нибудь толстопуза, но теперь... он так плохо выглядел...

— М-да, господа, — невпопад сказал Гвоздевич. — М-да...

Глаза у него были совершенно стеклянные; он, как и я, не понимал, что тут происходит, и не хотел понимать, он думал о своем, полировал взглядом пол. Серж спросил Верескова, как и что. Вместо обычного ответа Грегуар театрально взмахнул рукой и произнес монолог:

— Ну как что! Вы же меня знаете, — говорил он, расхаживая по кафе. — У меня не бывает без приключений. Вот, казалось бы, врач наказал побольше гулять, — Вересков тростью стукнул об пол, — а я, видите, в Париж укатил. Погулять вышел! Кое с кем выпил на вокзале, и вот я в Париже. Ну, это было неизбежно. В Бержераке мне тесно. Все я там осмотрел, не один десяток миль накрутил. Скука, господа, тоска! Даже газеты начал читать, все подряд, даже старые, что выпускал гестапист Жеребец. И подвернулся мне «Вестник», прочел о том, как наши великие борцы, белоэмигранты, пошли в совпредство книксен делать, и глазам не поверил!

— Отчего же? — язвительно скрипнул Гвоздевич. — Это ж так естественно.

— Ну, вот так, Илья, не поверилось мне, что такое возможно. Любопытство меня разобрало. Дай, думаю, посмотрю.

Гвоздевич ухмыльнулся.

— Да неужто ты за свою жизнь на большевичков не насмотрелся?

— Ну, ладно тебе, Илья, сарказм изливать, — сказал Игумнов и тут же обратился к Грегуару: — Не боишься, что НКВД вспомнит о тебе?

— Все под небом ходим. Никто не знает своего срока. НКВД нам не Господь Бог. Никто не хочет чего покрепче выпить? — Все отказались. — Альфред, не будешь? — Я на всякий случай тоже отказался. — Уверен? — Я кивнул, поднял бокал вина. Вересков заказал большую рюмку водки, официант у него спросил — по талону или как? Грегуар подал официанту талон, официант сказал, что тут можно еще купить водки, Вересков попросил еще рюмку и заказал вина для всех; когда он вынимал талон на вино и купюры, из его пухлого портмоне выпала визитная карточка, сверкнув тиснеными золотыми литерами, несколько раз перевернулась и упала. Вересков придавил ее ногой, с большим трудом наклонился за ней... спрятал... отдышался и затем выпил.

— Может, тоже выпить, — сказал Шершнев, наши взгляды встретились, — проклятый Усокин, все внутри горит...

— Пф! — фыркнул Гвоздевич. — Нашел о чем переживать. Плюнь и забудь!

Но Шершнев устремился к стойке бара, Вересков с одобрением кивнул: alors vas-y, vas-y![1]

Серж выпил. Освеженные, они вернулись за наш столик.

— Усокин — истеричка, — продолжал Илья. — В сороковом он кричал, что немцы придут и первым к стенке меня поставят. Ну и?

— А почему тебя лично? — поинтересовался Игумнов.

— А потому что у меня жена — африканская принцесса.

— Какая пышная зависть! — воскликнул Вересков. Принесли вино. — Пейте, господа, пейте! За встречу!

Мы выпили (только Игумнов воздержался, так как совсем никогда не пил).

— Как она, кстати? — спросил Серж Гвоздевича.

---

[1] Ну, давай, давай! (фр.)

— Поправляется, — сухо солгал тот.

— После лагеря-то, — вздохнул Вересков, — как знать, сколько лет в себя приходить... я вон до сих пор... Ты все там же, у мадам Шанель?

— Да, где ж мне еще быть?

— И как там дела?

— Не знаю, как сказать. Мой начальник застрелился, и я теперь назначен на его место. И мы завалены шерстью... Что с ней делать, не знает никто... Красить ее невозможно... Вонь, ворс, пылища... возимся, как мухи в паутине... Кстати, не помню, говорил я вам или нет, я знал этого Усокина еще по Константинополю. Тараканья душа, разрази его зад! Он обретался в самом грязном квартале, просил подаяния, был полотером в бордель-театре, где прямо на сцене сношались перед похотливой низкосортной публикой. Все мечтал поймать самого большого таракана...

— Ого, как колоритно! — воскликнул Вересков.

— А зачем ему был нужен самый большой таракан? — спросил Игумнов.

— Известно зачем. Чтоб побеждать всех. Пределом мечтаний была своя кафарня. Свой тараканодром, вот что он хотел построить. Под куполом, говорил, будет моя кафарня. Да, под цирковым куполом ему грезился свой фантастический тараканодром. Со всего света съезжались бы люди поглазеть на его чудо-таракашек. Он для того и в бани турецкие устроился уборщиком. Убирал и тараканов заодно вылавливал, поставлял в местные кафарни. Чуть было не убил одного чернобиржевого спекулянта. Случай в столовой был. Усокин упустил таракана, а молодой бухгалтер на него едва не наступил. Что тут началось! Жуткая сцена. Усокин едва не задушил бедолагу. Я с этим парнишкой какое-то время в бухгалтерии американцев работал. Смелый, быстро думающий был мальчишка. Кроме денег, ничего на уме не было. А жаль. Резвый ум, острый. Шутил хорошо. Вот, чуть не убил его Усокин — из-за таракана. Вовремя оттянули...

— Видимо, любимчик был тот таракан, — вставил Грегуар, — и он с тем кафаром особые надежды связывал.

Все вяло посмеялись.

— Смейтесь, а нам было не до смеха. Это страшно, когда у вас на глазах человек так падает.

— Была-таки кафарня? — опять спросил Игумнов.

— Была. Мне бы воображенья не хватило этакое выдумать.

— А кто застрелился, Илья? — шепотом спросил Серж, Илья ему на ухо ответил.

— А я почему-то решил, что вымысел. И где она находилась?

— Кафарня-то? Да под крышей у американцев. В том самом миссионерском клубе «Флюгер».

— Там был настоящий клоповник, — сказал Серж. — Боб жаловался: все чесались, когда он читал... — И в сторону Илье: — Вот так, да, взял и...?

Гвоздевич утвердительно опустил глаза и едва заметно кивнул, Серж тяжело вздохнул.

— Но кое-что этот ваш Усокин все-таки сказал верно, и меня это беспокоит, — говорил Игумнов, поглаживая загибавшиеся кверху краешки машинописных листов. — Союзники договорились со Сталиным, это точно. Де Голль туда же. Все хотят вернуть своих, а для этого им надо отдать советских граждан, что находятся здесь, в союзнических резервациях. Таков уговор. Немцы, сами знаете, угнали с Востока миллионы. Скоро к нам снарядят делегацию, которая будет заниматься исключительно репатриацией, и в ней будет не десять — двадцать человек, а двести агентов НКВД.

Все удивились.

— Слухи, — не поверил Гвоздевич.

— Да это ж батальон! — воскликнул Шершнев. — Зачем столько людей?

— Как это зачем? В стране не счесть барачных лагерей, в которых ютятся бывшие пленные, арестованные, задержанные без документов, десятки тысяч, если не сотни... Всех надо зарегистрировать, осмотреть, записать...

— Накормить! — рявкнул Грегуар.

Крушевский отчаянно взметнулся и загудел, все посмотрели на него. Страшно заикаясь, уродуя слова, пережевывая их, он рассказал, что уже начал ходить в один такой пункт, где осматривал больных, заводил больничные карты.

— Бо... Б-б-бо-о... Борегар. Лагерь. Замок.

— Это где?

— Ля Сель-Сен-Клу.

— У нас в Бержераке тоже возник лагерь, буквально из ничего. Стояли пустые бараки, в которых индокитайские рабочие жили, и вот мы слышим русскую речь, а вскоре там славян и всяких братских народностей полным полно. Красная армия уже взяла их под наблюдение, организовали хорошо. Каждый день построения, труд, танцы, спорт.

— Спорт.

— Да, Илья, спорт! Чуть ли не цирк! Каждый день поют. Французы изумляются: русские так много поют, так много поют! Сейчас все дружно в поте лица готовятся к первому мая. Художник рисует советский герб и двухметровое рыло усатого вождя.

— Это только начало, — сказал Игумнов. — Будут сборные пункты по всей Франции. В Германии вовсю идет фильтрация. Сами подумайте, какой удобный момент Европу подмять. А что, зачем делиться, когда так триумфально взяли Берлин?

Польшу и Прибалтику они заберут точно. Цель какая? Забыли? Завоевать весь мир. Чтобы превратить в один большой Гулагистан. Вот, — он схватил рукопись и потряс ею в воздухе, — читайте! Надо печатать и раздавать в этих бараках, чтобы знали, куда едут. Всем на улице раздавать. Потому что это — Правда!

— Да, — сказал Вересков, — Анатоль прав. Все это очень серьезно. Того гляди и нас загребут.

— И к стенке, — подытожил Гвоздевич, в голосе его послышался ледяной цинизм, он, казалось, хотел, чтоб его взяли и расстреляли. — И откуда про все это тебе известно, Анатоль?

— Кое-кто есть у меня... Мы собираемся газету открывать. Что скажете? Будете у нас работать? — Игумнов хитро посматривал на всех.

— Я-то не против, — сказал Серж. — Идея хорошая. Только есть один нюанс: разрешительная система. Дозволение из министерства нужно. Ордоннанс Временного правительства прошлого года обязывает[1]. Вряд ли дадут... то, что ты предлагаешь печатать, Анатоль, сочтут антибольшевистской пропагандой, боюсь, что это не пройдет...

— Все это формальности, Серж, ордоннанс нам не помеха. — Игумнов преобразился, его глаза горели. — Придумаем способ, как обойти разрешительную систему, и не такое бывало, и не на такие ухищрения шли!

---

[1] *Ордоннанс* — указ (*фр.*): имеется в виду ряд указов (май—август—сентябрь 1944 года), касавшихся прессы и средств массовой информации (часть программы Национального совета сопротивления), для издания и регистрации которых Указ от 30 сентября 1944 года (принят Временным правительством Франции) обязывал издателей получить специальное разрешение в министерстве информации, которое устанавливало тираж, формат газеты, периодичность издания и — в некоторых случаях — название.

Он погладил увлажнившиеся ладони, припомнил двадцатые — годы борьбы, годы настоящего подполья, с обысками, арестами, побегами...

Гвоздевич тяжело вздохнул и посмотрел в сторону выхода. Серж вытянул из кармана платок и вытер пот со лба. Грегуар тихонько постукивал тростью: стук... стук... стук... Крушевский завороженно смотрел на Игумнова.

— Ну, мне пора, — сказал я, поднялся, все посмотрели на меня, — вечером на смену заступать...

Грегуар спросил:

— В театр или куда?

— Я на пневматической почте, un facteur tubist, à vos services! — И шутливо поклонился, все заулыбались.

— Под землей или на велосипеде?

— Когда как. Больше под землей. Я уже не в том возрасте, чтоб по улицам носиться.

— Какой ужас!

— Мне нравится. Там хорошо. Прохладно и тихо. Слышно, как по трубам летят послания, с легким мистическим свистом...

Вересков захохотал.

— Ну, поэт!

Серж поднялся, подал Крушевскому сигнал, стали прощаться.

— Насилу место нашли для человека... пока то да се, документы делают, не все ж в гаражах ночевать... на смотрины идем... Ну, нам пора, господа.

— Как! И ты, Илья, уходишь?

Гвоздевич вышел, не прощаясь; в его походке было что-то вызывающее. Кажется, Игумнов это принял на свой счет, он ринулся к дверям, Вересков его обнял и потянул за собой.

— Анатоль, Анатоль, не обращай на него внимания. Господа, приезжайте к нам на пленэр в Бержерак! Ну, просто райский уголок! Природа, тишь, спокойствие. Альфред, поиграешь нам что-нибудь, а? Давно я не слушал, как ты играешь. Славный у тебя Дебюсси выходит.

— Я давно не упражнялся...

Не сговариваясь, мы решили пройтись. Медленно шли по Монпарнасу. Как прежде, было трудно расстаться. Я хотел сказать Сержу, что не поеду с ними в Аньер, но не мог решиться, достал сигарету, пытался закурить. Не получалось. Был ветреный, яркий день. Небо было всклокоченное и какое-то легкомысленное. Навстречу шло много военных с девушками. Серж отставал, останавливался, шарил по карманам, искал бумажку с адресами, именами и номерами телефонов, которую приготовил для Крушевского. Гвоздевич шел впереди всех и грубовато передразнивал Верескова:

— *На почте под землей? Какой ужас! А ты, Илья, все там же — ткани? Эх! Приезжайте к нам в Бержерак на пленэр! Видали позера? Поиграй нам, Альфред, славный у тебя Дебюсси!*

— Да брось, Илья, — сказал Серж. — Он почти святой по сравнению с Усокиным. Вот это горе. Просто напасть. Ах, вот она. Держи, Саша. Вот тут все мы, и Боголеповы, и Тумановы, все по именам-отчествам, чтоб ты знал, с кем будешь жить, чтоб не потерялся...

Крушевский смотрел на бумажку и тихо благодарил.

— А этот Игумнов! — продолжал Гвоздевич.

— Да что тебе он?

— Монстр!

Серж махнул рукой и ничего не сказал. Гвоздевич продолжал ругаться: «монстр», «маньяк», «психопат»... Я курил и думал об Усокине; мне было интересно, как он пережил оккупацию. Спросил.

— А ты не знаешь? — воскликнул Гвоздевич. — Он объедками питался, могилы копал, гробы грузил. Немцам помогал хоронить заключенных. Вот как он перенес оккупацию.

— Нет, нет, он на гробовой фабрике работал, — поправил Серж.

— А это не одно и то же?

— Ну, нет, Илья, нет.

— Ну и ну, — не выдержал я, — чем человек только не занимался: и тараканов в Константинополе ловил, и гробы грузил! Боже мой, вот так жизнь! Одно страдание...

— Да, — сказал Крушевский, — в гаражах холодно...

— А жил бы он в собственной квартире, — подхватил Гвоздевич, — где-нибудь на Сен-Мишель, плевал бы он на Россию.

— Не соглашусь, Илья, — сказал Шершнев, — Усокин не такой человек...

— Погодите-ка минутку, — безразличный к Шершневу, Гвоздевич отвел за руку Александра в сторону — и от потока людей, что спешили в метро, и от нас с Сержем. Переменившись в лице, он о чем-то просил Крушевского, говорил тихо, но настойчиво, молодой человек растерянно озирался, наконец, сильно гримасничая, он кивнул. Гвоздевич отпустил его и воскликнул: — Тут я вас оставлю, господа. Прощайте! Удачи вам с Боголеповыми! Они добрые люди, животных любят.

И резво побежал по ступенькам вниз. Крушевский беспомощно пытался что-то сказать.

— Что? Что? — спрашивал его Серж.

— Господа, я не врач, — проговорил робко Александр. — Я могу только... первичный осмотр делать... Ничего серьезного...

— Вот черт, — ударил себя по лбу Серж. Я спросил, в чем дело. — Илья его уговорил жену осмотреть. Ну ты подумай! И как это я так! Альфред, ты же ее смотрел?

— Да, и Френкель, и кто только...

— Ну?..

— Два-три месяца.

— Ах, беда какая!

Крушевский опять повторил, что он не врач.

— Так нельзя. Так нельзя. Альф, слушай, проводи нашего гостя к Боголеповым, а я должен догнать Илью.

И побежал вниз. Я крикнул, что не могу! не могу туда идти!

— К соседям проводи! К Тумановым! К Севастьянову! Илья! Илья, постой!

Я от досады бросил сигарету. Вот человек! Александр твердил, что не может смотреть жену Гвоздевича. Я его успокоил: ему не придется этого делать. Все дело в Шершневе. Он это уладит... У нас так всегда. Одно уладит, что-нибудь другое всплывет. Такая натура, обширная. Предложил пойти куда-нибудь. На Разбойничий остров я ехать не мог. К Тумановым или Севастьянову — какая разница? Все равно по мосту Клиши идти, а он у Боголеповых из окна как на ладони. Старик меня обещал пристрелить. Ружье у него есть. Смотрителем на кладбище работает. Могилы копает. Рука не дрогнет. Человек слова. Обещал пристрелить, значит, пристрелит.

— А может... я тогда... к себе?..

— Куда? В Сент-Уан? Ну, нет. Давайте ко мне! Знаете, Рута прекрасно готовит. У меня переночуете сегодня.

Александр согласился, и мы направились ко мне. Когда вошли в мою комнату, я предложил выпить вина и послушать музыку. Ему было все равно. Я налил себе и ему, потянулся к пластинкам. Он вдруг как-то странно сложился и сел на пол. У него начался эпилептический припадок.

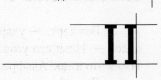

1

В Париже мне снятся необычные сны: я гуляю по подземным стеклянным коридорам, по бесконечным широким улицам среди разноцветных небоскребов, летаю над городом в открытом поезде на искрящем в густой синеве монорельсе, словом, со мной происходит нечто невообразимое, потому что я каждый день сталкиваюсь с невообразимым. Похожие видения случались в Чистополе, разве что чудеса были гоголевские — с нечистью, чернеющим на горизонте лесом или лохматой тучей над головой. Не забуду мое первое похмелье в Америке. Я не собирался нализаться, меня что-то будто подталкивало, сдуру вошел в кафе и стал притворяться: достал записную книжку, бросил на стол перед собой, заказал кофе и — ни с того ни с сего — бурбон, еще и, кажется, еще; тут я перестал собой владеть, какая-то сила понесла меня в магазин, я купил бутылку вина, — и все это чудачество приключилось натощак! На следующее утро мне было плохо. Моя от лекарств уставшая печень плохо приняла алкоголь. В комнате было страшно, на улице тоже. Ноги завели в старенькую уютную библиотеку на Eastern Parkway, в небольшом зале периодики, каталогов и картотек меня поймал дежурный библиограф, пожилой русский эмигрант, он здорово вправил мне мозги. Я просидел в библиотеке почти весь день, забывшись совершенно. После беседы с ним я долго пил минеральную воду в скверике через дорогу, шалея от простора, воздуха, голосов, птиц; скамейка подо мной мерно покачивалась; я снял ботинки и закрыл глаза, на какое-то время провалился в карусельный сон, вынырнув из которого, сделал свою первую после побега запись: *нет, это не похмелье, а осень крадется по венам, по трущобам моей души, осень — слепая и старая, с забинтованной совестью и плотно набитым палой листвой воспоминаний чемоданом — все, что нужно для побега, все, что нужно, чтобы начать новое восхождение по вьюну жизни, я слышу, слышу, как она шлепает из каземата в каземат, шаркает сандалетами по моим легким, карабкается по позвонкам, слепо пробирается по гладко выскобленной временем камере, чует тягу, чует отверстие, прилаживает свое бельмоватое око к дыре, не догадываясь, что это мой глаз.*

Солнце садилось; здания и деревья казались выше и внушительней; пожелтевшая листва шелестела, срывалась с ветвей, летала в воздухе; люди торопились домой, машины ехали и ехали. Глядя на багряно-золотистые веерные полосы света в небе, я принял решение отказаться от участия в кампании, что вокруг меня хотели развернуть. Планировалось выступление в одной из передач «Голоса Америки»; кучерявый очкарик что-то мямлил о документальном фильме о диссидентах, в котором нашлось бы место и для меня; продюсеры кинокомпаний засылали ко мне сценаристов; журналы предлагали гонорары за интервью; узнав, что я пописываю, редактор одного крупного издательства поторапливал. Но я одумался. Бруклинский русский библиотекарь знал лично нескольких перебежчиков, дал мне книжку одного из них. Полистав ее, сел читать, меня не покидало чувство стеснения — и за автора, и за себя! Я словно заглянул в мой собственный будущий роман. Автор — кукушка из пишущей машинки, неугомонный тараторка — чем-то походил на меня: писал на бегу, задевая мысли по касательной, не додумывая, летел дальше, — знакомый ветер проносился и в моей голове, и мысли были похожие, острые, яркие, но — из дешевого стекла, побрякушки. Мне тоже не терпелось вдарить восклицательным знаком, рубануть с плеча междометием или пройтись по кому-нибудь с матерком — такие бродили в душе настроения... и тут я все это нахожу в книге, и все нескладно, абы как. Выпрыгнув из душного московского театра, он вынес на страницы обломки закулисья и бутафорию советской действительности, грубо сработанную, грязную, маслянисто-затхлую. Все его персонажи жутко пили и ругались, строчили доносы, говорили в лучшем случае на салонном жаргоне, там и сям скалились игральные кости блатных выражений; кроме того, страницы пестрели опечатками. Казалось, человек писал в поезде, причем его принуждали переходить из купе в купе, не давая возможности вернуться и перечитать написанное. Библиотекарь сварил мне чаю. Я три или четыре часа сидел и жадно читал в надежде найти что-то — или, может быть, почувствовать отклик в сердце... Не дождался. Актер красиво слинял из гримерки в многозвездную американскую ночь, и книжка кончилась. Так и хотелось воскликнуть: погоди! и это все? это несправедливо! Вывернуть маленький театр нутром наружу недостаточно для того, чтобы рассказать хотя бы свою маленькую жизнь. Я был младше автора лет на десять, а видел, казалось, куда больше. Мне доводилось подмечать в глазах людей перелив заповедной мысли, что блестела, как Кама в жаркие дни, недоступная и ослепительно гордая. С такой внутренней силой не совладает ни одна империя! В Петербурге, бывало, крался по моей спине мистический холодок, мне казалось: сейчас поверну за угол и исчезну. Вот об этом рассказать бы! Тогда, в библиотеке на Eastern Parkway, я не вполне это сознавал, не мог додумать, я знал лишь то, что в моем взвинченном состоянии выйдет ничуть не лучше. «Знаете, друг мой, — сказал мне библиотекарь, — литература жива не настроением, не одним днем, и в нее идут не за хлебом насущным. Ну, описал он тут свои скитания, прыжки, невзгоды, но так и хочется спросить: а где же тут искусство? Что еще хуже... Знаете, как бывает... Некоторые, приехав, бросались в гущу событий, поднимали шум, выступали, писали, давали интервью, делали заявления, а потом либо исчезали, либо чем-нибудь заболевали. Вот убежали вы из СССР — что дальше? Что будете с вашей свободой делать? Жить в эмиграции трудно. Тем более советскому человеку. Америка кружит голову. Сегодня взлетели, завтра о вас забыли. Не лучше ли все как следует взвесить, пока дров не наломали?»

Старик прав, думал я, верно говорит. Я отменил всё. Предпочел затаиться. Ну, кто я такой, чтобы обо мне снимать фильм? Что я могу сказать журналистам? Не исключено, что я стану погремушкой в их руках. Куда спешить? Зачем кричать на весь мир о себе, когда есть много прекрасных людей, которые несут на своих плечах историю? Они достойны внимания. Что я рядом с ними? Мелкий эгоист. Я все сделал ради себя; спасал себя одного. Где тут подвиг?

Я отправился к себе, по пути купил карту Парижа, узнал стоимость билета, ночью, обессиленный и голодный, пил пустой чай, курил, разглядывая карту, шептал названия улиц и бульваров, водил по ним карандашом, представляя, как я гуляю по Парижу, придумывал, как мне уговорить американцев, чтобы они мне помогли уехать во Францию, внутри меня что-то стонало, нечто похожее на шум улиц, предгрозовой гул... Лег спать совершенно голым и бесполым, и мне приснился странный сон... Я иду по незнакомому городу, но тому человеку, кем я обернулся во сне, он знаком, это его родной город, я это понимаю, я — его обитатель, житель, гражданин, названия не помню, потому что — родной город имени не имеет, он, словно родитель, единственный (тем более во сне!). Посреди средневекового каменного лабиринта таинственно поблескивает зеленый пруд, на скатах растут ивы и каштаны, вьются тропинки, блестят влажной травой газоны, скамейки, фонарные столбы необычной формы, я нахожу красную дамскую перчатку под старой пихтой, фиолетовые шишки, порыжевшие края ветвей, из каменной урны бежит дымок. Я оглянулся: по бордюру спешит крыса, ее зад смешно вздергивается, хвост волочится, как привязанная веревка. «Он сломанный», — думаю я, или: так думает тот человек, кем я себя ощущаю, я как артист, его изображаю, я в роли. Взбираюсь по ступенькам на холм. Смотрю на башню. «Она похожа на шахматную туру». От башни тянется серая стена. Крепость. Она мне кажется родной. Я в этом городе родился. Я с ним сросся. Надо думать, родным был не город, а само сновидение, в которое я окунулся, как кисточка в банку с водой, и краска расползается, краска и есть этот город, которым я брежу, по которому иду в этом прозрачном, как чистая вода, сне. Солнце разбирает меня, я в нем таю, краска сползает с меня, и мне верится, что я тут живу, знаю эту булыжную мостовую, знаю эти плитняковые стены, эта лепнина мне знакома, и конусные шапки башенок вдали, луковицы собора, статуя Петра... и я знаю себя, самое главное, знаю настолько глубоко и подробно, как немногие себе могут позволить. Я не такой, как в моей повседневной жизни. С оглядкой могу сказать, я бы не хотел быть тем человеком, которым меня угораздило быть во сне. Он такой мрачный. Тяжелый человек. Мучительно перебирающий в душе каждую складку. Он не просто так шел вдоль ограды с кустами на холме, он переживал личную драму: от него ушла девушка, уехала в другую страну, совсем. Я достаю сигарету, это апрель, кусты, как проволочные, прикуриваю от зажигалки, в кустах мелькают птицы. «Они там как в клетке». Смотрю вниз: парк, песочница, качели, дети, на каменного слоненка девочка пытается усадить малыша в голубом комбинезоне, сонная мать сидит на скамейке, зевает. «А может, она и не мать, а нянька». Думаю о моей девушке. Знаю мою жизнь до отвращения подробно. Она обыкновенна и скучна, как тот газон внизу, похожий на носовой платок. Мне известно, что девушка, прежде чем бросить меня, сделала аборт. Я переживаю это настолько болезненно, что даже задыхаюсь. Меня тошнит. Роняю сигарету. Иду вдоль кустов. Кружится голова. Кусты кончаются. Сажусь на скамейку с обломанной доской. Гвоздем, что ли, вырезано имя. Буквы не разобрать. Все равно. Гремит пустыми бутылками бродяга. Останавливается. Наклоняется. Поднимает мой окурок. Докуривает, озираясь. В парке заплакал малыш. «Наверное, упал». Хочется бежать. Все наливается сиянием. И я понимаю: я — есть, на этой скамейке, в этом маленьком парке, где сквозь голые ветви проглядывает похожая на туру башня и все вокруг заливает вездесущее солнце, я — это я, от себя не уйти. Пробуждаюсь. Вскакиваю, точно выдергиваю руку с кисточкой из кипятка. Вот он же я! И тем не менее со всех боков будто морозец покусывает. Комната выглядит безумно ненастоящей. Вид за окном сюрреалистический. Снег летит крупный, спелый, искусственный. Я второпях оделся и побежал вон, скорей, в библиотеку! Но было слишком рано, что-то около пяти утра.

2

Детство — это хрупкая скорлупа, из которой рано или поздно приходится выбираться, появляются люди с молоточками, они больно бьют, стараясь разбить ее, и чем больней они ударят, тем скорей ты станешь взрослым. Одним из таких людей в моей жизни был Теодор Френкель.

Жить взаперти нельзя, — считал отец, он заводил знакомства и однажды привел меня к Френкелям, которые бежали из России во время еврейских погромов, о чем я узнал много позже. Мне было десять, и я был комнатным ребенком, моими главными друзьями были папа, мама, Франсина и мсье Леандр. Моими первыми парижскими друзьями стали Теодор и Миша Френкели. С Мишей мне было легко, он был младше меня, а вот Теодор меня постоянно учил чему-нибудь. Он всем занимался слишком серьезно, старался быть на высоте. В его комнате было много картинок птиц: кардиналы, танагры и астрильды — потрясающие работы; надписи, сделанные под картинками на латыни, меня поразили даже больше — у Теодора был каллиграфический почерк, в его руке чувствовались серьезность, основательность, уверенность. Рисунки были не частью какой-нибудь игры, — в отличие от меня, Теодор всецело отдавался учебе, он занимался, как взрослый, вполне осознанно («Мальчик мало улыбается», — как-то отметил папа, и мама с ним согласилась). Он важно прочитал нам лекцию обо всех им изображенных птицах и объявил, что в его планы входит нарисовать все доступные виды птиц, какие есть на Земле. После чего взрослые удалились, и для меня наступил миниатюрный детский ад. Оставшись с инквизитором tête-à-tête (Миша в счет не шел), я моментально оказался в его власти. Теодор устроил мне экзамен, который я с блеском провалил. Глубоко вздохнув, он вынес приговор: «Ты ничего не знаешь о мире». Уязвленный его тоном, я нарочно усомнился в том, что он сам нарисовал все эти картинки. «Возможно, вам все-таки помогали?» — сказал я. «Вам помогали, — передразнил он. — Кто мне помогал? Он, что ли? — Теодор метнул в сторону своего братишки презрительный взгляд. — Кто в этом доме мог их нарисовать, кроме меня?» Я сказал, что, возможно, его папа. Он презрительно фыркнул: «Ну вот еще! Ему будто нечем заняться!» Чтобы позлить его еще, я сказал, что, наверное, некоторые из этих птиц все-таки не существуют, они кажутся фантастическими, и, должно быть, он их выдумал, — я это произнес в виде вопроса, продолжая обращаться к нему на вы, что Теодора сильно раззадорило: «*Вы их выдумали*, — передразнил он и вдруг взорвался: — Ты глупец, если так говоришь. Тут только те виды птиц, которые в природе существуют! Я не занимаюсь выдумками! Я — не ребенок!» Он действительно не был ребенком, с раннего детства Теодор Френкель знал, чего хотел от жизни: стать ученым, путешественником, он обязательно хотел поехать в Египет изучать пирамиды (он побывал-таки и в Египте, и в СССР, где искал Тунгусский метеорит, умер несколько лет назад в экспедиции по Месопотамии). Кристаллы души растут медленно, однако некоторые рождаются цельными, ограненными. Таким был Теодор. Как-то я показал ему мой маленький игрушечный саркофаг, который вылепил из глины и носил для обжига в керамическую мастерскую, и спросил: «Хочешь посмотреть, что там внутри?» Теодор фыркнул, его лицо исказила гримаса презрения: «Ну, что за глупости! Я и сам знаю, что внутри твоей глиняной коробки лежит обмотанная тряпкой куколка! Ты совсем еще дитя!» Он всю жизнь ко мне так относился.

Теодор Френкель состоял исключительно из амбиций вселенского масштаба, был страшным гордецом и очень нелепо держался, в детстве у него была смешная походка, он высоко задирал подбородок, настолько высоко, что издалека были видны крупные ноздри, было неловко идти рядом. Всех сильно раздражала его манера придираться. Я приходил к ним скорее ради их отца, он рассказывал интересные истории об Одессе, о путешествиях по Уралу, помню историю про то, как он и его друг остановились заночевать у одного старика, и тот их пытался накормить ядовитыми грибами, но господин Френкель все знал о грибах и вовремя отказался. Была одна необычная история про старуху, которая лечила руками. Теодор перебил, воскликнув, что это полная ерунда: «Она была шарлатанкой», — но его отец заверил нас, что старуха исцеляла людей. Теодор фыркал и говорил, что это невозможно. У Френкелей бывали братья Жозеф и Анри Бабинские, тогда еще не такие старые, но уже импозантные и довольно известные в обществе. Похожие как две капли воды, они нарочно одевались одинаково, чтоб разыгрывать людей. Они были удивительно живыми и забавными. Дядя Жозеф был известный невропатолог, почетный член Общества психиатров, заведовал клиникой Сальпетриер, любимый ученик Шарко (на известной картине Бруйе — кажется, она называется «Сеанс гипноза в клинике Сальпетриер» — дядя Жозеф, как нам разрешалось его называть, изображен справа от своего учителя, он держит девушку в состоянии истерического припадка). В двадцатые годы Жозеф Бабински написал пьесу Les Détraquées, многие считали, что ее мог написать разве что психически неуравновешенный человек; Андре Бретон ею восхищался. Его брат, дядя Анри, был известным гастрономом, писал книги по кулинарии, в то же самое время изобретал мины, как боевые, так и для раскопок на приисках. Он был директором цинкового рудника в La Grand-Combe, где познакомился с бароном Деломбре, это была очень долгая и крепкая дружба, они вместе испытывали свои мины на полигоне где-то в Окситании, между Лангедоком и Руссийоном. Анри Бабински был почетным членом Артиллерийского клуба. Он часто уезжал в Африку и Французскую Гвиану на золотые прииски. Его охотничьи рассказы, истории о подрывных работах и случаях на рудниках были интересней любых романов; перед тем как пуститься что-нибудь рассказывать, дядя Анри принимался накручивать свой пышный ржавый ус, а вредный Теодор демонстративно выходил из комнаты.

Меня очень рано начали фотографировать. В этом конверте много фотографий, но есть среди них самые любимые — те, что сделал отец, и должна быть одна маленькая, сильно помятая фотокарточка.

На снимке Альфреду не больше семи, он сидит на стульчике за выдвижным столиком большого туристического шкафа, ящички выдвинуты, из них свисают ленты, шнурки, шерстяные нити, на полочке стоят: катушки, матрешки, миниатюрная копия кареты с извозчиком и лошадью (хвост, вожжи и половина зримого колеса обломаны), грязная вазочка с торчащими из нее кисточками, изогнувшись над листом бумаги вполоборота к объективу, мальчик увлеченно рисует, не замечая, что его фотографируют. Москва, 1903.

Вот он — в гольфах, шортах, белой рубашке — за партой, рядом подвешен глобус, с дубовых полок лакированного шкафа смотрят толстые, покрытые позолотой корешки книг, Альфред что-то пишет красивым длинным пером. Paris, 1906. На сцене детского театра в роли эльфа, 1908. В роли Астольфо, князя Московии, 1912. С кипой книг возле букинистического лотка — за год до начала Первой мировой.

Сохранились снимки, сделанные такими портретистами, как Пьер-Луи Пьерсон и братья Майеры, именно в их ателье на бульваре Капуцинов, 5, где на стенах висели портреты королей и королев разных стран, меня и приметил мистер Уилфред Эндрюз. На Монпарнасе у него был салон *Ivanhoe*: в витрине стоял рыцарский манекен в накидке тамплиера, левая рука покоилась на рукояти меча, правая замерла в пригласительном жесте. Его убрали, как только появился я, чудо-ребенок. Для меня на витрине создали уютную комнатку; помню, как м-р Эндрюз терпеливо объяснял: «Смотри, малыш! Ничего страшного. С одной стороны занавес, с другой стена, только она стеклянная. Вот и все». Я жил там при честном при всем народе, как зверушка. Меня наряжали персонажем из сказок. Проще всего изображать гнома, а Щелкунчик — это настоящая работа, магазинчик находился на солнечной стороне улицы, и в сюртуке, парике и гольфах было нестерпимо жарко. Зеваки останавливались, смотрели, стучали в стекло, — не обращая на них внимания, я занимался своими делами — читал, писал, рисовал — и в стекло перестали стучать, мир просто катился мимо, как трамвай.

В салоне работало аж три фотографа. От любителей нацепить латы отбоя не было, записывались за несколько месяцев вперед, барышни мечтали позировать в средневековых платьях, мужчинам хотелось взять в руки меч или бердыш, даже очень важные особы делали очень несерьезные снимки, над которыми потом мастера хихикали. Отец пригласил владельца ателье в гости, м-р Эндрюз все жадно рассматривал, а папа плел ему историю о том, будто они с мамой, состязаясь на расстоянии с русско-американской семьей, в которой рос необыкновенно талантливый мальчик, мой ровесник, пытались меня сделать вундеркиндом (мы и правда через газеты следили за жизнью тогда известного Уильяма Сайдиса, — только соперничества я не припомню), но так как никаких исключительных способностей я не проявлял, меня предоставили самому себе, а я увлекся Египтом. М-р Эндрюз сердцем принадлежал Викторианской эпохе, в душе был большим фантазером, мечтал стать романистом; позже в Англии он опубликовал три тома мемуаров, где вскользь упоминает меня: в период моего детства — «ручная обезьянка», в юности — «послушный манекен», в двадцатые годы — «гротескная фигура», «несчастный урод». Рассказ отца ему очень понравился, и он — «возвращаясь от Моргенштернов в экипаже» — придумал историю: *L'Enfant Prodige de Paris*[1], сделал к ней несколько постановочных снимков в духе конца девятнадцатого столетия: костюм английского путешественника, лупа, блокнот, саркофаг с поддельной мумией. Я выглядел на два-три года младше моих лет.

---

[1] Вундеркинд Парижа *(фр.)*.

Он выдумал меня, превратил в чудовище с прожорливым умом: «в возрасте семи месяцев чудо-дитя заговорило при помощи карточек, на которых были написаны буквы, а теперь знает дюжину языков!» — смешно было то, что с годами он сам поверил в этот бред. Так я стал вундеркиндом, надолго застрявшим в La Belle Epoque. Годы шли, а в моей фантастической жизни ничего не менялось. Сколько бы я ни взрослел, куда бы ни двигался мир, набирая свои обороты (скорость этого стремления находится в пропорциональной зависимости от количества душ, отправленных в котлы истории), мой герой продолжал свое таинственное существование в наивном космосе Art Nouveau, посреди мебели Луи Мажореля, декоративных ламп Эмиля Галле и ваз с отлитыми из pâte de verre розами — все то, что вышло из моды, умерло после окончания Первой мировой, чудесным образом обрело вторую жизнь на картинках серии «L'Homme Incroyable». Этот странный господин-вневремени появлялся в ресторанах вроде Le Train Bleu или Maxim's, впадал в задумчивость на фоне Le Palais idéal, листал книгу под канделябрами Рене Лалика, беспечно передвигался в причудливых автомобилях, неизменно носил эдвардианские костюмы, цилиндры, котелки, канотье и шальки, что-нибудь изобретал, расследовал преступления, куда-нибудь ехал, погружался, летел и — самое главное — никогда и ни за что (невзирая на сменяющихся фотографов) не терял присутствия викторианского духа, которым крестил меня Уилфред Эндрюз. L'Homme Incroyable был популярен во всей Европе, в каждой стране находились свои издатели, художники, фотографы, сочинители и свой артист, чем-то похожий на меня, они творили, что им вздумается; м-р Эндрюз был вне себя, в двадцатые — тридцатые годы он больше судился, чем занимался мной (вернее будет сказать — своим созданием). Он был человеком суетливым и слишком занятым, чтобы хоть на короткий промежуток времени посвятить себя с полной самоотдачей чему-нибудь одному; даже в те исключительные минуты, когда он говорил только о наших делах, я видел, что в его голове роились посторонние мысли. На его столе находилось несколько телефонов, мне казалось, что он к ним присоединен и ведет с кем-то мысленные переговоры. Как правило, он присылал ко мне курьера с контрактом на подпись, а потом бомбардировал пневматичками с инструкциями. Все делалось очень быстро. На фотографические постановки у меня уходило каких-нибудь несколько часов в неделю; я прибывал на место, где все было готово, мне оставалось только облачиться и позировать. У моего импресарио было две семьи и несколько любовниц. Он управлял множеством предприятий: издательство, галерея, книжный магазинчик, бутик бижутерии и галантерейных товаров. На некоторое время он с головой ушел в кукольный театр, даже я в нем выступал в качестве конферансье, но это продлилось лет пять, не больше; затем он основал агентство с широким спектром услуг: от нотариальных до частного сыска (искали в основном неверных супругов и пропавших питомцев богатых клиентов); оно имело представительства и конторы не только во всех крупных городах Франции, но и в Англии, Швейцарии, Бельгии и Германии, штат насчитывал порядка нескольких сот сотрудников. Мне нашлось место секретаря и переводчика, но помимо этого я занимался самыми разными делами: был маклером и посредником при переговорах компаний, продавал и помогал приобретать недвижимость, занимался оценкой предметов искусства, участвовал в рекламах, аукционах, устраивал актеров в театры и киностудии, читал сценарии и переводил романы. И многое другое. Теперь и не вспомнишь. Все это было мало интересно, но принесло практическую пользу и дало навык, на многое открыло глаза, впоследствии я с благодарностью вспоминал старика, был он хорошим добрым человеком, но, к сожалению, рассеянность, влюбчивость и мегаломания, как жучки-древоточцы, подтачивали его изнутри; он пил и ухлестывал за женщинами, забывал о важных встречах, делал ставки не на тех политиков, приобретал акции ненадежных предприятий; в двадцатые годы он мог все круто изменить, я предлагал ему развернуться в Холливуде, но он насмешливо сказал, что скоро Америка пойдет на дно, а кинематограф его, дескать, не интересует совсем, потому как фильма себя исчерпала и уже в тридцатые годы все кинотеатры закроются, — в итоге я уехал в Нью-Йорк один и ничего у меня не вышло. Он жаждал славы, мечтал купить апартаменты на авеню Фош, открыть свой банк в Швейцарии и т. п. Не скрою, забавно следить за тем, как неуемная энергия бросает человека из одной крайности в другую, искусство переплетается с мошенничеством, деньги сыплются с потолка, обороты и скорости увеличиваются, но я не сделался апостолом его религии. Я никогда не верил, будто все можно купить и все можно продать, будто все: картины, актеры, виллы, связи — *nothing but money*[1]. Скоро концерн так разросся, что швы не выдержали, и он лопнул. В ту пору (это было как раз после смерти мамы) я начал уходить в себя, играл джаз по ночам в самых странных местах, увлекся мормонским чаем, сильно исхудал и выглядел значительно старше моих лет, отклонял предложения сниматься, вскоре выяснилось, что мой контракт с *Wilfred Endrews Co* несколько лет как истек, о чем м-р Эндрюз мне небрежно напомнил по телефону: «Альфред, ну что? Будем возобновлять его или ты — как бы это сказать — будешь искать себя?» Уязвленный, я безразлично ответил: «Да, пожалуй, что так, сэр. Буду искать себя». «Bon, fortune favours the bold[2], как говорит-

---

[1] Не что иное, как деньги *(англ.)*.
[2] Удача потрафит смельчакам *(англ.)*.

ся. Помни, Альфред, ты всегда можешь ко мне обращаться, здесь твой дом». Я старался казаться веселым, но сильно расстроился: все те годы, что я его знал — без малого тридцать лет, — вдруг растаяли, как мираж, а вместе с ними ушли все, кого я любил, включая неряху Франсину. Здорово напился тем вечером и наутро отправился путешествовать, но не в поисках себя. Я понял одну вещь: мир забудет тебя скорей, чем ты этого ждешь; образ сходил с меня гораздо медленней, чем мне того хотелось; люди быстро перестали меня узнавать, чешуя отдиралась с болью, с кусками прошлого, в котором застряли отростки моих чувств, — не обошлось без насилия над собой: я запирал костюмы в шкаф и выбрасывал ключ, а потом вызывал мастера. Окончательно Невероятный Человек исчез после смерти его творца: Уилфред Чарльз Мартин Эндрюз умер в Оксфорде в 1943 году, одиноким и всеми забытым. Я думал, что теперь-то обрету покой, расстанусь с прилипшей к моему имени тенью, но это оказалось не так просто, кто-нибудь да вспомнит. В конце пятидесятых годов в моду вошли телевизионные ретроспективные передачи, персонажи, которые туда приходят, выглядят либо как пациенты психиатрических клиник, либо как медиумами вызванные духи. Меня тоже приглашали. Я не откликнулся на предложение. Рассматриваю фотографии — это все, что я могу себе позволить.

Альфред разворачивает старую газету.

Та первая статья мистера Эндрюза взъерошила город. Мы проснулись посреди карнавала. Я вдруг осознал, что можно существовать в другом измерении, быть собой и еще кем-то. Уверен, что никто, кроме самых доверчивых женщин, в историю про вундеркинда не поверил, но людям нравятся выдумки, даже самые неправдоподобные, им нужны романы, а моя история была чем-то вроде начала большого романа: в персонаже, которого я воплотил, чувствовалось большое фантастическое будущее, и я подпитывал его на протяжении тридцати лет, сближая мечту с нашей трескучей реальностью (о, если б мир хоть чуточку пособил, мы бы жили в сказке!). Меня узнавали на улице, в школе донимали вопросами. Я держался независимо. Мне немного досталось от Теодора. Мой папа объяснил мсье Френкелю, что это все игра, он одобрил, братья Бабинские были в восторге, они единодушно хлопали в ладоши, подмигивали мне, называли меня юным актером, — Теодору ничего не оставалось, как пересмотреть свои взгляды, и он снизошел: «Ты рано начал работать, — заметил он очень серьезно, — раньше всех». На волне шума, вызванного статьями (одна газета передирала с другой, добавляя свои небылицы), салон *Ivanhoe* выпустил серию открыток и календариков под заголовком *L'Enfant Incroyable*, которые мгновенно стали популярны, — так началась моя открыточная параллельная жизнь, мой фотографический роман.

С Андре Бретоном меня познакомил Теодор. Они учились вместе в лицее Шапталь. Несмотря на свою практичность, Теодор писал стихи и пьесы, участвовал в постановках, что меня удивляло: я полагал, что это должно было ему казаться пустой тратой времени. Его сильно изменило знакомство с Бретоном и Этьеном Болтански. Как и Френкели, отец Этьена бежал от погромов из Одессы (может быть, они все вместе бежали, я не уверен). Андре, Этьен и Френкели создали небольшое поэтическое общество, которое назвали *Club des Sophistes*. Андре и Теодор увлекались в те дни философией, они выпускали свой маленький рукописный журнал. Меня потрясло, с какой одержимостью Теодор рисовал и писал. Его отец жаловался, что Теодор и Миша целыми ночами возятся с чернилами и красками. Поскольку я тоже писал стихи (откровенно дурные, помню, что каким-то образом рифмовал *pommes de terre* и *pompes funèbres*[1]), Френкели пригласили и меня. Люди, которые у них собирались, были очарованы Теодором, они видели в нем лидера, даже Бретон им восхищался; и правда, Теодор был полон идей. На заседаниях своего клуба Этьен, Френкели и Андре держались очень важно, в основном говорили они, остальные слушали; на заседаниях было не расслабиться — атмосфера в клубе была очень тяжелой: тех, кто дурачился, выгоняли. У меня сохранилась фотография, на которой Бретон что-то говорит, Этьен держит руку на томике Верлена, а Френкели стоят, сознательно позируя (это несколько портит фотографию). Мы все тогда зачитывались Аполлинером. То были славные дни!

Война многое изменила. Меня направили санитаром в Claude Bernard, людей не хватало, в марте восемнадцатого года Париж бомбили и обстреливали, в нас тоже попали, в августе, когда испанка набирала силу, мое дежурство в больнице походило на работу в аду, а в газетах об «испанской инфлюэнце» — ровным счетом ничего, кроме одной маленькой заметки, я ее вырезал и сохранил, вот она:

«Pour éviter la grippe les autorités médicales recommandent de faire bouillir et laver le linge en employant «la Boréale», produit antiseptique qui détruit les germes de la contagion»[2].

Историческая запись. Бесценная. Были еще статейки, которые я не смог сохранить, они меня приводили в бешенство; например, утка о том, будто болезнь во Францию заслали немцы с контрабандными испанскими консервами. Люди во все времена с удовольствием мусолят подобные слухи (достаточ-

---

[1] «Картошка», «ритуальные услуги» (*фр.*).

[2] «Чтобы избежать заражения гриппом, медицинское управление советует при стирке кипятить белье и использовать «Северное сияние», антисептический продукт, который уничтожает болезнетворные микробы» (*фр.*).

но вспомнить немецкие погромы, прокатившиеся по Москве в 1915 году). Немецкие солдаты погибали в траншеях от того же гриппа. Если бы не грипп, они маршировали бы по Парижу. В страшные ноябрьские и декабрьские дни восемнадцатого Париж мне казался подмостками, на которых разыгрывался вселенский фарс: рестораны открыты, в них горят огни, люди беспечно поглощают свои обеды, пьют, говорят, обнимаются, из театров валят пестрые толпы, смеются, я видел очереди в кинотеатры, танцующие пары в дансингах! Я смотрел на них, как на обреченных. Я шел по городу и сам себе казался призраком. Может быть, я сошел с ума? А вдруг то, что происходит в больнице, всего лишь мой бред? Кофеин, спартеин, феназон... Врачи делают горчичные повязки, прикладывают соли и металлические пластины... Они не знают, как бороться с этим бедствием, сквозь нас проходят до трехсот человек за смену, большая часть из них сгорает за сутки... А этим все равно. Никто ничего не боится, никто не принимает никаких мер предосторожности. Опрыскивают полы эвкалиптовой водой... Жуткая карикатура тех дней: человек с бутылкой формальдегида жмет на резиновую грушу. Крупными буквами: «Очищайте в помещениях воздух!» Так они боролись с эпидемией. Горы трупов в морге и на кладбище, о которых никто ничего не хотел знать. Мама понятия не имела о том, что происходит; я соврал, что работаю в военном театре, поднимаю у солдат и офицеров воинский дух; «форма тебе идет, дорогой», — говорила она. Я умолял ее не покидать дом, но она считала, что я сильно преувеличиваю положение вещей, каждый день куда-нибудь уходила, я злился на нее, просил, чтобы она отправляла Франсину, я говорил Франсине, чтобы она не позволяла маман выходить, я ей платил за это дополнительно, сделал для нее маску, Франсина улыбалась лукаво, однажды я подловил ее возле рынка без маски, возмутился, а она рассмеялась.

В начале 1919-го я встретил Теодора: его, как военного хирурга, направили в Россию вместе с французскими войсками, он провел два месяца в Одессе в борьбе с испанкой и был полностью уверен в том, что ее изобрели большевики, — я слушал его рассказы, и в моем сердце таяла надежда увидеть отца. Из бинтов и марли Теодор сшил себе маску необычной формы (в ней он был похож на medico della peste[1]). Он сильно изменился и вел себя странно; он писал предупреждающие о серьезности испанской инфлюэнцы стихи, делал плакаты в духе фумистов и клеил их в метро; его арестовали за то, что он отказался снять свою отвратительную маску в публичном месте, он провел в полицейском участке ночь с бродягами и ворами, громко читая стихи, утром его отправили в госпиталь заниматься своим делом. Я тоже сшил себе маску и ходил в ней по городу, нарочно не снимал. После эпидемии, торопясь забыть кошмар, я ходил в лучшие кафе, шатался по бульварам, искал людей. Наше общество раскололось. Мы все стали немного чужими. Этьен вернулся с фронта совсем не в себе. Андре и Теодор завели новых друзей, я их встретил возле Пантеона, их было человек пять или шесть, они стояли в ожидании, когда из мэрии вынесут гроб с телом какого-то политика. Собирался народ, подошел военный оркестр. Теодор, Андре и другие беззлобно посмеивались. Мне было решительно все равно; не знаю, что они высматривали; я слушал их шуточки и чувствовал себя абсолютно чужим; я спросил Теодора, что происходит, он ничего не объяснил, его взгляд хищно рыскал по катафалку, по оркестру, по прибывшим чиновникам и их женам, точно так же озирался Бретон, на меня не обращали никакого внимания. Когда мы шли вниз по Суффло, они громко говорили и смеялись, а я думал о своем... шпиль Эйфелевой башни был похож

---

[1] Врачеватель чумы (ит.).

на вонзенный в мягкие ткани облака шприц. Они меня куда-то пригласили, — кажется, в театр, — я рассеянно отказался, и мы расстались... на много лет — кое-кого из них я увидел только в театре Michel во время знаменитой потасовки. Я отправился бродить в Люксембургский сад... гулял, надеясь никого не встретить, в голове гремел, трещал, стучал колесами старый трамвайчик, на котором уехал отец на вокзал, он лихо запрыгнул на подножку, весело помахал нам рукой, у него был беззаботный вид, все было как всегда, обычная поездка, стояла теплая, слегка дождливая весна, на нем был серый английский плащ, подчеркивающий его стройность, французский черный берет, теплые брюки, одной рукой он прижимал к себе перевязанный ремешком полушубок, завернутые в бумагу зимние ботинки и шапку — таким мы видели его в последний раз (Place de l'Étoile, 23 mars 1917)[1]. Тот старенький трамвай еще долго ходил, — может, лет семь или восемь, — я много раз на нем оказывался и старался сесть там же, где сел тогда папа (надежду на его возвращение я окончательно утратил, когда развалюху сняли с маршрута, заменив более быстрой и вместительной автомотрисой с двумя вагонами). Заиграл оркестр, я нарочно ступал по сухой опавшей листве, чтобы наполнить голову мягким нежным шорохом, чтобы не слышать приближающегося оркестра, не думать об отце, не думать о России, не думать.

3

Сегодня утром я проснулся со смутным ощущением, что упускаю нечто важное, будто мне ссужены время и свобода не затем, чтобы я метался по волнам уличной революции, а для чего-то более значительного — например, потрясений, кото-

---

[1] Площадь Звезды, 23 марта 1917 года.

рые происходят в умах, то, чего никто не видит: не разбитые витрины, но разбитые сердца! Если бы я мог стать призраком, если бы мог проникать в души людей, считывать с покрова вещей их истории...

В редакцию телеграфировали мои знакомые из Нантера: собирают всех репортеров и журналистов; хотят, чтобы я принял участие в митинге у Триумфальной арки; будут ждать меня у метро Гюго. Их было человек пятнадцать, мы пешком направились на площадь Звезды. Их лидер, Филипп по прозвищу Фидель, сухопарый студент лет двадцати, с которым я уже разговаривал в Нантере, всю дорогу не умолкал, он был в невероятно возбужденном состоянии. Во время нашей первой встречи он мне показался вполне рационально мыслящим, и говорил он не так быстро; в этот раз Фидель щебетал, как воробей, я почти ничего не понимал, к тому же он говорил только одной частью лица, с сигареткой в углу рта, меня это раздражало. Они торопились. Их флаги привлекали внимание, со всех сторон летели крики. Площадь у Триумфальной арки усыпана листовками. Народу тьма. Я открыл рот... «Филипп, это невозможно!» Он усмехнулся: «Это Париж, тут все возможно. Мы делаем историю для всего мира!» О, сколько гордости за родной город! Я улыбнулся... но будь я парижанином, ответил бы я как-то иначе? Я бы тоже нашел себе какого-нибудь простофилю-журналиста и самодовольно выплескивал бы из себя лозунги. Я быстро потерял Филиппа в толпе. Впрочем, я в нем больше не нуждался. Происходящее говорило само за себя. Флаги, транспаранты, свернутые и развернутые. Парни и девушки в майках с нарисованными на них иероглифами — наверное, маоисты. Солнце. Дружелюбный прохладный ветерок. Пение «Интернационала»... скрипки, гитары, гармоники... Я ходил в толпе, задавал вопросы, слушал, записывал... Скоро стало ясно, что ничего путного собрать не удастся: никто толком не знал, почему тут оказался, точно их разбудила неведомая сила и погнала на манифестацию. Все были разгневаны жестокими действиями церберов. Смешной лысый работник профсоюза энергично нес марксистскую ахинею. Показалось забавным. Нет, ерунда. Сумасшедший (и антисемит к тому же). Все ясно, выключаю магнитофон, merci bien, monsieur. Подпрыгивая и напевая, студентки требуют немедленного прекращения войны во Вьетнаме, освобождения своих товарищей из Санте... Вывести жандармов из Латинского квартала! Вся власть студентам! Требования и лозунги... Песни, стихи, поцелуи... И так до глубокой ночи, а утром меня задержали. Магнитофон разбили. Скрутили руки и засунули в «panier à salade»[1], не сопротивлялся, но все равно получил несколько хорошеньких тычков. До утра проторчал в набитой до отказа камере. Одни студенты. Гвалт, курево, гвалт. Всю ночь как в поезде. Даже покачивало под утро. К полудню начали выводить, регистрировать и — что меня очень удивило — выпускать. Дошла очередь до меня.

— Кто такой? Имя, профессия...

— Такой-то, такой-то. Репортер.

— Репортер! — крикнул полицейский в коридор. Откуда-то донеслось:

— Кто? Мародер?

— Нет! Репортер!

— А, ну, давай его сюда!

По пути к дежурному участковому — или куда там меня вели — я попался на глаза тому следователю, который приходил к нам в редакцию.

— О, мсье русский журналист! — обрадовался он. — Стойте, стойте. Я его знаю. Он идет ко мне. Пошли, пошли!

_____
[1] Полицейский вагончик для задержанных *(фр.)*.

В кабинете следователь дал мне сесть, налил воды, предложил сигарету. Я вежливо благодарил. Мне это все осточертело. Я хотел домой. У меня ноги горели, тряслись от усталости. Простоять всю ночь!

— Ну, что скажете? — спросил полицейский.

— О чем?

— О революции.

— А что я могу знать о вашей революции?

— Вы же, черт возьми, репортер!

— Они там сами не знают, что делают. Хаос это, вот и все.

— Хаос? На улицах сотни тысяч людей с красными флагами. Поют «Интернационал»! А вы говорите — хаос. О-ля-ля, мсье репортер. Вы плохо освоили профессию. Что вы на манифестации делали? Зачем влезли не в свое дело? В хаос!

— Это и есть моя работа: оказываться не там, где следует, всюду совать свой нос. Меня отправили — я пошел. Спросите в газете.

— О! Послали в самое пекло? Ничего себе газетенка. Ладно. Спрошу.

— Я могу идти?

— Еще один, последний вопрос. Ничего не узнали насчет нашей мумии?

— Нет. Никто и не вспоминал о ней. Сами видите, чем все заняты.

— Да, вижу. Веселенькое занятие. Ничего, скоро он сам все расскажет.

— Кто?

— Очнулся ваш русский. Знаете, что говорит?

Я растерялся, рефлекторно спросил:

— Что?

— Vive la révolution! — заорал полицейский, ударил кулаком по стулу и снова: — Vive la révolution![1]

И захохотал! Я так и вжался в спинку стула. Что за клоунада?

Все это я рассказал на rue de la Pompe, куда отправился после короткого витка по Латинскому кварталу: туда меня погнали — паника и возмущение, утреннее волнение, и еще: я боялся ехать домой, т. е. на rue d'Alesia, просто ноги не шли, потому что все равно не уснул бы, читать в таком состоянии невозможно, да и пусто там, так пусто... нет, конечно, там всегда кто-то был: шумный мсье Жерар, можно было с ним выпить и затеять нелепый разговор, и часа два я бы вылавливал из его булканья и раскатов хохота отдельные слова, очищал бы их от слюны и гадал, что же он все-таки хотел сказать; мадам Арно, возле нее так приятно порой посидеть, бессмысленно глядя в экран телевизора или полистывая газеты, журналы... у них бывали гости... с наступлением беспорядков все чаще заявлялись, они все вместе сидели на кухне, толпились на лестничной площадке возле столика консьержки, которая тоже все время много важно говорила, и от этой говорильни, я знал, на душе стало бы совсем тягостно... Мари в парикмахерской не было, парикмахерская была закрыта, я так очумел, что без стеснения, не выдумывая предлога, направился на rue de la Pompe — и вот я здесь, в гостиной мсье М. (ему значительно лучше, он посвежел, выглядит веселым), я сижу в старом кресле; Альфред развалился на кушетке, ноги закинул на журнальный столик, прямо на газеты и бумаги; в другом кресле сидит Шершнев, в полосатых брюках и рубашке с коротким рукавом, волосатые руки, густые брови, седая шевелюра, он курит, весь в дыму, пепел падает на брюки, он смотрит на меня с мягкой улыбкой, без

---

[1] Да здравствует революция! (фр.)

прежней настороженности, кажется, посмеивается, в глазах бесенята; меня хорошо приняли, как своего, дверь открылась до того, как я притронулся к кнопке звонка: мы вас в окно заметили, сказала пани Шиманская и сразу повела наверх, словно меня поджидали, тут же принесли кофе, булочки, дали табак... мсье М. попросил принести коньяк, выпили... Меня расспрашивали: как там на улицах?.. что там происходит?.. Я рассказывал, они крякали от удивления; а когда я дошел в моей истории до беседы с полицейским, Серж сильно разволновался, застыл в нелепой позе: ногу снял с колена и забыл опустить, она так и повисла в воздухе.

— Я не понял, — сказал он, — кто крикнул Vive la révolution!?

Пришлось повторить. Признаю: был сбивчив, разнервничался, бессонная ночь, влюблен и так далее. После коньяка все размякли, стало весело, даже чересчур, я сказал, что полицейский смеялся издевательски, почти истерично, затем я перескочил на мою советскую жизнь, ударился в воспоминания, рассказал парочку анекдотов, смеялись. Серж произнес длинную филиппику в адрес Шарля де Голля и французского правительства, снова вопросы: как и где устроились?.. ну и как вам quatorzième?[1].. а как там в Америке?.. как поживает Роза Аркадьевна?.. что там в редакции происходит?.. Едва успевал отвечать, рассказал о моих стычках с Вазиным... он жалуется на меня: мол, ничего я не делаю как надо, болтаюсь гоголем, выдуваю из пыли миражи, всем работать мешаю... Ну да, миражи. Я предупреждал, что такое начнется, он не верил, — и вот! Теряю терпение. В последний раз меня сильно расстроила его фраза: Париж, дескать, принадлежит и живым и мертвым. Что бы это значило? Я не понимаю, но как-то он этим задеть меня хотел.

---

[1] Имеется в виду 14-й округ Парижа.

Серж вздохнул, посмотрел на мсье М., тот глубокомысленно заметил, что этот Вазин, хоть и болван, но не так уж неправ, Серж покачал головой и рассказал историю про какого-то их общего знакомого, которого мсье М. не сразу вспомнил.

— Как! — изумился Шершнев. — Неужели ты не помнишь! Миша Вайс, коммерсант. Мы же с ним в клубе в шахматы играли, в тридцатые умер. Он нас обыгрывал. Играл, как гроссмейстер. Забыл? Странно. Я думал, ты его запомнишь. Он был болезненный. Дома не все ладно было. Теодор Френкель его лечил, диеты ему составлял своим изящным почерком в три столбика: «можно», «нежелательно», «избегать». Как сейчас помню, кофе Френкель ему пить запретил. Миша переживал. Кофе для него был первостепенный напиток. Он же был продавец. Много общался. Много ездил. Устанавливал связи. Важная был персона. Кстати, умер в пути. Жена поехала и тихо его похоронила. Где-то в Швейцарии, что ли. Во Францию не повезла. Верно, рассудила — какая разница? Настолько ловко и незаметно для всех она провернула похороны, что никто не узнал о его смерти, и она продолжала жить так, будто ничего не случилось. Никому ничего не сказала. Даже сын ее не знал, что отец умер. Ну, он был уже взрослый и жил своей жизнью...

Тут мсье М. словно очнулся и вспомнил:

— Сын его женился на француженке, звали его Раймон, Раймон Вайс, у него была совершенно нормальная французская жизнь, пока не началась война. Тогда он бросил семью и бежал в Америку.

— Точно! Даже мать не взял. Вот же негодяй!

— Да ну, что мы о них знаем?

— Что бы там ни было, она Мишу похоронила и никому ничего не сказала, и так это втайне оставалось чуть ли не несколько лет. Соседи говорили, что заподозрить неладное было невозможно. Вайс был человек тихий, тучный, но какой-то гладкий, мягкий, неприметный. Он и дела свои так же вел. Я несколько раз его за работой видел, в кафе любил встречаться со своими клиентами, поглаживает человека и нашептывает. Такому трудно отказать. Он никогда не скандалил. Это было невозможно представить. Соседи и не замечали, когда он дома бывал, только по обуви понимали. Есть обувь в коридоре, значит, дома. Так она его ботинки запачкает и поставит у двери, чтобы соседи думали, будто он дома, затем, как обычно, почистит и поставит, они стоят, а потом опять уберет. Так Миша Вайс еще несколько лет прожил.

Я заслушался: ах, сколько судеб! Тьма! Надо записать... и только тут я опомнился, спросил у мсье М. разрешения поработать на его пишущей машинке, вынул из кармана тетрадный листок, который исписал, пока ехал в метро, сидел в кафе, курил в парке, — готовая история, хоть сейчас в печать.

— Надо что-то делать настоящее. Я решил, что мне непременно нужна машинка. Все эти бумажки, блокнотики, тетрадки пора перелить в литеры.

Он тут же подарил мне машинку. Continental двадцатых годов! В отличном состоянии! Я опешил.

— Это невозможно.

— Очень даже возможно.

Я начал мяться, но он настаивал, сказал, что сам больше печатать не будет, сил и здоровья перепечатывать нет, отдаст машинистке, и добавил, что на его машинке очень многие печатали... Ряд имен — и все знаменитости. Берите-берите! Шершнев стал нажимать на мсье М., чтобы он, наконец, принес обещанную рукопись — люди ждут. Мсье М. вздохнул и сказал, что он разбирается со своей картотекой, показал нам свой походный чемодан-шкаф, который стоял чуть ли не посередине комнаты и с самого начала меня смущал. Мы удивились: зачем он нам его показывает? зачем эта громоздкая штука тут? Глаза старика сияли, он ходил вокруг старинного неуклюжего чемодана, который был чуть ниже его самого, и поглаживал кое-где надтреснутые бока, прикладывал ухо к наиболее выпуклым местам, как прикладывают ухо к пузу беременной женщины. Незаметно для меня он нажал на скрытую кнопку, послышался сухой щелчок, дверцы ослабли, мсье М. ловко, как иллюзионист, их развернул: внутри шкафа был выдвижной миниатюрный столик, множество полочек и ящичков, наполненных записками до отказа, из всех щелей выглядывали бумажки, карточки, открытки и даже салфетки, испещренные чернилами и карандашом. Мсье М. суетливо топтался, приоткрывал ячейки, взмахивал руками и бормотал:

— Тут в основном детство, юность, Москва, первые годы в Париже, кое-какие путешествия, в том числе к немецким родственникам. Вот это было забавно, те поездки в Кассель и Баден, никому, кроме меня, это неинтересно. С этим чемоданом я как-нибудь разберусь. Что касается остального, вряд ли у меня хватит времени. Собирать камни трудно. Самый плодотворный период, как я недавно установил, была Оккупация. Она вся в подвале. Ее сюда и не поднять. Нет смысла. Шесть сундуков.

— Одиберти тебя убил бы![1] — посмеялся Серж.

— Да уж, да уж...

— Ну, пойдем посмотрим. Веди нас в свой подвал!

— О, нет! Это ни в коем случае не стоит вашего времени, уверяю вас.

— Идем, идем.

— Отыскать в горе этого мусора что-нибудь путное будет очень сложно...

---

[1] *Жак Одиберти* — французский писатель, поэт, драматург, широко известно, что в период оккупации ввиду недостатка бумаги Одиберти писал роман «Монорельс» на обрывках обоев.

— Ну, никто не просит тебя читать. На сундуки глянем, заодно вино возьмем.

— А! Ну, это совсем другое дело!

Мы пошли вниз. Задержались на этажной лестничной площадке с выходом на мансарду. Она была заставлена книгами и кипами журналов.

— Тут у меня где-то, — смущенно бормотал мсье М., заглядывая за ящик с бумагами, — где ж они? А вот, кстати, журналы, которые мы выпускали с Игумновым...

— Все?

— Те, что у меня печатали, точно все. А вот и моя Африка. — Он вытянул с усилием небольшой саквояж, щелкнул замками, показал: доверху плотно набит исписанной бумагой. — Отсортировал. Тут она вся, предвоенная Африка — ох, интересно!

— Тема до сих пор актуальна, — сказал Серж.

— Да уж. Я видел много такого, чего уж наверняка и в помине нету. Встречал заблудших европейцев в курильнях, они мне рассказывали свои истории, — все записано.

— Ну так надо печатать! — воскликнул Серж.

— Успеть бы текущие мысли записать... Идемте дальше. Посмотрим вино. У меня там еще должно с начала века храниться. Я хоть и знатный пьяница, да не все выпил.

Мы сошли за ним вниз. Прошли мимо изумленной пани. Мсье М. щелкнул тумблером, открыл небольшую дверцу, и по слабо освещенной узенькой лесенке мы начали спуск в сырой погребок.

— Лампочка погасла... Осторожно, тут сундуки.

Черт! Все-таки ударился. Коленом.

— Ах, вы ушиблись?

— Нет, ерунда.

Чиркнула спичка. Загорелась масляная лампа. Я увидел сундуки, продолговатые, как гробы.

— Это моя Оккупация. Надо протиснуться. Идите за мной...

— Альф, я здесь постою.

Длинный подвал. Я то и дело натыкался на окованные сундуки.

— Вы себе не представляете, сколько приличных вещей мне пришлось выкинуть, чтобы освободить место для этой макулатуры...

Плечам было тесно. Он куда-то повернул. Тьма сомкнулась. Я оцарапал ухо обо что-то... и паутина на лицо... пфу! Я шел наугад, шаря в темноте. Гулкий звук полных бутылок и слабый голос мсье Моргенштерна:

— Как вы думаете, трех нам будет достаточно?

4

С тех пор как Арсений Поликарпович заговорил во сне, для Боголеповых настали тревожные времена.

Не дождавшись срока, неуемный старик снял с ноги гипсовую повязку и пустился мерить окрестности Аньера: и на вокзал забредал, и в кафе за кружкой пива сидел. От собранных за день слухов он делался хмурым. Николай тоже плохо спал по ночам, курил в окошко, читал, слушал, как до глубокой ночи под ровный стук костыля скрипят половицы: до полуночи отец возился на чердаке, спускался и пил воду из ведра на кухне, шел в спальню, кряхтя раздевался, взвизгивала дверца шкафа, вздыхала тахта; когда на отца находил бред, он говорил пугающе отчетливыми предложениями. Любовь Гавриловна тоже не спала и слушала мужа, почти не дыша; из всего сказанного им во сне ей только имена запоминались, которые он выкрикивал так, словно старался о чем-то предупредить, — обычные русские имена, — она спросила его как-то, кем ему приходились те люди; «Впервые слышу», — отрезал он.

Боголеповы жили на Разбойничьем острове в лодочном домике угасшего баронского рода Деломбре. Легкая двухэтажная постройка с небольшим мезонином и флигелем мало чем отличалась от обычной русской дачи: огород, коза, куры, собака, фруктовые деревья; несмотря на гудки проплывавших по Сене барж и буксиров, грохот поездов и треск трамваев, у каждого, кто попадал в этот уголок, возникало ощущение, что он уехал из Парижа и находится в деревне. Возможно, поэтому говорили — то ли в шутку, то ли всерьез, — что Боголеповы проживают в «усадьбе» или «поместье» (Арсений Поликарпович предпочитал говорить: «резиденция»).

С начала тридцатых годов обращенные к реке окна и двери веранды наглухо забили. Поднимаясь над Женвильерским мостом, солнце било в *oeil-de-boeuf*[1] второго этажа, где находилась комната младшей дочери и Николая (даже после того, как Николаю исполнилось двадцать, а Катюше — семнадцать, они продолжали жить в одной комнате и без перегородок).

Дом стоял у самого спуска к воде между мостом Клиши и воротами популярного кладбища животных. Построенный задолго до появления *necropolis canine*[2], он предназначался для пикников, катания на лодках, отдыха от городской жизни. Насколько себя помнил барон Деломбре (ясность его памяти увековечена девятитомными мемуарами), зимой в резиденции никто не жил, стены были легкие, даже негромкий кашель раздавался во всех комнатах. С веранды, где некогда пили аперитив и кофе родители молодого барона, открывался вид на Сену, которую измерял гигантскими шагами мост Клиши. Аньер

---

[1] *Бычий глаз* — тип небольшого овального окна (*фр.*).
[2] Собачье захоронение.

пользовался известностью среди художников: в восьмидесятые годы прошлого века сюда наведывались рисовать Синьяк, Бертран, Ван Гог. До сих пор, кроме любителей погулять по собачьему кладбищу, на Разбойничьем острове появлялись апостолы великих мастеров, их легко было узнать по жадно впивающемуся в каждое деревце, каждый холмик взгляду, они гуляли по островку так, словно это была святая земля. Иной раз, высматривая какое-то только им известное место, они осмеливались стучать в калитку Боголеповых. С прижатой к груди папкой и карандашом за ухом, вежливо называя Арсения monsieur gardien[1], убогие рисовальщики просили разрешения постоять на причале, к которому в прежние времена вела удобная деревянная лесенка с тонкими поручнями и изящно вырезанными балясинами. Поначалу «monsieur gardien» пускал, но с годами он делал это все менее доброжелательно, и художники перестали ходить, причал пришел в упадок. Еще в конце двадцатых годов Боголепов рыбачил на лодке, катал семью на катере, но что-то в нем незаметно испортилось, завелась на душе ржавчина, и он возненавидел реку, избавился от лодки, к войне от лесенки с причалом остались только гнилые деревяшки, которые кое-где выглядывали из травы.

На фронтоне дома сохранился герб. Арсений Поликарпович о нем заботился. Выбрав нежаркий, облаками обложенный день, он взбирался на лесенку, снимал старый, за год подсохший и местами облупившийся слой, покрывал новым: астролябию — лазурью, телескоп — черным, а циркуль — серебром; возился с ярко-зеленой лозой, долго мешал краски для фиолетовой грозди винограда. При этом он негромко мурлыкал стихи Туроверова на собственный мотив. Так было каждое второе лето. Все домочадцы обожали такие дни. Отец казался воо-

---

[1] Месье смотритель (фр.).

146

душевленным. На его спине играла лиственная тень. Коленька вертелся возле лестницы, следил, чтобы на младшую сестренку не накапала краска, и сам всегда умудрялся вляпаться, что делал, конечно, умышленно, дабы привлечь к себе внимание отца. Спустившись на землю, Арсений долго пил чай, и еще два, а то три дня вздыхал, сетуя: герб износился, под краской много трещин, надо делать новый. Со смертью барона думать об этом перестали, однако после освобождения Франции Арсений Поликарпович высказал мысль: не сделать ли новый герб — советский? Любовь Гавриловна отметила, что глаза у мужа блестят странно; за годы оккупации он ушел глубоко в себя и частенько неприятно удивлял ее. На следующий день он попытался снять старый герб, упал с лестницы и сломал ногу.

Возле дома стоял небольшой дубок. Его ветви так часто подпиливали, что он перестал расти в направлении крыши и желуди не ронял, они висели как заговоренные, сохли, но не падали. Арсений Поликарпович построил под ним резную беседку, которая заодно служила прикрытием от любопытных глаз. Крыльцо выходило прямо на ворота кладбища: посетители невольно поглядывали на дом. Развлечений в Аньере почти не было. Мужчины потягивали дешевое вино и пиво в пристанционном кафе, обсуждали свои ставки на лошадей, читали газеты в парках, курили трубки, играли в бильярд, карты или часами бросали шары в Парке Жоффре, который по старинке называли садами Варенов; женщины с детьми, поднимая пыль платьями и пугая ворон зонтиками, лениво прогуливались вдоль реки; и если кому-то в такую заурядную аньерскую минуту случалось воскликнуть alors on va voir les chiens?[1], то все согласно шли на кладбище животных. Любопытные заглядывали в окна Боголеповых. Сильнее всего раздражали иностранцы:

[1] Ну что, навестим собак? *(фр.)*

американки обязательно просили прямиком отвести их на могилку какой-нибудь знаменитой зверушки. Смотритель надевал свою кепку и удовлетворял просьбу капризных дамочек. Спасаясь от назойливых визитеров, Боголепов построил изгородь, обнес ее кустами барбариса и жимолости. *Дом, казалось, отступил к реке*, отметил в своих мемуарах барон. Под вой сирен и отдаленное громыхание, в задумчивости глядя на то, как над городом поднимается дым сгорающих архивов, Деломбре выпил несколько бокалов домашнего яблочного вина, отломал от остатков лестницы кусочки заплесневевших деревяшек и высокопарно объявил, что в Париж больше не вернется.

«Я уезжаю к себе в Руссийон. Прощайте, старый друг!»

На вопрос, зачем ему деревяшки, барон ответил, что когда-то по ним бегали его детские ноги, он-де хочет, чтобы дощечки положили вместе с ним в гроб.

«Полноте, барон, — сказал мсье Арсен, — рано помирать».

«Напротив, самое время».

И через три года умер.

В семье Боголеповых царил суровый патриархат, ее символом была тишина, посреди которой негромко тикали стенные часы, в период немецкой оккупации часы, казалось, тикали громче, — чувствительный ко всяким звукам, старик Боголепов вынес их из дома и повесил в беседке. Головные боли изводили Арсения Поликарповича с 1919 года, после освобождения Парижа они усилились, а вместе с ними и причитания: «Франция, — говорил он, — превратила меня в отчаявшегося человека. И как тут не отчаяться? То бесконечная панихида, то бреют женщин, судят всех подряд и радуются, палят в небо почем зря!» Он терпеть не мог праздники, редко выбирался из Аньера, дальше 17-го аррондисмана его почти никогда не видели, всегда казался чем-нибудь озабоченным, всегда говорил только о хозяйстве и здоровье, редко улыбался, нет, не улыбался совсем, вместо улыбки хмыкнет или оскалится, со снисхождением бывалого человека покачает головой и скажет что-нибудь вроде: да-да, знаем-знаем, вот-вот... Весенние вечера сорок пятого он проводил у камина, смотрел на огонь, время от времени прочищая горло, требовал тишины, абсолютной тишины! Чтоб никто не ходил, не задавал вопросы. Чтобы даже не шептались! Такие минуты покоя случались редко. Отовсюду доносилось пение. Заткнув ватой уши, он запирался в своей каморке, где оставался в полной темноте. В прежние времена он уходил с книгой в Скворечню, но в эти дни и читать перестал, потому что его слух ненормально обострился: ему казалось, что он слышал, как на левом берегу звякнул в каком-нибудь бутике колокольчик, крякнул рожок или хлопнула пробка шампанского в ресторане; конечно, он не знал наверняка, где и что звякнуло или хлопнуло, но в воспаленном воображении возникали живые картинки: горящие люстры, бокалы, блестящие приборы, столики, столики, столики, которым счету не было, — он видел это как наяву, разве только сквозь стекло, точно проходя по улице мимо кафе, заглядывая внутрь, а там: довольные сальные физиономии, лоснящиеся от бриолина волосы, ливреи, официанты, женщины, на сцене подобострастные музыканты, за роялем ненавистный немец, франт, Моргеншлюхен-сын, тьфу! Старик сжимал кулаки и шел мимо, город шумел, клаксоны бесили, яркие огни вывесок дразнили глаза; смех, машины, туфли, бабочки, перчатки, шляпки и так далее и так далее — мир сиял и разрастался, грозя разорвать голову старика, и самым страшным было то, что это был чуждый ему мир, преисполненный торжества, которое выводило его из себя. Он терпеть не мог немцев, но унижение, которое испытывали французы во время оккупации, ему доставляло огромное удовольствие, на людях старик сдерживал свое злорадство, но дома нередко выпускал пары: «Поделом франчикам. Так им и надо». В эти весенние дни не было закутка, в который бы не проникло торжество. Старик не находил себе места, только присядет, как жахнет палкой и спешит вон. Его подгонял задорный лай бродячих собак. «И эти празднуют?! — Боголепов махал костылем и в бешенстве ревел: — Изловлю! Закопаю!» Собаки вертляво помахивали хвостами, смотрели на него с безопасной дистанции, садились, чесались и, высунув свои языки, будто улыбаясь, поглядывали на чокнутого смотрителя. Его грудь распирало от возмущения, он рисовал в уме планы ловушек, при помощи которых он изловит дерзких собак, представлял, как утопит их в реке, отнесет на кладбище и закопает поглубже: «Там-то вам самое место». Из темноты выезжал трамвай, собаки разбегались, исчезали в сумерках, а старик стоял, глядя на то, как со скрежетом и лязгом трамвай везет изумленных пассажиров. «Чего вылупились!» — кричал он, сплевывал, ругался и шел в привокзальную пивную. Вороны сопровождали его карканьем. Тревожные ветреные дни; большими разношерстными группами в лихорадочной спешке беженцы двигались по мосту то в одну сторону, то в обратную; смутное, лихорадочное время, ничто не стояло на месте. Город, казалось, рожал людей. «Когда ж это кончится? — рычал сквозь зубы старик. — И откуда вы все беретесь?» На кладбище норовили проникнуть подозрительные типы. «Нашли место спать! — поднимал он их криком. — Пошли прочь! Hors! Fous le camp! Vite! Vite!»[1] Бездомные вразвалку уходили. Спустя какое-то время, вновь появлялись возле ограды. Грозный смотритель надевал фуражку, брал с крючьев ружье, выходил на крыльцо. Те убегали. Намаявшись за день, он садился у камина, но и здесь Арсений Поликарпович не находил покоя, он вдруг припоминал пройдоху, ко-

---

[1] Вон! Пошли прочь! Быстро! Быстро! *(фр.)*

торый в тридцать каком-то году попросил похоронить сверток. Сказал: кошка. Ни надгробья, ни регистрации питомца делать не желал. Смотрителю это не понравилось, однако деньги были хорошие. Через год постучался опять, заплатил еще больше. Накануне капитуляции Франции он появился с новым свертком, на этот раз Арсений потребовал показать, что он собирался придать земле; тот испугался, убежал.

«Что же было в свертке?» — бормотал под нос Боголепов.

«О чем ты?» — спрашивали его.

«Ни о чем», — отвечал он, брал палку и уходил на чердак, маялся там.

За восемнадцать лет проживания в лодочном доме Боголепов не смог побороть холод и носил в себе чувство горького поражения. Первые годы он верил, что сможет что-то изменить. «Сейчас утеплим стены, пол, и все наладится», — обещал он жене, возился, старался, но ничего не выходило. На седьмом десятке его бессилие переросло в исступление. Туман, повисая над усадьбой, окутывал и держал ее в мягких объятиях, закрадывался внутрь.

«Восемнадцать лет жизни убил напрасно, — зло ворчал старик. — Не дом, а курятник. Да разве душу согреешь на чужбине? Нет! Не будет тепла. Ничего тут не поделаешь. В доме, который построил француз, русский жить не сможет!»

«У других и того нет, — говорила жена. — Радовался бы, что не платим за него».

Арсений не внимал и недобрым словом поминал барона Деломбре.

«За что ж его-то?» — возмущалась она.

Все знали: барон был очень щедр к Боголеповым — один фургонет «Рено», подаренный бароном в 1937 году, стоил чуть ли не целое состояние! Поэтому непочтительность Арсения удивляла многих; кто-то говорил, что Арсений признавался, будто барон во время приступов ипохондрии напоминал ему отца, волжского помещика, ленивого и рассеянного человека — из тех, кто умудрялся жить в своем поместье, точно на острове, отдавался своим привычкам душой и ни в чем меняться не желал. «В старости стал до слезливости жалостлив, — вспоминал Поликарпыч. — Увидит старую клячу и заплачет. Проезжаем мимо заброшенного поместья, он остановит кучера и сидит, смотрит, вспоминает что-то и плачет. Смерти очень боялся: о нас с братом не подумав, всю собственность завещал церкви. Никому ничего не оставил! Помер, и пришлось нам бедствовать, пробиваться, по дальним родственникам мыкаться. Ох уж и натерпелись мы! Брат не выдержал. Он был в отца, избалованный, слабый, стихи сочинял. Ничего делать не умел, шнурок порвется, он на него полдня смотреть будет, а потом еще неделю над ним вздыхать. Я за ним как камердинер ходил: карандаш очинить, белье постирать — все я. Книги его на своем горбу в котомке возил, а он только писал и вздыхал, с нашими благодетелями из-за всякой пустяковины ссорился, принципиальный был до боли в зубах. В журналах печатался, но неудачно, его ругали, и он сильно расстраивался, пил и плакал... говорил, что ничего поправить уже нельзя, ничего, дескать, не сделать на Руси, во всем обреченность видел... Покончил с собой в 1908 году — двадцати семи лет от роду. А я в завод пошел — как простой мужик!»

Весной сорок пятого русские аньерцы заметили, что старик часто куда-то ездит на трамвае; сначала решили, что он нашел себе работу, но затем кондуктор сказал, что никуда он не ездит, а сидит и без устали шевелит губами, вращает глазами, гримасничает, при этом вокруг него, как незримый дух, витает шепот. Пассажиры на него косились. Не обращая на них внимания, старик вел с невидимым спутником разговор: «Эх-хе-хе! Не вижу будущего в Европе. Вот не вижу и все. Что ты будешь делать? Нету у нас тут будущего». Как-то раз громко всем объявил: «Нечего нам, русским, тут делать. Домой надо ехать, товарищи», — и вышел из трамвая. Кое-кто смеялся над ним, однако многие это странное поведение приветствовали: «Правильно говорит Арсений, надо ехать в Россию». — «Да, точно! Старик знает, об чем говорит», — восклицали другие; о нем стали отзываться с пиететом, поползли разноречивые слухи о каком-то «сошедшем с небес откровении», потянулись люди издалека, вставали у калитки, чтобы посмотреть на странного старика. Арсений Поликарпович привечал всех, угощал и давал крышу на день-другой, за что прослыл радушным. С гостями говорил он только о России: его смутные воспоминания легко сливались с фантазиями о Советском Союзе; «пилигримы» слушали с умилением; многие из них не знали Арсения прежде, потому не понимали, насколько странным он стал. Для всех домашних его чудное поведение казалось все более пугающим, но остановить его, разбудить, как-то дать ему понять, что с ним творится неладное, не находили в себе смелости, — будто увлекаемый рекой, он летел к своей мечте и тянул их, безволием парализованных, за собой. Изо дня в день приучая к мысли о «возвращении», он на разные лады произносил «Родина», «Россия», «СССР», «Отчизна», «Отечество», «Советский Союз», скоблил слух, будто готовил ковчег.

Как-то Николай перехватил тревожный взгляд Кати, она показалась ему сильно напуганной, он попытался ее ободрить:

«Ничего, ничего, образумится».

«J'en doute, — сказала она. — C'est fini»[1].

И Николай подумал: а ведь она права!

Болезнь отца была не вспышкой, не временным помутнением, а заключительной фазой продолжительной внутренней

---

[1] Сомневаюсь в этом. Это конец (фр.).

трансформации, которой предшествовали изменения в его характере, а также появление новых привычек, новых друзей и, как следствие, новых ориентиров. С некоторых пор возле него появился странный господин; кто-то пошутил: вот незримый собеседник Поликарпыча и материализовался! Кем был тот странный господин в сером пальто, русские аньерцы долго не знали, поговаривали, будто он прибыл из Англии или Америки; даже после того, как он был представлен всем, никто до конца на его счет не был уверен. Вступив в Союз русских патриотов, Арсений Поликарпович устраивал дома собрания, с упоением голосил: «Что это за жизнь, я вас спрашиваю! Дочки подрабатывают на рынке, нянчатся с чужими детьми, шьют. Да много ли нашьешь? Сын шоферит, в гаражах подрабатывает. Была работа в трамвайном депо, была, да сплыла. Жизнь суживается для нас во Франции. Стены давят. Земля под ногами зыбкая. Рябь, дрожь. Знаете, как бывает, когда большое судно идет, его за много миль угадываешь. Сперва рябь, потом волна, а потом еще одна побольше... Чую, что-то придвигается, большое!»

Люди кивали, некоторые говорили, будто их тоже навещало похожее предчувствие.

«Ну вот! Что я говорил!» — восклицал довольный собою хозяин и угощал гостей домашним вином; эта щедрость могла вызвать кривотолки, если бы гости не были столь падки на вино.

Посиделки проходили регулярно — чуть ли не каждое второе воскресенье. Дом был полон! Те, кто не помещался, гуляли по саду, кладбищу, бродили неподалеку, что-нибудь напевали или разговаривали; тема была одна — Россия. В те дни волнение бежало от дома к дому, как пожар, который русские эмигранты разговорами да застольем разносили шире и шире, точно норовили спалить весь город, всю страну; собравшись вместе, они радовались тому, что верное приняли решение, жили ожиданием переезда и к Боголеповым приходили затем, чтобы посмотреть на старого смотрителя, укрепиться в своем решении вернуться в Россию. Арсений их не подводил, обязательно зажигал сердца речью: «Надо ехать всем вместе! Будем жить на родине одной большой Парижской колонией. Так будет легче!»

Люди одобрительно гомонили; всем эта идея пришлась по душе.

После собрания Арсений выглядел утомленным, как от бани распаренным; преисполненный тайного ликования, он сидел на веранде, глядя на воду, редко отрывался, чтобы сообщить что-нибудь неожиданное.

«По Волге теперь другие баржи ходят — большие, белые, чистые, — говорил так, словно только что видел Волгу. — Все теперь другое, — шептал он призраку подле себя. — Да, другое. Не то, что было. Теперь страна стала больше и все там большое, красивое. Колокольню в Кабатчино строят. О как! С золотым куполом. Белую колокольню, я тебе говорю! Белую, как рубашка матери».

Напуганная Любовь Гавриловна одергивала его. Старик смотрел на нее, на дочерей, останавливал взгляд на сыне и запальчиво говорил:

«Я вот думаю, когда на Родину-то вернемся, ты, Николка, шоферить пойдешь, а я в мастерской какой засяду, а? Что скажешь?»

* * *

Во время оккупации у немцев часто мерли служебные собаки — Арсений Поликарпович, Николай и сосед их Зосим Теляткин много копали. В феврале 1944 года по приказу коменданта на кладбище животных была установлена большая мраморная плита с рельефным изображением собачьей морды и выгравированной готическим шрифтом надписью *für Treue Dienste*...; но собаки продолжали умирать, поэтому вскоре на Разбойничий остров привезли чугунный памятник: образцовая немецкая овчарка горделиво сидит на тумбе, уши торчком, на ошейнике свастика. Работа была тяжелая (Теляткин умудрился слечь с пуповиной, с тех пор он торговал своими бирюльками на вокзалах) и напрасная — за все труды Арсений Поликарпович даже карточек каких-нибудь не получил. После освобождения, в сентябре, он все это срыл и со свойственной ему хозяйственностью для своего дома приспособил. Уложив плиту рельефом вниз, он сладил новое крыльцо, а бронзовую овчарку, спилив с ошейника свастику, поставил у калитки.

Приметив знакомый очерк ушей, Крушевский съежился.

— Может, я тут переждю?

— Не беспокойтесь, — сказал Шершнев. — Это не живая.

На Александра здесь многое произвело впечатление — от побитой пулями усадьбы до орнитологической башни, в которой ему предстояло жить.

Старик вышел с костылем под мышкой; ветерок трепал его длинные кудри и широкие черные брюки, было тепло, но он на плечи накинул тренчкот (видимо, для важности момента). Вместе с ним выскочила его старшая дочь Лидия, тоже разодетая, вся в цветах, с высокой прической и помадой на губах; скрестив на груди руки, она встала за плечом отца и глядела на Крушевского с нескрываемым любопытством. Александр снял шляпу и кланялся, стараясь не смотреть на Лидию. За ней несмело выполз их сосед, маленький человек с внешностью пропойцы, мешковатый, потрепанный, в бриджах фламандского покроя, в жилетке поверх свитера и берете. Он первым представился: «Зосим... кхе-кхе... Теляткин». Когда Серж сжал его нерешительно протянутую руку, Теляткин засиял от счастья. Арсений

Поликарпович обнял Крушевского и, глядя немного в сторону, наказал дочери поставить самовар, что было предлогом отослать ее обратно в дом. Она резко отвернулась и пошла внутрь со словами «да все уж давно готово, с самого утра ждем», с норовом хлопнула дверью.

— А позвольте мне сразу в дом пойти, — отпросился Шершнев (ему надо было выполнить просьбу Альфреда). — Я тут все видел. Я бы чаю...

— Да нет, не все, — слегка обиделся старик, — ну, да идите. И ты, Зося, шел бы ты... по своим делам...

Теляткин был рад исчезнуть, он взволновался от вида нового человека, сбивчиво пригласил Александра в гости:

— Вы теперь и мой сосед тоже. Заходите. Мой дом на том островке. Мосток имеется. До конца по аллее, и там он и есть. Ну, пошел я. Бывай, Поликарпыч!

— Свидимся, — угрюмо сказал Боголепов; избавившись от всех, он повел Крушевского вокруг дома, показал огород, парник, бочку с дождевой водой, показал сарай, в котором томилась коза, кроличьи домики, достал одного за уши, пощекотал ему лапки, обвел махом Сену. — А идемте лучше я вам беседку покажу. Сам построил. Как у нас, на Волге... Бывали в Костроме? — Александр сказал, что России не помнит: был слишком мал, когда его родители вывезли в Европу. Его лицо задергалось, он отвернулся. — Ах, вот как, вот как, значит... — Старик всматривался в гостя с настороженностью, тик обезобразил молодого человека, такого Боголепов еще не видел, чтобы лицо так дергалось. — Ну, так вам обязательно надо съездить... Об этом потом поговорим, а сейчас я вам все тут покажу. Здесь много интересного. Давайте с фасада начнем. Я ж дырки от пуль забыл показать! Самое-то главное... Хотя что вам на них смотреть?.. Будто вы пуль не видали... Идемте сразу в Скворечню! — Так старик называл орнитологическую башню; предупредил, что топить ее придется каждый день. И вдруг понизил голос: — А с Зоськой поосторожнее. Сильно не сближайтесь. На водку он падок. В долг ни-ни, поняли? — Александр кивнул. — Эх, непутевый человек. Вот как бывает, увязался за нами в Германии, и все с нами, все рядом. Без нас пропал бы. Ей-ей, пропал бы.

Скворечня была построена исключительно для наблюдения за птицами, которых в этих местах было великое множество, о чем свидетельствовали зарисовки, журналы и даже фотокарточки, оставленные в башне пытливым бароном.

С мученическим выражением старик предупредил, что с наступлением лета теплее не станет, а спать будет трудно.

— Все вокруг наполняется щебетом. Поют бестии по утрам несносно!

Кухня была маленькая, но пригожая, она уже наполнилась теплом, и хотя запах сырости еще чувствовался, это был уже приятный запах, он напоминал Александру о чем-то далеком.

Старик поставил чайник на примус, сказал: «посидим тут немного», — Крушевский сел на табурет, закурили; Боголепов вздыхал, кряхтел, поглаживал свою больную ногу, кивал предметам, как старым товарищам: «примус вон... шкап для посуды... печь старая... вон тахта... тумба... дров хватит», — понемногу разошелся, рассказал о своей «стыдной» профессии.

На протяжении пятнадцати лет он был смотрителем кладбища животных; у него была своя телефонная линия, его адрес был занесен во все почтовые отделения, его знали не только во Франции — из других стран тоже приезжали посмотреть на знаменитые монументы, и за небольшие деньги он устраивал прогулки по кладбищу, живописал о преданном служении и смерти той или иной твари, приплетал какой-нибудь невероятно жалостливый несчастный случай, выдумывал маркиза, который покончил с собой вслед за тем, как умер его любимый питомец. Рассказчиком этот угрюмый человек был на удивление хорошим, французским владел очень недурно. Хозяева погребенных животных, как правило, были богаты и сентиментальны; если долго не могли навестить могилку своей любимой кошечки или собачки, звонили и просили мсье Арсена, как его прозвали французы, приглядеть за чистотой, постричь травку, покрасить оградку и сделать тому подобные мелочи, а после присылали с курьером небольшое вспомоществование. Такой образ жизни мог легко развратить кого угодно, любой другой русский, оказавшись в подобной ситуации, когда деньги к тебе сами идут за ничтожный труд, спился бы. Тот же Теляткин не раз в пьяном состоянии выражал зависть: «Вот бы мне такое счастье привалило!..» — но, одумавшись, восклицал: «Слава Господу Богу за то, что не дал мне ваше, Арсений Поликарпыч, место смотрителя. Окажись я вдруг на вашем месте, очень скоро умер бы от такой сладкой жизни». Да кто угодно спился бы и умер, считали соседи, но только не Арсений Поликарпович: он пил мало, каждую монету берег и все делал на благо семьи, ибо семья для него была самым первым культом, который он ставил превыше всего, даже превыше философии Калистрата Жакова, которого коротко знал по Риге, где Боголеповы жили с 1919 года до самой кончины философа, смерть которого и подвигла Арсения Поликарповича отправиться в Германию, а оттуда в Париж, откуда он намеревался всей семьей переехать в Южную Америку, но так получилось, что барон Деломбре, предложив ему работу и дом, невольно повлиял на планы Боголепова. Они встретились случайно. Боголеповы прибыли в Париж в 1927 году, Арсений подвизался работать на пристани в механической мастерской, где он обслуживал катера и баржи, сам тоже, нанявшись, ходил с грузом по рекам. В небольшой холодной мастерской они отгородили себе угол. В те дни по чертежам барона Деломбре собирали быстроходный катер, что-то не ладилось с мотором; Арсений быстро разобрался, дал несколько советов барону, тот приказал, чтобы сделали так, как говорит *cosaque*[1], и мотор заработал. С тех пор Деломбре посвящал русского мастера во все свои изобретения, возил на полигон в Руссийон, ни одно испытание не проходило без мсье Арсена; барон сделал его своим главным механиком, сшил ему специальный костюм и пожаловал пустовавший дом в Аньере (большой поклонник графа Толстого, барон иногда называл Арсения — *mon cher ami Karataïev*[2]).

За чаем Боголепов вспоминал:

— Да, чудаковатый был барон, но широты ему было не занимать, ума — бездна. Изобретатель, писатель, ученый и даже хиромант! С пользой время проводил, в отличие от некоторых сластолюбцев. Мы с ним много дел натворили. Даже пушки делали! Да что там пушка — мы танк свой изобрели! Такого немцы не видели! — Он помолчал, дуя в кружку, вздохнул и протяжно сказал: — Мда-а, барон Деломбре, барон Деломбре... Экая занятная была личность! Англофил, даже женился на англичанке. Правда, жили они врозь. Он — в Руссийоне, она — в Париже. Так нельзя, но они жили, и ничего. Она делами занималась, он своим хобби. Резиденцию они не навещали, у барона были какие-то дурные воспоминания, связанные с этим местом. Кажется, какой-то родственник здесь утонул, свел счеты с жизнью. Бывает. Французы часто топятся. Как женщины. Мало кто застрелится. Барон много путешествовал. Россию тоже любил, бывал в России, вспоминал Байкал, Волгу... Не бывали на Волге? Ах да, я спрашивал...

Он заговорил о России...

Александр рассматривал старика...

---

[1] Казак *(фр.)*.
[2] Мой дорогой друг Каратаев *(фр.)*.

Огромные красные кисти с узловатыми пальцами. Маленький лоб с седым, своенравно завивавшимся чубом. Густые брови, низко нависшие над глубоко посаженными глазами. Глаза живые, любопытные, страстные, но слегка чумные, как у некоторых проповедников. Крепкий нос, чуть-чуть как будто не свой (возможно, причиной тому было удлиненное, немного вдавленное русло — седловина носа — и вздернутый, своенравно раздвоенный холм). Тяжелые носогубные складки; щедро поросшие поля щек; большая безгубая ротовая трещина. Отдельно растущая, как опушка леса, плохо ухоженная седая с рыжиной борода.

Он курил задумчиво, щурился и смотрел на гостя так, словно хотел ему что-то предложить.

В кухне было мрачновато, — вытянутое желтоватое лицо Арсения Поликарповича казалось немного зловещим.

Александр припомнил, что старик грозился убить Альфреда.

«Да, наверное, мог бы...»

— Как у вас с документами, деньгами и карточками? — спросил внезапно Боголепов.

Крушевский показал свой билет бельгийского военнопленного, еще один документ, который ему выдали американцы, добавил, что и еду будет получать у них же; бережно развернул книгу стихов Верхарна: между страниц лежали карточки с купонами Красного Креста. Старик кивнул одобрительно.

— Американцы... Красный Крест... Угу, хорошо, на первое время хватит. К нам заходите. Не стесняйтесь. — Не получив ответа, он настойчиво повторил: — Я говорю: к нам непременно заходите, поняли? — Крушевский кивнул. — Так-то лучше, так-то вот лучше... Потому что, если не придете, я к вам жену пришлю с едой, она вам все уши прожужжит, она крепко верующая, а вы как? Тоже? Ух, вам будет о чем поговорить! Приходите в любое время, без стеснения и прочих сложностей. — Александр сказал: «да, да, конечно». Старик потушил папиросу в большой латунной пепельнице, опираясь на костыль, поднялся. — Ну, теперь покажу Скворешню...

Увлечения мсье Деломбре менялись быстро: начинал строить обсерваторию, а построил орнитологическую башню; но и птицами барон еще в молодости быстро переболел, а причудливая постройка, как свидетельство кратковременной страсти, осталась. Много раз он порывался снести ее, но Арсений Поликарпович отсоветовал, и был прав: Скворечня, хоть и не предназначалась для проживания, выручала не один год, в ней селились бедствующие эмигранты, после них оставались личные вещи, книги, газеты, даже картины, кое-кто уехал в Америку, кое-кто вернулся на родину. Александру это было знакомо.

— Многое испортилось, — сказал Арсений Поликарпович.

Спальное белье пришло в негодность, узкая солдатская койка, вбитая в пол и стену, слегка отсырела, прогибалась и трещала, когда на нее садились.

Внешняя винтовая металлическая лестница, узкая, изрядно ржавая, обросла вьюном. Идти было неудобно. У Александра сильно закружилась голова.

Через маленькую узенькую дверцу они вошли в небольшое помещение на третьем этаже:

— *Библиотека*, — сказал старик. — Так эту комнату окрестил прежний жилец. Я вам про него потом расскажу.

Весь пол библиотеки был устлан ровным ковром мусора: мелкие клочья бумаги, ватина и тканей...

— Крысы и птицы, будь они неладны!

Ящики с типографскими тиражами: «Вестник РСХД», «Новый град», «Версты» и другие. Много ящиков. Это я потом подробно посмотрю, подумал Крушевский. Сборник парижских поэтов. Интересно. Пробежался по именам. Ни одного знакомого. Так, а это что? Примитивный печатный станок!

Большая безупречная паутина, натянутая между конторкой, лампочкой и карандашницей. Стопки старых лохматых томов — то корешком, то обрезом — поднимались под потолок и тихо покачивались. Подоконники прогибались под тяжестью брошюр, машинописных пачек, рукописных опусов и книг, — они скрывали окна по самые форточки.

— Ну, как? Впечатляет, вижу.

Александр кивнул.

— Да, впечатляет, — повторил Боголепов, оглядывая комнату. — Еще как...

Книги были повсюду! Даже конторка стояла не на ножках, а на хорошо подобранных книгах, и сидели здесь, совершенно очевидно, на книгах тоже. Ремингтон с вращающимся валом для разных шрифтов; запечатанные и распечатанные катушки с лентой, пузырьки с чернилами, самопишущие перья, пачки пожелтевшей писчей бумаги, карандаши и прочие канцелярские мелочи.

Арсений Поликарпович костылем сбил с потолка почерневшее от времени осиное гнездо.

— Запустили мы тут немного. Рук на все не хватает...

Старик суетился, стучал костылем в пол. Согнулся, встал на четвереньки...

— Тут где-то внутренняя лестница была...

Крушевский сел на ящик с журналами, расстегнул пуговицу, снял шляпу. Тошнило. Полистал сборник. Отложил.

Боголепов ползал, как большая крыса, двигал книги, расчищал мусор.

— Помогите-ка мне! У меня нога... — Крушевский ринулся на помощь. — Уберите-ка этот хлам. Где-то здесь, под бумагами, должен быть люк. А, вот он, вот! — Старик потянул за ручку и, поднимая бумажный ворох и облако пыли, открыл ход. — Вот вам лестница на второй этаж. Там — *хранилище*. Ну что, идем?

Крушевский кивнул.

В *хранилище* был такой же беспорядок; стены были оклеены листовками, на крючках висели подшивки газет, на полках шкафов лежали тетрадки и папки, из ящичков шрифткассы торчали металлические пластины, штампы, на небольшом станке лежала заготовка верстки, на полу валялись журналы, рисунки, литеры, — тут словно много лет назад прошел обыск, и с тех пор сюда не возвращались.

— Странно, — сказал Крушевский, обойдя помещение *хранилища*. Убедившись, что нигде нет двери, которая бы выводила на внешнюю лестницу, и нет люка вниз, он посмотрел на старика и спросил: — Как так?

— Не пытайтесь понять. Это бесполезно. — Он медленно ковылял от окна к окну, распахивая их. — Я тут уже почти двадцать лет. Работал в самых разных местах. Вы не видели, чего Деломбре понастроил в своем имении в Руссийоне. Я много путешествовал, мне встречались всякие диковинные вещи, особенно ватерклозеты... Да... Тут много смешного. Я намеренно решил все оставить как есть, ничего не менял, чтобы все дивились. Посмотрите на те пристройки, — махнул он в окно на три сараюшки, — они абсолютно непутевые. Особенно последняя: за ней начинаются ступеньки, которые ведут в несуществующий погреб. Ни в коем случае не ходите, там просто яма. И не спрашивайте меня почему. Я вот много чего хорошего вам о бароне рассказал... А сколько всего глупого он наворотил — не пересказать! Вы думаете: француз, цивилизованный человек, Европа у нас всему голова. Ага. Откуда, думаете, здесь это кладбище собак взялось? А? Да откуда вообще такая глупость могла взяться? Подумать только, хоронить кошечек-собачек, цирковых львов да лошадей всяких маркизов, прям как людей, на кладбище! Помню, как змею графини одной с почестями хоронили, змею! Люди плакали. Графиня заплакала, и они с ней... Нет, ну, откуда в людях столько глупости? Ну, не болван ли был Деломбре? Взял и отдал земли. Был остров как остров, а стало потешное кладбище. — Арсений Поликарпович ударил костылем по полу, лихо забросил его через люк наверх и полез следом. Крушевский за ним.

Дверь в *обсерваторию* плотно не затворялась, и сюда проник вьюн, свив в центре красивую зеленую спираль. Недолго думая Боголепов оборвал его и не глядя выбросил вниз. Люкарны отворялись наружу, как корабельные иллюминаторы; прорезиненные рамы подтекали, кое-где обросли плесенью, на полу зеленели лужицы.

— Весной тут холодно спать. Я пробовал любопытства ради. Кости ломит. А летом ничего. Отсюда можете полюбоваться на монументы, на стеллы, на памятники хомячкам, попугаи тоже есть. Если интересно, потом могу отвести. — Нашел среди плесенью покрывшихся книг подзорную трубу и протянул ее Александру. — Посмотрите на правый берег! Мы на холме, да еще и в башне — все, что угодно, можете отсюда видеть, и не надо никуда ездить. Сакре-Кёр, Тур-Эфель. Все, что хотите. В телескоп на звезды ночью можете поглазеть, пожалуйста. И это вам ничего стоить не будет. Где еще такую квартиру найдете? У Шершнева? Да у него там студия, все красками провоняло. Или где? В церкви, у святых отцов, в приюте, где? Нигде такого места больше нет. — И вдруг спросил: — Я слышал, вы в Борегаре работали, там теперь лагерь, и вы советским беженцам помогали?

Александр кивнул. Он хотел сказать, что был там в первые дни сентября, когда только возник лагерь.

— Ну, как там обстановка? Тихая, мирная? Или охрана со штыками? Проволока-пулемет?

Крушевский перестал ходить в Борегар после появления на воротах часовых в советской форме; он помотал головой и сказал, что знал заместителя начальника лагеря, Кострова (фамилия далась с трудом).

— Я так и думал, — оживился старик. — Все врут эти либералисты-солидаристы. Опять врут. Я вчера прочитал тут один листок, «Свободный голос» называется. Вранье на вранье. Противные враки! И голосок за всеми этими враками чувствуется ничтожный, писклявый, жидовский. Опять завели свою шарманку. Лают моськи. Не дает их душонкам покоя победа России. Все хотят великую державу в дерьме вывалять. И кто масло в огонь льет, хотел бы я знать. Да что спрашивать, ответ нам известен: американские жиды! Все беды оттуда. Схожу в Борегар. Там посмотрим, что за фрукт этот Костров, — и подмигнул. — Ладно. Осваивайтесь и приходите к нам чай пить.

«Крепкий старик», — подумал Крушевский, глядя, как тот, с костылем под мышкой, ловко спускается. Стал на землю и поскакал, горбатясь.

Александр пустился бродить, выглядывая из окон. Река, огород, куры, кролики, из сарая старик вывел на веревке козу, привязал к яблоне, ушел в дом. Проплыла баржа, исчезла за мостом. На крыльцо вышел Шершнев, посмотрел наверх, Крушевский ему махнул.

— Счастливо оставаться!

А голос у него зычный. Быстрым легким шагом Шершнев идет сквозь ворота, уходит к мосту. Не догнать. В другой раз. Александр спустился в библиотеку. Сел на табурет. Поднял журнал с оторванной обложкой. «Новый град». 12. Париж 1937. Полистал. «Жребий Пушкина». «Христианство и революция». «Христианин в революции». «Аура чаемой России». Перескочил. «Французская молодежь и проблемы современности». Нашел бинокль. Долго рассматривал мост и другой берег. Металлические барьеры поблескивали. Свежевыкрашенные домики радовали глаз. Полосатый бело-голубой парасоль. Под ним стол, на столе что-то. Наверное, чашки, кофейник. Как обычно. Рядом беленькие летние стулья. Один кверху ногами. Завалился. Детишки бегают. Мальчик с рапирой, девочка с яркой лентой. Хорошо. Жизнь. А если пойти пешком вдоль этой набережной, то через пару километров начинается разруха Сент-Уана...

Он думал, что помолится, как только останется один; старик ушел, но кто-то будто подглядывает. Его занимали мысли, в мыслях были люди. Никак не остаться одному. Мысли ехали сквозь него, как переполненные вагоны, шагали люди, мелькали лица. Что ни человек — история: страхи, надежды, слухи, подозрения... Устал, он так устал... Пока ехали в Аньер, Серж многое рассказал о Боголеповых, предупредил о различных странностях *Поликарпыча*, а также говорил про размолвку, которая случилась у него с Моргенштерном.

«Альф не виноват. Никого не слушайте, когда будут говорить, а говорить они будут, не слушайте, запомните: Альфред не виноват! Он был готов жениться на старшей дочке, да только она сама ему отказала, а отцу все вывернула так, будто Альф ее бросил. Вот и пойми женщин после этого! Рожала сама, и на всех злая ходила, и в первую очередь у нее Альфред во всем виноват, и всех настроила против него. Точно он самый главный подлец Парижа. Будто в этом городе подлецов мало. Нужно ей было еще одного сделать. Не понимаю! Это просто невезение какое-то. Альфреду не везет на женщин. Несчастный человек. Но это другая история. Тут ему, можно сказать, не повезло совсем. Самое поразительное, эта стерва, зная, что Альфред — настоящий джентльмен, взяла с него слово, что он, если хочет видеться с дочкой, никогда ни при каких условиях не должен говорить ей, что он ее отец. Он — дурак — дал ей слово, и после этого она стала отпускать с ним девочку. Она живет у него по несколько дней. Представляете?»

До 1913 года Арсений и Любовь Боголеповы жили в Нижнем Новгороде, где Арсений по ошибке был арестован, после чего они уехали в Гдов к старшему брату Любови Гавриловны, Федору. От рождения Федор был на одну ногу короток, зато был силен руками: и камень тесал, и железо ковал, прославился надгробиями, оградками, клетками и решетками. Арсений работал машинистом паровоза на линиях Псков — Нарва и Псков — Полоцк. Родилась Лидия, за ней сразу был еще ребенок, но мальчик умер после родов. В Гдове было неспокойно. Дом, в котором жили Боголеповы, находился возле станции. Каждый день на фронт тянулись составы с солдатами, женщины и дети выходили их провожать, приносили еду, воду, махали вслед, плакали; с фронта везли раненых и увечных, мертвых хоронили на Гдовском кладбище, покойников с пением и плачем несли мимо окон Боголеповых. Казачьи разъезды, призванные ловить дезертиров и саботеров, грабили евреев, пьянствовали, нападали на женщин. На берег выбрасывало рыбацкие лодки, были случаи исчезновения людей из собственных квартир, полиция обвиняла контрабандистов, но никого не поймала, журналисты и местные писатели сочиняли фантастические истории, народ придумывал свое: будто из озера выходят кикиморы, похищают спящих. Начиная с шестнадцатого года через город шли обозы с беженцами, они покидали Россию, пророчили несчастья, голод и прочие бедствия, с собой звали, и многие поддались, всё бросили и ушли. Арсений раздумывал, Федор его отговорил, а жаль, дела окончательно испортились: паровозы встали, случилась забастовка, полицейские без раздумий бежали, быстро организовался военный революционный комитет, занял дом губернского предводителя дворянства светлейшего князя Ивана Николаевича Салтыкова, на крыльце особняка часовые по вечерам жгли костер, по улицам ходил патруль с повязками, скоро в Гдове собралась целая рота бандитов, они заняли дом купца Трофимова тоже, расселились по всем брошенным квартирам, пьянствовали, бесчинствовали, с музыкой разъезжали на тачанках по уезду, грабили, выпускали свою газету, провозглашали власть пролетариата в магазинах и на складах, главарем разбойников был некто Булак-Балахович, тех, кто не отдавал свою лошадь или другую скотину, Балахович приказывал пороть на превращенной в эшафот телеге; пороли публично, созывали народ барабанами и горном, часто порка заканчивалась повешением и речью Балаховича, громогласно объявлявшим имущество казненного собственностью Революции. Разграбив город, балаховцы ушли, город заняли белогвардейцы; не успели к ним привыкнуть, как их выбили петербургские большевики. Эти привезли с собой печатный станок и целый штат бюрократов с телефонами, газетами, приказами, лозунгами; за ними, под особой охраной, тянулся обоз с вещами: столы, стулья, люстры, карнизы с бордовыми шторами, флаги, полотнища красного и синего кумача, на которых большими аляповатыми белыми буквами с множеством восклицательных знаков были написаны впечатляющие речи, — всему этому очень скоро нашлось применение, в зданиях бывших купцов возникли кабинеты, на домах появились флаги, вот только с лозунгами не знали, как быть, они были бессмысленной длины, в Гдове не нашлось ни одного здания, на котором можно было бы их как следует растянуть; пока совещались, случился тиф (скончался Федор), налетел Булак-Балахович. На этот раз он был на стороне белой гвардии. Балаховцы разбили тифом изможденных красных и сожгли транспаранты. Горнами и барабанами Балахович собрал весь город на площади, объявил беспощадную войну против насильников, грабителей и поругателей святынь церкви православной, устроил театр с казнями и умчался в Эстонию. Туда же потянулись беженцы, и Боголеповы с ними. Возле границы обоз обстреляла артиллерия. Никого не убило, но много пало лошадей, а другие разбежались. Так и не поняли, кто палил. Лидия была сильно напугана, несколько недель не говорила...

Крушевский в этом месте кивнул, показал на себя пальцем и сказал:

«Да, я тоже».

«Вы понимаете, конечно, — продолжал Серж. — К тому же их арестовали большевики, их грабили, допрашивали. Могу себе представить... я знаю, что такое допрос. Как-то я попался хорватам, меня приняли за итальянского шпиона, долго держали, думали, что мои футуристические дневники — это зашифрованные донесения... ну, это другая история... Альфреду не повезло с Лидой. А ведь я предупреждал: не связывайся с этой вертихвосткой, Альф, до добра не доведет. Ну, совсем молодая... В ресторанах пела, танцевала в цыганских юбках, белые голые плечи, крупный бюст, длинная шея и глаза — безумные-безумные. Красивая, но — экзажерунья[1]. Он потерял голову, запутался. Кто ж знал, что она так с ним поступит? Столь жестоко оболгать... Арсений хотел подавать в суд, с трудом отговорили, я в том числе, отсоветовал, нажимая на то, что Лидия не совсем в себе, она попадалась на мелких кражах, провела какое-то время в палате для душевнобольных. Очень нехорошая история. Альфред — настоящий джентльмен. Таких сейчас немного осталось. Он предлагал ей руку, а взамен получил рукоприкладство и обвинение в отвратительном разврате. Нет, такого поворота не ожидал никто. Я, конечно, тоже виноват, я привел Альфреда к ним, я нашел это место, я рисовал

---

[1] Лгунья со склонностью преувеличения (фр.).

в Аньере много и пошел к ним, они были вежливые, разрешали мне рисовать у них во дворе, у них там даже стул для меня завелся, сдружились мы, выпивали с Арсением, в общем, ничто не предвещало, а потом... Я почему-то думаю, что это влияние Тамары. Вы ее не знаете. Поэтесса, под всякими псевдонимами пишет, один из них Погорелова. Дама положительно не в себе. Бесовка-скандалистка. Не знаю, сколько ей лет, она обязательно врет про свой возраст, ей должно быть хорошо за сорок. Лидочка и Тамара очень давно дружат. Тамара у них в доме была учительницей французского и литературы. У Боголеповых всегда было плохо со средствами, дети не ходили в школу, Тамара придумала заняться их воспитанием, напросилась к ним в дом, потому как сама прожить не сумела бы, к жизни не приспособлена, но не аристократка, врет, все врет. Впрочем, Поликарпыч про себя тоже изрядно сочиняет, плетет родословную аж от вологодских бояр, а разговор его послушаешь, так обычный вахлак. Да, всюду у нас выдумщики! Куда ни глянь — сочинители! У каждого в роду то граф, то генерал, то первооткрыватель какой-нибудь. А как задумаешься, одно с другим и не сходится. Такой, видимо, мы народ — нам нужно быть особенными. Только что собой мы сами представляем? Эта Тамара — пугало огородное, мадам де Скандаль. Зачем она им понадобилась? Выгадать что-то хотели. Как и с Теляткиным... служку завели... Так и с Тамарой... Взяли, чтоб за детьми присматривала, французскому и литературе их учила, кормили ее, комнату отвели на антресолях, не больше чулана, ей и то было хорошо. А что в голове ее происходит! У нее кругом враги, и французы, и русские ее знают. Везде побывала и всюду себя проявила. Любит все испортить, например, сломать отношения с хозяином ресторана, в котором они выступают, или просто вечер, хороший, мирный, ей надо что-нибудь выкинуть, чтобы всем гадко стало. Как выпьет, про всех гадости говорит, да так складно, что многие с удовольствием слушают и смеются, затем и поют ее, чтобы послушать... Я уверен, что именно Тамара настроила Лиду против Альфреда. Побоялась подругу потерять, вот и настроила... Да кто знает, что там могло быть! И что там в голове вертится, невообразимо... Стихи ее ужасны, читает отвратительно, голосит как сумасшедшая, на душе тошно делается. Они вместе выступают в ресторанах, поют романсы. Николай на гитаре играет, очень хорошо играет, без всякого пения, и все на память, нот не знает, я даже не представляю, как он так может столько помнить, его мелодии не имеют названий, просто сидит, играет, перебирает, бормочет себе под нос: *а теперь вот эту... а сейчас вот эту сыграю...* и конца им нет, и все хорошие, на удивление гармонические вещи. Альф говорит: у него талант. Жаль юношу, в этой семье он пропадает, печально...»

Александр вспомнил, как ему стало плохо в комнате мсье Моргенштерна. Необычно звучала музыка, струилась и прерывалась; разноцветный свет расходился полосами по потолку и стенам, угасал... Дрожали занавески, блуждали тени... Крушевский очень медленно приходил в себя; долго не понимал, куда он попал, кем был этот незнакомец в странном костюме. В петлице бутон... Одеколон, гримерное зеркало, трюмо, полка с париками, плакаты на стенах, два манекена, беглые остарбайтеры.

Опять его переполнили мысли. Голова закружилась. А синева-то, синева! Какой простор! И дома эти словно из синевы вырезаны. Говорят, небеса над нами, под Богом ходим... Не так. Небеса тут и Бог среди нас.

Три луковицы базилики Сакре-Кёр, лотки и козырьки магазинчиков. Силуэты гуляют. Лазурь струится. Мальчишки едут на велосипедах, сверкая спицами. Женщины с зонтиками неспешно идут от одной золотой струны до другой, палевой. Рестораны, кафе... Мир. Война еще идет, а здесь уже мир.

А внутри меня: боль, копоть и пламя.

Он бережно вытянул из кармана четки, встал на колени, склонил голову, закрыл глаза и негромко прочитал Pater noster[1]; помолчал, произнес молитву еще три раза, нараспев, постоял на коленях... и еще два раза про себя помолился... и снова вслух... так он молился до тех пор, пока не почувствовал легкое одурение.

Поднялся. Вещи едва заметно струились, с выражением смотрели на него. Он спрятал четки, вытер слезы, осторожно спустился вниз, разогрел ведро воды, наполнил таз и с наслаждением опустил в него ноги. Дрожь пробежала по всему телу.

Господи, как хорошо.

5

В начале 1919 года стало ясно, что с папой что-то случилось; не таясь друг от друга, мы с мамой принялись его оплакивать. Неопределенность оставляла в душе дверцу отворенной; на протяжении многих лет я мучительно искал людей, которые находились в Москве в 1917—1918 годах, приставал с расспросами, собирал любые сведения. Складывалось жуткое впечатление, будто страной правили даже не швеи, портные и ремесленники, а обыкновенные бандиты. Отец спасал людей, помогал им покинуть Россию. Последними переправил в Финляндию семью приговоренного к расстрелу за участие в контрреволюционном заговоре эсера. Я писал в Гельсингфорс, разыскивая родственников расстрелянного, долго не получал ответа; они откликнулись полтора года спустя из Ревеля, куда им пришлось перебраться после того, как в Финляндии ухудшилось отношение к русским (впрочем, в Ревеле тоже было

---

[1] «Отче наш» (*лат.*).

несладко). Про моего отца они очень хорошо написали: *Ваш отец спас нам жизнь, мы молимся, чтобы с ним все было хорошо*; и обещали выплатить какие-то деньги, — я попросил их решительно выкинуть это из головы. Случайный беглый арестант, к сожалению, не задержавшийся в Париже, рассказал, как этапировался из Шпалерной тюрьмы по Волго-Вятской железной дороге в каторгу вместе с каким-то немцем: «Лет пятидесяти, высокий, худой, седой как лунь, и очень стойкий ко всем тяготам-невзгодам, какой-то юрисконсульт, военный или нет, мне неизвестно, всегда добродушно улыбался». Описание полностью соответствовало портрету отца — но ведь таких русских немцев на Руси было много! Я писал во все концы, но все впустую.

Безрассудное желание поехать в Россию на поиски я глушил вином и мирной конференцией — записывал, анализировал, частенько проходил мимо отеля, где размещалась немецкая делегация. Я был в негодовании! Их держали в отвратительных условиях: отель обнесли чугунной двухметровой решеткой, поставили жандармов; с ними обращались как с преступниками, их не приветствовали на собрании, — журналисты об этом написали с удовольствием. Мне было совестно за французов. Так и вижу, как Йоханнес Белл и Герман Мюллер сидят в подвале, курят, пьют ром, сутки напролет слушают «Тангейзера». Подслушивание их разговоров не имело смысла. О чем они могли говорить? О том, что они обречены. Половина Германии оккупирована. Они заперты, как заложники. Им отключили отопление — а год выдался холодный! Я топил камин бесконечной мирной конференцией, я был в бешенстве, разговаривал сам с собой... Неслыханное унижение!.. Неистово рвал газеты, бросал в пламя... Ради чего устраивать спектакль? Чтобы вернуть Эльзас и Лотарингию, аннексировать Саар с шахтами? Мещанство мирового масштаба. Но зачем издеваться над двумя министрами? Четырнадцать пунктов Уилсона — слишком хороши для нашего мирка... бедолага Уилсон, его свалила испанка... Клемансо легко все повернул в нужное ему русло. Его беспокоило только одно: втоптать в грязь Германию. Ах, как жаль, что он не дожил до сорокового! Не увидел, как его месть привела Гитлера на Елисейские Поля! Кольцо замкнулось — собака укусила свой хвост.

Человечество, культура, цивилизация — громкие слова! История — сказка неприметного мышонка, рассказанная впотьмах под аккомпанемент крысиного шебуршания; гибли большие звери, вымирали деревни, в тартарары летели гении и титаны, огнедышащие вулканы пеплом забрасывали города, а он — никчемный — спасся, проскочил между Сциллой и Харибдой великой мировой двусмысленности, чтобы донести до нас свой писк: даже если миром будет править шайка головорезов, и тогда дух проторит тропку, и взрастет древо, и даст плоды... чтобы все повторилось... *j'en ai assez!*[1]

Альфред вышел на балкон. Светает. В глубине сада кот флегматично зарывает свой кал.

Оптимизм — без него жизнь *стоит*; чтобы сдвинуть этот тяжелый состав, необходим человеческий уголь и оправдания, много оправданий (предприимчивый тиран запасется вперед лет на сорок).

Вернулся в комнату. Прилег. Альфред, надо беречь себя! Сердце, насколько его хватит? Свинцовый ларец переполнен. Туда больше не втиснуть ни строчки. Даже воздушные, самые скользкие видения, и те не помещаются... Допустим, пересадка была бы в порядке вещей, согласился бы я на операцию? Он подумал, глядя в потолок, посмотрел на гардины, дверь, канапе; шкаф-чемодан скрипнул, будто ожидая ответа: «ну?»

---

[1] С меня хватит! *(фр.)*

Пламя свечи затрепетало. Нет, предать этот большой орган, который столько лет служил верой и правдой. Любил, дрожал, волновал мою кровь. Нет. Povre Clovis![1] Он умер от легочной эмболии. Несколько часов заимствованное сердце работало идеально, как вдруг... за его жизнь боролись сорок восемь часов — двое суток! Finalement, il s'est arrêté. Il n'y avait rien d'autre à faire[2]. Погасло. Встал. То же случилось в Кейптауне в декабре прошлого года. Как его звали? Достал из шкафчика новые свечи. Где-то были спички... Как же его звали? Да никак! Имени не сообщили. Пациент прожил с сердцем молодой женщины восемнадцать дней. Восемнадцать! И умер. А вот и спички. Зажег. Сколько суеты, мой друг! Вспомнилось перекошенное брезгливостью лицо. *Quel monstre!* Как его звали? Почему я его вспомнил? Галерея Термометр, двадцать второй или третий год (до появления у мамы *поклонника*). Я вышел из книжного магазинчика Эжена Рея, усталый от продолжительной ходьбы и поисков неизвестно чего, голодный, весь в пыли, с книжкой или журналом под мышкой, я подносил спичку к папиросе и тут услышал оскорбительные слова, не сразу понял, что говорили обо мне. Они, их было трое, в неверном свете галереи они слиплись в единое орнаментальное существо, которое, перебирая ногами, плыло в струящемся воздухе цвета абсента, и одна из трех голов этого существа молвила: "Voici... un boche d'origine russe..." — Меня представили как редкую особь в зверином парке. Любопытство, оценка, точно я выставлен на продажу. — "Ah bon?" "Quel monstre!"[3] — Усмешка, фырканье, кордебалет теней проплывает мимо. Спичка обожгла пальцы. Мои! Ай! Зачем такое вспоминать? Тот, что говорил

---

[1] Бедный Кловис *(фр.)*.

[2] В конце концов, оно остановилось. Ничего сделать было нельзя *(фр.)*.

[3] Смотрите-ка... Бош русского происхождения... — Ах вот как? — Ну и чудовище! *(фр.)*

первым, был мне знаком: мы учились в Сорбонне. Он был значительно старше, на семь или восемь лет. Член Лиги[1]. Потом Action Française или Croix-de-Feu или что-то в этом роде. Он был одним из... Как его звали-то? Читал Барреса. Носил брезгливую мину. Кажется, из разорившихся аристократов. Всегда презирал меня. Скоро после этого пассаж снесли. Я любил те галереи, и отец тоже любил их. Тот волшебный свет, я никогда его не забуду; волнение накатывало, когда мы выходили на rue Chauchat, я говорил, что дверь открою я, можно, папа? Он говорил: конечно, можно! Я бежал, распахивал дверь, и мы входили в таинственный сумеречный мир пассажа Оперы... Застекленные своды, потемневшая, местами облупившаяся позолота декоративных колонн, чахлые пальмы, потрескавшиеся мраморные плитки, переменчивый голубоватый свет газовых ламп, темные узкие коридоры, хрип патефона; здесь в миниатюре я находил моих античных богов, викингов, мой игрушечный Дикий Запад, открытки, оловянные фигурки, кукольный мир. Читая книги Диккенса, я невольно переносил его персонажей в те галереи и часто, чтобы лучше представлять его героев, заимствовал продавцов, ремесленников, вязальщиц, кукольников девятого аррондисмана. В толкотне galerie de l'Horloge, когда поток деловых людей и покидавших Оперу зрителей смешивался с покупателями и праздными зеваками, среди которых лавировали ловкие карманники, Бретон меня представил Арагону, но мы не сдружились, как мне сообщили после, я показался ему *слишком задумчивым*, за глаза он меня звал *un proustien*[2]. Я читал Пруста только ради мсье Леандра: мой старый учитель в последние годы жизни ни о чем другом говорить не хотел; замуровавшись в маленькой подвальной

---

[1] Ligue des Patriotes — Лига патриотов: старейшая националистическая французская организация.

[2] Прустианец *(фр.)*.

квартирке, в которой не делалось ремонта со времен потопа 1915 года, он умирал от гонореи, я доставал ему галил и носкапин, — так я стал «прустианцем». Они, поэты, ничего этого не знали, им было не до того, они собирались в *Certâ* — там было невыносимо: споры, ссоры, позы, словеса, эпатаж; даже в баре театра «Модерн», где я некоторое время подрабатывал пианистом, было уютней, актеры и актрисы, которые пили в том баре, выглядели куда натуральней и человечней поэтов. В те дни я одевался как денди и ходил со старомодной тростью; во всяком случае, в пассаже Оперы гулял я именно так, и всегда эти прогулки заканчивались в *Les Enfants Perdus*. Это тихое кафе было нашим с папой любимым местом. Оно находилось на rue le Peletier, в него было удобно попадать через галерею Барометр, я в том кафе легко забывался, просиживал по тричетыре часа, пил вино, кофе, курил, что-нибудь пописывал и читал, оторвавшись от книги, поглядывал на прохожих: люди, что приходили в Оперу или в пассаж, надевали что-нибудь новое, модное, они шли туда, преображенные своими мечтами, желанием произвести впечатление. Это кафе (как и весь 9е)[1] безвозвратно утратило свое очарование после сноса пассажа. Без сомнения, сумеречные узкие коридоры приводили в *Les Enfants Perdus* самых интересных посетителей, по этим потрескавшимся мраморным плиткам шагали туфли самых таинственных женщин. Там я встретил одного любопытного персонажа — немец, поэт или философ, а может, и то и другое, я не помню его имени, вряд ли мы представились, он подсел ко мне и сразу заговорил: «Раньше мечта была другой», — сказал он по-немецки. «Любопытно», — сказал я. «Прежняя мечта напоминала пленку натянутого горизонта. Она была там, за пределом мыслимого. Она уплывала вдаль вместе с аргонавтами.

---

[1] Девятый аррондисман.

Но ее украли у нас...» — «Вот как?» — «Вы никогда не думали, что можно украсть мечту у целого народа?» — «Признаться, нет...» — «Если можно дать людям огонь, то можно его и похитить из сердец. Достаточно провести электрический провод, и каждого соединить с идеей успеха, комфорта, благосостояния, и у вас появится целое новое поколение людей, которые не станут мечтать о подвигах, о странствиях, о битвах, о великом. Вместо этого они будут мечтать об уютной квартирке, о том, чтобы каждое утро был крепко сваренный кофе, а вечером — глинтвейн или что там еще...» Высказавшись, он ушел, оставив меня в задумчивости; больше я не видел его. Пассажа не стало. Дух кафе изменился, атмосфера в нем больше не располагала к чтению, я перестал туда ходить. В двадцатые годы тихих старых местечек становилось меньше, и люди менялись, исчезали, перевоплощались, предавали друзей и принципы. Двадцатые — это стремительная смена кадров и вкусов. Новые ритмы, новые лица, новые платья и макияж. Джаз, рестораны, концерты, открытки... театры, синема, ателье... новая техника съемки Кирсанова... все новое, только я должен был оставаться прежним, неподвижным. На меня летит вспышка, как сачок, и я оказываюсь в паутине сюжета, такой же нарисованный, как и картонный мирок вокруг меня. Я насчитал более трехсот сюжетов, в которые меня окунули прихотливые руки фотографов, художников и выдумщиков; бульварные романы с моим изображением были повсюду, на них все так же был спрос. Чтобы отгородиться от сияющего ласковым небытием демона, я разрабатывал мое письмо, мрачное, сухое, рутинное, даже грязное, оно не имело ничего общего с декорациями, в которых обитал мой искусственный образ.

Нет, спать не получится сегодня. Он встает. А как Виктор нас напугал! И насмешил. Полицейский оказался не без чувства юмора. Ты смотри: *vive la révolution!*

Он вспомнил разговор с Маришкой. Когда спросил про Виктора, она стушевалась...

«Он такой... интересный...»

Нравится он ей. Ну что ж, хорошо. Dieu est là où habite l'amour[1]. Мне он, кажется, тоже нравится. Да и Серж вроде оттаял.

Что у нас за окном?

Люди бредут сомнамбулами. Кажется, будет дождь. Редкие машины медленны, едут бессмысленно, не знают, где стать.

Газеты будут сегодня?

Кто-то забыл зонтик: перекатывается на спицах — разноцветная медуза. Поезд со всегдашней настойчивостью строчит пространство, напоминая о расписании. Но скоро и он заглохнет. Теперь и без газет это яснее ясного. Идти некуда и незачем. Остается ждать неизвестно чего.

6

О, как же приятно печатать без оглядки на написанное! Уноситься под парусом в неизвестное! Врываться в новый буйный день на подкованных словах... город гудит, бунтует, трамваи и автобусы стоят... переливается влажная листва платанов... Какие облака! И синева неба — точно морская даль...

Раньше, в Ленинграде, я печатал только с выверенного чистовика, приходилось быть осторожным. На барахолке мне довелось купить задешево старую «Москву», я тогда как раз писал первые рассказы (те, что отправил через случайных иностранцев в «Посев») о том, каково мне было в институте Сербского, машинка была маленькая, ухоженная (без ручки на

---

[1] Бог там, где обитает любовь (фр.).

чемоданчике, но ничего, под мышкой помещалась), шла легко и негромко, как застенчивая цикада; приобрел у инвалида без ноги, он о машинке заботился, с жалостью расставался, успел несколько фронтовых историй приплести, хотел планшет с картой всучить, но я отказался. Писал тайком. Даже самую негромкую машинку далеко слышно. Вычислить того, кто печатает, просто: появился в доме новый человек — включилась машинка. Уши в каждом доме. За работу садился в крайнем случае, когда знал точно, что соседей дома нет, и вся история на бумаге была готова. Никакой импровизации. Вот в чем беда. Ни щелочки для духа. И никого рядом! Жил и действовал в одиночку. На телеграфе французские студентки часами сидели в ожидании, когда «дадут Париж», я с ними заговаривал, они радовались, что я немного говорю по-французски, они и представить себе не могли, какое для меня было счастье сказать две-три корявые фразы, я чувствовал себя измученным калекой, я едва справлялся с дыханием от волнения, и всю ночь после спать не мог, все ворочался, вспоминал, как я осмелился, подошел и заговорил... Стараясь задним числом понять упущенное и восполнить пробелы, я переписывал те короткие разговоры, на бумаге они делались длинней, я зажигал ночную лампу, и свет загорался на воображаемых бульварах, мои спутницы уводили меня на просторные проспекты, по которым струилось мое письмо, шуршали платья, шумел дождь, мы прятались в арочной галерее, громко смеялись, всплескивало эхо, стены аркады были украшены фресками, горели яркие лампы, звучала музыка, в сумерках блуждали фантомы, фантомы немыслимого города... а затем меня отвлекал какой-нибудь звук, за оклеенным газетой окном занималось утро, я выключал лампу, ложился и долго караулил, чтобы перепечатать написанное, ждал тишину: дом без людей молчит особым образом, его тишина приглашает проказничать.

Теперь все предосторожности излишни. И тем не менее то ли по привычке, то ли из стыдливости я дожидался, когда уйдет мадам Пупе́. Как обычно, прежде чем уйти, она откроет и закроет каждый шкафчик, подергает ручки на оконных рамах, запрет одну дверь, уйдет через другую. Лифт увез ее. Наконец-то. С чего начать? Из меня рвется толпа...

* * *

Ясное утро, все в голубиных застежках. Исковерканной походкой лавирую между битыми горшками и собачьим дерьмом по rue de la Roquette. *Студенты захватили Сорбонну.* Ворчание Вазина, стук машинок, беготня. Площадь Насьон — стачка. Студенты ходят группами, нервные, возбужденные. Полицейские сирены делают петли. Gare de Lyon: много полиции и солдат. Привычно безразличные клошары толкутся у вокзальных закусочных, бессильно перебраниваются; на них никто не обращает внимания, словно их нет; очумев от подземных испарений, они сидят на горячих решетках и тихо просят подаяния или сигаретку, без особой надежды.

Вечером иду на rue de la Pompe — мне гораздо интересней, что скажут здесь. Пьем чай и вино, курим, в большие раскрытые окна заглядывает синева.

— Сорбонна... Ха! Это больше, чем захватить корабль, — говорит Шершнев, прохаживаясь по гостиной (мсье М. лежит на кушетке, у него болит голова, он не спал ночью, много писал, на столе много бумаг с блестящими свежими строками; он тихо бормочет: «корабль?.. какой корабль?..», в его руке курится тонкая трубка с маленькой чашкой). — Это почти Кронштадт!

— А, вот ты о чем...

— Конечно! О чем еще мог я подумать в сложившейся ситуации?

— Тридцать шестой год...

— Что? Почему?

— А, — мсье М. устало закатывает глаза, — не обращай
внимания... просто ворчу... ворчу, как Бразильяк...

— Ну, ты тоже скажешь... Бразильяк! При чем здесь этот
сосунок? Нет, Кронштадт, Кронштадт... — Серж заводится, его
несет: — Взбесившиеся щенки! Они не понимают, чего хотят.
Команданте был не прав. Далеко не всякое восстание — твор-
чество. Самое смешное, что все это началось в цветнике Сартра
и Бовуар. А что они такое в сравнении с великим д'Аннунцио?
Что происходит на улицах? Обыкновенная разнузданность.

— У нас в редакции считают, что это вспышка.

— О, нет, это не вспышка.

Альфред тоже вздыхает, сонно шепчет: «нет, конечно».

— Я тоже так считаю, но вот Вазин...

— Ах, забудьте о нем! Тут нет никакого спонтанного воз-
горания. Оно случается в тех домах, где хозяин не проверяет
газопровод десятками лет.

— Да, но ведь пожары случаются и в домах, где все в порядке.

— О чем и речь, о чем я и говорю, — громыхает стулом
Шершнев, прочищает горло, подливает всем чаю. — Неужели
не видите, что всему причина? Сексуальная энергия! Сексуальная энергия — это мощная сила, такая же мощная, как наци-
онализм, патриотизм, если не больше. Блуд, чтение газет, на-
писание статей и листовок, блуд и снова: стихи, песни, газеты,
листовки, алкоголь, танцы, газеты, блуд, ну и так далее... Чума!
Молодые хотят признания. Им осточертели люди во фраках.
Эти чурбаны в полицейских мундирах. Свобода и блуд! К черту
порядок! К черту деньги! Это все очень понятно. Тут нет ничего
интересного. Слишком простенько. Еще старик Деломбре был
против денег, помнишь? — Альфред кивает. — Скука — это

все, что я чувствую. — После паузы добавляет: — И возмущение...

Молчим некоторое время; Альфред опять негромко говорит, что эти дни ему напоминают тридцать шестой, а время после оккупации — начало двадцатых; и таинственно добавляет:

— Не было бы Просперо, не было б и бури.

— Это верно, — подхватывает Шершнев. — Где-то он есть, Просперо. Но сейчас бурю устраивают дети бессмысленного бунта. Какую чепуху писал Сартр о свободе, о бытии, о ничто... Вот они — плоды его статеек. Разве человек, который швыряет камни в полицейских и ревет, как орангутан, разве такой человек свободен? Он одержим. Это зов джунглей. Разве такая свобода нам нужна? В ярости человек теряет лицо. Это уже не человек. Именно из таких безумцев и организуются эти толпы. Блоха психоза кусает одного, передается другому. Бациллы помешательства разбегаются по улицам, и вот вам революция! Это пожар. Когда вас несет толпа, неужели вы ощущаете свободу? Это не свобода. Но о такой свободе писал Сартр, и такую свободу они хотят. И они ее получат. Посмотрим, что будет дальше. По Сартру, будет ничто. Какого философа выберешь, такую жизнь и получишь. По заслугам! — Серж зажигает свою сигарету, наливает всем вина и говорит: — У них нет стиля. Элементарно, нет стиля. А стиль — это главное. Д'Аннунцио въехал в Фиуме в белом кителе на красном лимузине. Он написал манифест в стихах. Вы бы видели, как он его читал! Вы бы слышали его выступления! Эпические, эпохальные речи! Поэзия! Люди плакали и умирали от хохота. Всем управлял стиль — в основе всего был только он. Все было во имя Красоты! А что мы видим здесь и сейчас? Людишки в сереньких костюмчиках, в пиджачках с потерянными пуговицами, неотесанные прыщавые очкарики выкрикивают лозунги не первой свежести. Легко себе представить, какой бесцветной будет жизнь под управлением этакого комитета молодых недоумков. Рахметовы, Раскольниковы и прочие болваны...

— Это будет Советский Союз.

— Конечно. Еще одна республика Страны Советов.

Серж на него смотрит — и вдруг на его лице появляется беспокойство:

— А как там Мишель? В Льоне-то дела совсем плохи...

— Все в порядке. У Мишеля разгромили магазинчик. Он, конечно, переживает, но ведь это ерунда. Главное, все целы. Сидят дома, у них все есть. Он же такой запасливый. Они атомную войну запросто переживут!

Серж смеется, пыхтит, выпуская клубы дыма, как паровоз.

* * *

Вчера вечером позвонила Мари: «Творится черт знает что! Я хочу вытянуть из этого кошмара подружку. Если хочешь, приходи завтра после двенадцати на рю Ги-Люссак, мы в доме номер 23». Я сказал, что обязательно буду, конечно, Мари, как иначе!

Всю ночь плохо спал, следил по радио за происходящим, морально готовился к встрече с Клеманом, Мари о нем много интересного рассказывала, чуть ли не в первую нашу встречу я узнал, что Клеман — активист-социалист, un militant, он любит произносить речи, воображает себя журналистом и презирает своего младшего брата за то, что тот превратился в мелкого лавочника, un petit bourgeois. Клеман считает мсье Моргенштерна «голлистом», он презирает всех, все у него «буржуи», «мещане», «материалисты», он всех на свете критикует, Советский Союз в том числе. Постоянно говорит, что большевики извратили прекрасную идею. Он живет в Париже в очень маленькой квартирке на rue de Quatre Vents, над книжным кафе. «Там повсюду книги. Они даже на улице. На них спят клошары. И у него в комнате тоже только книги. Мы с Альфредом сидели

185

на стопках книг и слушали его речи. Ах да, у него есть радио. Ну и пишущая машинка, само собой. Денег ему хватает только на то, чтобы оплатить аренду. Он даже кофе не мог нам сварить, потому что не было не только кофе, но и чашек. Одни книги, машинка и кучи, кучи бумаг. Но в другом месте он точно не может жить. Он должен жить в самом центре. На rue de Quatre Vents. Ну а где еще такому жить? В любом случае ни в одном другом городе мира он бы жить не смог. C'est pas imaginable!»[1]

Мари... ее губы, руки, волосы...

Утро началось очень поздно, я проспал до полудня, меня разбудила ругань. Скандал случился на пустом месте. Я лежал и слушал. Мсье Жерар был сильно разозлен уличными безобразиями. Надеясь, что он отшумит и уйдет, я дожидался тишины, но он клокотал и рычал, визгливо вскрикивала хозяйка, но ее голос тонул в гудении мсье Жерара. Он и до того был не в духе. С конца апреля, — после разгрома, который учинили югославы в Белграде[2], — мсье Жерар не трезвел. И тут уличные хулиганы разбили его машину. Он снова сорвался. Теперь старуха не дает ему спокойно послушать радио! Хлопок! Мадам Арно попросила сделать потише. Ее всю ночь сердце беспокоило.

— Неужели вы так бесчувственны? Пожилой человек просит немного уважения, немного деликатного отношения к своей особе. С утра так сильно кружилась голова.

— Мадам Арно, вы нас всех переживете.

— Вы задолжали за два месяца, мсье Жерар. Квартирант из России платит в срок.

---

[1] Это невообразимо! *(фр.)*
[2] Речь идет о поражении сборной Франции по футболу от сборной Югославии со счетом 1:5 в четвертьфинале отборочного турнира Чемпионата Европы 1968 года.

— За него платят! Еще неизвестно, какие организации за него платят...

— Ну что за глупости, мсье Жерар.

— Вы не знаете, кого на самом деле пригрели в своем гнезде, мадам Арно. А вот я человек простой. Я не коммунист. Вы не даете шанса простому человеку.

— Это я не даю вам шанса, мсье Жерар? Я прошу сделать радио потише...

— Не-не-не, дорогая мадам Пупе́, это был предлог, на самом деле вы хотели денег, вы еще скажете, что вы спите оттого плохо, что я не выплатил вам... Но посмотрите на чертовы улицы, мадам Арно! Оглядитесь! Мир катится к чертям собачьим! Гляньте в ваше окошечко, вы увидите баррикады! Как я могу заработать деньги, если весь мир перевернулся? Как я могу заработать чертовы деньги, если мою машину засунули в баррикаду? Мою частную собственность взяли и превратили в часть баррикады! Так они поступают... Никого не спрашивают... Вот она, молодежь, их представления о борьбе, правах, равенстве и братстве...

— Нет-нет-нет, мсье Жерар, я не хочу ваших денег... я просто хочу покоя... мсье Жерар, сделайте радио потише! Неужели это не в человеческих силах понять?..

Радио захрипело еще громче. Видимо, мсье Жерар выкрутил его на полную громкость. Диктор совершенно отчетливо сообщил о том, что полиция закрыла университет в Нантере...

— Я вас выселяю, мсье Жерар! Живите с клошарами на матрасах!

— Прекрасно!.. Просто гениально, мадам Арно!..

На лестнице были дети: топот, визг, мячик. Скатывались по перилам и плевали в пролет. Ха-ха-ха! Лифт не работал. Восторженный вихрь. Мячик, мячик, мячик. Телефон на столике консьержки занят. Позвоню в редакцию из уличного аппарата; на Ги-Люссак! Консьержка схватила меня за рукав. Что такое? Страшно выкатив глаза, прошипела что-то. Не понял. Лучше не стоит выходить сегодня... Спасибо, мадам, но дела, дела...

По Санте на Сен-Жак. Событие, думал я, оно зреет где-то там! Я смотрел вперед, туда, где над крышами плыло огромное сахарное облако. На Ги-Люссак! Город волновался, как корабль. Парижане готовились встретить шторм. Парфюмерный бутик закрыт. Кафе — тоже. Ведерочки с цветами у флориста не выставлены. Ставни, решетки, ставни. Продавцы задраивают магазинчики, поверх решеток вешают плакат: «Мы с вами солидарны», а с кем они «солидарны», не понятно, просто «солидарны», чтобы не грабили. Да, что-то будет, говорил я себе, что-то будет. Нервная дрожь пробегала по телу. Ноги летели вперед. Бульвар Сен-Жак наполнялся людьми. Ручейки струились, торопились, журчали. На площади Данфер-Рошро неожиданно пусто. Серое пятно неба, обклеенные листовками светофоры, деревья, с провода свисающая красная тряпка. Несколько перевернутых машин. Полицейские... Здесь только что они были... Табун промчался. Я направился по авеню Данфер-Рошро, там были люди, большая группа, еще группа, они вливались со всех сторон, выходили из домов, выныривали из переулков; людей становилось больше, перегородили улицу. Не протолкнуться. Толпа вытеснила меня в переулок, опять на Сен-Жак, там уже собралась плотная агрессивная масса, а где-то впереди гудел гигантский улей; где-то впереди какая-то дамба сдерживала людской океан, готовый ринуться и потопить улицы. Из окон высовывались. На балкончиках стояли. Флаги, лозунги. Из подъездов выбегали молодые парни и девушки, в руках — флажки, свернутые транспаранты. Бегом! Вперед, вперед. Смех. Глаза блестят. Нацеленно. Возбужденные. С красной повязкой на плече. С красным платком на голове. Бутылки, кастаньеты. Мельтешат. Сигареты, цветы в петлицах и волосах. Суетятся, стреляют глазками. То ли еще будет! Вперед-вперед. Многие торопились уйти, разворачивались, шли мне навстречу. Толкотня. Я продолжал продираться в направлении Ги-Люссак. Я знал, куда иду: Мари — я спешил на встречу с тобой! Рядом со мной держались кучерявые бородатые парни, с ними были громкие разгоряченные розовощекие девушки. Криво посаженные глаза, набок сбитые кепки. Один рукав закатан, другой сполз. Все в прелестной стихийной гармонии. Таких неистовых, свободой опьяненных людей я еще не видал. Налетел на тачку с овощами, чуть не шлепнулся. Девушки рассмеялись, одна басом сказала: «Э, смотри куда идешь, еще убьешься раньше времени!», и все захохотали. Один из парней похлопал меня по плечу. Сухопарый, невысокий, плечистый. Встали. Дальше плотной стеной стояла толпа, пробиться было невозможно, Люди люди, люди — насколько хватало глаз. Люди, которые покачивались, переговаривались, подпрыгивали, чтобы увидеть, что там дальше; чтобы крикнуть, махнуть кому-то рукой или бросить что-нибудь и рассмеяться; чтобы, растолкав соседей, вызвать волнение вокруг себя; чтобы просто показать себя, кое-кто залезал по водосточной трубе, на столб, на плечи парню вскарабкалась, как мартышка, худенькая брюнетка лет семнадцати и махала красным платком, ее юбка задралась, костлявые коленки, бледные ляжки...

— Эй! что там дальше?..
— Там ряды полицейских в шлемах!
— У! Смотрите, улицу заблокировали!
— Прочь! Флики, прочь!

Кто-то уходит, кто-то стоит, задрав подбородок, гневно поводит плечами, встряхивает волнистой челкой, вкладывает пальцы в рот и оглушительно свистит, еще свист, еще, вопли, ругань, вой: уууууууууууууу!!!

Надо искать обходные пути. Куда бы я ни шел, не удавалось просочиться на Ги-Люссак. Всюду баррикады и полиция. Перевернутые машины и полыхающие мусорные бачки. Вокруг да около. Петля за петлей. А вот и побежали. Врассыпную. Ой-й! Где-то началось. Свист. Что-то ухнуло. Попадались люди с включенными транзисторами...

— Что слышно?

— Митинг на Данфер-Рошро.

— Я там был — никого не было!

— Не знаю, так говорят.

— Спасибо!

— В Латинский квартал лучше не идти... Осторожней, там флики!

— Спасибо.

Бегом, бегом.

— Эй! Ну, что там слышно?

— Все двинулись на Санте.

— Все ясно. Спасибо!

Петля, маневры, перебежки. Окликнул ссутулившегося очкарика.

— Как там на Ги-Люссак?

Он оторвался от приемника и надсадно сказал:

— Данни говорит, чтобы не сдавались... лежачих забивают и увозят в кутузку...

— Я говорю: Ги-Люссак! Как там?

— Ги-Люссак? Да ты здесь, на Ги-Люссак. Эта улица — рю Ги-Люссак! — и, прильнув ухом к приемнику, побежал, резво подскакивая.

Свист. Полицейские в черных касках с наплечными сумками, на шлемах крупные очки:

— Эй! Стой! Куда?

— Проходите мимо!

— Улица закрыта. Здесь небезопасно.

— Проходите, проходите!

— Я здесь живу!

— В каком доме?!

— Двадцать три!

— Ну, хорошо, давай!

Раскуроченный ситроен, перевернутый набок пежо... Ящики с землей... Отколотые от мостовой камни... Машины, ящики... Много битых горшков... мешки с землей... камни, груды камней, а дальше впереди — баррикада, студенты, флаги, транспаранты...

— Виктор! Сюда! Посмотри наверх!

Мари стояла на балкончике в белой блузке, узеньких джинсах, ее волосы развевались. Девушка и молодой человек. Все машут. Я поспешил к ним. Она выбежала навстречу. Бросилась на шею. Поцеловала. Запах духов, алкоголя и сигарет.

— Бежим скорее! Я тебя с Клеманом познакомлю!

Пританцовывая, Клеман выплыл на лестничную площадку; он хлопал в ладоши и вилял бедрами.

— А, вот и вы, мсье репортер! — Хлоп, хлоп. — Очень хорошо! — Пальцами щелк, каблуками стук. Протянул руку. — Клеман. — Хлоп, щелк, топ. — Вот так!

Я пожал его сухую руку. Он устремил в меня пронзительный взгляд. Сделалось неуютно. Он похлопал меня, ощупал мышцу плеча, сжал мой бицепс.

— Ого, мсье репортёр, да ты не слабак!

Я смутился. У него были узкие, хитрые карие глаза, загнутый, как у коршуна, нос, впалые щеки и кривой рот, язвительно-насмешливый, на лоб падали черные курчавые волосы, влажные, блестящие.

— Вот и познакомились. А это моя драгоценная Жюли, — представил он мне маленькую девушку с конопушками в мятом ситцевом платье, рыжую, веселую.

Мы вошли в квартиру. Беспорядок. Клеман поднял бокал — *Vive la révolution!* — Выпили.

Было много вина. Три бутылки на столе, много табака на газете и крошеный гашиш. На полу стояли две большие банки с чем-то мутным.

— Ого! — сказал я.

— Да, мы тут засели как при осаде, — сказал Клеман. — Идет война. Думаешь, тут просто пьют вино? Выйди на балкон и посмотри. В конце улицы ты увидишь баррикаду. Ее только начали собирать, но к вечеру она будет готова, а за ней другая, а еще дальше третья и так далее... — Я сказал, что видел баррикаду, мы высунулись с балкона: по улице ходили люди, носили ящики, мебель, доски; глухой стук ломов — дробят улицу. Я сказал, что не вижу в этом смысла. Клеман сильно удивился, хлопнул меня по плечу: — Давай, я тебе кое-что объясню, — он запалил самокрутку, медленно затянулся, выпустил душистый терпкий дым и передал сигарету мне. — Скоро появятся люди в касках с дубинками и щитами. — Я сказал, что уже видел их, передал ему самокрутку, гашиш был мягкий, приятный. — Хм, не, — Клеман сплюнул вниз с балкона, — это не они. Придут специальные войска: CRS. По радио сообщают, что уже подтягиваются. Они будут очень стараться, штурмовать. Они разозлены. У них будет много работы. Мы им гарантируем много работы. Эти южане, ох, они нас ненавидят. Они готовы стереть с лица земли всех людишек в очках, они готовы топтать людей, у которых нет ни гроша в кармане, зато есть великие идеи в сердце. CRS рады будут избить и отправить в кутузку каждого из тех, кто сегодня вышел бороться за новое будущее. CRS растопчут всех, с их дипломами, грамотами, публикациями...

— Ерунда, — перебила Жюли, — CRS здесь со вчерашнего дня. Мы вчера с ними пили кофе на Сен-Мишель...

— О да?

— О да, Клеман, о да! — дразнила его Жюли. — Мы с Мари — правда, Мари? — болтали с этими, из спец-спец-спецвойск, они такие же, как все — обычные мальчики, миленькие, между прочим... правда, Мари?

Мари ухмыльнулась...

— О да? — заводился Клеман. — Ах вот как... Жюли, милая моя Жюли уже любезничает с церберами, э?

— Э, да какие они церберы?

— Ну-ну. Ты ведешь себя как маленькая потаскушка...

— Я тебе сейчас покажу потаскушку!

— Покажи! — задорно сказал он. — Покажи!

Он сцепился с ней. Жюли укусила его, вырвалась и влепила ему смачную пощечину.

— Ну а что мне делать? Ты, сволочь, шляешься невесть где! Куришь гашиш, как сволочь-марокканец?

— Я и есть марокканец! — кричал в ответ Клеман, лупил себя по щекам и по лбу: — Я настоящий сволочь-марокканец! Марокканец! Я!

— Да иди ты, Клеман, ты знаешь куда!..

Клеман затянулся и, пуская дым, гнусаво запел какую-то жалобную арабскую песню... Жюли отобрала у него самокрутку, сказала ему заткнуться, потрепала за чуб, передала самокрутку Мари, — все эти движения конопатая девчушка проделала за одно яркое мгновение. Вертлявая, костлявая, бойкая — огонь! Мари затянулась и обняла меня; держа сигарету на отлете, она целовала меня, выпуская дым — я закашлялся; она засмеялась, поцеловала меня в щеку, шею, ухо и вдруг отстранилась, что-то быстро серьезно сказала Жюли, та ей столь же неуловимо серьезно ответила. Со словами «перестань, рыжая», Клеман полез к Жюли, она вывернулась, дала ему тычка, забрала самокрутку у Мари, сказала: «э, не кури так много, сама знаешь, чем это для тебя может кончиться», легко затянулась, вернула самокрутку Клеману, поцеловала его взасос, опять дала пощечину, на этот раз мягкую, любовную, и пошла с Мари на кухню. Клеман отвернулся, глядя в сторону баррикады, он шептал:

— Милые мальчики... да, CRS — просто милые юнцы... гестапо-сволочь...

— Ну, очень-очень милые, — не унималась Жюли, как будто услышала его шепот, она гоготала: «милые, правда, Мари?» Они вернулись с водой в графине и бокалами, налили себе воды, Мари дала мне стакан: «попей воды, чтоб не слишком одуреть от гашиша», я попил. Жюли смеялась: — О-о, CRS, CRS! О-ля-ля, сколько шума из-за каких-то юнцов-молокососов! Клеман, ты просто ревнуешь, боишься, что меня один из них немножко закадрит, а? Скажи, боишься, что меня немного обрюхатят, а, Клеман? Чего заткнись, чего заткнись? Клеман, они на самом деле очень мииииилые! Ох, ну, просто же-ребцы, у! Правда, Мари? Ха-ха-ха!

— Там были американки, — сказала Мари, — одна студентка крикнула им: «мы делаем мир лучше», а ей из CRS парнишка ответил: «а мы делаем свою работу, мадемуазель», так грустно сказал...

Жюли томно застонала, изображая припадок похоти, и вдруг затараторила:

— Скажи, Мари, он бы с удовольствием не делал свою работу, он бы вместо этого занялся с девушками чем-нибудь другим, а, Мари? А? А?... Мальчик-с-пальчик, о!

— Лучше б и не делал! — воскликнул Клеман. — Бросил бы дубинку, щит, снял бы шлем и пошел к нам!

— Ага, жди...

— Что ж, это хорошие новости. Они такие же мальчишки, и они «делают свою работу», ну что ж, это не так уж и плохо. Давайте выпьем! — Клеман выкинул окурок, наполнил бокалы, мы выпили, затем он начал мне объяснять: — Ты не подумай, мы здесь не просто пьем вино и курим гашиш. Мой друг, ты попал в самое сердце революции...

— О-ля-ля, какие громкие слова! — Жюли поддразнивала его: — Клеман в сердце революции... Клеман под сердцем у революции... Клеман под юбкой у революции...

Он не обращал на нее внимания.

— Сегодня будет важная битва. Мы дадим бой. Они получат отпор. Гримо[1] их везет отовсюду. Злых итальяшек. Натренированных зверюг. Ты думаешь, что я тут прохлаждаюсь? Я тут координирую действия!

Я посмеялся, но, как оказалось, это было правдой, он ничуть не преувеличивал своей роли. В дверь постоянно стучали, звонили или просто врывались без стука, докладывали, Клеман бросался к телефону, делал несколько звонков. Или выходил на балкон и махал тряпкой, свистел, с других балконов ему свистели в ответ. В противоположном доме на балконе тоже были люди Клемана, они подавали ему знаки. Я выходил на балкон смотреть, как студенты строят баррикаду: вся баррикада была уставлена горшками с цветами. Я улыбнулся и сказал:

— Цветочная революция?

— Увидишь, что это за революция, когда эти горшки полетят в полицейских.

Мы пили вино, курили гашиш и танцевали, Жюли меняла пластинки. Пыталась затянуть танцевать и Клемана, но ему было некогда. Загрустив, она влезала между нами, протискивалась, обнимала нас. Мы быстро захмелели, кружась, повалились на диван и щекотали друг друга.

— Но-но, — говорил Клеман. — Мою Жюли не тискать!

---

[1] *Морис Гримо* — префект парижской полиции в период массовых забастовок 1968 года.

— А как же свободная любовь, Клеман? — хихикала Мари. — Что это за собственнические замашки? Будь верен своим словам до конца!

— А ты сам где? — кричала Жюли. — Тебе до меня нет дела! У тебя теперь другая большая любовь — Революция!

— Ну что ты, что ты, детка, — говорил Клеман, залезая к нам на диван, он обнимал ее, целовал. — Ты же знаешь, что ты — моя единственная и вечная любовь!

Жюли выворачивалась из его объятий, отталкивала его, била.

— Нет, нет, нет, не я, а твоя чертова Революция. У нее большие сиськи и огромная задница. Я видела, как ты ее тискал... у всех на виду... прямо на площади...

— Да, моя любовь, да! Революция стонала и молила! Я ее оседлал и обкатал как полагается! И все ради тебя!

Они скатились на пол и загоготали. Мне показалось, что сейчас начнется что-то необычное, но тут зазвонил телефон, Клеман долго давал инструкции... мы снова пили вино и курили, смеялись, Клеман проклинал правительство, профессоров, снобов, бизнесменов, ругал Нантер, называл Фак — тюрьмой, казармой, фабрикой болванов... Жюли с ним спорила, она сказала, что ей в Нантере нравилось:

— И Мари тоже нравилось. Правда? Помнишь, как мы бесились?

— Да, было весело...

— Мари, что ты несешь! — возмутился Клеман. — Ты была в депрессии, хотела покончить с собой! Это была целая драма!

— Да, но вообще-то было весело...

Недоумевая, он потряхивал головой:

— Ну ты даешь... весело ей было... вон у тебя какой шрам остался... весело, нечего сказать...

Жюли воскликнула:

— Да, Клеман, нам было чертовски весело, мы там потеряли невинность!

Так мы болтали до темноты, и вдруг — послышался рык моторов. Хлопали тяжелые двери полицейских машин, стучала амуниция, дубинки били о щиты, хриплый голос, усиленный громкоговорителем, выкрикивал команды. Клеман оживился, выскочил на балкон.

— Начинается! Вот оно! Кретины! Ха-ха-ха! Сейчас получите!

В направлении баррикады организованно двигался небольшой отряд CRS, человек десять. Белые каски. Большие щиты. Черная форма. Они шли не совсем ровным строем, но настроены они были решительно.

Клеман свистнул, зажег факел и стал махать. На других балконах тоже зажглись огни, их становилось больше и больше, стало очень тихо. Только лязг амуниции и шаги военных. Средневековый звук сковал улицу. Вдруг Клеман во все горло принялся кричать:

— CRS — SS!.. CRS — SS!..

— CRS — SS!.. CRS — SS!.. — подхватили голоса в соседних домах, свист, крик, с баррикады донеслось нестройное: «CRS — SS!.. CRS — SS!..»

Факел погас. Клеман схватил банку, сорвал с нее бумагу и поскакал на кривых ногах на балкон.

— Клеман, не делай этого! — завопила Жюли. — Нас всех посадят! Мари, скажи ему!

— Пусть делает что хочет, — сказала Мари, при этом она смотрела на меня и улыбалась, я тоже улыбался. Жюли топала ногами и кричала:

— Остановись, идиот! Клеман! Безумец! Нет!

Клеман хихикал. Я все еще не понимал, что он собирался сделать. Все выглядело очень невинно. Подумаешь банка, пять-шесть литров какой-то жидкости... он поставил ее на край балкона и смотрел вниз, выжидая; только теперь я понял, что в банке было машинное масло, темное, грязное; когда бойцы проходили под нами, он лихо перевернул банку, масло густо потекло вниз. Клеман захихикал, банка выскользнула из его рук. Я услышал, как она разбилась. Клеман спрятался, его трясло от смеха, он заливался детским смехом. Жюли была вне себя: «идиот!.. кретин!.. придурок!..» Я перегнулся через край: двое бойцов спецподразделения, перепачканные с головы до ног, стояли, растерянно ощупывали себя, пытаясь понять, что за дерьмо на них только что выплеснули. Один снял шлем. Строй нарушился. Клеман схватил вторую банку, ловко содрал с нее бумагу и облил этих двоих еще раз.

— Вот так! — истерично визжал он. — Так вам, ублюдки! Получайте, кретины! Ха-ха-ха! Теперь не отмоетесь, суки!

Из всех окон донеслись одобрительные вопли и хохот, на головы полицейских полетела кухонная утварь; с баррикады летели камни, бутылки, горшки с цветами. Поднялся страшный вой. Каски встали, щиты поднялись выше, чак! — разбивались бутылки, тук-хлоп! — ударялись в щиты камни, деревяшки, яйца, яблоки, помидоры, картошка, поднялся страшный вой; весь город был против бойцов, они замешкались, их ноги подогнулись, они попятились... Вой усилился — люди в окнах и на баррикаде торжествовали; град камней обрушился на бедолаг, они развернулись и, прикрываясь щитами, припустили. Над ними смеялась вся улица, крик стоял жуткий, будто стая воронья летала и каркала.

— Убирайтесь вон из Парижа! Этот город наш! Убирайтесь обратно в казармы! Вон! Вон отсюда, собаки!

— Они отступают! — ликовал Клеман. — Отступают!

Клеман наполнил ведра водой, — сожалея, что не взял масла больше, он замочил полотенца.

— Будет газ, — сказала Мари, — хватай полотенце. Прикроешь лицо.

Я повесил мокрое полотенце на шею. Старался не терять присутствия духа, Мари посматривала на меня, я видел: проверяет — сдрейфил я или нет... Я не боюсь, Мари, не боюсь... ради тебя я готов на все... подумаешь, газ, полиция, CRS — ты права: они всего лишь мальчишки, которые с ленцой выполняют свою дурацкую работу... ради твоего поцелуя они бы сбросили свои шлемы и униформу и отправились бы послушно за тобой, Мари... В комнате стало темно. Ее глаза блестели. Она казалась необыкновенно таинственной, и все вокруг — как в пещере или в каюте унесенного стихией корабля...

Не успели докурить гашиш, как Клеман подал сигнал:

— Эй! Идут! Сукины дети идут! Дайте воды! Дайте что-нибудь кинуть!

Опять послышалось: «CRS — SS!.. CRS — SS!..» Бах! Что это? Выстрел. Бах! Еще.

Газ... он стелился по асфальту, крался к баррикаде... полз, как ядовитая поземка... Бойцов было вдвое больше; натянув маски, они выстроились фалангой по три человека и бежали по самой середине улицы; их подгонял скрипучий громкоговоритель: «вперед!.. живо!.. а ну, живо вперед!.. не останавливаться!..»

— А, черт вас подери!

Клеман метался по комнате, хватал, что подвернется под руку, и бросал вниз. Книги, кружки, вазочки...

Жюли ругалась почти беззвучно, бессильно... putain de merde, salop... Мари меня обняла и шепнула: родители ее убьют... приготовься бежать отсюда... и засмеялась... я ее обнял, сказал, что с ней готов бежать хоть на край света... она хихикала и целовала меня... пьяная, роскошная, упоительно соблазнительная...

Ручей муравьев, поблескивая шлемами, бежал вперед. Газ поднимался. Прикрываясь щитами, солдаты неумолимо приближались к баррикаде. Камни, земля, горшки с цветами — все разбивалось о щиты. Улица исчезала в тумане и сумерках, делалась иллюзорной. Я увидел, как бунтовщики отхлынули от баррикады...

В бессильном бешенстве Клеман схватил подушку и принялся ее потрошить. Он рычал, как сумасшедший. Жюли смеялась. Она тоже распотрошила подушку. Перья летели во все стороны. С других балконов тоже сыпались перья, летели яйца, помидоры и черт знает что. Вся улица была затянута пушистым облаком. Перья кружились и поднимались в небо. Над городом полыхала заря. Казалось, что перья — это снег или пепел, а снизу поднималась ядовитая мохнатая пряжа. Солдаты добрались до баррикады и влезали на нее. Студенты убегали. Размахивая дубинками, церберы в шлемах бежали за ними... до следующей баррикады, где все должно было повториться: и штурм, и отступление, и новое наступление... Но мы этого уже не увидели. Из домов выбегали люди. На них бросались полицейские. Свист, крики, дубинки. Началась суетливая беготня. Полицейские ловили и затаскивали в машины всех подряд, они надвигались на баррикаду, занимали пространство, скрипучий голос отдавал команды, машины рычали, дверцы хлопали, газ подступал к нашим окнам, как пена, он уже захлестывал балкон.

— Все, — скомандовал Клеман. — Задраиваем окна и уходим! Баста! Больше мы ничего сделать не можем.

— Бежим отсюда! — взвизгнула Жюли.

Прикрываясь полотенцами, мы побежали вниз. Газ просочился внутрь, на лестничной площадке стоял серебристый туман. Из-за дверей доносились плач, ругань, крики. У меня слезы текли ручьями. Выбежав через черный ход, мы дворами побежали неизвестно куда. Я слышал, как Клеман и Жюли перекрикивались.

— Фликов не видно?

— А сам не видишь?

— Я ни черта не вижу!

— Я тоже.

Где Мари? На несколько минут я остался совсем один, я ничего не видел, спотыкаясь и стукаясь, шел наугад.

— Мари!.. Мари!..

Наконец, она меня схватила и потянула.

— Тихо, молчи. — Она вдавила меня в стену и прижалась ко мне, я обнял ее и поцеловал. Мимо пронеслись злые ноги. Крик. Брань. Свистки.

Мы тоже побежали, она направляла меня, как пьяного. Все растекалось. Это была самая жидкая в моей жизни улица.

— Где мы?

Мы остановились. Из окон струились янтарные ручьи. С крыш свисали полотнища, они колебались. Все двигалось и журчало...

— Черт, где мы?

Она обняла меня.

— Успокойся. Отдышись. Дай посмотреть твои глаза...

Я отворачивался. Из глаз беспрестанно текло, из носа тоже.

— Бедный... Бедный мой... Ну что? К тебе идем или на рю де ля Помп?

— Ко мне, — сказал я упрямо и крепко прижал ее к себе; несмотря на газ, у меня стоял; слепота придала мне смелости, я вдруг стал бесстыдно развязным, она шаловливо сказала: «ого! какой...»; я прижал ее к себе, давая понять, что не упущу ее этой ночью, она слишком раздразнила меня.

— Идем ко мне... ко мне, — настойчиво повторял я, лизал ее шею, — только ко мне.

— Ты уверен? — И засмеялась, звонко, в самое ухо, и вдруг нежно укусила мочку, и я почувствовал, как ее язык вылизывает мою ушную раковину, мурашки пробежали по моему телу, мой орган был на пределе напряжения, я изо всех сил прижал ее к себе, еще чуть-чуть — и я выстрелил бы!

— Да. Ко мне. Я тебя не отпущу этой ночью.

— Я и не собираюсь никуда убегать.

— Только я не знаю, как идти. Я ничего не вижу.

— Я тебя поведу. Глаза тебе не понадобятся. Сегодня будет жарко, очень жарко...

Ее шепот сводил меня с ума. Она взяла меня за руку и повела, как ребенка. Я не знал, куда шел. Не соображал, что мы делали, когда пришли ко мне. Была глубокая ночь. Квартира мадам Арно никогда не казалась мне настолько тесной. Я не церемонился, не старался вести себя тихо, ронял предметы, в туфлях пошел в свою комнату, ударяясь о стены, уронил ключи, плевать, глаза горели и чесались, плевать на глаза тоже, я не выпускал Мари из рук, она хихикала, стены затаились, и наплевать... Дальше было счастье, самое большое счастье, которое случилось со мной и которое я в каком-то смысле упустил, потому что проклятый газ меня ослепил. Я помню ту ночь кожей. Помню ее бедра и груди. Помню, как она прижималась ко мне. В этом было столько анонимности! Чтобы убеждаться в том, что со мной Мари, я ее просил что-нибудь говорить. Глупенький, чего ты от меня хочешь? Я сам не знал. Я хотел вспышки. Я хотел раствориться. Услышал, как платье сползло. Почувствовал ее кожу. Горячую, упругую. Ее руки скользили по моей шее, груди, ребрам. Она сжала мой член. Губы на моей шее. Укус. Сильней, прошу! Еще! Без устали. Мари, это ты? Она смеялась. Ну, кто же еще? Я люблю тебя. Помолчи! Она поцеловала меня. Я задыхался. Привкус моей крови. Соленой. На ее губах. Мари, мне нехорошо. Это пройдет. Мой член в ее руке. Это от страсти. Ее рука. Сейчас все пройдет. Член, член. Тебе станет легче. О, Мари! Я так сильно хотел ее, что меня мутило. Вино, гашиш, беготня, газ... Это газ, милый. Она меня кусала за соски. Это пройдет. Сдвинула кожу до конца, до рези в уздечке, у! Отпустила и начала пробираться по мне, прижимаясь и шепча, задыхаясь. Сейчас будет хорошо. О, как сейчас будет хорошо... Она царапала мои ребра. Ударялась о меня выступами и затягивала в свои впадины мои руки. Трогай меня, ласкай! Она была везде. Я не успевал ее изловить, она выскальзывала из моих объятий, прижималась ко мне ягодицами, прилаживала мои руки к грудям, изогнувшись, как змея, она щекотала мои яйца, играла ягодицами с моим органом и смеялась. Я сходил с ума, стонал. Не могу, не могу больше. Сейчас, милый. Сейчас все будет. Грудь, ноги, влага. Она лизала мне живот и целовала мой член. Деревянный до бесчувствия. Меня распирало. Я плакал и стонал. Стонал, как раненый, которому зашивали большую рану, рану величиной с жизнь. Наверное, весь дом слышал. Мы лежали на полу. На матрасе. Все равно, пусть слышат, сколько можно терпеть! Матрас скрипел и покачивался, как лодка. Мы захлебывались от смеха и страсти. Вращались, крутились. Мы стали скользкими, жидкими. Мы струились, сплетались. Форточка была открыта. Весь город слышал. Плевать на них всех! Мы вскрикивали. На улице смеялись. Плевать. Давай! Еще, еще. Мы извивались. Еще. Катались по полу, заворачиваясь в простыню. Я входил в нее бесконечно. Она шептала мне в ухо: да, да, давай, так, вот так, да! Я всхлипывал в отчаянии. Задыхался. Не мог кончить. Пока не перевернул ее. Вошел в нее. Ударил пахом по ягодицам, войдя до конца. Исступление. Да! Ослепительное чувство! Вот так! Затмение! Безумство! Да! Удар! Да! Удар-

удар! Да! Да! Да! Да! Быстрее, быстрее, быстрее! Я превращаюсь в кентавра, пускаюсь вскачь, под моими копытами вертится лентой дорога, раскаленная от скорости и ветра. Я слышу биение обоих моих сердец, звон моих неистовых копыт, завывание флейт, свист свирели, ружейный залп. Травы и колосья гнутся к земле. Вспархивают птицы. Прячутся в норы грызуны. Замерла роща. Озерная гладь затаилась. Чашу неба наклонили. Заря! Город выпутывается из плена электрических огней. Перекошенные дома хлопают дверьми. Чьими глазами я вижу мир? Мне кажется, это Мари, она смотрит сквозь меня, она смеется, она легко сбегает по ступенькам, она все видит иначе. Вот спешат пешеходы: туман в глазах, в сердцах ручеек. Запах кофе и типографской печати. Шершавая ткань. Кто-то сзади прислоняется ко мне в метро. — Salop! — Pardon[1]. Запахи, струйки — лиловые, теплые. Туннель, люди, ступеньки, солнце. Яркая цепочка на шее мальчишки, нахальная улыбка по сердцу. Звук ложечки, соприкоснувшейся с блюдцем. Губы, дыхание. Шелест чулков. Кольца гардин чиркнули по карнизу. Ласточки фррру! Дерьмо. Легко перешагиваю. Гром грузовиков, треск мотороллеров... Сигналят. Эй! Красотка! Быстрее, милый! Да! Да! Да! Бешеная гонка. Я проклинал весь мир с его революциями. Я чувствовал, как сквозь меня струятся токи, бегут реки, электрические вибрации, по стеклянным гибким сосудам летят тысячи, сотни тысяч запечатанных в капсулы посланий, и каждое послание — это гомункул, эти послания летели по сосудам, которые соединяли нас, я видел, как из меня вырываются искры и проникают в нее. Вздрагивая, она принимает меня. Она не может не принять меня. Она должна! Она хочет! Она получит! Еще и еще! Мы летим на огромной скорости над стеклянным Парижем. Я вижу дом, еще, я вижу окно,

---

[1] Ублюдок! — Извини (фр.).

еще, мы врываемся и пробиваем стеклянную пленку, еще, да, я слышу звон стекла, еще, глухой удар о половицы пола, да, все завертелось, закружилось, затем кто-то подошел, чьи-то заботливые руки нас подняли, медленно раскрутили, извлекли наружу, чьи-то внимательные глаза прочли послание, свернули, вложили в капсулу обратно и положили ее на полку, где уже лежало множество других. В этом видении была сокрыта и наша с ней судьба, и тайна всего мироздания. Я потерял сознание, наверное. Потом очнулся. Все прошло. Как горячка. Как твои глаза? Уже лучше. Радио бурчало. Мы долго лежали и курили в похожих на газ сумерках. Я ей рассказывал всякое... о Чистополе, о моем первом поцелуе, о том, как по ночам мы говорили с одним мальчиком, как крались к девочкам. Немного рассказал об отце. Как меня допрашивали после того, как я попытался отправить мои рассказы в Германию... Это было в Эрмитаже. Я подошел к иностранцам, заговорил по-французски. Они согласились, и меня взяли на выходе. Немцы оказались подсадными... Она меня обнимала и успокаивала. Алкоголь, ночная гонка по улицам, слепота, страсть — все это меня вознесло на вершину нервного напряжения. Я не мог спать. Слезы текли и текли... Зачем спать?! Сердце колотится, она со мной, со мной... Она рассказала, как ее предал человек, которого она любила. Он был первый. Я так боялась. Они были вместе полтора года. Он перевелся в Париж. Он бросил ее. Она хотела покончить с собой. Шрам. Я целовал его, этот бледный полумесяц, целовал обе руки, слизывал слезы, я люблю тебя, я все сделаю ради тебя, я с тобой навсегда, Мари! Мы снова сплелись, но второй раз кончить я не смог, мой член больше не давал ни капли наслаждения, мне было дурно от желания. Мы лежали обнявшись, я читал стихи, все подряд. Те, что она знала и не знала. Я сказал, что слышал их от других заключенных пациентов. Мы учили их, передавая друг другу, как другды. Под утро она сказала, что дразнила меня, когда предлагала пойти ночевать к Альфреду. Она сказала, что хотела услышать от меня, как я хочу ее, как хочу ее затащить к себе в постель, в любом случае из пятого аррондисмана ко мне было ближе, на правый берег в Пасси мы бы не попали, потому что полиция и церберы все мосты перекрыли, везде были баррикады, даже если бы и добрались, на это ушло бы часа два-три, не меньше.

— Если б ты видел, что творилось...

Следующий день мы провели в постели, только раз мы спустились к консьержке, чтобы Мари позвонила: подружкам и родителям; мсье Жерар исчез, мадам Пупé была тише мыши, мы пили кофе, разобрали мой американский чемодан, Мари жадно изучала книги, заглядывала в них, вертела, вычитывала что-нибудь вслух — у нее прекрасный английский, я читал ей мои стихи, она вспоминала детство, которое прошло на Разбойничьем острове:

— Я там была по-настоящему счастлива. У меня были дедушка и бабушка, и я еще не понимала, что моя мама не вполне нормальная, были тетя и дядя, я их всех-всех любила... до тех пор пока они не забили мою подругу-козу. — Мари горько улыбнулась. — Моим первым другом был Клеман, а подругой — коза, ее звали Егоза. Они мне обещали, что не тронут ее. Я их просила, говорила им, что мы с козой друзья. Они кивали, но все-таки забили ее, а потом ели за большим столом в гостиной. Было много гостей приглашено... Кур и кроликов я им прощала, но козу нет, не смогла...

Я поцеловал ее и рассказал, как мне было одиноко в Нью-Йорке, как я ходил в кинотеатр «Гермес», смотрел что попало, засыпал в кресле, просыпался перекошенный и одуревший, ходил с болью в пояснице.

— В Америке все было безнадежным, я не видел никакой перспективы, ничего не мог найти, в конце дня в отчаянии шел в «Гермес»...

Она погладила меня по щеке.

— Жаль, меня не было рядом.

Я придвинулся к ней, кушетка скрипнула.

— Тут стены тонкие. — Она потушила сигарету.

Я включил радио погромче: профсоюзы заявляют о всеобщей забастовке, оппозиционные партии созывают Национальное Собрание...

Париж сходил с ума, правительство билось в истерике, а мы занимались любовью.

III

1

Первые дни в башне Александр наслаждался уединением. Не было проклятого надсмотрщика Усокина, который поднимал посреди ночи разгрузить вагоны или загрузить камьоны; не было страха, что с рейдом заявятся коммунисты и, невзирая на карточку бельгийского военнопленного, уведут вместе с остальными; наконец, не стоял над душой и заботливый Глебов, который привык все решать за Крушевского. Хотя Егор был на четыре года младше Александра, он легче переносил невзгоды, не был ни ранен, ни контужен, прошел хорошую подготовку в Советском Союзе — бродяжничал с тринадцати лет — и, естественно, был сноровистым, выносливым, он словно наперед знал, что делать при самом неожиданном повороте событий, держал наготове шутку или прибаутку, за ободряющим словом в карман не лез, но и промолчать умел. За год скитаний с ним Крушевский многому надивился и записал много новых слов: «шухер», «шабаш», «якши», «квочка», «горобцы», «хмарно» и др.; речь и манеры

Егора казались Александру необычными, он говорил плавно, с напевной нежностью и вздохами, слов не уродовал, не щурился, не чесался, был раздумчив, рассматривал человека, чтобы расположить к себе, подстраивался под собеседника. С первого дня, как они бежали, Егор решал, когда им есть, пить, курить, спать, куда идти; и делал он это не потому, что хотел быть вожаком, а потому что было очевидно, что он лучше понимает природу, у него слух, зрение и чутье острее; Александр так привык на него полагаться, что порой не мог решить простейшей задачи: зажечь свечу или просто без света посидеть? В плену он жил одним днем: день прожит и хорошо, вот бы и завтра так же, — он не надеялся выжить, он боялся умереть какой-нибудь страшной смертью: было бы это быстро и без унижений, я бы согласился сразу. В Скворечне он приучал себя к самостоятельности: убирал постель, подшивал пуговицы, чистил ботинки, гладил белье. В Сент-Уане можно было этого не делать; постели как таковой у него своей не было, — когда Александр отлучался, на его топчане спали другие (в гаражах не раздевались, от вшей никак было не избавиться).

Гаражи и сараи посреди руин Сент-Уана были временным пристанищем, где изо дня в день шла борьба за койку, за кусок хлеба, за место у огня и в строю рабочей живой цепи. Но даже на это не всегда хватало сил. Беженцы зависели от благотворительных организаций, держались на бесплатных пайках, а те, кто боялся регистрироваться, вставать за супом в очередь, за которой следили «красные патриоты» и агенты НКВД, попадали в лапы хищных работодателей, становились дешевой рабочей силой, их проглатывал порт, вагоны, товарные составы, грузы и наряды, ночные вылазки, многочасовые работы до изнеможения, мешки, уголь, тачки, лопаты et ainsi de suit[1].

---

[1] И так далее (фр.).

Вертелись как белки в колесе и не знали, как из этого колеса вырваться. Любые новости воспринимались враждебно. Легче верили в сказки. Ругались, нередко доходило до драки. Жизнь в гаражах была невыносимой. Хуже всего было то, что Александр не принадлежал себе: он все делал для стаи, с которой его связывал Глебов. Теперь в его распоряжении была целая башня и все окрестности, Сена и мосты, Аньер, Клиши, весь Париж, он мог поехать в Брюссель! И в самом деле, подумал он, почему бы не поехать в Брюссель, и как можно скорей? Надо только дождаться документов... Он представил Брюссель... Ох, гулять по этому городу... Notre-Dame du Sablon... Saints-Michel-et-Gudule... Forest... Avenue Molière... maman...[1] Он не думал о кладбище, — он вспоминал авеню Мольера: туда он пойдет, там будет ходить, смотреть на дорогу, дома, деревья, на которые они с мамой смотрели...

— Послушайте!.. Постойте!..

Александр остановился; кто это? К нему приближалась фигура. Это был старик Боголепов. Он был чем-то недоволен; говорил громко, хрипло, сбивчиво... Что он шумит так? Наконец, Александр разобрал: старик сходил в Борегар...

— Там никто вас не знает! И никакого Кострова там не нашлось! Что скажете? Бахвалились?

Лицо Александра побелело и задергалось; он выкатил глаза, губы его дрожали, несколько секунд он стоял, силясь что-то сказать, — старик испугался, пожалел, что накинулся так на него, — наконец, справившись с собой, Александр не своим голосом рявкнул:

— Я видел смерть!.. Зачем мне лгать?..

И на Боголепова уставился, стоит, глаза навыкат, губы

---

[1] Церковь Нотр-Дам-дю-Саблон, собор Сен-Мишель-э-Гюдюль, коммуна Брюсселя Форе, авеню Мольера, мама (фр.).

белые, а гримасы на лице меняются, кожа дрожит, веки дергаются. Старик замялся.

— Ну да, кхе-кхе, ну да, — покряхтел и залопотал: — Ну, значит, это... недопонимание вышло. Простите! Не сердитесь. Да и часовые тоже мне: форма неглаженая, морды небритые, сырмяжка провисла. А как стояли? Видели бы вы их! Пугало огородное, и то стройнее стоит! Языками чесали — перекатимать да едреня феня, ни одного живого слова!

— Де-де... де-зер-тиры. С самого начала... осенью... комендантом был Фурнье... майор Виктóр Фурнье, из фифи... при нем был Костров... партизан Костров, зимой Фурнье сделал его комендантом... Теперь власть сменилась, наверное. Поговорите с Усокиным.

— Да, поговорю. Не беспокойтесь так. Не мерзнете вы тут, Александр?

— Нет.

И он снова закрылся в башне, слушал, как гудит печь, как поют птицы, немного писал:

Внутри чешется, будто зарастает рана. Незнакомое чувство. Драгоценный покой, как тепло, отогреваюсь, ни с кем делить его не хочу. Это на меня совсем не похоже. Выскочил на улицу босиком, прошелся по травке и опять заперся. Ночью в реке купался, видел метеор. По небу чиркнули спичкой. Сердце екнуло. Река, птицы, деревья, небо, звезды — все это заменяет мне людей. Оставаться одному, ни с кем не говорить, даже никого не видеть. Несколько дней был совсем один и одиночеством не тяготился.

Спал столько, сколько ему хотелось, иногда, проснувшись от какого-нибудь шума, вскакивал, но, сообразив, что это поезд пролетел, он успокаивался, выходил подышать, скручивал папиросу, курил, глядя на отражения огней в воде, докурив, устраивал себе прогулку по башне. Все легче давалась лестница, и он находил забавным по ней лазить; все понятней казались комнаты: «А в этом есть какая-то логика», — думал он, поднимая люк в полу, спускался вниз и говорил вслух: «А в этом есть своя странная логика». Прохаживался по *хранилищу*, как врач во время обхода по палате, осматривал кипы книг и журналов, заглядывал в ящики и спрашивал: «Ну-с, как у нас сегодня дела?..» — «Ничего», — шуршали газеты. «Хорошо», — шелестела афиша. «Ну, вот видите...», — усмехался Крушевский и заводил с предметами домашний разговор... Мысль распрямлялась, слова струились вольней. Он поднимался на самый верх, ходил по *обсерватории* широким капитанским шагом, глядя то в одно окно, то в другое, он громко читал стихи, а потом, утихомирившись, молился; иногда, проснувшись посреди ночи, он задавал сумраку вопрос: «Ну, как вам спится?», — и ему казалось, будто вещи слушали, притаившись, — «Спите?.. Ну, спите-спите», — переворачивался на другой бок и засыпал. В погожие дни осматривал в бинокль окрестности, — вспоминалось, как он любовался деревеньками и долинами Тимистер-Клермона, вспоминал Эрве...

Настоящей войны в его жизни почти не было. Первая смерть случилась внезапно: во время бомбежки пожилой майор Бови умер от сердечного приступа. За этим последовало двенадцать дней судорожной суеты: обстрел, перестрелки, перебежки, обстрел, затаенное ожидание и лихорадочные поиски еды, бинта, медикаментов, боеприпасов. Раненые прибывали, немцы захватывали траншеи, блокгауз глох за блокгаузом, орудия и пулеметы выходили из строя, в казармы влетали гранаты, брызгали струи огня, он перетягивал жгутом ногу рыженького паренька родом из Льежа, которому не было двадцати, и вдруг убежище встряхнуло, как коробок, внутрь ворвался смерч; придя в себя, Саша увидел, как раненые катаются по полу, они были в огне, и парнишка из Льежа, дрыгая ногами, разбрызгивал кровь, он затих, и на этом война для Крушевского кончилась, начался плен: несколько «глухих» дней их держали на ферме неподалеку от форта. Александр ее тоже очень любил рассматривать в бинокль; солдаты туда ходили покупать молоко, сыр, яйца, — теперь там расположился временный немецкий штаб. Допросы ничего не дали, их отконвоировали в Шарнё, снова допрашивали, и снова впустую, по причине сильной контузии: потеря слуха и речи, гул в голове, рвота, тремор, он все еще плохо понимал, что происходит и с кем он разговаривает, что-то писал, руки тряслись, разбираться не стали, всех погнали в Эрве, оттуда в Льеж — пленных стало больше — Вонк — бесконечные дороги разоренной страны — Маастрихт — бесконечная цепь людей — ни валлонцы, ни фламандцы, ни французы, ни русские — слипшиеся комья грязи, они спали на дорогах, жались друг к другу, лакали воду из луж, плакали без стыдливости, с тупой жадностью смотрели на разорванные туши лошадей. Африканцев к африканцам, евреев к евреям, эльзасцев и лотарингцев переобули и направили на фронт, кто-то из них погиб, кто-то угодил в плен к русским, кто-то был убит при попытке к бегству; кто-то угодил в строительные отряды, кто-то вступил в вермахт, кто-то с потоком шел дальше — из шталага в шталаг — от одной стройки к другой, кому-то выпал Кёнигсберг, а кого-то отправили в Циттенгорст.

Скворечня стояла на холме, ветер и листва шумели, все тут было старым, все потрескивало, особенно по ночам. С раннего детства Александр жил с ощущением присутствия тайных сил: он верил, что они могут говорить с человеком, отзываться на его мысли поскрипыванием лестницы, дверным хлопком, звякнувшей щеколдой. На целых четыре года он об этом забыл, и вот теперь все как будто ожило, заговорило. На оконных рамах замазка отсохла, стекла гуляли, подрагивали. Ветви громко стучали по водосточной трубе, сбитая набок, она кое-как болталась на ржавых ободках и не служила, в дождь много набегало внутрь, и стена обросла плесенью. Александр приладил трубу, выправил водосток, почистил воронки, долго боролся с плесенью. Арсений Поликарпович снабдил необходимым раствором, скребком, кистями и краской, разрешил укоротить ветви. Крушевский повозился с пилой в удовольствие. Обживая Скворечню, он находил общий язык с вещами. Помог и Боголеповым с мансардой, — старик был доволен, устроил небольшую пирушку, позвал гостей. Крушевский за разговором заметил, что в Скворечне чайник ржавый, Теляткин подарил ему новенький.

Одеяло пахло несвежим. Саша стелил его в ноги, а накрывался своим американским пальто. *Обсерватория* не прогревалась, но с наступлением теплых дней Крушевский обжил и ее; ясными вечерами он пил там чай, курил, думал, дожидаясь звезд. Ему нравилось возиться в *хранилище* и *библиотеке* — и никто не жужжал над ухом, не подсовывал ему газету, не вызывал на спор, поляки не зазывали быть переводчиком. Он стыдливо радовался своему одиночеству. Он дал себе два обещания: первое — найти отца (эту задачу он решал потихоньку: ходил в консульство, слал письма в Брюссель, разговаривал с Игумновым и другими), второе — помочь Егору.

Те пути спасения, которые выбирал Глебов, и те места, где он искал их, не нравились Крушевскому; он не хотел сопровождать Егора на черный рынок, заводить беседы с подозрительными типами, приходилось переводить такие вещи, от которых делалось страшно, оказывается, преступление — тоже валюта, и чем страшнее преступление, тем оно дороже, и этой валютой можно купить себе свободу, паспорт, билет на пароход в Америку и т. д. А как жить потом? На это Егор ничего не отвечал. Как только он видел авантюристов, выражение его лица и повадка менялись, глаза Глебова начинали источать холодный безжалостный свет, и Крушевский понимал, что тот правду говорил про свое беспризорное детство, про детские дома и воровские шайки, и с сожалением думал, что для Егора это и была родная среда. Конечно, ему наплевать на то, что я говорю, думал Саша, ему наплевать на то, как он будет жить потом, после того, как совершит преступление, о котором его просят, получит паспорт, улетит в Америку, вот и весь ответ. Обнаружив в Егоре эту холодность и сродство с преступным миром, Крушевский разочаровывался в нем; но в который раз Глебов его поразил: не зная французского, он понимал местных спекулянтов и шулеров лучше Александра, которому криминальный жаргон был внове, Егор читал их ухмылки, позы, манеры и жесты, определяя ранги и даже «профессии»: «А этот скуластый должен быть медвежатником, — шептал он Александру, едва шевеля губами, — глянь какие плечи, руки — настоящий кузнец!.. А тот сухопарый, смотри в оба, мокрушник, точно говорю, мокрушник...»

Вернувшись к ночи после блужданий по трактирам и злачным местам, они разжигали в гараже огонь, на который из своих пещер сползались другие обитатели индустриального гетто. Они садились сгорбившись у открытой печурки, пили чай, слушали отчет Глебова и начинали вялый ночной спор; поругавшись немного, разбередив себя пустыми надеждами, они уходили в свои норы убивать холодную ночь, чтобы утром тащиться в доки. Все знали, что в любой день и этого может не стать. Вернешься, а гараж занят. Вот бы так и случилось, думал Александр; он искал предлог уйти из Сент-Уана, злорадно желал, чтобы все сараи захватили большевики или какие-нибудь торговцы (шли разговоры о том, что тут наметили строительство рыночной площади — жизнь торопилась развернуться); он устал от разрухи, устал бежать в стае; ему надоело смотреть на то, как отупевшие от страха люди ищут на мятой карте землю обетованную — ему хотелось их встряхнуть, рявкнуть: «нет ее, земли обетованной!»; в нем поселилось злое стремление избавиться от братьев по несчастью, он больше не хотел видеть гаражный народ, не хотел возвращаться в Сент-Уан, он устал от их общей мечты; он готов был пить отраву жизни, не жмурясь, в одиночестве, чтобы не видеть, как они, улучив минуту, предаются мечте. Даже Егор был подвержен этому пороку; на его лице появлялась блаженная улыбка, глаза заволакивало, он смотрел на огонь, курил, и по тому, как его сковывали безмолвие и неподвижность, Крушевский понимал: Егор мечтает о чем-то, — и отворачивался. Сам он, всматриваясь в себя, не находил в душе ни домика с огоньком, ни красивой девушки с младенцем на руках, ни коридора в Сорбонне; даже отец, о котором он думал, не был мечтой, — его образ вызывал в груди тупую боль, сосущее чувство утраты; он вспоминал отца с телесным упрямством, напряжением мышц и иступленной клятвой: «Я найду тебя, папа!» — так не мечтают, конечно. Мечта похожа на морфин, ей сопутствуют покалывание мурашек, легкое холодноватое мерцание, наподобие полярного сияния, и тепло; какой-то поэт назвал мечту радугой над сердцем, Крушевский не мог вспомнить имени поэта; он думал, что мечта похожа на гамак: ты покачиваешься, понемногу забываясь, и волны, которые накатывают на длинный песчаный берег Де Панне, отодвигаются, унося от тебя смех матери, голос отца, шуршание осоки, вскоре все звуки исчезают совсем, ты переносишься в мир грез... Раньше он мечтал о путешествиях, девушках, успехе; он собирался учиться в Сорбонне, — это было давно и как будто не с ним. «Сорбонна», — произносил он и всматривался в сердце: там было тихо, оно лежало неподвижно под твердой темной коркой льда. Он стоял возле памятника Монтеню, глядя на вход в Сорбонну, — вот она, твоя мечта!.. вот она!.. ну?.. Долго не мог решиться... Наконец, снял шляпу, вошел, немного сутулясь, так он входил в церкви. Прогуливаясь по коридорам университета, он вспоминал, как покупал книги, учебники, готовился... готовился к этой встрече, и теперь он здесь — и это здание его не волнует, в нем нет ничего общего с теми мечтами, которыми он болел до войны. Вышел в университетский дворик, зашел в часовню Святой Урсулы, посидел в кафе, украдкой поглядывая на студентов, присматриваясь к их одежде, жестам, книгам, он чувствовал себя от них удаленным, будто находился душой где-нибудь в Антарктиде или в бункере, на подводной лодке, он глубоко под водой и подглядывает за ними через перископ. Даже то, как они держат книги, тетради... как сидят... говорят... так мы книги не носили, нет... Он спрашивал себя: сможет ли он так же сидеть, беспечно закинув ногу на ногу, и щебетать? Нет, не сможет, наверное... Он откладывал Сорбонну, он говорил себе, что поступит, обязательно будет учиться, но когда-нибудь потом, а пока он привыкал делать самые обычные вещи: наводил порядок в *библиотеке* и *хранилище*, укреплял полки и карнизы, мыл стекла в *обсерватории*, штопал одежду, купался в реке, гулял босиком, топил печь, смотрел в бинокль на правый берег, молился, перебирал газеты и журналы, читал, раз в сутки обедал у Боголеповых, помогал им по хозяйству, пил чай, делал выписки, записывал своё. Прерывался покурить. Поднимался наверх. Заметив на набережной Клиши группу беженцев, он смотрел на них в бинокль, искал знакомых; беженцы появлялись часто; толкая тележки, они шли с большими тюками на спинах, с детьми на плечах или в колясках, — французские дети смотрели им вслед.

Он думал о Егоре, о тех, кого оставил в Сент-Уане, о тех, с кем шел в таком же потоке. Кого там только не было!

Остарбайтеры, беглые из *Ost-Bataillon*, убежденные антибольшевики, бывшие полицаи, трусливая прислуга нацистов, запутавшиеся в политических интригах бумагомараки, военнопленные, люди с отпечатком двух лиц: желанием растерзать кого-нибудь и поскорее спрятаться. Страх и насилие, боль и ненависть. Предатели родины искали щель в теле Европы; искали возможность сделать паспорт с чужим именем и своей физиономией. Преподаватель античной и средневековой философии, с которым они долго ехали в поезде, красноречиво говорил, что война необходима для нового витка человеческой истории, прогресс-де невозможен без войны, высокая смертность, войны и эпидемии очищают человечество, в основе всей истории человечества — война, необходимо смирение, надо принять и т. д., и т. п. Попутчики невзлюбили философа за его презрительно-насмешливый тон, он говорил свысока, поучая. Александр думал о разорванных телах, о скелетах, которые они нашли в сарае, где прятались от шупо. «Я не согласен с вами, профессор, — сказал Крушевский, сильно заикаясь, — не согласен. Я не верю в прогресс. Мне плевать на прогресс». — «Нет ничего, кроме прогресса, — насмешливо блеял профессор, — человечество живет с единственной целью — развиваться». — «Я верю только в эволюцию души. Вот что я ставлю выше прогресса. А войны душу вгоняют в Ад. На войне душа распыляется. Человек — зверь на войне. Значит, прогресс для человечества вреден». — «Вы говорите неразумные вещи... Я понимаю, что вы начитались Соловьева и многих подобных мечтателей, я понимаю — эзотерика, поэзия, вы, мой друг, романтик, вы — верующий, я это понимаю, вера на многое набрасывает вуаль, скрывает от разума вера многое, но надо правде смотреть в глаза: человек — муравей, который служит только на благо своего муравейника, а муравейник должен строиться и расти. Это закон. Поймите, не будет прогресса, человек будет регрессировать и превращаться в тупую скотину. Вне общества, без себе подобных человек ничего не значит, он — пустое место». — «По воле прогресса я ощущал себя четыре года тупой скотиной в немецких лагерях, и сейчас, заметьте, мы с вами едем в вагоне для скота!» — «С вами нет смысла спорить, вы кричите». Он ехал в Италию. У него был длинный путь и много книжек, которые он читал и никому не давал. Он верил в социализм и борьбу классов. «Вы можете удивиться, что я прославляю Маркса, а сам бегу от большевиков, — говорил он с улыбкой, — но в СССР нет социализма. Там настоящий рабовладельческий строй. Партийная верхушка владеет народом. Как рабами! Надо строить другой социализм». С ним не хотели говорить, все одурели от голода, холода и страха.

По мосту Клиши беженцы перешли на Разбойничий остров, исчезли за деревьями. На том берегу снова мирно играли дети, покачивался на ветру разноцветный парасоль, блестела на солнце листва. Промелькнула какая-то тень. Он быстро записал в тетрадку:

Те далекие детские дни в Ватерлоо и Брюсселе, поездки в Брюгге, Антверпен, забастовку, которую мы с папой видели в Генте, — я вспоминаю, как чью-то чужую жизнь, я не чувствую связи с прошлым. Это не я. Во мне нет ничего знакомого. Меня вытряхнули, как вещевой мешок, раскидали, растоптали все, чем я был. Набили ужасом, болью, страхом, чужими ранами, болячками, стонами, криком. Я невзлюбил людей. В болях и нужде они отвратительны. Я от них убежал и спрятался. Один в целой башне. Здесь на каждом этаже можно было бы поместить по семье!

Заболела голова. Он отложил карандаш. Посидел с закрытыми глазами: круговерть не унималась. Лег на пол. Несколько минут прислушивался к дрожи в теле. Спокойно, спокойно... Встал — ничего. А пойду пройдусь!.. В задумчивости бродил по набережной... по узеньким улочкам... отдаленно они напоминали Ватерлоо — тот же дух старой Европы... в окнах мелькали белые косынки, стояли горшочки с цветами, сидели старушки с пергаментными лицами в белоснежных чепцах... Весь городок — одна большая больница! Особняки с наглухо забитыми дверями и окнами его отпугнули: громоздкие чугунные ворота, хоть и обросли вьюном, напомнили лагерь. На перроне станции увидел Катерину Боголепову. Она сидела на скамье с небольшим дамским старомодным саквояжем, прижимала его к себе как собачку. Александр так и подумал сначала: собачка на коленях или кошечка. Сидит как беженка... Нет, скорее как монахиня: с очень ровной спиной, немного вперед наклонившись. Как те полячки в церкви, они сидят так странно, только присядут на краешек, чтобы тут же встать и запеть псалом или соскользнуть на колени. Да, она сидела как в церкви. Ему показалось, что он невольно подсмотрел чужой секрет. Она убегала на день-два к своему жениху. На ней был старенький анорак, немецкий или бельгийский. Наверное, перешел от сестры, а может, даже от матери. Длинное платье, такое длинное, что оно скрывало сапожки. Было довольно тепло — отчего она так оделась? (Позже, когда она вернулась в одном легком платье, он понял: вещи перевозит, чтобы в семье не догадались.)

На площади Вольтера ему опять стало нехорошо, поспешил уйти от толпы, сам не заметил, как оказался возле розовых стен церкви Святой Женевьевы. Он решил, что это был знак, и вошел внутрь. Шла месса. Он стоял и слушал. Маленькая церковь, уютная, голос священника был негромким и ровным. Александра охватило волнение. Он вспомнил, как они с отцом в Брюсселе ходили в собор Сен-Мишель-э-Гюдюль, слушали орган. Ему вспомнились статуи апостолов, витражи, алтарь, покой и величие собора. Отец был растроган до слез.

В церкви Святой Женевьевы было тихо и просто. Он стал сюда приходить каждый день — посидеть, подумать, послушать орган, после чего возвращался на площадь Вольтера, гулял по шумным улицам, писал в парке стихи... что-то получилось, кажется... ему захотелось кому-нибудь показать... отправился к Альфреду, но его дома не было. Погулял по шестнадцатому аррондисману, перечитывал стихи, думал: показывать или нет? Снова зашел. Дома. Сыграли партию в шахматы, попили вино. Альфред спросил: «Что слышно о вашем батюшке?» Новостей не было. В совпредстве были насмешливые лица. Ему обещали, что новости непременно будут. Просили ждать. «Скажите нам ваш адрес, мы вас известим». Он не хотел им сообщать свой адрес. Говорил, что постоянного адреса у него нет. Вздыхал и злился на посольских. Они ему казались лживыми. Альфред покачал головой, погрустнел: «Это переживание, как оно мне знакомо!»

Альфред обещал устроить его на почту, как только будет документ. Крушевский ходил в бельгийское представительство. Сказали, что паспорт будет скоро готов, надо только немного подождать — много дел, много таких, как вы. Да, понимаю. Жду. Дал свой новый адрес.

«Странно, — думал он, — по-французски я говорю почти не заикаясь».

У Альфреда недолго пожил Глебов, который произвел на него очень сильное впечатление: он был похож на пилигрима; от него пахло чаем и углем, одежда на нем истрепалась, сапоги с обрезанными голенищами — я дал ему кое-что из своего гардероба, не подошло, пришлось кроить, Рута справилась, но не быстро, так что Егор задержался у нас, к всеобщему удовольствию, аж на три дня. А спал-то, спал! Сам поразился: «Ох, давненько я такой тяги не давал! Даже стыдно, — спросил, не храпел ли он, нет, не храпел; за обедом высказал мысль: — Война закончилась, но не для меня. У меня все только начинается». Верно. Что такому, как он, DP[1], делать дальше? Куда ему идти? Как ему быть? Страна забита такими, как он.

Игумнов очень хотел заполучить Глебова, чтобы показывать его на выступлениях. После длительных размышлений Егор согласился на общение с ним. В классной комнате русской школы, где размещалась редакция «Русского парижанина» (названия у газеты, тогда еще нелегальной, не было), мы втроем пили чай. Говорили обо всем понемногу, вокруг да около, Егор осторожничал, отказывался выступать, выглядел уставшим и робким, не привык он к таким, как Игумнов; глядя перед собой в пустоту, риторически спросил: «Вот скажите на милость, господин хороший, куда мне бежать?» Игумнов развел руками и сказал: «В Южную Америку разве что...» Это меня удивило: Южная Америка, вот как! Значит, все-таки возможность отправлять кого-то в Южную Америку была? Перед нами на столе лежала статья, которую он собирался опубликовать, в ней были цифры: десятки тысяч отправленных в Советский Союз через Марсель пароходом и через Gare de L'Est поездом. Я сам видел, как уезжали с Восточного вокзала; сходил, не поленился, и оно того стоило: такого столпотворения я давно не видал! Сальный посол Богомолов, одетый лучше самого преуспевающего коммерсанта, произнес помпезную напутственную речь, — люди послушно грузились в вагоны, — самодовольный посол наблюдал за толпой отбывающих, как хозяин за погрузкой своего товара; он стоял на красной парчой обтянутой трибуне и махал рукой, вскрикивая: «В добрый путь,

---

[1] Displaced person — перемещенное лицо *(англ.)*.

товарищи! Увидимся на Родине!» Хотелось крикнуть: «Куда вы? Стойте! Одумайтесь!» А что толку? Даже если бы они не пожелали вернуться, сбежали и затаились во Франции, над ними еще не один год висела бы угроза поимки и насильственной высылки, в то время как некоторых — *избранных* — оказывается, все-таки можно было отправить в Южную Америку. Я не помню, что я тогда почувствовал, да и сегодня не могу разобраться, возмущает меня это или нет.

На третьи сутки за водочкой Егор совсем оттаял; говорили о Крушевском; Глебов настаивал на том, что Александр не вполне сознает, что происходит в Европе. Если ходит в Борегар, то не понимает очень многих вещей. Таких простых, с точки зрения Глебова, вещей, которые любой русский, которому исполнилось тридцать лет, должен понимать. Тем более русский, который родился и вырос не в Советском Союзе, такой русский, по мнению Глебова, должен знать твердо одну простую истину: от большевиков надо бежать как от огня! Если б не Егор, Александр не был бы теперь в Париже; был бы он за колючей проволокой, как его отец (по мнению Егора, отец Крушевского в каком-нибудь лаге); если б не Глебов, советские освободители отправили бы Александра в лагерь, вместе с французами и немцами он пошел бы по этапу: Мурманск — Ульяновск — Тамбов. Он даже не представляет, как ему повезло! И что? Куда после этого он пошел? Борегар! У него, видите ли, порыв — помогать, участвовать, лечить больных русских детей, слушать рассказы русских женщин, которых вывезли из СССР на работы, писать за неграмотных детей письма, читать им... Я все это понимаю, душа требует, после всего того, чего мы с ним насмотрелись, очень хочется ощутить себя человеком среди людей, но Борегар — это же лисья нора, это логово энкавэдэшников, и обаятельные советские патриоты, пусть хоть и с манерами аристократов, — циничные лице-

222

меры, которые любого беженца с удовольствием отправят посылкой на тот свет. Поэтому ходить в Борегар нельзя. Глебов это понимает и туда не пойдет. Нигде регистрироваться не станет! Это все равно что записаться на прием в ГУЛАГ. Странно, что у Сашки есть какие-то заблуждения на этот счет. Он же в немецком концлагере видел русских пленных, они ему многое рассказывали. Через одного были схвачены чекистами — кто на Соловках отбывал, кто на Беломорканале. Но как говорится, пока сам черт не явится и не расскажет, человек в Сатану не поверит, все будет ходить и с большевиками, как с людьми, разговаривать. До тех пор, пока у них на голове рога не вырастут. Уши развесил! Смешит он меня. Вроде войну прошел, в концлагере нацистов сидел, а все думает, будто русские чем-нибудь лучше немцев. Люди все одинаковые. Ничем немцы от американцев не отличаются. Что Сталин, что Гитлер. Англичане, я с ними имел дело, пытался договориться в Германии. Там, кстати, тоже видел старых белоэмигрантов, которые вперемешку с советскими гражданами ждали от англичан помощи, а получили пинок и прикладом в спину: полезайте в кузова, господа! Бегали, прятались. В тифозном грузовике спасались. Многие так и осели на американской зоне. Всюду советские пропагандисты, работают, да так, что самые пугливые верят, будто им все прощено будет. У нас в Мехенгофе был один полковник РОА[1], Пал Палыч. Мы его с Сашкой еще по курсам знали, приезжал он и в Карлсбад и Циттенгорст, прошел Дабендорфскую школу, инженер, голова, преподавал у нас, в комиссии сидел. Ни я, ни Сашка с его контузией, кстати, комиссии той не прошли. В СССР Пал Палыч был военным инженером-строителем. Так, когда мы его в Мехенгофе встретили после всего, он был наполовину тот Пал Палыч, что в комиссии

---

[1] Русская освободительная армия, широко известная как Армия Власова.

сидел. Нездоровилось ему, бежал из самой Норвегии. В Гамбурге, говорит, ох, что в Гамбурге творилось! Что с людьми делалось! Лютые антибольшевики на свою дверь бумажку повесили: «здесь живут советские люди». Он своими глазами видел, как в Гамбурге хохлы украинский флаг из окна выкинули, красным размахивали и кричали: «Да здравствует советская власть! Да здравствует товарищ Сталин!» Невероятно, что творится с людьми. Верят всему! Так их советский агитатор переломал. И это после того, как отец Нафанаил провел беседу с английским полковником Джеймсом, главным по репатриации бывших советских граждан в Гамбурге. Полковник Джеймс сказал святому отцу, что всех вернут — и советских, и местных без советского гражданства, даже эмигрантов с иностранным паспортом! а кто не захочет, к тем применят силу. Отец Нафанаил передал эти слова всем, возмущен был, сказал, что этого так не оставит. А что он может? Пал Палыч и его люди той же ночью ушли. А мы, услышав от него эту историю, тоже не стали ждать, собрались с Сашкой и покинули Мехенгоф, пошли во Францию. В Сент-Уане к нам прибилась семейка с Украины, Кулики, это все, что я знаю, фамилия Кулик, не уверен, что настоящая, да мне не все ли равно. Эти Кулики вместе с немцами бежали во время наступления Красной армии, пожили Кулики в Германии — и у американцев, и у англичан — нет, говорят, уверенности, что тебя не выпрут, все время притворялись поляками, бежали из Германии, на барже... Отец семейства — старый волк, куда его в Советском Союзе только не ссылали, и на Соловках был, и в Караганде, теперь боится, что после работы в немецкой газете его либо сразу к стенке, либо на Колыму, а в его возрасте да с астмой и прочими болестями на Колыме долго не продержаться. Я его ни о чем не расспрашивал. Не пристаю к людям. Хоть и уверяют американцы и англичане, что не выдадут тех, кто не желает возвращаться, доверия в сердцах Ди-Пи[1] больше нет — ни УНРРе, ни ИРОчке[2]. Невозвращенцы своими силами спасаться хотят. Все знают о том, что Запад со Сталиным подписал договор о выдаче. А если подписали договор, будут сдавать. Не сегодня, так завтра. Никому нет дела до простых людей. Сладким речам демократических западных держав грош цена. И это не один я так говорю, а многие, многие, и в газете вот написано (Егор достал газету «Свободный клич», ударил в нее пальцами). Взять хотя бы того учителя, который в Италию бежал. Мы с ними вместе в составах ехали, дрожали, мерзли, у него сыночек маленький был, мы все с себя сняли, лишь бы его согреть, а малыш лежал и дрожал, бледный, страшное дело! Ребенка жаль. Жена его тоже была совсем слабая. Не первый год бегут, по лагерям мыкаются. Еще с ними шайка-лейка каких-то малороссов была, и совсем непонятные какие-то, то ли чуваши, то ли елдоши. Так вот, этот учитель так и говорит, что Европа и Америка всех выдадут — надо спасаться в церкви у католиков, те не выдадут, не православные! Понимаете, о чем я говорю? Православные с большевиками вась-вась, Евлогий уже в посольство сходил, с красными одной масти стал. У католиков прятаться! Долго ли ты с семьей так мыкаться сможешь? Не знаю, что с ними стало дальше. Других видел — бежали из Италии, наоборот, во Францию, черт его знает, говорят, там местные красные лютуют, без разговоров стреляют. Куда бежать? Не знаю, не знаю... Куда глаза глядят, туда и бегут люди, как стадо, кто в Италию, кто в Испанию, даже в Африку улепетывают, а над нашим че-

---

[1] Сокращение от английской аббревиатуры DP (displaced person) — перемещенное лицо.

[2] Благотворительные гуманитарные организации UNRRA (United Nations Relief and Rehabilitation Administration — Администрация помощи и восстановления Объединённых Наций) и IRO (International Refugee Organisation — Международная организация по делам беженцев).

ловеческим стадом вороны кружат, хватают, клюют, бросают в клеть. Такая печальная картина. И ладно я пропаду, никто не вспомнит, с детства мыкаюсь, задубела кожа, а вот посмотрю на детей, и сердце кровью обливается, весь мир против этих маленьких беженцев! И нигде им спасения нету. Не прятались бы они в угольной куче на старой барже, если бы надежда была у них в Мехенгофе, ой, не бежали бы. В угле! С детьми! Страшно подумать. Это я про моих Куликов обратно. Переправили их во Францию. А чем тут лучше? Сидят в гараже. Дрожат. Кругом руины. Ворье, цыгане. Народ сами знаете какой. Не зевай. Пока мы с Куликом ящики-мешки на баржи грузим или вагоны разгружаем, Усокин, шлюхин сын, к ней ходит и подначивает: «Идите в Борегар!» Видали гада? Ладно бы под юбку норовил, я бы понял, а то — в Борегар агитирует: «Там вам дадут и паек, и койку, и чистую одежду, в тепле, в замке жить будете, красота и цивилизация, теплая вода, душ, игры настольные для детишек, классы. Да среди своих же людей. С электрической лампочкой, а не с масляной горелкой в дырявом гараже. Бросьте своего непутевого мужика! Возвращайтесь на родину! Там вам все будет!» Она его ко всем чертям послала. Знаем, говорит, что нам будет: ссылка на тридцать лет, вечная мерзлота! О, баба! Молодец! Сказала что пинка дала! Я ее уважаю. Так уважаю, она для меня просто образец! Повезло Кулику с ней — разумную встретил, глазастую, на слово острую. Не знаю, чем это кончится. Положение у них плачевное. А теперь, после этой ссоры с Усокиным, все обострилось. Злющий Усокин ходит. Лютый зверь. Долго мы там не протянем. Ладно я, прыг — и нет меня, мне все нипочем, старый лис, могу и мышкой обернуться. Рейды репатриационной комиссии для меня ерунда, их предугадать и избежать можно, они Парижа не знают. Но есть другая беда, похуже всех прочих. Натравит Усокин на нас красных патриотов, тут все, и крякнуть не успеешь. Придут ночью, возьмут тепленьких. Они патрулируют повсюду. Я к вам в гости шел, трижды патруль видел. Идут кучкой, издалека видно. Глаза горят, как у ищеек. Кого бы сцапать. Не знаю, не знаю... Что будет дальше? Выхода не вижу. Никому не верю. Все в руках утопающего, я так считаю. Мне нужен документ, подтверждающий, что я к СССР не имею отношения, никогда советским гражданином не был и репатриации не подлежу. Все. Пусть сделают меня либо прибалтом, либо поляком. По-польски я пшекаю немного, могу притвориться немым или заикой, как Саша Крушевский. В Борегар ни ногой. Ему, вам и вашим друзьям — никому не советую. На экскурсии туда лучше не ходить. Увидите Сашку, так и скажите.

— В общем, сдружились вы с Егором, — сказал Александр и стихи показывать передумал. — Значит, в Сент-Уане все то же...

Альфред сказал, что к Егору Глебову какие-то украинцы уже подселились.

— Ну, недолго мои нары пустовали.

— Нравится вам на Разбойничьем острове?

— Да, остаюсь пока. Сделаю паспорт и поеду в Брюссель.

Альфред дал ему бумажку с именем и адресом.

— Что это?

— Невропатолог. Он вас примет просто так. Свой человек. Его зовут Этьен Болтански. У него тоже была контузия. Еще в Первую мировую. Он по себе знает, каково вам. Сходите. Этьен вас поймет.

Александр сказал, что он писал в Брюссель многим, но отвечали не все. Хозяйка квартиры, у которой они снимали две комнаты и мансарду, написала, что их вещи перенесли в какой-то подвал. Одна знакомая отца прислала длинное письмо, в котором перечисляла имена погибших (было много и незнакомых имен — и так бессмысленно теперь о них узнать, так горько!).

Вслед за этим письмом пришла посылка с консервами и баночкой лимонного джема от его близкой подруги, с которой еще до войны у Александра мимолетно были романтические отношения, о чем он не стал рассказывать, стушевался. Ее письмо было еще более длинным и таким же горьким, с ноткой упрека, просила скорее вернуться, потому что *жизнь продолжается и нужно жить, и если нужно, я могла бы переехать в Париж*, но эту мысль он отбросил и отвечать ей пока не хотел.

— Не хочу, чтобы она меня видела... *т-таким*...

— Понимаю, — тихо ответил Альфред, — да, конечно, понимаю. Вот поэтому надо сходить к Этьену. Он вам поможет оправиться. Он сам прошел через такое или почти такое.

— А как тут оправишься? Я имел в виду другое...

Ушел. Альфред смотрел из окна ему вслед. Крушевский на фронт ушел совсем молодым. Во время отсеивания фламандцев от валлонов его вместе с несколькими десятками прочих эмигрантов отфильтровали от бельгийских и французских военнопленных, отвезли в Малинь, оттуда направили в Германию, держали в тюрьме, очень часто в одиночной камере, подвергли тщательной обработке: изучали биографию, которую он непослушной рукой писал несколько раз на немецком, французском и русском, настаивая на том, что родился и вырос в Бельгии, что он — гражданин Бельгии, сын русских эмигрантов, бежавших от террора советской власти. К бельгийцам он больше не попал; его записали русским военнопленным и направили в Циттенгорст, лагерь для тех русских, кто согласился сотрудничать с немцами. В Циттенгорсте занимались перевоспитанием пленных красноармейцев, готовили военные кадры для Русской освободительной армии, агентов для политической и диверсионной работы на территории СССР. Александр там оказался в начале сорок второго. Признанный непригодным для пропагандистской деятельности, он работал в санитарном блоке, выводил вшей, делал прививки, проводил медосмотр, вел подробные записи о физическом состоянии курсантов, выдавал предписанные витамины. Многие пленные стремились попасть на больничную койку, счастливчики, добившись своего, уговаривали его придумать для них какое-нибудь недомогание, чтобы полежать подольше. Изворотливость советских солдат не имела границ; ради мелкой выгоды они были готовы пойти на членовредительство, предательство и даже убийство. Большинство преподавателей и политических работников Циттенгорста были белоэмигрантами, членами Народно-трудовой партии солидаристов (НТС НП), занимаясь подготовкой курсантов, они вели антигитлеровскую пропаганду; курсанты доносили немцам на своих наставников, и вскоре все члены НТС были арестованы; но крысиная война на этом не кончилась, шантаж и махинации продолжались. Состав курсантов постоянно менялся, кого-то отправляли в СССР, кого-то на фронт, кого-то увозили в другие лагеря, привозили новых присягнувших рейху русских пленных, и среди вновь прибывших обязательно появлялись те, кто в этих невыносимых условиях делал жизнь некоторых несчастных еще более невыносимой.

Крушевский хромал, его вытянутая фонарем тень казалась пугающе черной.

2

Смерть мамы была внезапной (предположительно ишемический приступ). Я был в Швейцарии, когда получил письмо от доктора N., с которым они были близки в последние годы; письмо меня напугало, приехал сразу. Дома был настоящий лазарет: две сиделки, доктор ходил в белом халате, запахи, тазики, все вверх дном. Растерянный N. прошептал, что все идет к концу. Незадолго до смерти она сказала: «Альфред, не совершай роковых ошибок! Не совершай роковых ошибок!» — при этом она держала за руку N., тот был в слезах. В полном отчаянии я что-то бессмысленно лепетал. Потом я много думал над ее словами. Я совершил много ошибок, множество... как узнать, какие из них были роковыми? Даже самые лучшие ружья дают осечку, ничто не безупречно. Имярек прожил жизнь не оступившись, не выпав из окна, не поскользнувшись на карьерной лестнице, не угодив под автомобиль. Хорошо, если тебе не пришлось предавать. Тебе улыбнулась удача — умереть с чистой совестью, уйти налегке. Наверное, мне и везло и не везло вровень. *Fifty-fifty*. Я сыграл вничью с Роком. Может быть, потому что жил осторожно: никому не желал плохого, думал о людях хорошо, порой лучше, чем они того заслуживали; никого не идеализировал, никому не поклонялся, любил только однажды, тяжело и всем сердцем, не стремился никого обставить, — коротко говоря: не уподоблял жизнь скачкам или бирже. Было ли это ошибкой? Возможно. Потому что не нажил капитала. Зачем об этом думать на краю? Теперь я старше ее чуть ли не на двадцать лет! Что это меняет? Мама, я тебя старше... Неужели до сих пор я должен прислушиваться к ее шепоту, склоняться над призраком, видеть в смятой простыне ее бледный образ? Отпусти меня, наконец! Давай расстанемся, мама!

Ты боялась гаргулий собора Парижской Богоматери, но гаргульи Святого Северина тебя не пугали. Когда мы огибали стены церкви и выходили к саду, отец говорил, что его наполняет дух Парижа. Я понял город только здесь, в этом саду, когда обоих вас не стало. Я плакал над древними надгробьями, птицы щебетали, город кричал, я задыхался от горя, ощущая себя окончательно покинутым, и только серебряный крестик... маленький серебряный крестик на ниточке... я вынимал его из бархатной шкатулки, в которой хранилось папино перо, потерянное... Ты много раз брала меня с собой в церковь, я смотрел, как ты ставишь свечку, молишься перед образами; если б ты меня научила, мне было бы легче перенести, я бы помолился, что ли. Хорошо тем, кто верит, — у них есть Бог, которому можно что-то шептать наедине, хотя бы упреки... В саду церкви Святого Северина я понял, насколько я слаб и беспомощен перед плитами одиночества. Я — смешной гордец, позер, и все, на что я способен, — это стоять в витрине Полишинелем, прохаживаться с пылесосом или раздавать детям коктейли, рекламировать одежду, фотографироваться у новенькой машины с предложением взять ее в кредит, играть популярные мелодии в кафе и ресторанах. Я прожил мою жизнь на потешенье века. Мои позы жалки, а таланты — мелки. Чего я стóю? Что я такое? Марионетка, шут, гистрион. Пасхальный марципановый гном. Глянцевое недоразумение... я ползу по плитам истории, из меня сыплются конфетти, серпантин, мелко нарезанная серебряная бумага, стеклышки, осколки игрушек... мусор времени... стеклянная пыльца... манежная тырса... люди тоскливо за мною сгребают этот сор... Я никому здесь не нужен. Зачем вы меня привезли в этот город? Ради чего я тут? Перед этими плитами... Тогда я думал, что все мое будущее будет ими устлано; я буду по ним ползти, до конца... Надломленный, я смотрел, как мои слезы падают на камни, оставляя прозрачные кляксы... мои слезы... они так неожиданно красиво блестели на солнце... и от этого казались ненастоящими... Неужели ты надеешься растопить камень слезами, смешной мальчик? — шептал ветерок. Неужели ты хочешь повернуть время вспять? — сияло солнце. *Мой малыш!* — Да, мама, легко и весело тебе глядеть с небес! Покойся с миром.

Вкрадчиво постучала пани Шиманская, принесла лекарство; Альфред послушно выпил рюмку микстуры.

— Опять работаете, пан Альфред. Ложились бы и лежали. Врач сказал, нужен сердцу отдых.

— Да разве это работа, разве ж это работа?..

Рута вздохнула и ушла.

Все-таки пришлось прилечь, полежать. Сегодня давит небо. Накрапывает. Деревья шепчут. Был серый, будто в марлю обернутый, день, и тяжелая свинцовая ночь, а утро... есть в нем что-то новое, сквозь него, как слепой с клюкой, крадется странный стук. В каждую комнату за мной идет старик. Стук и вздох. Глубокий омут в том вздохе. Иду, и он — стук-стук — следом. Молот сильней искусства, сильней философии и морали. Удар — это намерение: сокрушить все, сломать стены, снести памятники, выломать двери, растеребить швы, прервать ритм, остановить сердце, разъять время. Стук. Они сидят на корточках и бьют молотками. Стоят с ломами в руках. Выламывают прутья из кладбищенских оград. Сворачивают столбы и дорожные знаки. Кто-то скалывает камень, вместе с камнем крошится воспоминание. Кусок извести превращается в фарфоровую чашку в чьей-то из давнего прошлого протянутой руке. Удар, крик, вой сирены. Я и не знаю, что это за стук — лома или моего сердца? Осколки жизней, обломки прошлого... Знают ли железные грачи, что по живой плоти стучат? Эти камни, они живее всех живых.

Альфред накрывается с головой. Жмурится. Его влечет видение, звякают дверные колокольчики... И опять: клю-клю по мостовой... Облепив часовни, железные птицы стремятся остановить часовой механизм, выклевать стрелки, обрушить колокола. Щемит сердце. Трещина растет. Время — это длинный рельс, который пилят ночные путевые обходчики в газовых масках. В Париж слетелись монстры, гаргульи ожили, расправили крылья. Манифестация превращается в шествие адских созданий. Идут орангутаны в форме офицеров СС, за ними плетутся узники лагерей, покойники в истлевшей одежде и ошметках саванов поверх дряблой плоти. Клацая кандалами и звякая цепями, тянется поток монстров. Вдоль набережных Сены крадутся шакалы, лисицы, рыси, черти и прочая нечисть. Их сопровождают смердящие тучи зловонных мух, рой ос и пчел. В воде что-то плещется. Гладкие чешуйчатые спины, плавники, зубы… Саламандры выбираются на берег, шлепают по бульвару Дидро, вливаются в сборище на площади Насьон. Становятся единой массой слипшихся тел. Гул голосов, лай, хохот, конское ржание, лязг, взвизгивание пил. Сквозь рев и цоканье копыт прорывается мерзкое пиликанье на скрипке, ей вторит хриплоголосье загульной гармоники и подобострастное треньканье на банджо. Кто-то негромко посмеивается. Мальчик указывает в небо: "Tiens!"[1] Освещая себе путь во мраке двумя лучами, плывет дирижабль. Задрав головы, люди следят за его полетом. Тягучее поскрипывание и еще невнятный звук, похожий на орган. Жалостливый женский голос запевает:

По небу полуночи ингель летел[2].

Альфред открывает глаза. Стеклянный утренний свет. Окно нараспашку. Гардина высунулась наружу. По радио сообщают, что по Парижу прошла колонна демонстрантов. Безумный бродячий цирк. Что-то около миллиона клоунов, если не больше. Помпиду заявляет об освобождении заключенных. Засевшие в Сорбонне нахалы рожают комитеты, ячейки, свой собственный фанерный бюрократический аппарат — Comité d'Occupation de la Sorbonne! А, как звучно! Occupation! Мне это *кое-что* напоминает, *кое-что*! *Notre avant-guerre*[3], в том чис-

---

[1] Глянь! *(фр.)*
[2] «По небу полуночи ангел летел…» (М. Лермонтов).
[3] Книга Робера Бразильяка «Наше предвоенное время».

ле. 1936 год... A.E.A.R.[1] Очень похоже. Все так, как писал Бразильяк... будто те же молодые люди, вынырнув из тридцать шестого года, проскользнули в тела нынешних студентов и снова за старое — вставляют в петлицы розочки, которые пахнут как тогда, запах кладбищ и дешевых борделей, они вешают флаги, скроенные из платьев своих мамочек, призывают к всеобщей забастовке... и опять Арагон, как всегда на коне... на этот раз в обнимку с Кон-Бендитом... Да, меня весной тридцать шестого не было в Париже, ничего этого я не видел, но розочки и флаги помню... Предвоенные годы... ненавижу Бразильяка, ненавижу предвоенные годы, ненавижу эту книгу... в ней столько презрения ко всему, что я любил, и столько псевдоморали... казалось бы, начхать и забыть! если бы не его презрение к тому, что я любил, к тому, чем дышал... les Années folles... он отравил презрением все, будто ничего, кроме вульгарности и распутства, в те годы не было... он как человек в маске с гигантским опрыскивателем, пришел и качает, душит пчел, они падают, пчелы падают на лету... те годы... les Années folles... он увидел в них только распутство, иллюстрированные журналы, мюзик-холлы, дансинги... les Années folles, les Années folles... да, дансинги и мюзик-холлы!.. да, музыка чернокожих, черт тебя подери!.. он символами тех лет сделал отравительницу и махинатора[2]... и все, больше ничего... если действительно убедить себя в том, что всходами

---

[1] L'Association des Écrivains et Artistes Révolutionnaires — Ассоциация революционных писателей и художников: организация, созданная в 1932 году, которая была особенно активна в дни волнений весной 1936 года.

[2] В марте 1933 года Виолетта Нозьер, девушка легкого поведения, пыталась отравить своих родителей, — судебное разбирательство этого преступления вызвало сильный резонанс во Франции. *Александр Ставиский* — мошенник мирового масштаба, его афера с подделкой векселей на 200 миллионов франков привела к кризису правительства Камиля Шотана и, по мнению некоторых историков, повлекла за собой попытку переворота правыми партиями 6 февраля 1934 года (провал переворота вызвал волну антифашистского движения, что обусловило победу Народного фронта на выборах 1936 года).

двадцатых годов были Ставиский и Нозьер, и ничего прекрасного те годы не дали, как просто тогда увидеть в факельном огне национал-социализма очищение нации от скверны, блуда и... проклятая книга, горькая книга, и в чем-то большевистская... потому что та же механика псевдоморали... книга насмешника, человека, который топчется на могилах, расстегивает штаны и мочится на твои любимые картины, на твои любимые цветы, на орошенные твоими слезами плиты истории... а потом бьет твои бюсты, вазы, стекла, твое лицо, твои руки, которыми ты прикрываешь лицо... хулиганство, вызов и — презрение к прустианцам... проклятая книга... возвращается и возвращается... почему я не могу ее забыть?.. потому что читал при *таких* обстоятельствах?.. или потому что он все-таки что-то подметил?.. как изумительно меткий фотограф... *что-то*... подметил и вывернул не в ту сторону, будто используя вогнутое стекло... время, как старая слепая лошадь, все-таки ходит по кругу, качая и качая воду... вращая старые жернова...

Итак, они зачитали коммюнике... Ого! Они уже зачитывают коммюнике! Призывают рабочих к захвату заводов, фабрик и прочих предприятий. Ну вот. Знакомое развитие событий. Назначают ответственных, создают комиссии и комиссаров. Появление ЧК не за горами. Жизнь полна сюрпризов. Все как в сказке. По щучьему велению вдруг просыпаешься в другой стране, где правят Пост и Карнавал, Фарс и Гротеск. А свет за окном как всегда. Прекрасно сложный парижский свет — вялый, клейкий, пьянящий, фатальный.

Он вышел на балкончик. Дождь так и идет. Альфред постоял, поймал несколько капель в кружку и вернулся к себе.

Принять снотворного, запить дождевой водой и спать до полудня. Если полегчает, попишу. Как болит голова! Вчера было до безумия душно. Сидели с Сержем, пока не добили графинчик. Говорили о Крушевском...

Я вспоминал, как мы с Сашей во время наших обходов бродили по туннелям пневматической почты, осматривали трубы, проверяли клапаны, — там такая особенная, располагающая к откровениям атмосфера, как в келье, незаметно приоткрываешься. Несмотря на разницу в возрасте, мы стали очень близки. Туннели пневмопочты ему напоминали подземные галереи форта Эбен-Эмаль, где он проходил обучение до распределения в форт Баттис. Надежная успокоительная тишина. Крушевский, как только спускался под землю, переставал заикаться.

Вспомнил слезы на его глазах...

Это было в конце пятидесятых: после блужданий по Европе Александр впервые вернулся во Францию.

Его долго носило... В сорок восьмом, так и не поступив в Сорбонну, он уехал в Брюссель, женился, работал санитаром в больнице Сен-Пьер, поселился в доме с видом на пузатую башню Porte de Hal. Я съездил к нему туда разок, мне понравилась его жена — хозяйственная русская еще молодая женщина. И место было хорошее, средневековое, но я заметил, что Александр был подавлен чем-то, и от меня не ускользнуло, что он не был мне рад. Он делал вид, будто счастлив, говорил, что много пишет. Возможно, он сам себя пытался убедить в том, что все было хорошо. Часто шли дожди. Я гулял с зонтиком по rue Haut, встречалось много попрошаек. Я сбил себе ботинки о булыжники. А как запыхался, пока взбирался на Висельный холм! Тень Дворца Правосудия давила. Город уютно заворачивался в туман, нежась, точно во сне. Было тепло и влажно. Сверху я видел лепрозорий, в котором Саша работал, — старинный жуткий госпиталь для бедных. Он сильно выматывался. Скоро ушел в поликлинику, устроился репортером в незначительную газетёнку, по выходным сидел библиотекарем в читальном зале. Менял места. Его жена все время работала в кондитерской. Тихая. Католичка. В дорогу с собой Саша дал мне сборник своих новелл, невзрачных, с множеством опечаток. Переплет был очень худым, книга быстро расклеилась, издание было убогонькое, за свой счет. Я ожидал от него большего. Думал, он развернется: форт Баттис — концлагерь — побег — пересек всю Германию в сорок четвертом — бои на улицах Сент-Уана, госпиталь в мэрии, бои за трикотажную фабрику Лавалет — Борегар — жизнь в руинах Сент-Уана, работа в редакции Игумнова, и проч, и проч. Ничего этого не было. Я искал Глебова на страницах его новелл, не нашел (верней всего Саша не хотел о том вспоминать). Что там было? Фрагменты, судьбы, портреты, вяло и слишком созерцательно. Сплошная хандра. Он уехал в Швейцарию, где, по его словам, был несчастлив. *В Швейцарии я был несчастлив.* Развелся, уехал в Мюнхен (Игумнов переманил). Работал на радиостанции, бросил (как только скончался Игумнов), ушел в газету, тоже бросил, сотрудничал с НТС и журналом «Посев», но после серии похищений солидаристов отправился в Англию, писал, что собирает материал для романа, однажды сообщил, будто нащупал кое-какие следы (не объясняя, что за следы), бросил писать — «слишком личное получается, так нельзя», — я не стал спрашивать, почему нельзя личное. Из Англии вернулся в Швейцарию. Искал себе священника для исповеди и терапевта-гипнотизера. Он потерял сон и хотел, чтобы кто-то помог ему с этим. Я его не понимал. Кто поможет? Разве что снотворное. Но Александр настаивал на сеансах гипноза. Он верил в психоанализ и целительную силу исповеди — совершенно неприемлемые для меня вещи, недопустимые. Когда он упоминал между делом о кушетке аналитика или молитве, я внутренне содрогался, как если бы он сказал, что ему делали пальпацию предстательной железы. В тот раз он встречался с Этьеном Болтански, который когда-то занимался сотрясениями мозга и контузиями и даже лечил заикание Крушевского (по-моему, помогло, хотя Крушевский был убежден, что сам преодолел недуг), надеялся, что тот ему поможет, но был разочарован: Этьен себя чувствовал ничуть не лучше («Если уж он себя не смог вылечить, то что обо мне говорить»). Мы выпили вина, и нас потянуло в Ла Сель-Сен-Клу. Приехали вечером. Многое изменилось. Парк перестал быть диким. Деревья на улице Жюля Верна через одно срубили, ветви подпилили. От ограды, вдоль которой гуляли Ди-Пи, ничего не осталось. Дом авиатора Боссутро превратили в музей[1]. Фонари. Пастбище. Руины фермы заросли боярышником. Все цвело. Весна. Люди гуляли по дорожкам. Крыша замка к тому времени просела. Окна были побиты, двери выломаны. Никто о нем не заботился. А казалось бы, совсем недавно замок принадлежал замечательному человеку![2] От лагеря и следа не осталось. Ни железной решетки на колесиках, ни шлагбаума, ни будки, ни ворот, что вели к замковому подъезду, ни бараков, ни кор-

---

[1] *Люсьен Боссутро* (1872—1957) — легендарный французский летчик, политический и культурный деятель, герой Первой и Второй мировых войн, активный член партии радикал-социалистов, участник Сопротивления. Примечательный факт: в период оккупации в его доме по адресу 10, avenue des Gressets находилась нацистская комендатура лагеря Борегар; узнав об этом, Боссутро намеревался взорвать свой дом, но замысел был раскрыт, Боссутро арестовали, пятнадцать месяцев он находился в концентрационном лагере, откуда совершил побег в июне 1944 года, присоединился к maquis и продолжил борьбу. Награжден военным крестом 1914—1918 годов, Командор ордена Почетного легиона.

[2] *Морис де Хирш* (1831—1896) приобрел замок Борегар (Beauregard) после того, как в нем была штаб-квартира прусской армии во время Франко-прусской войны. Замку не повезло с последним хозяином. Морис Арнольд де Форест, известный либеральный политик Англии (Черчилль отдыхал у него на яхте), почти не навещал Борегар. Запущенный, никому не нужный, замок превратился сначала в тюрьму, во время немецкой оккупации — в лагерь для военнопленных, а после освобождения Парижа он стал лагерем для перемещенных лиц и пунктом сбора репатриантов.

пусных домиков. На месте так называемой конторы выросла клумба. Я припомнил, как мы играли здесь детский спектакль «Волшебник страны Оз». Нас выстроили в очередь перед шероховатой будкой. Пока мы ждали, автобус обыскивали. Ну вот окошечко открылось, и с видом цирковой кассирши на нас строго смотрела крепко сбитая мужиковатая баба в форме, с торчащими из-под пилотки завитками. Она шумно дышала на печать и основательно стучала по пропускам. Оранжерея тоже исчезла. Взлетная полоса порядочно заросла травой. Перед тем как уйти, Александр сорвал веточку с орехового дерева на авеню Грессе, спрятал в карман.

Мне часто снится замок, но, конечно, сильно искаженным; режиссер моих кошмаров, издеваясь над моим сознанием, перемещает барачную обстановку в залы Лувра или Зеркальную галерею Версальского дворца.

Случались неприятные эпизоды и наяву...

Поздней весной 1957-го я прогуливался в Ранелаге с книжечкой Кале[1], вдруг тяжелая тень сдвинулась и посреди тусклого пасмурного дня на месте, где располагается вилла Анри де Ротшильда, разверзлась ослепительная бездна, из которой выступил фантастический замок: цельный, свежий, только что выстроенный, вдвое больше оригинала, с широкими длинными ступенями, колоннадой и арками, шахматными башнями по краям крыши. К парадным воротам (за ними угадывался бесшумный фонтан) вела широкая аллея со статуями. Сандалии на травке, я босиком направился к замку. Но замок меня к себе не подпускал, поворачивался боком. Сквозь распахнутые окна я видел канделябры, картины, в зале играл небольшой оркестр, кружились пары. Там шел бал! Откуда-то я взял, что меня ждали, я нервничал, спешил, а проклятая тропинка вилась и вилась

---

[1] *Анри Кале* (1904—1956) — французский писатель.

среди пышных кустов английского парка, мимо пруда и скамейки с чучелом в генеральском костюме. Ноги горели, но мне было все равно — они снова были легкие, быстрые, молодые. Я не сдавался. Замок тоже. Он выращивал передо мной деревья, выдвигал фонтаны, проложил канал с горбатым мостиком. Истончившись до ленточки, тропинка змеей шмыгнула у меня между ног, и я оказался на avenue Henri-Martin перед статуей Ламартина — и снова я был старик, и замка нигде не было.

В середине пятидесятых с позволения равнодушного мэра на месте лагеря возник Magic City, которым управлял хваткий американец. Бараки снесли, поставили шатер, теплицу превратили в кафе. Я сюда приводил Маришку, смотрели в шатре выступление воздушных гимнастов, клоунов, лилипутов с пуделями. В кафе было шумно, в кадках стояли пальмы, вдоль стен ползли вьюны, с потолков свисали чашечки с орхидеями, в клетке пела канарейка. В залах замка устроили зеркальный лабиринт, по нему нас водил размалеванный фигляр в турецких штанах с автомобильным рожком, в условленный момент он жал на рожок и испарялся, чтобы появиться в другом месте, дети вскрикивали от восторга, хотя всем было очевидно, что циркачей двое: и тугой на ухо расслышал бы, что их рожки звучали в разных тональностях. Маришка осталась гонять клоунов по лабиринту, а я, без труда разбирая дорогу в обвешанных тошнотворными зеркалами залах, пошел в теплицу, где когда-то озвучивал несколько мужских ролей в совершенно идиотском холливудском фильме. Пианист отправился из США с концертами в СССР, влюбился в гимназистку из села Чайковское — и тут война! Что там было дальше, не помню, да и не важно. Фильм был скоро запрещен Комиссией по расследованию антиамериканской деятельности. После сеанса нашей группе гостей-эмигрантов устроили экскурсию. Вальяжный комендант в военной форме показал нам мастерские, детскую площадку.

Заложив руки за спину, за нами таскался комиссар — из тех, что в советской армии пришли на смену капелланам. То и дело попадались солдаты. Борегарцы — в основном вывезенные немцами из глухих сел женщины и дети, которых годами перегоняли из одного барака в другой, из мастерской в цех, из цеха снова в барак, — поглядывали на нас с настороженным изумлением, как заметившие людей косули; в их лицах было смирение; им предстояла дорога, за дорогой простиралась неизвестность; но они были готовы пройти сквозь змеевики канцелярий, дать ответы на любые вопросы, признать себя виновными по всем пунктам, осесть в глухом поселении возле одного из уральских заводов. Кто знает, может, там они и живут, и все то насилие, которому их подвергли, они называют простым, но всеобъемлющим словом: судьба.

3

Мари, это безумие... какое это безумие!

...на острове Сите, на лужайках в парках, на набережных и тротуарах, на Марсовом поле, в Трокадеро, на площади Звезды и Елисейских Полях — сидели молодые люди, студенты, школьники, взрослые, даже пожилые... Сидячая забастовка — необычное зрелище. Особенно когда так много людей на улицах. Я устал фотографировать, проявлять; вот на Новом мосту разговаривают мужчина и женщина — посмотри, какое напряжение в их позах! Они не понимают, что делать; может быть, они ищут своих детей, ведь им, кажется, под пятьдесят... вот букинист с тележкой: шел на Сену открывать свой лоток, а там ни пройти ни проехать... неохотно, его пропускали, отползая в сторону... старик едва продвигался, размахивал рукой, утомился, встал, в растерянности огляделся... он увидел вот это: вдоль всей набережной, насколько хватает глаз, растут человекообразные лотосы, они шевелятся, свиваются, смеются, пускают дымки, читают газеты, листовки... они сидят, как сидят нищие — подтянув ноги к груди... пиво, вино, гитары... блеск в глазах... плакаты: «Долой классовое неравенство!», «Капиталу капут!»... они сидят как арестанты — откинувшись спиной к стене и задрав с вызовом подбородок: «Порядок правит? И умирает!», «Нас не страшит арест!», «Мы — не пушечное мясо!»... они спокойны как воины, они готовы победить, они уже победили... в их глазах торжество... их мускулы расслаблены... они больше не боятся дубинок и резиновых пуль, им не страшен газ... на одном из плакатов изображен человек, срывающий противогаз... они сидят в безмолвии, закрыв глаза, они дышат свободой и бунтом, они тихо поют: аум... аум... звон колокольчика... аум... лотосы... лотосы... в рваных джинсовках, безрукавках, раскрашенных рубашках, с длинными волосами, с венками на головах... букеты, стебли, гирлянды тел... старик-букинист закурил, разговорился, а потом сел вместе с ребятами... мне тоже хотелось присесть рядом с ними, познакомиться, поговорить, покурить... Я побрел дальше, осторожно глядя себе под ноги, приветствовал каждого. Солнце было высоким и ярким, оно обезличивало нас; мне казалось, я шагаю на месте, все вокруг стало одинаковым, везде одно и то же: молодые красивые глазастые лотосы, они мне улыбаются, говорят *salut, bonjour, ça va?..* Куда бы я ни забрел, я слышал гомон, журчащим ручейком он стелился по мостовым, оклеенные плакатами стены шелестели; невольно пригибаясь, лавируя среди забастовщиков, я находил взглядом тех, кто стоял: округлые спины журналистов легко узнаваемы, — я посматривал на них, как на светофор или табло, сообщавшие о положении дел, — они аккуратно ходили, как фермеры среди грядок, останавливались и, прилипнув к кому-нибудь, точно пчела к цветку, включали магнитофон, протягивали хоботок микрофона и принимались

опылять созревшего к разговору; закончив, они распрямля-
ли спину, прикладывали ладонь козырьком ко лбу и смотрели
в направлении Сены или убегающей улицы, и тогда, невзирая
на их показную развязность, все-таки ощущалось тревожное
ожидание. Время остановилось. Париж как никогда стал похож на свои открытки: трамваи и машины замерли, ни один
лист не трепетал на ветвях платанов на набережной Анатоля
Франса. На баржах загорали; волны хлюпали, лодки покачивались; на скамейках целовались; под замершими ивами пере-
давали бутылку и слушали радиоприемник. Город накапливал
пары в котлах. Кое-где — сообщали по радио — происходили
стычки, но несерьезные. Огромный змей беспокойства крался
по улицам, шуршал чешуйками и листовками, хлопал ставнями,
трещал решетками, хрустел битым стеклом. Из домов выносили старую мебель: «Настал денек, когда можно наконец-то
избавиться от рухляди», — из окна вылетел стул: «Побере-
гись!» — «Эй! Давай сама тоже прыгай!» На мешках с углем
сидели и курили, пили... «Фликов не видно?» — «Еще не время». *Еще не время*, говорил я себе и фотографировал, вот мои
снимки: опрокинутый набок пьяный киоск — кипы газет рас-
теклись по асфальту как рвота; из окна высунулся мальчишка — пузыри, большие, мальчик смотрит им вслед, улыбается; на Вандомской площади духота и мистическое молчание;
безветрие; солнце; и повсюду сидят — на плитках, бордюрах,
столбиках; из отеля «Риц» пялятся зеваки; Наполеон, всегда
взиравший со своей колонны в недосягаемую даль, теперь, казалось, опустил голову и сочувственно смотрит на собравшихся
у его ног демонстрантов.

Такие дни... Мари, такие безумием накаленные дни... мир
тронулся, покойники восстали...

Я лежу и меня носит; не выдержал, приподнялся на костылях посмотреть, что там за шум за окном; напрасно беспокоил-

ся, все то же — *они*: ломают тротуар, тянут мусорные бачки, доски и диван, на котором последние два месяца уютно ночевал клошар с собачкой, — все это станет частью баррикады, тромбами в венах моих строк. Бессилие и ярость. То, что сейчас происходит на улицах Парижа, мне настолько отвратительно, что я бы хотел превратиться в коктейль Молотова, полететь, разбиться и сгореть, оставив после себя след копоти на мостовой.

Вчера я был в «Одеоне»; два флага над театром — черный и красный...

Я, Клеман и Филипп по прозвищу Фидель; в десять часов вечера на площади Одеон; была толпа, Фидель нас провел (он там свой), над входом в театр висели черные и красные флаги, стояли парни с факелами, играла странная африканская музыка, кто-то что-то кричал, пять девушек, танцуя вокруг полыхающей бочки, на публику сжигали пеньюары, журналы мод, выкрикивали лозунги, молодежь им аплодировала, красные ленты, черные, девушки рассыпали перед толпой косметику и призывали топтать, уничтожать фетиши общества потребления, одна избивала палками манекен в корсете и колготках, другого манекена таскали за ошейник и хлестали плетками, вокруг смеялись, кричали, пели, размахивали флагами, красными, черными, девушки визжали, им было лет семнадцать, красивые и безумные...

Это было вчера или позавчера — теперь я лежу и сам себе диктую эти строки, голова идет кругом, я пускаю дым, воображаю, как буквы отпечатываются на потолке, у меня это почти получается, потолок надо мной такой же желтый и мятый, как лист в машинке...

О, моя голова... если я верно понимаю сводки, то захватили не только «Одеон», но и «Рено» и еще несколько заводов, весь транспорт встал, порты закрылись; мне трудно это представить, под окном орда, позавчера я был на Северном вокзале, было много людей, кроваво-красные и черно-белые флаги, красно-черные плакаты, растянутые поперек всей улицы транспаранты... мы шли по La Fayette... один был особенно большой: — si tu veux faire la révolution dans le monde, fais-la d'abord en toi-même![1] — рук не хватало, его несли три девушки, которые сидели на плечах своих парней, это выглядело очень впечатляюще — с этим студенческим отрядом я шел до Оперы... шел? — нет, плыл, кружился, танцевал... шум, хаос, толпа поет вразнобой, одна песня поверх другой, а там и третья... волны смеха, толкотня, свист... мне дали хлебнуть чего-то крепкого, — весело! все улыбались, шутили, немного хулиганили, но совсем безобидно; на бульваре Османа с обеих сторон ударили потоки людей, сильный водоворот на площади Дягилева — меня вытолкнуло, как пробку, и понесло по улице Глюка в уже совершенно другой толпе: степенные социалисты рука об руку с очумелыми анархо-синдикалистами, среди них мелькали и пожилые либералы, все смешались, все были единодушны, опьянены и веселы, все одинаково жаждали революции: «Да здравствует революция! Да здравствует свобода! В отставку генерала! Отдохни, генерал! В отставку Фуше и Гримо! Покончим с полицейским государством раз и навсегда!»... на Denfert-Rochereau вавилонское столпотворение, речи... карканье, что и теперь за окном... революция продолжается... она идет повсюду... в том числе и во мне... она вошла в меня, растекается по моему телу, мои вены стали улицами, по ним шагают революционеры: «Долой Вальдека Роше! Долой Разум! Долой Миттерана и нервы! Долой Сознание! Долой Печень и Желудок! Долой жопу! Долой хуй! К чертям де Голля! Да, к чертям! К чертям Помпиду! Долой Жоржа Сегуя и Синдикат Эндокринной

[1] Если хочешь делать революцию в мире, сначала сделай ее в себе! (фр.)

системы! Да здравствует Кон-Бендит и манда! Да здравствует Великая Священная Манда! Аааа!»... на Санте в поток вливаются безумцы, санитары, чумные, инвалиды и подопытные... свежих газет нет, еды тоже, дома ни души вторые сутки, кое-какой табак я наскреб из пепельниц и мусорных корзин, и тот скоро кончится... у меня сотрясение мозга... пустяки, моей ноге гораздо хуже, и ребра, мои ребра — мелочи жизни... к черту скелет!.. наплевать на кости!.. если подумать, сколько сломанных ребер сейчас бродит по Парижу... всем этим безумцам наплевать, они беспощадны по отношению к себе в первую очередь, а затем направляют свою испепеляющую ярость на полицию и стены города... *pauvre Paris*, сказал мне старик в метро... да, бедный Париж, согласился я с ним... радио буркнуло: счет госпитализированных перевалил за две тысячи, арестованных не меньше, а сколько сломанных конечностей продолжает участвовать в боях... сколько живых существ с обломками костей, как с осколками от разорванных мин, несмотря на боль, вышли на улицы, перевязанные, они сидят и ждут новой схватки...

Это чума, — красный и черный флаги могут означать только одно: чума!

Они всерьез говорили о том, что надо переименовать театр, Филипп кричал: «Фидель!.. Давайте назовем театр в честь Кастро — Фидель!..»; другие кричали: Троцкий!.. Мао!.. Карл Маркс!.. и т.д.

Мари, если б ты это слышала... они продолжают кричать и теперь, когда я лежу в моей комнате со сломанной ногой, — меня никто не избил, я просто споткнулся на лестнице, споткнулся и полетел вниз, — нет, это не случилось в «Одеоне»...

Я тоскую по тебе. Где ты?

Моя нога... нет, я не сломал ее в давке или суматохе; я поднимался к себе, мысли одолевали, я был взволнован, мне тебя не хватает как воздуха; чем выше взбирался по этой скрипучей спирали, тем сильней душило одиночество: я больше не хочу возвращаться в пустую квартиру, твердил я себе, проходя мимо закрытых дверей, я не хочу быть один, я лучше войду в любую из этих квартир, чтобы найти подлинную жизнь, целостную, полную, трепещущую, я не хочу видеть мсье Жерара, он для меня никто, я для него никто, между нами пустота, ни искры, никаких реакций, пустота, притворство, любезности, ты прекрасно знаешь, что такое эти чертовы любезности; мы тут все одиноки — мадам Арно, мсье Жерар, и я, то есть мсье Никто, он же мсье Рюсс[1], мсье Викто́р и так далее — не хочу так жить, не хочу слушать их ссоры, мадам Пупе́, если бы вы знали, мадам, как я устал от этой лестницы, как я устал по ней взбираться, перелистывая и перелистывая страницы дверей, за которыми существуют абсолютно чужие мне люди... ах, да тут все чужое... всё и все... Мари, я хотел позвонить тебе по телефону, ночью, представь, я подумал об этом и словно оказался возле телефона консьержки на лестничной площадке, я снял трубку, я хотел тебе рассказать, голова гудела от того, что услышал в «Одеоне» — все, что я там увидел, меня буквально выбило из колеи...

Ох, если они умудрились превратить великий театр в невесть что... в балаганчик, бесовский вертеп, базар!.. они устроили там съезд политбюро проходимцев, полуночный пленум нигилистов и сатанистов с Кон-Бендитом во главе... провозгласили театр символом борьбы с буржуазией... — *Vive le socialisme!* — меня чуть не стошнило... кое-кто нагло курил гашиш, из очень большой трубки... нарочно, конечно... теперь всему придается особый смысл... даже мочатся с вызовом... не

---

[1] Мсье Русский (от французского russe — русский).

просто так... директор театра, бледный пожилой актер, крался тенью по коридору и с жалким видом пытался образумить бунтовщиков, советовал бережней относиться к мебели и реквизиту, костюмам и — вообще... рядом с ним, как видение, появлялась великая Мадлен Рено, она смеялась и восклицала: «Ну какой же это буржуазный театр!.. вовсе нет!.. идите занимайте другие театры... а здесь мы играем Ионеско и Беккета... Жене и Арто... тоже мне нашли буржуазный театр!.. мы здесь ставим вашего Сартра!..» ...над ними посмеивались... театр поддерживала власть, говорили им, театр играл для власть имущих, фабриковал искусство общества потребления... «мы ставили Брехта...» — «тем хуже для Брехта!..» Сильно пьяные типы бандитской наружности в больших ботинках брезгливо поглядывали вокруг, плевались на пол... студенты махали руками, у меня рябило в глазах... возможно, потому я и упал... может быть, старая травма сказалась... винтовая лестница, мрак, яркие вспышки, вопли, аплодисменты... тонкие бледные руки, безумные глаза блестели в темноте, образы возникали на стенах... зачитывали с бумажки чеканными голосами... поэты лаяли... много курили... *дым и пепел старого мира!*... они все чрезвычайно молоды — это их существенно отличает от наших советских демагогов... но дай власть, и они скоро превратятся в палачей... сегодняшний безобидный студент с книжечкой Мао в кармане завтра станет назойливым и опасным, как Ленин... холодный циник в потрепанном пиджаке, в очках на узком лице с зализанными назад редкими волосами — это будущий Дзержинский... большим и указательным пальцами он вытирал слюни с уголков рта — этот жест войдет в историю, он станет символом казней, которые новый Дзержинский объявит необходимыми для оздоровления французского общества... а рыжий скуластый скандалист в пролетарском пиджачке, с черным галстуком — будущий Ежов... он будет устраивать чистки, ссылать в лагеря, ставить к стенке, вешать на фонарных столбах, пока его самого не запихают в грузовик и не отвезут на Лубянку, которая поселится в этом самом театре... здесь его и четвертуют... на сцене... я вижу, как быстро эти молодые свежие лица посереют, охотно обрастут жирком, окрепнут в злобе и станут править в своем новом мире с презрением ко всему живому, в больших толстых рамах они появятся на стенах заводов, фабрик и государственных учреждений, они наводнят шпиками города, застроят их безликими слепыми зданиями без окон и номерных знаков, в них будут плодиться тайные канцелярии и новый вид чиновников, которые будут изобретать законы, приказы, порядки и праздники, они снесут старые монументы, поставят новые, придумают новый календарь, запретят часовням звонить... лица сегодняшних ораторов будут мертветь, превращаясь в камень и бронзу, лица этих молодых людей станут печатью, оттиском на монетах и орденах... они готовы на всё... и они могут получить всё... знают ли эти мальчики и девочки, что в России последовало за подобными дебатами?.. нет... но они готовы... человеческий дух, свободный дух, которым я тут наслаждался в каждом кафе, на каждой улице... они готовы его истребить... ради чего?.. ради идеи... ради власти... ради революции... ради исторического приключения... но революция — не карусель, с нее не спрыгнешь, когда пожелаешь... революция — это тайфун, который оседлать невозможно... это грандиозный джинн: можешь его вызвать, но не сможешь им управлять, он будет есть людей, пока не насытится.

Тут я и упал. Да, вот так. Грохнулся, покатился вниз. Вспышка от боли, или от удара головой о металлическую набойку на ступеньке. Не знаю, сколь долго я лежал так, в ладье мрака и тишины проплывая по мертвому озеру, подо мной бездна, а вокруг материя, сквозь нее рвется буря, всполохи молний, рокот грома в отдалении... по бесконечной лестнице ко мне сошла мадам Пупе́, она позвала мсье Жерара, вызвали «скорую», которая не торопилась, потому что в это время все еще шли уличные битвы, титаны и атласы, аяксы и кентавры, всех нужно было подобрать, отвезти, поместить, подлечить, а тут я, почти никто, им со мной было отнюдь не просто, знаешь, на узкой винтовой лестнице не развернуться, двоим-троим, как тут взяться, за ногу нельзя, взяли кое-как за бока, просунули под меня ремни, застегнули, я вскричал, мне почудилось, что меня опять пеленают: только не камзол!.. только не камзол!.. они не поняли, подумали, что я от боли, сделали укол, мне стало проще, будто выпил стакан водки, махом... одной машины оказалось недостаточно, меня выносили по частям, как великана, и везли на нескольких машинах — каждая в свою больницу... названий не вспомню, всюду меня записывали под разными именами, и в каждой больнице было полно народу, все битые, изодранные, окровавленные, стоны, ругань, охи-ахи, бинты, беготня... все это тянулось, рентген, какой-то укол, гипс, вопросы, рана кровоточила, надо мной стояли, разводили руками, записывали имя, я сбивался, язык стал неповоротлив, слова растягивались, как жвачка, как смола, как патока, ребро ныло, так сильно, будто кто-то внутри меня пел, я дышал с трудом, мою грудь щупали, проверяли — скрипит или нет под кожей, есть там воздух или нет, вопросы, вопросы... объяснения: если скрипит, как резина, под кожей — воздух, значит, легкое надо зашивать, ну, отвечайте, что чувствуете?.. слышно?.. вдвоем-втроем, наклонялись, нажимали, слушали... давайте еще рентген!.. ох, легкое, слава богу, зашивать не понадобилось, ребро треснуло, но не было сломано, трещина, пустяки... зато нога... ох, нога!.. да, ваша нога, мсье, увы... что?.. нет, никакой ампутации, вы что, нет, но придется повозиться, придется вам потерпеть... не знаю, сколько часов ушло на мою ногу, не знаю... собирали наново, скрепляли штифтами, свинчивали, один винт, другой, стягивали, я кричал, мне сделали еще один укол, возможно, два, я плохо помню, как ехал обратно, поднимали наверх, вносили в комнату, кажется, не в один присест я вместился, неожиданно для всех и для себя самого я оказался огромным, как целый кит, выброшенный на берег... потребовалось несколько санитаров... восемнадцать рук и столько же ног... меня тянули, как пушку, застрявшую в грязи, наверх, на чердак, чтобы из разбитого окна вести прицельный огонь, бах!.. вылетаю ядром, лечу, пробиваю стену — и я снова в «Одеоне»!.. Я, Фидель, Клеман и еще несколько студентов — стоим, курим, говорим:

— Как дела у Жюли?

— Я не знаю...

— Ты с ней или нет?

— Сейчас не до этого.

— А что так? Что тогда делать?

— Вот именно! Абсолютно верно. Что делать — неясно.

— Хаос.

— То ли еще будет!

Нас приглашают поближе к сцене. Манифест, аплодисменты, топот. Сколько радости!

— Смести к чертовой матери буржуазную культуру!

— Оргазм!

— Экстаз!

— Свобода!

К нам подходит американец; знакомимся; он — рок-музыкант; я тоже бывал в Америке; откуда я?.. из СССР...

???

Отходим в сторонку — я, Клеман и Джонни. Пьем виски американского рок-музыканта; угощаемся Lucky Strike.

Американец
(кожаные штаны, длинные грязные волосы, рубаха с вышитыми
цветами, расчесанные до крови прыщики на груди)
Культура — это клетка! Культура — это рабство! Культура нужна
только для того, чтобы твой уникальный опыт обратить в заурядное
бытование!

На нас смотрят; нам улыбаются; мы продолжаем говорить
по-английски; в этом что-то есть анекдотическое: *встретились
как-то русский, француз и американец*; я понимаю, что молодым людям нравится, как это выглядит со стороны: вот стоят
американский рок-музыкант, русский журналист и француз-социалист, курят американские сигареты, пьют виски, говорят по-
английски... — да, в безумные дни революции, в театре «Одеон», понимаю, со стороны это выглядит очень здорово, поэтому
они улыбаются, глядя на нас, смотрят с восхищением... но: мы
же мололи чушь! При этом надрывали глотки, чтобы перекри-
кивать вопли со сцены... Я говорил слабо, английский Клемана
тоже был ужасно корявым, и все мы были сильно нетрезвыми...
американец с важностью рассуждал об изоляции... он был в Берлине, видел Позорную стену, он был возмущен... Wall of Shame...
я сказал, что понимаю его, потому что я прекрасно знаю, что такое изоляция, я сказал, что мне стыдно за это, и не мне одному...

Русский журналист
Многомиллионный, многонациональный народ России — это океан,
который ни в коем случае нельзя держать в изоляции
от остального мира!

Американец
Меня до глубины моих кишок возмущает Берлинская стена!
Люди не должны жить за Железным Занавесом!

Француз-социалист
Пойми, если они построили стену, то я тоже за стеной,
эта стена не для них только, но и для других, для тех и этих,
по обе стороны, ты меня понял?

Американец
Да, да, да... Народы должны свободно циркулировать по планете, обогащая ее кровеносную систему. Мы должны сливаться, обмениваться опытом.

Француз-социалист
Voilà! Я это и хотел сказать... Слушай, Виктор, ожидаются какие-нибудь изменения в СССР? Что-то начинало меняться при Хрущеве...

Русский журналист
Слушай, так быстро в России что-то измениться не может. Там очень медленные глубинные течения. Пока изменения сверху достигнут дна, пока его осмыслит народ, могут пройти сотни лет, а то и больше. Теперь нескоро что-то изменится, если вообще когда-нибудь... Россия — огромный океан, Клеман, понимаешь? Океан! Если Франция — это море, то Россия — океан!

Клеман исчез, мы остались вдвоем; Джонни сказал, что он устает от французов, Париж на него плохо действует:

— Все время тоскливо, тягостно на душе... блеснет что-то разок, а потом тяжелое похмелье несколько дней... У этой революции тоже будет долгое и тяжелое похмелье... Ты пробовал мескалин?

— Нет.

Он дал мне конфету, я положил ее в рот, мы отправились блуждать по театру... Джонни продолжал бормотать, я многое упускал, восполняя пробелы собственными мыслями, наши идеи переплетались; очень скоро мне начало казаться, что я говорю его языком, причмокиваю его губами, смотрю на окружавший нас мир его глазами, говорю на смешанном гибридном языке, и то, что я произносил, было прекрасной и абсолютной истиной; я знал, что от многочисленных столкновений с грубой действительностью моя личность, как и личность Джонни, испещрена ссадинами, трещинами и шрамами; с раннего детства мне приходилось скрывать мою душу так глубоко, что она стала меньше сморщенного ореха; Джонни кивает: да, брат, и меня изоляция многому научила: во-первых, я понял, что каждый живет в карцере, во-вторых, личность, окруженная бесконечно безличным абсурдом, столь унижена, задавлена, как даже женщина в рабстве не была, моя личность никогда не была свободной, и мне не хватает сил и времени, чтобы успевать воспринимать все эти бесконечно быстрые и сложные сигналы, которые летят в меня, как метеориты из космоса.

...мы что-то писали на стенах театра, какой-то лозунг... там было: walls, people, isolation и какие-то глаголы... простенько и хлестко, но — ушло много краски; звезды сияли необыкновенно; я лежал на площади и смотрел, как у каждой буквы появлялось несколько своих цветных измерений; слова пересекались, я вписал парочку русских слов, радужный многоязычный кроссворд разрастался, с кистями и ведерками рисовальщики шагали вверх... театр и небо соединились... меня вырвало... мы сели на пол, нам дали воды, я жадно пил, он тоже, я ощущал, как вода вливается в меня, когда смотрел, как он пьет... Джонни, я жил в Америке несколько месяцев, у меня нет иллюзий на этот счет, но большего я тебе не могу сказать... — и не надо, ты сказал достаточно... — все-таки есть разница между тем, что я испытал на Арсенальной, и тем, что произошло на вокзале... — на каком вокзале?.. — на Казанском вокзале, в ожидании судьбы, не зная, что мне делать с собой дальше, я провел несколько дней и ночей, уходил и возвращался, пил газировку, ел пирожки, у меня не было денег, но я ждал указания извне, я тогда открыл для себя, какое невероятное количество сигналов поступает в сознание, я тогда понял, что я потерян, потому что — мир так огромен, друг!.. о да!.. столь густо населен!.. да, да... вокзал — символ великого распутья, это и есть постоянное состояние души... à la gare comme à la gare[1], как говорится... я долго ждал... чего?.. знака... я не представлял, что это будет: голос, слово, кем-то случайно оброненная монетка... что-нибудь, что указало бы мне, на какой поезд сесть, чтобы прибыть в ту самую точку на планете, где со мной и только со мной может приключиться нечто прекрасное, или простое человеческое счастье, пусть в самом мещанском смысле, но — настоящее... потому что человек проживает чью-то другую жизнь, заимствованную или украденную, пародийную или навязанную; человек постоянно находится в полной растерянности: он повязан делишками, которые считает важными, прикован к больным родителям, ослеплен яростью, влюблен или помешан на ком-нибудь, отравлен изменами, зачарован идолами, он варится в котле, из которого не может выпрыгнуть, приставленный к конвейеру, он бьет собственные рекорды по количеству выжранной водки, у него нет времени, потому что кругом суета, крики, стена... в конце концов, ты просто не можешь странствовать дальше этой проклятой стены, и она не одна, эти стены растут повсюду, ты приближаешься к человеку и видишь, что он окружен невидимой оберточной бумагой, которая по прочности превосходит любую броню, ты идешь по городу и наталкиваешься на шипы и панцири... я сидел на вокзале и ждал сигнала — на какой поезд мне сесть?.. и вдруг отчетливо услышал: Ленинград... и подумал: блокада... я находился в состоянии блокады, я не воспринимал ни одного знака, ни одного слова, я был оглушен и парализован, я ни с кем не разговаривал, может быть, с тех пор, как мы с отцом вернулись из эвакуации в Москву, Парнах был единственным человеком, с кем я говорил по-настоящему... я решил, что мне надо бежать на другой вокзал и ехать в Ленинград, потому что человеку, ко-

---

[1] На вокзале как на вокзале *(фр.)*.

торый находится в такой самоизоляции, в таком добровольном изгнании, в каком был я, надо ехать только туда.

Мы гуляли по «Одеону»... вдоль канала Сен-Мартен... в какой-то момент сквозь театр прорезалась тонкая полоска света с красиво выложенными в ней камнями, четко вычерченной дугой зеленоватой воды, в ней отражались огни светофоров, над легкими мостиками, поблескивая влажной листвой, шелестели сонные деревья, а дальше — ночь... мы шли вдоль канала вдвоем, он был пьян, так мне казалось, будто мы были вдвоем, будто мы разговаривали, но я ошибался: я был один, я давно остался сам по себе... не считая вечной тени... встретив собаку, я ей что-то сказал, и она поплелась за мной, долго шла, наверное, в надежде, что я ее приручу, дам ей имя и буду о ней заботиться... нет, не парижская собака, а старый питерский пес... я сам одинок, одиночество — это все, чем я могу тебя накормить... зачем оно тебе?.. ты и сам им сыт до отвала... эх, вздохнул я... *pauvre l'Odeon*, сказал пес, превращаясь в директора театра... да, сказал я, бедный театр... директор тенью скользнул по изгибу портьеры... он был не более чем движение дыма, призрак, пересечение световых изломленных потоков, мимическая игра черточек и складок материи... он стал танцем пламени над стаканом абсента... дымком из трубки... шелестом серебряной бумаги... *pauvre l'Odeon*... вздох... со сцены донесся вопль: *Barroult est mort!*.. кто-то хмыкнул-хрюкнул: finita la commedia... я встал и поплелся, меня качало... театр накренился... и я увидел за бортом бесконечность... я посмотрел вверх: под хрустальным куполом парили какие-то существа, вспыхивали, как фейерверк... солнце купола облупилось старой позолотой... она сыпалась на нас, как пыльца... из мрака карусельно выплывали люди, исчезали, оставив после себя шлейф довольной размазанной плоти... улыбки, смех, блеск... кое-кто бросался шутихами... а между ними — прорехи с укромными бархатными уголками, где творилось черт знает что... пьянство и разврат... муаровые объятия... перья, маски, шелковые плащи, разгоряченные соски, губы, половые органы, стоны, спешка... замшевые журналисты бегали по коридорам и мраморным ступенькам, выбивая искру подковами, бесцеремонно влезали в комнатки, то ли пытались присовокупиться, то ли надеялись взять интервью у парчовых деятелей революции, которые сидели в маленьких коробках гигантской картотеки, и я понимал: далеко не все ящички выдвинуты, еще высунутся головы и из других отделов и секций, их множество: виток за витком, этажи и уровни, кенотаф за кенотафом, урны, кипарисы, сады, склепы, могильники, как соты, спиралью завиваются вверх, по этому серпантину летят экипажи, кареты, машины, только и слышишь крик: «валяй, ебёна мать!», — всё это и есть — История... великий парад скелетов... не понимаю, зачем они понадобились журналистам... зачем разговаривать с мертвецами?.. что они могут сказать? Революционеры были слишком заняты: одни задумчиво глотали спички и сплевывали монетки, не в силах отвлечься, они были поглощены этим процессом, из их лбов росли проволочные макеты невероятных проектов, которые изменят будущее человечества; другие ползали на четвереньках за обнаженными женщинами в венецианских масках... ну что ты, какие интервью!.. есть дела поважнее... просунуть бюллетень в анальную щелку... все остальное потом... в дым пьяные поэты с оленьими рогами перемещались по лестнице прыжками, декламируя что-то, заикаясь и квакая... там и тут появлялись озлобленные типы в квадратных очках, в серых пиджаках с поднятыми воротниками, они поощрительно ухмылялись, все шло по их плану... и речи, и разгул, и русалки в неглиже... и в балконных ложах закипающие оргии... все устраивало хитроглазых ядовитых личностей...

неожиданно повалил отовсюду дым... он хлынул в театр, поедая людей, раздувая коридоры... я решил, что полиция начала штурмом брать «Одеон», бросился наутек, из зала в зал, выбежал к небольшому пруду, в нем плавали светящиеся цветы и плескались голые инвалиды: кто без руки, кто без ноги... они барахтались в серой воде, как крабы, а на них, сидя на корточках, с грустью взирал гигантский ребенок с мертвой бабочкой в руке... не помню, как мне удалось перейти этот пруд, тростник шуршал оглушительно... тина оплела ноги по колено... когда вышел, споткнулся о морскую цепь, черт! толстая якорная цепь, как в Ленинбурге... сильно ушиб голень... кажется, кто-то помог подняться... кажется, Клеман и кто-то из журналистов, вытянули меня из кошмара... — Машина ждет! Ты едешь?.. — Да-да, еду! — и мы полетели... улица свернулась самокруткой, мягкий вкусный гашиш... — Сейчас ты придешь в себя, кури! — Я курю, курю... гремя как трамвай, автомобиль ехал по стенам, окнам и трубам домов, задевал верхушки пальм, сбивал фонари со столбов, они смачно плюхались и раскалывались, как подгнившие фрукты, из них вытекал отвратительный тухлый свет, наша колесница гремела, прыгала по крышам, Клеман, кажется, хохотал, за нами было не угнаться, мы проламывали стены, летели сквозь дворцы, обрушивались вазы и памятники, под нашими колесами тряслись и падали в Сену мосты, мы крушили Париж, Мари, мы ломали Историю, цепи и связи рвались, магистрали свертывались, как сливки, мы захлебывались в собственных воплях, мы неслись по спирали, в которую превратился весь мир... затем — падение и: вспышка — ослепительный мрак — раскаленный добела холод...

Мари, неужели нас однажды разлучат — темные круги прошлого, пожирающие огни грядущего?..

Неужели мы так и будем топтаться на пороге?.. не сможем отделить дух от плоти и слиться в единую субстанцию абсолютной свободы?..

Неужели, чтобы быть вместе, надо втянуть в наш общий домик и то, что когда-то нас с тобой разделяло? (Прошлое, в котором тебя нет, я воспринимаю не иначе, как тьму разлуки с тобой.)

Должна ли ты узнать все обо мне, а я — о тебе?

Я совершил много ошибок; так получается, что твои ошибки толкают других на ошибки, и растет здание искажений, из которого приходится бежать, прыгать по ступенькам рассыпающихся лестниц, цепляться за карнизы, из одного окна в другое, — вот поэтому я здесь, с чемоданом предательства и больною душой, этот тупик — законный тупик, я должен был понимать, что мои блуждания по квартирам и баракам, где собирались подозрительные типы, которые говорили странные цветистые фразы, обменивались запрещенными книгами и пачками машинописных плохо скрепленных листов, — меня туда повлекла тяга к эзотерике и мистицизму, — я должен был понимать, что все эти брожения по задворкам Москвы, из одного рукава в другой, точно я карта шулера, рано или поздно закончатся неприятностями (нас частенько предупреждали, что квартира под колпаком, и мы смеялись, пили водку и шалели от веселья, целуясь со смертью взасос, — все это казалось приключением, но как же неопрятно все это происходило! сколько было сальностей, похоти, жалких слез!), я и представить не мог, что мой отец, узнав о тех людях и моей связи с ними, воспримет все так... так поведет себя...

Мари, я не видел тебя трое суток, вряд ли я пойду без тебя на поправку.

Только что заходил странный прохожий. Незнакомец. Вошел в мою комнату. Полностью незнакомый человек. Он плохо выглядел. Весь в поту. Худой, бледный, бородатый, лет пятьдесят или больше, русский. Он попросил воды. Я ему очень удивился. Он запыхался.

— Длинная лестница.

— Да, — согласился я. Я подумал, что забыл закрыть дверь. В эти дни все двери открыты. Консьержки впускают кого попало.

— Можно воспользоваться вашей уборной?

— Пожалуйста.

Он долго не выходил. Я забеспокоился, постучал. Он вышел из кухни.

— Что вы там делаете?

— Вы в опасности, — сказал он. Я смотрел на него и не понимал.

— Как вас зовут? Кто вас прислал? Роза Аркадьевна?

Он посмотрел на меня, но ничего не сказал; прошел по коридору в мою комнату, постоял, осматриваясь, — мне подумалось, что он тут прежде жил: он смотрел с грустью, его взгляд упал на вязаного агнца, по его губам скользнула улыбка, словно он увидел старого знакомого. Обернулся ко мне.

— За вашим домом следят. Вы знаете почему?

— Почему?

— Я у вас хотел спросить. Так вы ничего не знаете?

— Кто вы такой?

— Не знаю, зачем к вам пришел. Что-то толкнуло. Стоял там, внизу, думал: чего я тут? И не мог уйти. Решил: если откроете, поговорю с вами. Ну и само разрешилось. Что с вашей ногой?

— Упал. Кто вы такой? У меня видения?..

— Да. Так лучше. Верно. Думайте, будто меня не было. Я вам почудился. Не надо было приходить. Что проку?

Ушел.

Я подумал: «Черный монах».

Шум радио. Птицы. По Санте бегут, кричат...

У меня совершенно нет денег и сил выбираться из моей гипсовой повязки, такой неожиданно тесной вдруг стала эта квартира, я в ней лежу и ничего не могу сделать, с трудом помещаюсь в комнатке (костыли съели все пространство), не могу как следует пройтись, мое ковыляние раздражает соседей, теперь едва ли протискиваюсь сквозь узенький коридор, хожу только по нужде... я будто замотан целиком... мало того что живу в долг, я и приготовить себе ничего не соображу... выйти куда-нибудь — немыслимо... оказаться в моем положении посреди уличной бойни, представь... эти бои парализовали не только город, но и мою волю, мою способность ясно мыслить, писать, читать... сообщения о том, сколько было арестовано, отправлено в госпиталь, разрывают меня изнутри, заглядываю в себя — там все протестует: *мне не нужна революция!.. долой баррикады!.. хочу нормальной жизни!.. чувствовать себя человеком хочу!.. чтобы проклятый чай был мне!..* я так давно не пил чая... мадам Пупе́ мне сделала равиоли — я был счастлив!

Мысли разбегаются, фразы сплетаются, слова летят, как камни, выдолбленные из мостовой мировой литературы, цитаты, стихи, которые вдруг перечеркивают мое сознание, подобно чугунным фрагментам сломанных ограждений, на которые налетаешь посреди улицы и не понимаешь, откуда тут взялся этот кладбищенский закуток, город разобрали и продолжают ломать — меня: ребро и нога сломаны... не нахожу себе места, четверть века мыкаюсь...

Прикован к постели, как Прометей к скале (орел — мое прошлое, навещает, клюет, жилы тянет), от этого дни вдесятеро длинней. А так как почти ничего не происходит — событиями этот хаос назвать невозможно, страна стоит, как подбитый танк, по нему ползают ящерицы, на нем греются кошки, —

время словно замерло в зевке, лучше не спать... ребро в одном моем кошмаре преобразилось в прорезь, такую узенькую, как на ящичках пневмопочты... и вот мне снится жуткий человек, похожий на негатив, он словно поглощал направленный на него свет, от этого я не мог его рассмотреть, он был ослепительно темно-синего цвета, ни черт лица, ни складок, ничего, идеальная тьма, он подошел совсем близко ко мне, склонился и протиснул свое пневматическое послание в прорезь моего ребра...

Если б ты знала, каким осторожным мне приходится быть, когда я встаю с моей койки... — Кстати, а какой сегодня день? — Все ушли, пусто, спросить некого. Первая мысль: прекрасное время для печатания на машинке! Но не могу. От стука в голове трамвайный перезвон, и тишина не нужна; мое физическое состояние отражает внутреннюю сжатость: когда я говорю с тобой о прошлом (вернее так: *представляю, как говорю с тобой*), я так же неловок и аккуратен, так же костылем нащупываю землю, высматриваю место на стене, чтобы прильнуть плечом... — Да, прошлое — запретная зона за колючей проволокой с часовым на вышке; задержавшись там, чувствую, как наваливается страшная ночь, и часовой, распахнув крылья, черным ангелом слетает на меня.

А потом ты пришла, вся взволнованная и прекрасная... ты за что-то просила прощение, и твои глаза были влажными, а ресницы мятыми, я их целовал, это все равно что целовать цветы... ты сказала, что теперь будешь заботиться обо мне и никогда-никогда не уйдешь... «Тебе придется меня выгнать!» — «Что за ерунда!»... я тебе читал мои стихи... они плохие, я их никому не читаю, но тебе — могу... мы курили, пока не кончились сигареты... ты сказала, я должен пытаться ходить, и я встал и пошел, лифт — слава богу — работал... консьержка покачала головой, прошамкала что-то вроде *я вас предупреждала*... вышли на улицу... деревья влажные, кругом цветы... мы отправились на авеню Леклерка, но нам сказали, что бои теперь повсюду, дальше лучше не ходить... жандармы смотрели на нас косо... мы купили сигареты, хлеб, конфитюр и пошли в парк Монсури... там мы пробыли целую вечность... но мне и вечности мало!

1

Крушевскому не понравилось, как с ним говорили в консульстве: «вашим делом занимаются — вас известят, когда что-нибудь узнают — сколько можно ходить!» Никто ничего не делает, всем наплевать, кругом беспорядок. Он немного вышел из себя, сказал, что давно ищет отца, начиная с 1939 года! — Они взволновались, повскакивали со своих стульев. — Не кричите! — Успокойтесь, пожалуйста! — И воды предложили. Он отказался. Его попросили снова все написать. Он взбесился и хлопнул дверью. Все кончено! Туда он не вернется! На бульваре Мальзерб было много людей, они хаотично перебегали улицу, ребенок плакал, — гвалт, кутерьма. Снова все напиши, все сначала, опять напиши им и жди! На Батиньоль — тоже много, очень много людей, таких веселых, занятых, увлеченных своей жизнью... От солнца и шума разболелась голова. Нечего на них надеяться. Надо искать самому. Никто не поможет, никто. Не зная, куда себя деть, он вошел в кафе, сел, встал, буркнул: un café noir, сел, снова встал, пересел, опять вскочил и сел так, чтобы солнце в глаза не светило, официанты на него смотрели, переглядывались, надо взять себя в руки, все плывет, все вертится, взять себя в руки, вспомнить дом, вспомнить Брюссель, он надвинул шляпу на глаза, он зажмурился...

Хорошо жилось им втроем в Брюсселе! Было тихо по вечерам. Слышна была конка, поезд, удары шаров доносились из пивной, где играли в бильярд. Все казалось особенным, объемным, увесистым, сочным. Как же так! Как же так! Как же так получилось, что все до такой степени обветшало и выцвело! Куда делись минуты? Тяжелые, светлые, тягучие минуты... Куда сгинули те силачи, что поднимали гири, швыряли ядра? И воздуха не хватает! дышишь, дышишь и — задыхаешься! Почему?! Все было особенным. Значительным. Мощным. Цельным. Как из мрамора и гранита! И вдруг потеряло основательность, превратилось в бессмысленную труху...

Дни похожи на станции в парижском метро — летят быстро, не успеваешь считать; листики календаря, с глупыми анекдотами и пошлыми карикатурами... Дождь перестал волновать душу; плоско капает, шуршит раздражающе. А прежде — как любил он длинные дождливые воскресенья! Зыбкие вкрадчивые сумерки... Занавеска нашептывала ему повесть. Разговор на кухне — поэма! Они жили в больших апартаментах вместе с другой русской семьей; квартира Саше казалась просторной, он бегал по коридору, заглядывая в комнаты, и все ему радовались, что-нибудь веселое говорили. Он подрос, квартира стала меньше. Жильцы сменялись, сменялись. Мама умерла. Они с отцом осиротели. Комнаты стояли пустыми. Соседи разъехались. На похороны никто не пришел. Всем наплевать! Чужие люди, чужие жизни. Он вспомнил, как отец, обняв его за плечи, говорил: «Не отдавай своей души за красивые вещи и деньги! Жалей бедных, Сашенька, заступайся за слабых!» Из Германии он писал длинные письма, Саша читал их и плакал.

Звякнул колокольчик. Вся в солнечных зайчиках, в кафе влетела дама и бросилась обнимать Крушевского, слезы радости на глазах, голос дрожит:

— Как же я рад, как я рад тебя видеть, Сашка!.. — Прорываясь сквозь пелену воспоминаний, дама потихоньку превращалась в Сергея, русского с Украины. Сергей был одет в женское платье, рваное и грязное, волосы отросли длинные, бороду он брил (исцарапал подбородок и шею), шляпка на нем тоже была женская, с вуалеткой, и старая, драная розочка. Едкий запах бродяжьей жизни. Что за маскарад! Крушевский сконфузился. Отпрянул. — Так надо, так надо, — сказал Сергей озираясь, сел и взял Александра за руку, — таковы, мон фрер, обстоятельства... вот бы сразу все рассказать... в чужой стране... кругом большевики и полиция... — Перешел на подмигивающий шепоток. — А я за тобой шел... Иду и думаю: ты или не ты? Не верил своей удаче! Присматривался... Как только ты сел, шляпу снял, сразу понял: ты!

Сергей спрятал улыбку в платок, огляделся и шептал дальше: за то время, что они не виделись, у него было много приключений... если б можно было все сразу рассказать... он уже долгое время ночевал на задворках Парижа... то под мостами, то в метро... он питался объедками, просил подаяния, вуаля, мон фрер...

Александр купил ему тарелку лукового супа с большим куском хлеба. Покончив с едой, Сергей принялся клясть судьбу...

С ним все было не так с самого начала. В Борегар их отконвоировали из Рёйи в составе восемнадцати «перебежчиков», они в шведском посольстве устроили скандал, требовали отправки в Швецию, но шведы передали их в руки большевиков.

— Пойми, я не верил, что шведы нас возьмут, сам бы я никогда не пошел на такую глупость, но в казармах Рёйи был Ганочка, мне ничего другого не оставалось. Мне тогда тебе не удалось все это рассказать, потому что за нами следили. Помнишь Татаринова? — Александр не помнил. — Ну, все равно... хлопнули Татарина... мокрого места не осталось... Сейчас, по порядку. Татарин с Костровым заодно был. Здоровый такой, черный, кучерявый... Сначала свои пытались придушить... Я думал, что правила его уркаганские не понравились остальным. Ан-нет, другая причина, более весомая: служил в СС. Точно как Ганочка. Где-то в лагере зверствовал, его признал кто-то из бывших заключенных. Там много таких было, полторы тыщи людей, уйма! Татарин, говорят, свирепым был, а тут хвост поджал, бросился к охране, просил защиты, его взяли в бункер под ружье, в бараках пошел ропот, все хотели суда, начальник, Костров то бишь, связался с Москвой, ну и расстреляли Татарина, даже возвращать не стали, прямо в бункере к стенке поставили, вынесли тело, всем показали, даже дети смотрели, и потом в лесу закопали. Вот так и с Ганочкой бы... Я его когда в Рёйи увидел, сразу понял: конец, последняя станция. Ганочка-то у нас в Шербурге надсмотрщиком был, немцы его старшиной сделали. Ох, и гад был! Ох, зверюга! Нацисты рядом с ним дети малые. А тут, в Рёйи, у коммунистов он — комендант лагеря! Видал? Ну, думаю, пропал. Он глянул так на меня... Я сразу догадался: узнал, подлец, узнал, но виду не подал. Я по ночам не спал, знал, что он придет или подошлет своих, и при первой возможности бежал. Глупость сделали, не стоило надеяться на шведов, — все из-за профессора... был у нас один умник, не знаю, помнишь ли, такой лохматый дядька с бородой, книги возил, уверял нас: Швеция привечает пленных и беглых... Мы, дурни, понадеялись. Человек ученый. Но наука — это одно, а жизнь, брат, совсем-совсем другое. Шведы — ха, как бы не так! Держи карман шире! Они от нас быстренько избавились. Под ружье — и в Борегар! Се ля ви, мон ами. Куда деваться? Куда бежать? Первые дни все было вроде ничего, ну, ты помнишь... а потом, когда Костров с этой бабой, Ивановой, сбежали... Помнишь ее? Грудастая, кудрявая, кардан вон такой... Грубая баба...

Крушевский задумался, припомнилась одна маленькая, толстая, с револьвером в кобуре ходила, затянув талию, иногда носила френч с погонами, исключительно уродливая, голос был хриплый, на всех ругалась, через слово мать поминала, но была ли она той самой Ивановой, он не знал, пожал плечами.

— Да и черт с ней, — махнул рукой Серега, ухмыльнулся, окинул взглядом через плечо зал кафетерия и продолжал: — Бежали и бежали, скатертью дорога! Но, как ты понимаешь, не с пустыми руками. Наворовали они добра дай бог! Семерым не унести! А говорили-то: все идет в СССР голодающим — детям, старикам, инвалидам войны... Во! Точно: ИНВАЛИДАМ ВОЙНЫ и СИРОТАМ. Плакаты красивые вешали. Я сам один такой рисовал, аршинными буквами писал: СДАВАЙТЕ ДЕНЬГИ И ЦЕННЫЕ ВЕЩИ НА ВОССТАНОВЛЕНИЕ МОСКВЫ И ЛЕНИНГРАДА!!! Хохол этот косноязычный изо дня в день воду в ступе молол. — Сергей передразнил: — «Пока не закончилась война, каждый должен отдавать всё на строительство военной техники!» — Александр улыбнулся, вспомнил пожилого казака: лысая голова и щеткой усы, живот был большой, ноги короткие, крепкие и кривые. — Взывал к нашему социалистическому сознанию. Ну, ты, наверное, застал — Ковалюк такой, хромой черт с ильичевским прищуром...

Александр кивнул два раза.

— Ага, помнишь, значит. Старый бес! Все время люльку курил. Ни щепотки табаку никому не дал! Костров с Ивановой все американские и французские пайки куда-то прятали, продавали с Ганочкой, как потом слухи дошли, на черном рынке — Рёйи там близко. Удобно. Ночью ему в казармы отвезли, утром уже на рынке. Шито-крыто. Никто ни сном ни духом. Когда в полпредстве решили их заменить, они барахлом машину набили и скрылись, сказали, что поехали в другой лагерь, и след простыл. В общем, после них в Борегаре началось такое... бордель, одним словом. Я под шумок ушел вместе с группой беженцев из Италии. Они себя смешно называли: профуки[1]. Ты подумай! Профуки! С опытом, набегались в Италии от красных патриотиков! ИРО сдала их большевикам, они бежали, ютились у католического священника, тот тянул их, тянул, но куда там, кормить ораву такую, чуть ли не сто человек! Рядами спали, кто на чердаке, кто в амбаре, стало небезопасно, советские патрулировали, забирались в каждую щель, как и здесь, та же картина, священник их направил в глубь страны, по пути они попались красным итальянским партизанам, те привели их в похожий на Борегар лагерь, только итальянский. Саш, вся Италия кишмя кишит комиссарами, там гораздо хуже, чем здесь! Мест не хватало, часть профук отправили во Францию, для дальнейшей транспортировки в Германию, оттуда в СССР, а там знаешь... Но они духа не теряли, твердили: во Франции нужно и можно добиваться права не возвращаться в СССР, есть, мол, у человека такое право. Пока в Борегаре стояли хмельные дни, без начальства народ все пропивал, слушали радио Власова, бунт назревал, солдатня тоже пила, к нам, как к перебежчикам-дезертирам, приставили охрану, мы с ними выпили, они разговорились. Выяснилось: пригнали их с Кавказа, они вывозили ингушей и чеченцев, мне один сам разболтал, что чечены на фронт идти не хотели, оружие забрали, в горы ушли, птицу-скот оставили без присмотра, коровы ревут, прислали пионеров за скотиной присматривать, а чеченцы с гор спустились, всю пионерию вырезали, ну, тогда их прислали, они всех чеченов, каких поймали, загрузили в вагоны и в Сибирь, и вас, говорит, так же — в вагоны и куда направят, там видно будет... Я все понял: если такую охрану к тебе приставили, значит, капут. С профуками той же ночью ушел.

[1] От итальянского слова «profughi» — беженцы.

Никто не заметил. Утром на нас устроили облаву. Идем себе пешком вдоль дороги, радуемся, вдруг грузовики с солдатами, мы врассыпную, я в лесок и затаился. Не знаю, что с ними сталось... Жил сам по себе на улице, спал под мостами, в одном сарае две ночи ночевал, пока меня оттуда старуха не попёрла. В конце концов, с воспалением легких меня подобрали на улице, я сказал: «я — профуки», меня отвезли в Жюллувиль, в отель «Нормандия», там, как поправился, со мной быстро разобрались: по-русски, значит, в Советский Союз! Отвезли в Кан, в маленький «борегар», на работы, в Кане все разбомбили, полная разруха, живого места нет, одни обломки... одни обломки! Мы их и разгребали, с утра до поздней ночи. И что? Нас кормили два раза в сутки. Тяжело было, как у немцев в лагере! Жили в церкви — одна-таки уцелела, на весь город! Я оттуда бежал, охрана спала, я ушел в порт, Порт дё Плезанс, называется, там укрывался в руинах вместе с другими бездомными и негритянскими проститутками. Черт! Чего я только не насмотрелся, Саш, ох!.. девочки тринадцати лет... эх-ма!.. ну, да что там говорить, если еды совсем-совсем никакой, руины кругом... ой, мон фрер, жестокая штука жизнь... Куда Господь Бог смотрит? На нас, когда мы вшестером из котелка одной ложкой черпали по очереди, Господь Бог точно не смотрел. Неделю думал, что делать, как мне выбираться из этих завалов, иногда мысль находила: здесь остаться, прикинуться немым-горемычным, бродить и милостыню выпрашивать, овладевала мной и такая мысль, но я ее отогнал. Слабость это, так нельзя! Взял себя в руки. Встал как-то. Надо идти. Не уйду — погибну. Переоделся в женщину и на поезде в Париж уехал, никто не тронул, повезло, кондукторам было не до меня, там красноармейцы с оружием ехали, к пассажирам цеплялись, они с ними ругались всю дорогу, до нас так очередь и не дошла. И вот я на улицах Парижа. Что дальше? Куда идти? Кругом полиция, патруль, советские солдаты... Есть нечего, денег нет, языка не знаю... Если бы не старый Грек, я бы умер...

Сергей встретил его в метро, старик заговорил с ним на ломаном русском, Сергей прилип к нему и два месяца носил его пожитки, толкал тележку, варил ему чай; старик называл его «дочкой»; он сказал, что с ним Сергей не пропадет: «Не отставай от системы, дочка, глядишь и выживешь». Его система выживания была простой: «Надо все время двигаться. Удача не ждет. Смотри на воробьев — они все время двигаются. Ты, дочка, тоже шевелись. Иначе все крошки склюют за тебя! Не зевай! Поняла?»

— Я спросил его, сколько лет он так живет? Он сказал, что не помнит, он даже имени своего не вспомнил: Грек, говорит, все его зовут Грек, но грек ли он на самом деле, он не знает. Я спросил его, знает ли он греческий? Он сказал, что знает, но не уверен, что это его родной язык. Наверное, он — цыган. Не это важно, говорит. Прежде всего он человек своей системы. Система для него все. Она важнее, чем имя или национальность. Он в нее верит, как в Бога. Его система — его религия. Названия улиц он проговаривает как молитву. Почти не спит. В часах не нуждается. Идет и под нос бубнит названия улиц и станций... Маршрут есть — ему надо следовать! Грек знает всех бродяг, собак, торговцев, всех-всех-всех, и к каждому подход имеет. Вздремнул на скамейке и в путь. Я таскал за ним его барахло, от одного блошиного рынка до другого. Удивительная жизнь. Движение. В какие норы, лачуги, гнезда мы с ним заползали, под какими жестяными крышами нам приходилось ночевать, и сколько людей так живет! Как личинки, лежат вповалку на матрасах, картонках, деревяшках... Грек их жалеет: *они выпали из своей системы...* И верно, они там в такой спячке, что не заметили, как война кончилась. Я с одним поляком поговорил, сообщил ему, он равнодушно воспринял.

Все равно, говорит, и дальше спать. Мимо таких война прокатилась, как поезд. Для Грека война тоже особого значения не имела. Куда меньше, чем поезд. Последние тридцать лет он кое-как живет от тарелки супа до стылой картофелины, остальное время — чай с маргарином. Удивительное варево, этот чай! И не поверишь, что такое можно пить! Гадость страшная, но охоту есть отбивает совершенно. Тоже изобретение Грека. Тебя бы с ним познакомить, но он не стал задерживаться. Я с ним только что расстался. Как увидел тебя, у меня сердце екнуло! Обнял старика, поблагодарил за все, он побрел дальше, ему некогда, система не ждет, он должен успеть на Муфтар, потом на Пигаль, пробормотал что-то и покатился. Ну, что скажешь, брат?

Александр взял Сергея с собой на rue de la Pompe. Альфред выслушал его в передней, выдал немного одежды, написал адрес: 116, rue de Réaumur.

— Вот, идите к мадам Зерновой, — сказал он устало. — К ней можно обращаться. Я, к сожалению, не могу вас принять. Я после смены. У меня, сами знаете, дети, поляки и еще кое-кто... один больной жилец, инкогнито. — Альфред замялся (Крушевский подумал: «Не хочет в дом бродягу пускать. Запах, грязь, вши, конечно, тоже»). — Кроме того, Александр, я жду прибытия вашего друга из Сент-Уана. Он у меня поживет.

Крушевский обрадовался этой новости. Сергей переоделся в прихожей; новая одежда на нем болталась, но он остался доволен: «Эх, наконец-то снова ощутить себя человеком!» Взял бумажку, взглянул на адрес и от отчаяния стал похож на засохший финик. Александр положил ему руку на плечо и, преодолевая заикание, успокоил Сергея:

— Ничего. Найдем.

Сергей сильно боялся; войдя в дом Альфреда, он уже не хотел никуда идти, стоял и дрожал, приговаривая:

— Эх, отвык я от мужской одежды... Схватят меня... сразу же увидят во мне советского человека и схватят...

— Не бойся! — Ободрял Саша. — У меня есть документ. Одет я как американец. Надень мою шляпу. — Сергей нахлобучил шляпу на самые брови, Крушевский повязал ему шарфик, сделал красивый узел и сдвинул его набок. — Во, ф-франт! Буду с тобой говорить по-французски, а ты кивай и улыбайся... улыбайся больше!

— Понял, — и натужно улыбнулся.

— Ага, вот так.

Альфред объяснял, как ехать, объяснял... вдруг ему показалось, что Александр не понимает его инструкций; он все бросил и пошел вместе с ними: заодно на блошиный рынок зайдем, все равно по пути, сказал он, но на блошином рынке среди фальшивых ваз и статуэток он нашел чрезвычайно интересный экземпляр подлинной японской лакированной шкатулки (на глазок шестнадцатого века), и заспорил с жуликоватым продавцом, у которого, кроме этой шкатулки, никаких любопытных вещей — ни японских, ни каких-либо антикварных — вообще не было, одни поддельные вазы, грубая работа; Моргенштерн понял, что имеет дело с воришкой или торговцем краденого, он во что бы то ни стало хотел разузнать, откуда у него такая редкая вещь; шепнул Александру: «Киотский стиль, нечто невероятно редкое, думаю, из коллекции Эфрусси[1], длинная должна быть история в этой штучке»; глаза Альфреда излучали неземное торжество, они стали похожи на холодные драгоценные камни, с коварной улыбкой он игриво прощупывал продавца, задавая ему всякие посторонние вопросы, перебирал имена японских мастеров, стили и школы, а также вспоминал имена бывших коллекционеров, Альфред вводил пройдоху в страш-

---

[1] *Шарль Эфрусси* — меценат, коллекционер, искусствовед, издатель.

ное замешательство, ему нечего было ответить такому знатоку, кроме как кивать и уверять, что у него дома сохранилось много предметов «восточного искусства»: «Вазы, в основном керамика, мой дедушка много путешествовал, он был большим коллекционером, но нашу семью постигло много несчастий... много несчастий...» И пускался стонать, несчастьям счета не было, его голос дрожал, глаза то и дело поглядывали на странно одетого покупателя, у которого к тому же за спиной стояли два молодчика: оба нервные, быстроглазые, у одного — высокого плечистого — щека и веко подергивались, он сжимал кулаки, другой от нетерпения переминался и что-то спрашивал по-русски. Альфред не обращал на спутников никакого внимания, казалось, что он о них совсем забыл. Мсье Моргенштерна интересовала только старинная японская шкатулка, рисунки, лак, трещинки и потемнения, не выпуская ее из рук, он вил кольца новых и новых вопросов, рассказывал свои истории, снова задавал вопросы, крутил, поглаживал, открывал шкатулку, вздыхал, сочувствовал: «Да, несчастья, всех нас не обошли беды стороной...», и сбивал цену, продавец скулил, но уступал, уступал: «Так и быть, месье, так и быть, такому ученому месье грех не уступить...» Уж больно компаньоны у покупателя были нервные: Сергей поглядывал по сторонам и спрашивал: «чего стоим-то? чего мы ждем?» — на нем лица не было, белый как смерть, маленький жулик сжимался от страха. Наконец Моргенштерн сказал, что ему надо разобраться с этим торговцем:

— Одной шкатулкой не обойдется. Он утверждает, что у него есть кое-что еще... нэцкэ, ширма и веер... я это так не могу оставить, простите, дальше вам придется самим, — дал Александру денег на метро, еще раз, не выпуская шкатулку, он повторил инструкции и напутственно сказал, чтоб держались подальше от Гренель, пожелал удачи и впился глазами в торговца вазами.

В метро Сергей спускаться отказался: там сразу сцапают, лучше оставаться на улице, можно припустить, случись что... Хорошо, шли пешком, долго бродили кругами, стараясь держаться подальше от опасного картье. Сергей нарвал букет сирени, нюхал ее, махал девушкам. Александр улыбался, но видел, что его приятель напряжен и бросает вороватые взгляды по сторонам. Крушевский одергивал его, просил не озираться. Сергей кивал, но продолжал оглядываться. Наконец, нашли. Им открыла сама Софья Михайловна, высокая, красивая женщина лет сорока, с проницательными большими голубыми глазами. Александр смутился. Не знал, как начать, но его приятель тут же пустился рассказывать о своих бедах, о том, что она — «последняя инстанция», дальше идти некуда, если бы у Вас, глубокоуважаемая Софья Михайловна, нашлась минута времени... Софья Михайловна впустила их. Александр сказал, что должен идти. Она предложила ему чаю, он вежливо отказался, заикание его мучило, начался тик, и он не хотел, чтобы она видела, как его лицо искажается. Он ушел в сильном волнении, ночью плохо спал, в голове вертелись образы, слипались в дурные сны: Борегар, грузовик с солдатами, отель-госпиталь, Сергей в женском платье, rue de la Pompe, Сергей в мужском платье, как клоун... пиджак странного цвета, рубашка в горошек... все на нем болтается... букет сирени, улыбки девушек... Rue de Réaumur... Софья Михайловна, произнес он и проснулся. Полежал с закрытыми глазами, вспоминая ее; он чувствовал тепло, внимание, которое исходило от нее. Улыбнулся. Вот кому не наплевать, подумал он. Святая! Ворочался, ворочался, встал, походил по кухне, подбросил дров, курил, воображая старика по имени Грек с его тележкой... где-то он сейчас... Где-где, уж такой старик на своем месте, у него *Система* есть! Ничего с ним не станется... а вот Сергей — с ним-то что будет? С Егором... со мной... о Егоре теперь Альфред позаботится; за Сергея тоже не надо волноваться — Софья Михайловна, святая! А я? Вот со мной-то что? Что-то не так, чувствую, но что? Почему? А какая разница? Нет меня! Совсем нет. Уже нет... и никогда не было. Бесконечная тьма есть, и светильники всякие, что горят во тьме, они тоже есть... большие, маленькие, тусклые, яркие... а я — да ерунда какая-то... Да с чего я решил так? Ну и как с такими мыслями жить?..

Александр прислушался: ветер завывал, как сирены ПВО, как самолеты, как подземка; гул в печи легко раскладывался на тональности, которые становились туннелями событий прошлого, одно воспоминание влекло за собой другое, третье — видения складывались в витражи, мозаики, фрески: в блокгауз впрыгивают истекающие кровью солдаты, отец обнимает маленького Сашу, грохот над ним и под ним, будто титаны молотами бьют по стенам, он ощущает теплую руку священника на своем затылке, а затем — воду, мама обижается на него, и вот ее уже нет, он шагает в колонне пленных, он стоит в очереди за супом, летят самолеты, варятся в чанах гимнастерки, падают бомбы, пилюли и обритые головы, посреди полыхающей улицы визжит ребенок, без волос, одежда и плоть горят... По параллельным веткам сознания спешили поезда с беженцами; распадаясь на образы, слова и ноты, события из их жизней превращались в скульптурные ансамбли, арии, драмы, анекдоты; помимо его воли они разыгрывались на сценах театров разных стран, и в каждом воображаемом зале сидел он, Александр Крушевский, внимал актерам, впитывал жизнь каждой клеткой своей разрывающейся на осколки личности.

Только не кричать. Зажмурился. Не кричать. Заткнул себе рот. Держаться... держаться... Держаться!

Под веками все полыхало. Прошлое никуда не ушло, оно здесь, за досками Скворечни, над ее стеклянным чердаком, в трубе печи. В моей голове.

Он встал на колени и читал молитву, пока не успокоился. Пот катился по лицу и шее, скользил по спине, сердце билось, торопилось...

Ну, все, все. Взять себя в руки. Garde à vous![1] Встал. Постоял навытяжку, отдавая салют сумраку. Сумрак смотрел на него изучающе. Так, так. Паутина в верхнем углу кухни шевелилась. Сквозняк стучался в стекло. Repos![2] Он взял метелку, убрал паутинку. Так-то лучше, солдат. Погремел кружкой. Так-то лучше. Прочистил горло. Шумно поставил чайник на печь. Совсем другое дело, сказал он себе. Сейчас чай сделаем, попьем, а пока — покурим... Пошуршал бумажками. Подбрасывая поленья в печку, он подумал: это какое-то библейское перемещение народов! Может, это и есть — Потоп?.. людской Потоп? Нет, хватит об этом! Хватит! Курил, глядя в огонь. И снова в голову лезли мысли. Он вспоминал завалы Франкфурта, — держаться, — обгорелые трупы, вынесенные на мостовую, шевелились... держаться... руки, ноги еще двигались... я держусь... некоторые тела скрючивались... Спокоен, я стою и смотрю. Огонь в печи. Огонь. Там плакали. Люди плакали. Дома горели. Дым был. Егор. Мы шли с ним по середине улицы, мимо трупов, плачущих детей, обходили вещи, чемоданы, коляски, дымящиеся одеяла, никто на нас не обращал внимания, все плакали... все были оглушены... навесы, шалаши, кое-как сколоченные сараюшки, в которых ютились семьи... по дорогам текли реки людей, покидающих города... Человеческие ручейки струились, как кровь, которая вытекает из раненого тела Европы. В этом есть какой-то разуму не подвластный смысл. Может быть, того желает планета? Может, прав был профессор? Нет, не соглашусь! В чем тут смысл? Для чего пла-

[1] Смирно! *(фр.)*
[2] Вольно *(фр.)*.

нета сталкивает народы и отправляет их скитаться? Зачем отделяет дитя от матери? Губит нас или делает убийцами. Зачем? Чтобы человек не сидел на привязи? Не оставался «сыном отечества», а стал — *вольным*? Чтобы понял, что он прежде всего сын Земли? Нет, не осилю. Не осилю. Слабые мыслишки...

Голова кружилась. Гулять по Парижу не стоит. Он лежал, внутри все вертелось. Ни за одну мысль не ухватиться. Никакого порядка. Опять спешат поезда. Горит огонь, полыхают города. Люди бегут. Земля. Волны живой земли... Все разлетается. Кажется, приступ назревает. Он вспомнил немецкий лагерь. В прачечной были трещины между досок, сквозь них влетали пчелы. Он завидовал пчелам. Лагерь порой давил настолько сильно, что Александр забывал о том, что в мире где-то есть еще люди, мирные, свободные люди, которым ничто не грозит; есть горы, моря, океаны, другое полушарие, материки, — был только лагерь, и когда появлялись пчелы, он вспоминал... А теперь, оказавшись посреди гудящего улья, он пугался жизни. Прятался от нее. Летел поезд. Стекла дрожали, слегка звеня. Странное место Аньер: то тихо-тихо, то вдруг все ходуном ходит. Он лежал и думал о поездах, пассажирах и станциях. Ах, как их много по всему свету! Он думал о том, что теперь можно не страшась ездить... Сколько есть различных направлений! Можно и в Гималаи отправиться! И отчитываться ни перед кем не обязан... Справить документы, собраться и поехать... Эта мысль его поразила. Он сел, опустил ноги на пол. Встал. Все вокруг показалось ему не вполне настоящим. Гималаи? А почему нет? Что меня держит? Он испугался этой мысли, шальной и незамысловатой. Испугался! Отчего? И почему вдруг Гималаи? Волна свободы обдала его. По спине пробежали мурашки. Каждый позвонок отозвался. Завертелось в голове, задвигалось. Он залез в постель и поджал ноги под одеялом. Как ребенок. Бескрайний мир простирался перед ним. Мир начинался прямо с этого пола, прямо с кушетки, на которой он лежал. Бескрайний мир был под ним и над ним. И в сердце моем — тоже он! Озноб пробежал по спине. Дурнота подступила. Слабость. Потряхивает. Начинается? Спокоен, я спокоен. Поезда едут, самолеты летят, шлагбаумы поднимаются, люди машут руками, смеются, а дети... дети бегают по полянке вокруг парасоля, между столом и стульями... один упал, лежит вверх ногами... бегают и смеются, мальчик с рапирой, девочка с блестящей лентой... и мячик, обязательно, мячик... представь себе — мячик! Новый *свободный* мир.

Он думал о том, что сейчас, пока он в бессилии находится в этой худой дощатой комнатке, на том берегу идет жизнь: люди спешат, жужжат, снуют, работают, пишут статьи и творят события; дети сидят в школе за партой — их дни умножаются не просто так; есть тысячи школ и миллионы детей, а у них — родители, которые суетятся ради своих чад; прямо сейчас, в эту минуту, которая давит меня, как чугунная плита, отнимая силы и сжимая горло, где-то в своих объятиях женщины делают счастливыми мужчин, где-то играют в футбол, кто-то отправляет важное письмо, а кто-то получает ответ, меняющий все в человеческой жизни; планеты движутся, реки текут, трамвайчик едет, колокольчик звенит... а он — лежит как инвалид. Вставай! Торопись! Поезд не станет ждать. Он встал, но тут же пол наклонился, стены пошатнулись. Нет. Лег. Не готов. Пока не готов. Столько в себе надо изменить. Не сейчас. Не все сразу. Будет другой поезд, не сегодня, так завтра. А пока: бороться с заиканием, искать отца, достойную работу, обновить гардероб, я выгляжу как Серега в чужой одежде... Жить начинать надо потихоньку.

* * *

Глебов все-таки нашел дорогу к Александру.

— Хорошо ты тут устроился, — сказал он, осмотревшись. Не успели они закурить, как прибежал старик.

— Знакомьтесь... — Александр сделал неловкий жест.

— Уж не мой ли табачок курите? — притворно-шутливо замялся Боголепов, поедая глазами Глебова.

— Ни в коем случае, Арсений Поликарпович. — Глебов поднялся пожать руку хозяина. Александр показал мешочек, в который собрал табак старика. Егор достал кисет: — Угощайтесь, американский. — И пустился говорить, улыбка не сходила с его лица: — Табаком с нами вчера при разгрузке расплатились. Всю ночь горбатились, мешки-бочки тягали, а утром нам швырнули мешок табаку, как крысам. Усокин был счастлив! Не поверите, как он обрадовался! Чуть ли не руку этому спекулянту целовал. До обеда с весами на шестерых развешивал. Невыносимый человек.

— Напрасно вы его так, ай, напрасно, — сказал Боголепов, сворачивая самокрутку. — Усокин много горя в жизни повидал, у него никого и ничего в жизни не осталось. Если он и сделался невыносимым, то не добровольно. Он через многое прошел. В трех кампаниях участвовал. Все равно как на трех войнах побывал. Но и одного похода под водительством генерала Каппеля на всю жизнь хватило бы.

— Хорошо, — сказал Глебов, изменившись в лице. — Прошу прощения и обещаю больше так не называть его. Я и сам чувствую, несправедливо ругаюсь, не по-христиански это...

Крушевский понял, что его товарищ подбирает ключи к собеседнику, встал приготовить чай.

— Вот, — проглотил наживку старик, — вы не представляете, как приятно мне это слышать. Редко такую совестливость встретишь в наши дни. А чего дальше ждать, подумать страшно. Вы ведь из СССР?

— Да.

— Ну, там только и встретишь такое, на родине. А здесь скоро все офранцузятся. Ничего за душой не останется. Будут парикмахерами да официантами. Одним словом, слугами, без права на слово. Да и к чему оно им — сказать-то нечего, русский скоро забудут. Приходите к нам завтра. Мы тут собираемся. Обо всем об этом говорим. К нам гость придет. Особенный, духовный. Из Англии. Мы с ним с довоенных времен знаемся. Переписывались. Хочу вас с ним сблизить. Вы, Александр, говорили, что вам католики угодили. Вот с ним поговорите. Он в оксфордском аббатстве живет, духовную работу написал о святом Августине. Очень интересный человек. Вот увидите.

— Англичанин? — спросил Глебов.

— Кто?

— Знакомый ваш.

— Да нет же — русский! Стал бы я с англичанином дружбу водить. Скажете тоже.

— Спасибо за приглашение, Арсений Поликарпович. Придем обязательно, — пообещал Глебов и, видя, что старик поднялся, тоже встал, пожал ему руку. — Духовное общение, это нам нужно. А то одичали на войне и в лагерях...

— О том и речь. Только это, Александр, побрейтесь... что ли...

— У него руки трясутся, Арсений Поликарпович, вот и не бреется. Я его побрею. Сделаю, как в московской цирюльне! С тепленьким полотенцем!

— Вот и ладно, — засмеялся Боголепов. — А я утюг дам, погладьте вашу одежду заодно уж.

— Ух, Сашка, — вздохнул Глебов, глядя в окно старику вслед. — Ну, ты угодил в цветник...

Александр тоже посмотрел в окно — на улице были две сестры; он смутился, отошел и сказал хмуро:

— Чай пить садись.

— Он женить тебя хочет.

Крушевский поморщился.

— Честное слово, брат. Не успеешь оглянуться, как женят!

— Ну, не болтай...

Утром Егора не было. Пришлось к Боголеповым идти одному. Пресловутый гость уже был на месте: важно сидел за столом в снопе радужных бликов, которыми осыпала его большая безвкусная люстра (когда наверху пробегали, люстра вздрагивала, легонько дребезжа, и образ незнакомца, точно отражение на воде, колебался). Это был маленький, хрупкий и, должно быть, очень болезненный человек; лет сорока, может быть, сорока пяти, с едва наметившейся плешью, седенькой козлиной бороденкой, узким желтовато-пергаментным лицом, жалобно слезящимися собачьими глазками и изумительно тонкими — возможно, выщипанными — бровями. Пуговицы и карманы его когда-то шикарного английского костюма много раз подшивали. Гость был простужен и тянул носом, словно принюхивался; жадно вцепился в руку Крушевского и заговорил негромкой скороговоркой.

— Алексей Петрович Каблуков, почетный секретарь Общества святого Иоанна Дамаскина в Оксфорде. — Рука была немного влажная, холодная, клейкая. Заглядывая в глаза снизу вверх, Каблуков осыпал Александра словами: — Очень рад, Александр Васильевич, вы и представить себе не можете, как я рад, дорогой друг! Какая честь! Наш дражайший Арсений Поликарпович мне многое рассказал, о ваших подвигах, о боях под Льежем, о невзгодах, что выпало вам перенести в лагерях. Драгоценный мой, если бы вы знали, как ждал я этой встречи! Мы о героях бельгийской армии наслышаны, но не встречали ни одного из вас. Да что мы в Англии видели-то, кроме падающих бомб и пожарищ? Что нам о войне известно? Только заслышали вой сирены, дружно бегом в убежище. И сидим как мыши. Слушаем, как Илья-пророк в колеснице по небу разъезжает. Эх! То ли дело вы! Лицом к лицу с врагом побывали. О вас и ваших братьях много писали... Да, стойко держались форты, это же легенда! Несмотря на смехотворность боевого арсенала... Неужто правда, будто у вас были пушки девятнадцатого века?

— Конечно, правда, — влез старик Боголепов, — барон Деломбре мне рассказывал, что своими глазами видел в форте Шоненбурга стодвадцатимиллиметровые орудия de Bange.

— Милый мой Арсений Поликарпович, это ж никому, кроме вас, и не понять.

— А я вам сейчас скажу. Это пушки образца 1878 года!

— Да неужто?!

— Креститься не стану, но покойному барону верю. В тридцатых годах он объездил всю Линию Мажино. Слышали бы вы, как он возмущался! У него на то были причины. Гаубица Деломбре — его собственное изобретение! Очень он хотел ее там поставить. Говорил, без нее никак нельзя. Кто б его слушал! Ах, красавица-гаубица была, эх... Я тоже принимал в этом участие... кое-что внес... Как он сокрушался: форты без противовоздушной обороны! Слыханное ли дело в современной-то войне! Немцы летали на фанерных самолетиках, фотографировали и посмеивались: la Ligne Maginot... Вот вам и Мажино!

— Ах, горемычные! — вздохнул Каблуков. — Вот какое унижение выпало вам, Александр Васильевич! — Каблуков повернулся боком к старику, оттеснил его, схватил стул. — Ну, садитесь, Александр, ко мне поближе. Какая честь, какое это счастье посидеть рядом с героем...

— Я самовар принесу, — буркнул Боголепов и вышел. Каблуков продолжал лепетать:

— ...мы в Англии настоящего немца разве что в кинотеатре видели, а на вашу долю выпало с ним лоб в лоб... Как вам они?

— Кто?

— Немцы... Что скажете? Они — настоящие воины или как?

— Настоящие.

— Да?

— Да.

— И все-таки мы немца побили! Побили мы немца, — и еще раза два Каблуков произнес негромко: «мы дали немцу», «мы разбили немцев».

Вошла с тарелками Катерина — и негромко запела. Они посмотрели на нее, она пела и невозмутимо расставляла тарелки. Любовь Гавриловна шикнула на нее: «не видишь люди разговаривают»; девушка сказала «пардоннэ-муа» и ушла; «простите ее, господа», сказала Любовь Гавриловна (Крушевский отметил, что она при этом не подняла на них глаз; сухонькая женщина, сутулая, цветом лица, безбровостью и смиренным видом похожа на монахиню; должно быть, набожная слишком).

— Мда, — сказал Каблуков и неожиданно встал. — Сидите, сидите, мой друг! Это я так. Монашеская привычка — ходить, думать и ходить... Я ведь в монахах был, в Псково-Печорском монастыре. Да только меня в мир служить отправили, так и скитаюсь с тех пор, с тех самых пор... Это ж сколько воды утекло? — Сам себя спросил он, остановился, картинно посмотрел в потолок (а брюки-то какие мятые!), на секунду задумался и снова пошел. — Двадцать лет, двадцать лет промелькнуло, а привычка шагать так и осталась. — На его ногах были большие носки из собачьей шерсти (точно такие же Боголеповы подарили Александру) и крупные «финские» тапки с задирающимися кверху носами, какие делал Арсений Поликарпович с женой на продажу. Каблуков прохаживался по гостиной, самодовольно поглядывая на суету Боголеповых, причиной суеты он, несомненно, полагал себя. Места в гостиной было мало, круглый стол занимал почти все пространство, но Алексей Петрович был настолько субтильным, что запросто разгуливал без чувства стеснения. — Меня и мои обычаи тут уже знают. Не в первый раз приезжаю, не в первый раз им приходится меня принимать. И то верно, не сидеть же мне на одном месте! В аббатстве! Надо в люди выходить, говорить, мыслями обмениваться... Ездить надо! Таков наш труд, такова миссия... Дела в нашем Обществе идут не очень... На последней интернациональной ассамблее было совсем немного людей, хотя темы обсуждали как всегда глубокие, исторические, глобальные... Ну, так и личности к нам приезжают такие — космополиты, философы с большой буквы... Правда, все меньше и реже удается собрать. Каждый своими делами занят. Кто на конференции Объединенных Наций, кто в ЮНРРА... Вот мне интересно, что люди в Париже думают. Война-то не сегодня завтра кончена будет. Думали ли вы? Нет, я не к вам обращаюсь. Это я так, собираюсь с мыслями, размышляю вслух, разминаю конечности. Мысль пока ходьбой не разгонишь, она так и кочевряжится. Смотрите, говорю я им, здешним русским поселенцам, как только Германию дожмут, французы или те же фламандцы о вас забудут. Все иностранцы, каковыми мы на самом деле являемся, в день обузой станут. Лишние рты никому не нужны. Они с удовольствием от вас отвернутся, моментально вычеркнут из памяти, невзирая на ваши, дорогой друг, подвиги. Они быстренько забудут о том, что вы с ними бок о бок в резистансе, в окопах, фортах кровь свою русскую проливали. Ведь так? Они забудут всё! Поверьте мне! И кто тогда вспомнит о вашем подвиге? Кому вы нужны? Никому! В какую историческую книгу впишут ваше имя, ваши героические деяния? Россия... — И второй раз, более протяжно: — Россия — вот где нас ждут. Русский народ — во-от кому мы нужны! В «Историю государства Российского» — в эту самую книгу ваш подвиг вписать надо! Нечего себя по европам-америкам разбазаривать! Наш опыт, наше знание, умение, навык... Простите, пожалуйста. — Каблуков вытянул платок, приложил к носу и выскочил из комнаты, раздался громкий чих, похожий на опереточный смех, еще хихиканье и затем протяжное сморкание, через минуту Алексей Петрович вновь появился, с зардевшимся носом и увлажненными глазами. — Простите, пожалуйста, уважаемый Александр Васильевич, простуда, здешняя погодка не для меня. Эх, Париж, Париж...

— А всю мебель в доме, между прочим, папа́ сам сделал, — сказала Катерина, внезапно появившись из-за спины Каблукова, громыхнула приборами, — ножи-вилки сами берите, пожалуйста, — и вышла напевая. Каблуков посмотрел на нее, нахмурился.

— Так, о чем бишь я... Ага! Вот я как думаю: что держит тутошнего русского, а? За что он цепляется? Отчего домой не едет? Смотрите, какая смрадная погода! У вас в Бельгии неужто лучше? Можете ничего не говорить. Бывал, знаю, та же песня. Думаете, в Англии хорошо? Люди что носы узкие, сердца что кошельки, все наглухо сдавлены, монетку не вытянуть. Все живут зажато и жадно. Нет в европейце русского великодушия. Нет размаха, нет в нем души, мой дорогой. Ох, намучился я... Да вы, Александр Васильевич, уверен, намучились, натерпелись не меньше моего, хоть и младше на пятнадцать годков. А что там эта разница, если суть тутошней жизни — что в Бельгии, что в Англии — всюду одна, что двадцать лет назад, что тридцать, ничего не меняется, для нас, во всяком случае. Но хуже самой погоды то, что мы здесь чужие, наполовину нас будто нет, понимаете? — Крушевский не успел ничего вставить, он был ошеломлен: от каблуковского монолога, от явлений Катерины, от шума и суеты у него возникло легкое головокружение и тошнота, как с ним случалось в поезде или трамвае. Алексей положил ему руку на плечо, склонился и заглянул в глаза: — Понимаете?

В комнату с самоваром вошел Арсений Поликарпович.

— Да все он понимает, Алексей Петрович, дорогой, посторонись немного. Спасибочки. — Осторожно поставил самовар. — От-так. Уф, это мы назубок знаем, усвоили правила тутошнего быта. Франция принадлежит кому? — Он развел большие красные ладони, как клоун, покрутил ими в воздухе, карикатурно похлопал глазами и сам ответил на свой вопрос: — Франчикам. Прально я говорю? Конечно, правильно. Я лично как рассуждаю... Работать на них, строить их страну, умножать их капитал — я не собираюсь. Хочу спасти моих детей и внуков от этой кабалы. Ибо не простят мне потом. Скажут, вот дед вовремя не спас нас, век нам мучиться, и детям детей наших. А если не станут винить, того хуже: значит, перестанут понимать. Рано или поздно что произойдет? Они утратят русский дух. Связь с нашей культурой. Я это наблюдаю. Это происходит. Год от года. Мельчает русский человек от европейской жизни. Превращается в эдакого кичливого руссофона, который говорит по-русски едва-едва, с каким-то дьявольским акцентом. Не русский, а — руссофон! Европейский руссофон!

Каблуков взмахнул рукой и воскликнул:

— Ах, как верно! Нет, ну как же верно говорит милый Арсений Поликарпович! Не правда ли, Александр Васильевич? Душа моя наливается пением жаворонков, когда слышу, как льется его речь! Настоящий чистый родник родной речи!

— Поехать в Россию и там жить среди своих. Да, будет трудно. Будет непросто привыкать. Но: своя сермяга не тяга!

— Вот! Вот о чем я говорю, драгоценные мои!

Собирался потихоньку народ. Две семейные пары с детьми. В доме установился гомон. Дети устроили беготню, их вскоре выгнали из дому во двор, где за ними присматривала Катерина. Усокин и Теляткины вошли вместе (кажется, выпили перед тем;

жена Теляткина раскраснелась и хмельно смеялась). Торжественно явилась поэтесса Тамара — с веером! Она и оглядывала всех и как бы при этом не замечала никого. Каблуков воскликнул «о, мадам!», подскочил к мадам Тамаре, жмурясь поцеловал руку мадам, одно колено его чуть ли не коснулось земли; у мадам Тамары случилось притворное затмение чувств, она закатила глаза, откинув голову, воскликнула «ах!», прикрылась веером...

Ну и спектакль, подумал Крушевский, ну и спектакль! сколько притворства! Смутившись, он сделал вид, будто не видел этой сцены. Схватил вилки, ножи, заворачивая их в салфетки, он раскладывал приборы на столе, с очень серьезным видом, не поднимая глаз. О Тамаре он был наслышан, каждое слово Шершнева подтверждалось. Это была корпулентная особа пятидесяти лет, в жутком парике с двумя волосатыми бородавками и ярко выраженными усами — от такой можно было любой гадости ожидать. Александр боялся, что с ним будут пытаться говорить, но — слава богу — никому до него не было дела; Боголепов буркнул: «наш новый жилец», и все. Как хорошо, что этот Каблуков забыл обо мне, думал Александр, разглядывая, как входит муж Тамары, — он долго мялся в прихожей, с трудом снимая ботинки, — казалось, он был еще менее приятной личностью: озлобившийся от подпольной жизни человек, полный, угрюмый, наверняка выглядел старше своего возраста, а было ему около шестидесяти, не меньше.

Каблуков продолжал кривляться:

— Как ваша спина, Вениамин Тихомирович?

— Бывало и хуже, мой друг, и наверное лучше уже не будет, ни в ту ни в другую сторону. Что делать, запас здоровья у каждого свой, я, видимо, износился.

— Венечка дома работает, много работает, — сказала Тамара, гладя мужа по плечу и закатывая глаза, словно вот-вот заплачет.

— Да, работы много, работаем в поте лица, лежу и диктую моей благоверной, — с нежностью на нее посмотрел, они сцепили руки, он не удержался и поцеловал ее пальчики, затмение чувств повторилось: «ох!».

Крушевский передвинулся подальше, Тамара, к счастью, его не замечала совсем, после первой молниеносной инспекции присутствовавших она больше никем не интересовалась, махнула Лидии, кивнула старику, поклонилась хозяйке, кому-то из детей досталось от нее веером по макушке, — все свое внимание она безраздельно отдавала мужу. Вениамин Тихомирович без обиняков заговорил о своей работе в «Русском патриоте», дескать, пора его переделывать в «Советского патриота» и нечего кругами ходить, с чем Каблуков весело соглашался (Крушевский сначала подумал, что они насмешничают, но нет, они, и Боголепов, и Тамара — все считали, что пора расставить точки над i). Вениамин Тихомирович разволновался, раскраснелся, налил вина — только себе — и незамедлительно выпил, как микстуру, и затем шептался исключительно с Каблуковым, с другими же он почти не говорил, а если к нему обращались, отвечал с брезгливым снисхождением, устало глядя из-под сонных век. Остальные смущались не меньше Крушевского. Усокин подсел и своими рассказами о том, что у них, в Сент-Уане, происходит, отгородил его от прочих; бурчал, бурчал и скоро умолк, но его тень, локоть, запах угля, дух Сент-Уана — продолжали угнетать. Крушевский вышел покурить, там потягивал трубочку бородатый железнодорожник (с букетом и бутылкой водки):

— Игорь Семенович Гаврилин. — Это был жених Лидии (по прозвищу Гривенник), он пустился хвалить Боголеповых, превозносить старика, признаваться в своей любви к Лидии и говорить, что это единственный дом, куда он ходит. — Все остальное либо неприлично, либо темнота.

Ему хватило трубки, чтобы рассказать о своей жизни все: он жил в Les Halles сколько себя помнил, его отец работал на заводе «Рено», они двумя семьями ютились в двух комнатах — восемь человек! — муж его сестры женился во второй раз, негодяй, и теперь живет на два дома.

— Так что, теперь нас как будто на полчеловека меньше, но от этого все равно не *легше*.

Он и солировал весь вечер, развивая рассказ о муже своей сестры, о его привычках, — все с удовольствием слушали, видимо, не в первый раз он эти истории за столом Боголеповых изливал, все кивали и посмеиваясь над анекдотической жизнью горемычного эмигранта, который сменил одну кривую бабу на другую — рябую, из одной перенаселенной комнатушки перебрался в еще более тесную.

— Но по-прежнему пьет водку и читает газеты...

— А ведь когда-то писал, в журнале работал, потом газета, — припомнил Каблуков.

— Да, было дело, аж в нескольких газетах писал, и рассказы были, но это все в прошлом, теперь ему не до того. Да и газет не осталось, только две какие-то... — Тут он осекся, прочистил горло, — ну, вернемся к моему барану, как говорится, — всплеснул смех, Гривенник тоже посмеялся, щеки его пылали, довольная Лидия смотрела на него, он тоже поглядывал на нее, — знаете, муж моей сестры, жалкий человек, он настолько ленив душой и телом, что можно умереть, глядя на то, как он спит. — Новая вспышка смеха. — Не просто спит, а проваливается в бессознательное состояние. — Ха, ха, ха! — Он не садится на диван — он плюхается на него. И не просто так. Он уходит почивать как интеллигент — с какой-нибудь газетой...

— А что за газета, не изволили заметить? — поинтересовался Каблуков.

— Нет, не замечаю. Какая-то французская. Да и не все ли равно?

— А нет, не скажите...

— Прочтет какую-нибудь ерунду и начинает судачить. Вместо того, чтобы денно и нощно детей воспитывать. Нет, ему лень.

— Вот! — воскликнул Каблуков. — Лень — наипервейшая характеристика русского интеллигента. Да, лень. Вот как только ленив, так сразу жди блеяния о культуре, о политике, об устройстве общества и каких-нибудь итогов, всё равно каких — итогов всего, и прогнозов всевозможных. Как только интеллигент, так готовься к смертной тоске!

— Вот-вот, — согласились все.

— Нет, что вы, — махнул салфеткой Гривенник. — Для него это даже чересчур. Он ворчит, ноет и ничего не делает. Да потому что из его рассуждений и выходит, что сделать ничего нельзя. Он на итоги не замахнется, он предпочитает размышлять о политической ситуации во Франции. «Правительства в стране как такового нет. Коммунисты, как говорится, на коне. Сейчас возьмут власть, тут мы и попляшем». Это его слова. Лежит, сам себе задает вопросы: а как в Америке дела, интересно? Как они там? Вот они-то как там? Понимаете? Мы-то — понятно — *тут*. С нами ему все ясно. Мы тут все загнулись. А они как? Как они *там*? У них есть русские школы? Наверняка есть! А у наших детей теперь будут? Вот преподавания на русском у его детей наверняка не будет. Об этом он беспокоится, а почитать своим детишкам, да что там читать, поиграть, поговорить с ними у него времени нет, потому что поваляться с газеткой на софе важнее, о жизни *там* помечтать. Выйдет на кухню чай выпить и спрашивает вдруг: а как думаешь, Игорь, справляют они *там* Дни русской культуры? Я спрашиваю: где — *там*? Он говорит: ну, в Чили, например, или в Парагвае — справляют, как думаешь? Что *там* у них, ему важно не потому, что он соберет манатки и поедет *туда*. Никуда он не поедет. В жизни духу не хватит. Да и на Дни русской культуры он никогда не ходил, он и в театре-то был последний раз лет двадцать назад. Нет, он воображает себя интеллигентом и заботы себе придумывает в соответствии с образом. Что интересует интеллигенцию? Школы, Дни русской культуры и тому подобное. Вот он и дует в усы: русские школы, русская культура, Сталин... Заодно — о чьих-то интересах в Иране или как там дела в Китае?.. А что он знает об Иране или Китае? Ничего. Но ему позарез нужны Иран и Китай, чтобы не заниматься своими детьми, не искать работу, не думать о семье. Что угодно — только не насущное! Лень и безволие.

— Да, вот так, — качал головой Каблуков и постукивал костяшками пальцев по столу, посматривал на остальных и добавлял: — Все верно, так и есть, типичный наш интеллигент, без воли, без направления.

— Я всегда говорил: все беды на Руси от интеллигентов, — зло сказал Усокин.

— Это точно, — согласился Арсений Поликарпович, — трудиться не хотят, вечно что-то выдумывают. Я вон те журналы, что у меня в Скворечне, читал, читал... Ох и злоба мою душу взяла! Из пальца все это высосано, а дела никакого! Яйца выеденного не стоит, а ссор-то, ссор от этой болтовни сколько! Токмо бы писать и разобщать, всем голову мутить...

— Бесы, что и говорить, — прорычал Усокин негромко, но зловеще.

— Горе от ума, — гаркнула Теляткина, попыталась засмеяться, но, увидев, что никто не улыбается, удержалась.

Усокин хотел что-то еще добавить, плечом повел, горло прочистил, но Каблуков раньше заговорил:

— Это очень интересно. То, что вы сейчас рассказали, Игорь Семенович, очень-очень интересно. Опошляется человек без духовной пищи, без приобщения к культурным ценностям. Без цели, без упряжи, без труда — не может! Хорошо вы это заметили. Это не каждый умеет — так заглянуть, как вы, подсмотреть, догадаться: что вращается в голове типичного русского эмигранта. Ах, как метко, какой верный портрет!

— Вам бы рассказы писать, — воскликнула краснощекая Теляткина, и на этот раз все дружно с ней согласились, и она, оглядываясь по сторонам, спрашивала: «а что, правда ведь? правда? ладно рассказывает, а?», и толкала в бок локтем мужа, тот понимающе тянулся к бутылке, чтобы пополнить ее бокальчик, а сам говорил:

— Даже зависть берет, слушаючи вас. Так рассказывать можно было бы и со сцены. Аки Аверченко!

— Тэффи! — рявкнула его жена и загоготала. — Давайте поднимем за хозяев! Чтобы они были здоровы! За вас, Любовь Гавриловна!

— За тебя, Поликарпыч! — подхватил Теляткин.

Выпили.

— Мда, — сказал Каблуков, — теперь и сцены, наверное, нет...

Загомонили:

— Нету...

— Откуда ей быть...

— Наш клуб закрыли...

— Можно выступать теперь на Гальера, — насмешливо сказал Гривенник, — в доме Русских патриотов... сколько угодно...

— Прекрасная мысль, я так и сделаю, — сказал Усокин, — у меня есть кое-какие записи...

— Театра нет, это совершенно точно, — сказала Тамара.

— И литературы не осталось, — буркнул ее муж. — Я почитал, что пишет Гвоздевич... Это такая муть... Одно раздраженье берет, вот как вы сказали, Арсений Поликарпыч, читаешь, и голова от гнева гудит...

— Да, — кивал старик, — о чем я, — икнул, — пардон, о чем я и... говорю! Мать ее, интеллигенция!

— Ну, не ругайся, Арсений, — толкнула его жена.

— А что вы читали? — поинтересовался Каблуков.

— Да как ее... Лучше приходите к нам в гости. Просто в гости приходите!

— Благодарю, с превеликим удовольствием, покорнейше благодарю...

— И к нам приходите...

— Алексей Петрович, и нас осчастливьте вниманием...

— Непременно, — отвечал Каблуков, — всенепременно придем...

Тамара вышла. Лидия за ней.

Крушевский подумал, что напрасно выпил вина, и, когда Теляткин предложил выпить за детей, за молодежь, за будущее и все такое прочее, Александр свою рюмку приподнял, но пить не стал.

— Ну а все-таки, Игорь Семенович, — обратился Каблуков к жениху Лидии, — почему вы считаете, что ваш родственник никуда не соберется? Я почему-то думаю, что такому бедовому самое время ехать в Россию.

— Нет, в Россию он не поедет, — усмехнулся Гривенник.

— Отчего же?

— Нет, точно не поедет. Не потому, что плохо в России, а просто потому, что он никуда с належанного места не сдвинется.

— Да неужели?

— Поверьте на слово! Я его знаю. И такой тип, такой тип человека...

— Точно?

— Точно.

— Даже если б ему землю там пообещали или место и уважение?

Все настороженно примолкли.

— Кхе-кхе... Во-первых, это вилами по воде писано, — ухмыльнулся Гривенник, — а во-вторых, такому типу, кажется, ничего больше не надо — ни земель, ни уважения, потому что на земле пахать-строить надо. Что до уважения, то человек, о котором я вам рассказал, сам себя уважать давно перестал. Он настолько опустился и духом пал, что хуже только клошарня, бедлам да тюрьма. Понимаете, ехать куда-то, шевелиться, начинать новую жизнь, для этого воля требуется, а где ее взять? Эмиграция, оккупация, постоянное унижение, то цех «Рено», то такси, то совсем ничего, шомаж, Soup Populair, очередь туда, очередь сюда, дешевое божоле на пустой желудок... Ну и так далее...

— Печально, — шелестел Каблуков, — печально... А вы меня с ним познакомите?

— А зачем вам?

— Да так, хочу посмотреть, — лукаво ответил Каблуков. — Из вашего рассказа, Игорь Семенович, выходит, что человек как будто совсем потерянный. А я, как верующий, считаю, что у каждого самого распоследнего клошара всегда остается шанс, маленькая дверца, которую Господь Бог для каждого, даже самого заблудшего, приоткрытой держит, ему только показать нужно, кем он может стать, если сквозь эту дверцу пройдет. У вашего родственника может быть совсем другая жизнь. И я хотел бы это узнать.

Жених Лидии пожал плечами и пообещал устроить им встречу.

— Только ему обо мне предварительно не рассказывайте, — попросил Каблуков, — я бы хотел, чтобы все выглядело так, словно мы случайно встретились, естественно.

Боголепов громко провозгласил:

— Великодушный вы, Алексей Петрович! Я вот что скажу. Человек должен жить на своей земле. Француз — во Франции. Немец — в Германии. Африканец — в Африке. Русский — в России. Без земли нет человека.

Каблуков стукнул костяшками по столу и воскликнул:

— На своем стоит наш Арсений Поликарпович!

— Так, что ж, выходит, человек, как блоха или паразит? — буркнул Гривенник. — Одни только у кошек в шерсти, другие только в кишке коровьей, так, что ли, получается?

— Вот какой, — удивился Арсений Поликарпович, — не понимает!

Все засмеялись.

— Вы, часом, не на ветеринара учились? — пошутил Усокин. — Знал я одного, он с овцой проживал...

— Ну, вы уж совсем...

— Какая неслыханная пошлость.

— Ха-ха-ха! — смеялся Арсений Поликарпович, его в бок толкнула жена. — А что?

Гаврилин забил трубку и вышел. Александр робко простился сразу со всеми и поспешил к себе. В дверях натолкнулся на кого-то. Бородач и Лидия обнимались. Игорь Семенович выскочил за дверь, а Лидия хохотнула и прошмыгнула мимо. Крушевский споткнулся, чуть не упал, вышел.

— До свидания, — сказал он Игорю Семеновичу, в ответ слабо вспыхнула трубка. Крушевский уже сделал несколько шагов, как вослед ему послышалось:

— Не хотите табачку?

— Нет, свой курю.

— Погодите! — Игорь Семенович подошел к нему. — Простите, не помню вашего имени-отчества...

— Александр.

— Очень приятно. Слушайте, ну и как вам тут?

— Хорошо.

— Ну-ну. А как думаете, они Пасху справлять будут в следующем году?

— Не знаю. А что?

— Куличи Любовь Гавриловна печет знатные, я в этом году до неприличия объедался. А вот в следующем — уж и не знаю, чего ждать или не ждать... За год многое измениться может. Вон, портрет таракана на стене появился...

— Простите? Чей п-п-п...

— Ну, Сталина...

— Ах да... да-да...

Из сумерек вышла коза, остановилась, пристально посмотрела на людей и ушла обратно в сумерки.

— Во, видали? Коза.

— Да...

— Портрет Сталина висит аккурат на том месте, где распятие раньше было. Кто-то снимает распятие и вешает портрет Руссо, а тут... — Игорь Семенович развел руками, затянулся, шумно выпустил дым и спросил: — Что думаете? За год совсем все изменится? Не будет больше куличей?

Александр пожал плечами.

— А вы как к этому относитесь?

— Я — католик.

— Ну?

— Лучше б распятие оставалось.

— Вот и я, хоть и некрещеный, а думаю, что лучше бы распятие оставалось. — Неожиданно протянул руку. — Ну, очень приятно было познакомиться. Ничего, если я загляну к вам на огонек как-нибудь?

— Пожалуйста, — ответил Крушевский, пожимая большую горячую лапу. — Рад. До свидания.

У Боголеповых долго гуляли, Лидия с Тамарой пели под гитару; сквозь взрывы хохота доносились возгласы Теляткиных: «Ай да Игорь Семенович, мастак смешить!»; «На сцену его! На сцену!» Ближе к концу, когда начали расходиться, Арсений Поликарпович завел свою шарманку о возвращении, произносил речи. Под его гулкий мерный бас Крушевский и уснул. Посреди ночи проснулся: кто-то довольно громко ругался. Он приподнялся в кровати, чтобы прикрыть окно, увидел две фигуры — Лидии и Тамары — в беседке.

— Произошли изменения, — напряженно говорила Тамара. — Как ты не понимаешь?

— Как не понимаю? — огрызалась Лидия. — Все я понимаю. Ты меня за дуру держишь?

— Нет, но ты должна понимать: грядет что-то большое. Солнце светит иначе. Ярко очень. Давеча я приоткрыла занавеску, и мне по левому глазу луч полоснул, так я до сих пор в себя не приду. Правым глазом все обычно вижу, а левый куда-то не туда смотрит. Иду по улице, а мой левый глаз в каком-то помещении. Коридор, двери, тени. Тени ходят, шепчутся. Я могу пойти по улице, а могу и в коридор свернуть. Теперь каждый стоит перед выбором. Мы все на перепутье!

— Перепутье-перепутье, — раздраженно отвечала Лидия, — как мне это все надоело! Слышу от папаши каждый день: Россия, Россия...

— Ехать надо!

— По мне, так все равно. Главное, чтоб мужик был. Будет мужик что надо, с ним нигде не пропадешь. А тут такие слюнтяи...

— Вижу, ты не тем местом думаешь...

Послышалось очень редкое непечатное слово. Стараясь не громыхнуть, Александр прикрыл окошко, но голоса еще долго мешали спать.

Недели через две на собрание к Боголеповым Игорь Семенович привел своего рассеянного жирного родственника, который вскоре после знакомства с Алексеем Каблуковым сильно преобразился, стал активным членом их общества, вступил в Союз Патриотов (впоследствии одним из первых подал заявление на советское гражданство).

Каблуков сделал несколько попыток сблизиться с Крушевским, но все они ни к чему не привели, Александр ускользал: либо дома его не оказывалось, либо спешил куда-нибудь — Каблуков его окликал, но он не слышал. Алексея Петровича это и злило, и смешило. Не велика птица, но — дело принципа, и потом: почему?! чем мы недостойны?! Со всеми, с кем он сходился, у него ладно получалось, почти во все дома он легко проникал: заронит слово, оно и прорастет, его зовут, приглашают, ищут с ним встречи, грелся в лучах внимания Алексей Петрович и наслаждался, и когда ему предлагали остаться — даже пожить случалось предлагали, — он не находил в себе сил отказать людям в такой любезности, особенно если речь шла о каких-нибудь апартаментах с удобствами где-нибудь в Marais или Fobourg Saint Germain. Ему нравилось проживать неподалеку от *Cité*. Всю жизнь его относило на периферию. Потому и Разбойничий остров не любил (очень усердно это скрывая). К тому же Боголеповы жили довольно шумно, со своим запашком, с блеяньем козы, криком петуха и звяканьем собачьей цепи, что сильно и болезненно напоминало о детстве. Все семейство Боголеповых было вроде маленького оркестра, где каждый играл свою роль, но этот так называемый домашний концерт быстро приедался, и Алексею Петровичу становилось душно, он стремился вырваться оттуда, и если предоставлялась возможность перебраться в пустующую комнату к скромной заботливой одинокой женщине, он без лишних уговоров капитулировал и переезжал. И тогда, зная, что вся красота Парижа у него под рукой, он гулял по набережным Сены с наибольшим удовольствием, гулял и торжествовал. Не давали ему покоя прошлые поражения. Часто вспоминалось ему, как дурно приняли его в Париже в двадцатые годы. Все было нехорошо, ему чинили препятствия, оскорбляли, принимали за дурака, Алексей Петрович не знал, куда податься, ночевал в приюте, где у него завелись вши, пришлось налысо остричься и мазаться скипидаром, запах был стойкий и резкий, навсегда въелся в память (кстати, у Боголеповых запах скипидара тоже чувствовался). В тридцатые годы многие двери парижских домов перед Алексеем Петровичем открылись, но если Каблукову не удавалось подобрать ключ к человеку, им овладевала мания: во что бы то ни стало проникнуть в неприступный дом! — и он принимался незаметно точить, почти как вор, воображаемую замочную скважину, все узнавал о своей жертве, появлялся в тех же местах, где бывает им выбранная мишень, мозолил глаз, распускал льстивые восхищения среди общих знакомых (проще всего было с писателями — похвалил его книжонку, он и растаял; труднее всего было с людьми не выдающимися, но зажиточными), работал усердно, как ручеек, и своего в конце концов добивался.

Но не с контуженым бельгийцем!

— Удивляюсь я вашему жильцу, Арсений Поликарпович, чего это он от меня бегает? Я же поговорить хочу.

— Он-то говорить как следует не может, вот и чурается.

Старик ошибался. Не по этой причине Крушевский избегал Каблукова, — не понравился ему гость из Англии: было в нем что-то предательское. Чем больше Александр о нем узнавал — говорили все в основном с восхищением, — тем меньше ему хотелось с ним встретиться вновь.

— А ежели *настраивают*? — предположил Каблуков, поправляя узел галстука перед зеркалом. От этой внезапной мысли он замер. Глядя себе в глаза, присматриваясь к пергаментному отливу своей кожи, любуясь своей худобой, сединой и своими тонкими чертами, он ощутил драматическую тишину, которая разлилась по гостиной в эту утреннюю аньерскую минуту, и решил этой тишиной воспользоваться (где-то далеко гремел поезд, но так даже лучше, точно гроза). — Ей-ей, Арсений Поликарпыч, так оно и есть — настраивают!

И прищурился.

— Да кто же? — наивно спросил старик. Он пил чай за столом, посмотрел на гостя, улыбнулся. — Кому надо *настраивать* против вас Александра?

— Как это? — Каблуков резко обернулся, сел перед стариком за стол: *как это он не понимает, глупый старик!* — Дорогой мой Арсений Поликарпович, ну как же! Врагов-то у меня хватает... всегда были... Разве я не рассказывал вам о моих злоключениях в Париже до войны? Те же высокомерные господа, что травили меня тут тогда, они и настраивают Александра против меня теперь.

— Так, никто не знает, что вы здесь, Алексей Петрович. Только свои.

— Молва, знаете ли, Арсений Поликарпович. Я много вращаюсь в свете в последние дни. А у этих господ нюх хороший. Разнюхали. Ей-ей, разнюхали! То-то я думаю... у нас дела в Лондоне тоже разладились... Положительно за всем этим кто-то есть!

— Нечему удивляться. Когда добрые дела творишь, врагов много и быстро наживаешь.

— Золотые слова, Арсений Поликарпович! Лучше не скажешь!

Разок все-таки Каблуков подловил Александра на Женвильерском мосту (в обход шел, но попался) и долго ходил под ручку. Александр никак не мог взять в толк, что Каблуков рассказывает: какой-то друг у него был в Ревеле, и этого друга Крушевский ему напоминал, вот только сказать, чем он напоминал Алексею Петровичу старого ревельского друга, он не мог, потому прилип и что-то плел о своем друге, которого историческая стихия подхватила и куда-то унесла...

«...никто не знает, где он, — вздох, — как в воду канул! Вот вы отца своего ищете, а я знаю, где мой отец, знаю, где брат мой лежит, но где мой друг, Борис, я не знаю, — горький вздох, — так получается, единственный, можно сказать, друг, с ним прошли мы и огонь и воду, голодали вместе, работали в типографии и в столярке матрешек вырезали, все вместе, были у нас тихие вечера, философские беседы, о Боге тоже говорили, он рисует, я пишу, вместе наш журнал делали, писали роман: то он за машинку сядет, я диктую, то я стучу, а он читает, — так мы с ним почти что весь роман написали, но тут все переменилось, раскидало нас, знаете, какие времена были, многое на полуслове обрывалось, такой был душевный человек, — вздох, — такой трагический характер, — платок, слезинка, — бывало, сидим, молчим — каждый о своем, теперь и помолчать не с кем стало, хотел бы я узнать, куда его судьба занесла, но кому писать? Одних уж нет, а те далече», — петлял, вздыхал, полная река бликов, у Александра голова разболелась; наконец — *а почему я должен его слушать?!* — он решительно простился с прилипалой.

На боголеповские посиделки Крушевский не ходил, даже если стучали к нему, не открывал, убегал из Скворечни и допоздна сидел в кафе на площади Вольтера или бродил возле станции. Там были женщины, они улыбались, посматривали на него, в их взглядах чувствовались игривость, фривольность, пленительная возможность безответственной связи, о которой Александр знал только понаслышке, но чувствовал, что и у него такое может случиться — на одну ночь... От этих мыслей он бежал в церковь, долго молился, вспоминал родителей, погибших друзей... Выходил сильным, держался независимо, смотрел на все земное чуть-чуть свысока. Остановившись возле одного из зданий-близнецов — надежные, светлые, с большими окнами и французскими балконами, — Александр закуривал, делая вид, будто ожидает кого-то, прохаживался вдоль витрин, поглядывал на себя, на то, как сидит на нем его широкополая шляпа; в задумчивости смотрел, как на станцию подъезжает поезд, пассажиры выходят на перрон; сидел на кладбищенской скамейке, приглядываясь к дому Боголеповых: если на крыльцо выходили гости, он ждал, когда уйдут... Как-то с ним произошла необычная встреча: он прятался от гостей Боголеповых за кустами сирени, как вдруг услышал за спиной чей-то голос — сказали что-то не вполне внятное; он обернулся и увидел козу, она стояла и смотрела на него; он усмехнулся, коза помотала головой, Александр в шутку приложил палец к губам и сказал: «тссс, мадам!»; наклонив по-собачьи морду, коза издала негромкое мелодичное блеяние и гордо целенаправленно проследовала в свой сарай.

2

Rendetemi il mio ben
rendetemi il mio ben
rendetemi il mio ben
tartarei Numi![1]

Любовь, как землетрясение, переворачивала во мне все, я ощущал себя воздухоплавателем, чей воздушный шар уносит ураган, а под ним бушует океанская бездна.

---

[1] Верните мне мою любимую, о боги Тартара! (*ит.*)

Сегодня забрел на Père-Lachaise. Был ясный день, приятный ветерок. От ходьбы сильно разболелась поясница, сбил ноги о неровные камни, но не останавливался, ходил, вспоминались стихи Бодлера, свое тоже читал, не позволяя себе сесть на скамейку. Измучился. Наконец, решил, что достаточно, вышел на place de Gambetta, думал пойти в метро, но тут в витрине магазина похоронных услуг увидел чудные цветы: где-то я их видел... Это были какие-то колокольчики или черт знает что, стоили недорого, в магазине работала une jolie marocaine[1], я спросил: «Что это за цветы?» — «Колокольчики», — равнодушно сказала она, я сказал, что так и думал, конечно, да так и было, я ведь сразу решил, что это были колокольчики, но до сих пор не верится: неужели простые колокольчики? неужели все так прозаично? Заказал все, денег у меня после аукциона остается до сих пор много, и я заказал все, что у них было, недорого обошлось. Она хотела еще какие-то венки или ленты мне предложить, но я прервал ее: «Только цветы — как они есть, вот так, в ведерочках, если можно». Так их ко мне и доставили — в ведерочках; не успел я вернуться (шел довольный, пел и на боль в спине и ногах не обращал никакого внимания!), как цветы привезли. Я украсил мою комнату этими похоронными букетами, пани Шиманская испугалась; я ее успокоил: «Ничего, ничего, никто не умер». Расставил цветы, украсил ими всю гостиную, достал литографии Сержа, кое-какие фотографии: Атже, Ман Рэя и еще вырезки из газет и журналов; зажег свечи, открыл вино, распахнул окно: шум города, отдаленный колокольный бой и рожки автомобилей, — развалился в кресле, закинув ноги на оттоманку, пью вторую бутылку шабли, слушаю Дебюсси, аромат этих цветов меня душит, я закрываю глаза, чувствую: он действует на меня одуряюще, у меня

---

[1] Миленькая марокканка (фр.).

будет болеть голова, будет болеть голова... и не могу, не могу... вдыхаю глубже, всеми легкими... этот запах меня ранит, пьянит, отравляет, я вспоминаю Веру... как я сразу-то не понял? Я столько их видел на улицах Отёна! Как такое можно было сразу не понять?!

Вера Бриговская — моя последняя... нет! моя единственная любовь. Я так любил ее, что чуть не потерял себя, хотел покончить с собой, перестал работать и писать. Я читал все, что она писала, вырезал каждую рецензию, вот они в этой голубенькой папке, тут и ее фотографии, сообщения светской хроники, вот мои записи о том, где я ее видел... мгновения, секунды... однажды в проезжающем автомобиле... в дансинге, в театре, в Орега и Vieux-Colombier, в Люксембургском саду, снова в театре... я предугадывал каждую премьеру, шел и знал — она там будет! Ни разу не ошибся. Она ходила на Премьер Кампань, на все постановки Интимного театра, ездила в Медон, я тоже... я тоже...

К середине тридцатых годов моя страсть к ней стала болезненной, я потерял интерес даже к политике (если религия — опиум, то политика — кокаин), не заметил ни забастовок, ни мятежа, единственная газета, которая мне попалась в те дни, напугала меня ужасной историей о том, как в Ле Мане служанки жестоко убили свою хозяйку и ее дочь, преступление жадно анализировал какой-то фрейдист, я решил, что лучше не читать газет совсем, а еще лучше — уехать из Франции. Она писала только об Африке, даже если ее герои жили в России, они бежали не в Европу или Америку, но в Африку. Ее спрашивали: почему Африка? Она отвечала: *потому что я там никогда не бывала*. Чтобы поселиться в ее романе, я уехал в Африку, всю зиму и весну 1934 года я неторопливо путешествовал из Марокко в Эфиопию, ни с кем не вступал в переписку, много курил киф, читал *Seven Pillars of Wisdom, Manuscrit trouvé à Saragosse* и *Confessions of an English Opium-Eater*, и еще какие-то случайные книги, ел кашу из гашиша, как граф Монте Кристо, по-прежнему пил мормонский чай и не брезговал опиумом, — меня преследовал ее насмешливый полудетский взгляд, легкий, почти беззвучный смех (случается скрипке так петь, едва слышно). Я надеялся, что Африка меня излечит; Африка в те дни была для меня волшебным ковром-самолетом, который переносил меня в сказочный мир грез (небытие курилось из моей трубки). Закрыв глаза в опьянении, я слушал арабскую музыку, а под веками, на сетчатке, в искрах и дымках танцевали ее быстрые тонкие руки, ловкие пальцы игриво прикасались к невидимым бабочкам, порхающим между ней и мной, она что-то мне говорила, я напрягал слух, тщетно: все заглушали назойливые струны... что вы сказали?.. Вера, я вас не слышу... неровно посаженные глаза, насмешливая улыбка.

Вернувшись в Париж, я всех приветствовал *салам алейкум*, на меня хмурились: что за клоунада? Все выглядели серьезными, напряженными, сухими как порох. Никто не слушал музыки, никого не интересовали истории о дальних странах... Газеты — от них кругом стоял шелест... в каждом кафе, в ресторанах, на улицах и в метро, даже в кинотеатрах люди умудрялись шуршать газетами... Ох, как только слышите шорох газет, знайте, что наступила большая осень, за которой последует тяжелая зима! Вслушиваясь в речь, с изумлением вылавливал словечки, что вошли в оборот за время моего отсутствия; например, я долго не понимал, что такое Front Populaire, зачем он так нам всем нужен, в чем его спасительная необходимость, где тут собака зарыта? На меня смотрели с тихим возмущением и спрашивали, откуда у меня такой загар (что означало: *вы что, с луны свалились?*); я равнодушно отвечал, что был в Африке. «О, вы как истинный декадент сбежали от новой власти в опиумные видения». — «Да», — говорил я, хотя понятия не имел, что собой представляла «новая власть», опиумные видения были куда понятней реальности, поэтому я шел в китайские курильни возле Gare de Lyon.

Во мне развилась мания, я жил одним — моей болезненной страстью. Я хотел украсть ее ожерелье с большим обсидианом, этот камень производил на меня магическое впечатление, он был под цвет ее глаз, мне казалось, что это ее третий глаз, на шее, возле яремной ямки. Дни и ночи, проведенные в китайском квартале, я думал об этом обсидиане. Он являлся мне, когда опиум овладевал мной, когда я входил в ступор. Я видел этот камень, он висел прямо надо мной, на цепочке, которую держал в руке Элефантин из цирка Бизаррини. Этот гигант с деформированным черепом был так огромен, что ему помогали передвигаться, вместо костылей он использовал стремянки. Последний раз его видели в 1925 году, несчастного выкатили на сцену в кресле, он уже не мог подняться, к нему шли нищие и увечные, tout les miserables[1], они тянули к нему свои руки, как к святому Франциску или папе Римскому, они вожделели его, целовали огромные, обезображенные артритом и слоновьей болезнью ноги... Вскоре после этого он умер; ему устроили пышные проводы, толпы безумцев явились на Père Lachaise, бились в истерике, случилась давка, история была в духе Гюго, журналисты ее смаковали. И вот он явился мне в наркотическом бреду, возвышаясь, как башня, балдахин превратился в купол Пантеона, я словно очутился в картине де Кирико, в кошмаре, который властвовал надо мной. Элефантин в этом видении был магнетизером, ожерелье в его руке раскачивалось, издавая щелчки, как метроном; монстр что-то говорил мне, я не понимал, его язык походил на стихи дадаистов, какие-то щепки знакомых слов пролетали, но смысла из них сложить

---

[1] Все страждущие (фр.).

не удалось. Придя в себя, я решил украсть это ожерелье. Это стало моей idée fixe. Мне думалось: украду его — разом все мои муки и кончатся. Но так как это было практически невозможно, я начал охоту на нить жемчуга. Она забыла ее на карточном столике, кто-то бросил газету, в которой говорилось о зверском убийстве Навашина в Булонском лесу, газета лежала поверх цепочки, я прихватил газету (и цепочку), но не выдержал, вернул. Наверняка Вера понимала, все понимала...

Я жадно слушал, что о ней говорят; как Марсель, который выдумывал разные способы вывернуть разговор к тому, чтобы поговорить о Сване, я искал встреч с теми, кто знал ее, непринужденно беседуя с ними ни о чем, я с тайным напряжением рыл лингвистические траншеи, строил акведуки и воздушные мосты, которые безупречно выводили к ней. Русские эмигранты ее не читали, не любили, писатели-неудачники прежде всего, потому что она блистала, ей сопутствовал успех. Зависть, все это от зависти... Очень красиво и совершенно ошибочно о ней сказал Шершнев: «Она недостаточно одинока, чтобы писать». О, как он был неправ! Красиво сказано, в отношении некоторых пишущих это бьет в точку, но Вера была одинока, внутри своей семьи она была изгоем, она была изгоем в целой Франции. Можно только догадываться, какие ужасные отношения были у нее с отцом; она нарисовала такой ужасный портрет Рихарда Абрамовича, что любой другой отец на его месте просто выгнал бы дочь из дома, но они продолжали жить все вместе как ни в чем не бывало! У Сержа был французский паспорт, он у него быстро появился, — Вера до конца оставалась с Нансеновским паспортом, несмотря на головокружительный успех ее романов и фильмов, снятых по ее сценариям, несмотря на двадцать лет, которые она прожила в Париже, французское правительство не удостоило ее гражданства. Вот поэтому тоже я ею восхищался.

Я искал способ излечиться от этой мании; я хотел ее видеть и избегал ее. Однажды последовал за нею в Швейцарию. Это было опрометчиво, но не вычеркнешь. Стоял 1937-й, год всевозможных предчувствий; многие уезжали из Парижа. В газетах писали о кровавых расправах. Выдумывали версии. Рихард Абрамович вывез всю семью в St. Gallen, на месяц-другой, в надежде, что скоро все утрясется. Распространяя вокруг себя слухи — дескать, ужасно боюсь проснуться со вспоротым брюхом, я потащился за ними. Прогуливался по тропинкам между фонтанчиками, с кружкой, слегка щурясь на белоснежные Альпы, притворялся больным и ко всему безразличным, весь фальшивый, как Грушницкий, я не раз встречал все их огромное семейство. Во главе шел импозантный старик, за ним тащились старшие дочки, внучки, сын, зятья, важная мамаша всегда отставала, но больше всех старалась отстать Вера, она притворялась, что идет сама по себе и не имеет никакого отношения к своим родственникам, даже мужа своего намеренно не замечала, она с ним обращалась как со случайным попутчиком, но любила — знаю наверняка. Я приветствовал всех по-русски, негромко, очень церемонно поднимал мою шляпу, кивал, кивал, отступая назад, создавал дистанцию, исчезал, пройдя в двух-трех шагах от моего божества (облако нетерпения с яростной молнией внутри). Рихард Абрамович со мной сошелся. От скуки, конечно, увидел меня, подумал: артист, знаменитость. Ему хотелось производить впечатление на остатки русской знати, которые здесь неплохо сохранились и не брезговали общаться с такими, как я; они называли меня *jeune homme*, *красавчик*, *лапочка* etc., я расспрашивал об отце — никто не вспомнил папу, кое-кому с трудом удалось вспомнить себя! И я отстранился, равнодушно наблюдая, как их незаметно обирают стервятники, разномастные жулики и аферисты, настоящие оборотни! Одинаково потертые, как в старой колоде карты: некоторые чуть больше, другие чуть меньше, у одной дамы оборвано ухо, у того повязка на глазу; был среди них одноногий герой войны, бывший полковник незнамо какого рода войск. Они носили маски, театральные костюмы, стекляшки вместо глаз и пузырьки с закисшими парами много раз использовавшейся лжи; они тянули единственный бокал шампанского в казино, притворяясь, что проигрались, хотя никто не видел, делали они игру или нет, наготове всегда была история, болезнь или незаживающая рана, полученная в битве с большевиками, в германскую или японскую; некоторые таскали не по первому кругу чужие и давно вышедшие из употребления титулы, имена, родовые регалии. Помню, была пара старых мошенников-гомосексуалистов, которые странствовали по Европе, выуживая из бывших соотечественников деньги при помощи самых разнообразных уловок: принимали пожертвования, продавали акции, притворялись страховыми агентами; они дожили до тех лет, когда было невозможно понять какого они пола, потому при необходимости они с легкостью перевоплощались в старых дев, на их развратных крысиных рыльцах всегда были следы пудры и помады, они были похожи на израсходовавшихся и всеми забытых комедиантов. Помню запутавшихся в инцестуальной связи брата с сестрой — вряд ли они могли вспомнить свои подлинные имена. Впрочем, как и остальные шулеры, с которыми мне довелось пить целебные воды: похоронив память о том, кем были изначально (уничтожая прошлое, перестаешь замечать настоящее), они не хотели знать, что было правдой, а что ложью в их историях, бесчисленных, как долговые обязательства, странствующие по земному шару в чемоданчиках и портмоне обмишуренных ими ротозеев.

Рихард Абрамович Бриговский (банкир, делец и международный сутяга) интересовался портными, у которых я заказывал костюмы; шутил, будто некоторые костюмы донашивает с *тех самых* времен, во что я, разумеется, не верил, но не верил так, что мы оба смеялись до слез; мы пили портвейны и аперитивы, он был знатоком анекдотов, любил светские новости, читал популярные романы, даже говорил о литературе, но ни разу не признал, что его дочь — писатель, в его мире писательницы по имени Vera Brigovskie не было; он жаловался на плохие гостиницы в Ницце, несварение и прочие неудобосказуемые хвори, рассуждал о пользе горного воздуха; мы перебирали сплетни бракоразводного процесса Лео Нуссимбаума и Эрики Левендаль. Г-н Бриговский угощал меня сигарами, расспрашивал о моем бывшем агенте, хотел услышать о причинах, почему мы с ним расстались, для него это тоже было частью светской хроники, он всерьез удивлялся, почему об этом не писали в газетах. Как только я сказал, что был разок в Америке, он воскликнул: «Как!.. — пенсне выскочило и повисло на шнурке, — вы были в Америке? А ну-ка, ну-ка, расскажите!», и с той самой минуты Рихард Абрамович разговаривал со мной так, словно я лучше всех вокруг знал, который час или сколько стоит место на кладбище; он подробно расспрашивал меня об Америке, потому что собирался туда ехать; кажется, он готов был перевезти в Америку всех желающих, и таких было много, только Вера была против (я случайно подглядел, как она сердито прикрикнула на мужа: «*Laisse tomber, Felix!*[1] Ничего не хочу слышать об Америке! Никуда из Франции не уеду!»); практичный до кончиков ногтей, Рихард Абрамович переезд готовил, как шахматную комбинацию, от безупречности которой зависил чемпионский титул; размышляя вслух, он выплескивал невероятный поток информации, что отнюдь не придавало его голосу смелости. «Там слишком много *нас*, — вздыхал он, — трудно будет вместиться». До сих пор не понимаю, как

---

[1] Ну, хватит, Феликс! *(фр.)*

этот расчетливый делец, прекрасно знавший жизнь, как этот норовистый человек позволил себе зазеваться, не поддался авантюрной стороне своего характера, не проявил своеволие тогда, когда оно могло их всех спасти?

Я заставлял себя забыть ее. Особенно отчетливо помню один день. Я ехал в трамвае и вдруг кто-то с улицы стал барабанить по стеклу тростью, прямо там, где я сидел, я вздрогнул, посмотрел и увидел какого-то старикашку, он бежал за трамваем и стучал своей страшной тростью с железным набалдашником по стеклу и что-то мне кричал, захлебываясь от хохота. Сумасшедший, подумал я, сумасшедший! Как он поспевал за нами? Это был быстрый Thompson-Houston, — старик бежал со всех ног, я ни слова не разобрал. Удивительно! Кто он был такой? Может быть, он меня с кем-то перепутал...

А может, он мне привиделся?

Нет, он был, я его видел, он стучал тростью по стеклу трамвайного окна, он что-то мне кричал!

Но он мог мне присниться: я ехал из китайского квартала, и, возможно, опиум меня усыпил, треск мотора навеял мне этот странный сон, а когда я пришел в себя, то с некоторым запозданием перенес сновидение в реальность (после долгого созерцания ряби на залитой солнцем воде видишь эту рябь на всем, куда ни глянешь). Как бы там ни было, я в ту минуту очнулся и приказал себе: «Забыть Веру! Забыть ее! Забыть!» Я вышел из трамвая совсем другим человеком; и я вышел в совсем другой мир: на улицах Парижа царила неразбериха; совмещение суеты и статики поражало: кто-то замер и не может сделать шаг, люди стоят как громом пораженные, озираются в ужасе; кто-то стремительно перебегает дорогу, читая газету на ходу; люди в кафе ругаются, машут руками, свернутыми в трубочку газетами бьют, тычут друг в друга, быстро перебирают позы, кто-то сидит в параличе, наполняя взглядом бокал;

духота, электричество в воздухе, низкое небо, предчувствие катастрофы. Открываю газету и вижу: Германо-советский пакт о ненападении.

О том, что началась война, мне сообщил Шершнев: он первым подался в добровольцы. Его не взяли, сказали, что он для службы слишком стар: «Вам пятьдесят! У вас две семьи, пятеро детей. Идите домой!» Он отдал свою машину в распоряжение армии, рисовал плакаты и патриотические картинки. Раз в неделю он бывал у меня: заставил пойти в Uniprix[1] и сделать закупки на несколько лет вперед; послушался совета и не пожалел: одна комната у меня была забита мешками сахара, риса, макаронами, дешевым вином и самыми разнообразными консервами, в том числе с несъедобной вонючей рыбой (потом я их обменял у спекулянта-цирюльника на свечи и спички); Серж принес противогазовую маску и план убежищ в Париже: «На тот случай, Альф, если тебя застигнет налет во время прогулки».

Войну я старался не замечать, но она мне преподнесла несколько сюрпризов и уроков. Я с удивлением обнаружил, что некоторые жители моей улицы — ископаемые, которых я давно вычеркнул из списка живых (а ведь они помнили моих родителей, знали их хорошо!), — оказались все еще здравствующими: напудренные, напомаженные, в лучших одеждах конца прошлого столетия, под вой сирен, залпы зенитных орудий и завывание немецких самолетов, они важно шествовали в убежище, будто шли на торжественный прием, при этом они брали с собой питомцев. Я оставался дома. Пил вино и писал, хорошо писалось под этот небесный бой. Один раз меня оштрафовали: за нарушение приказа о затемнении. Я забыл как следует задраить окно, сидел и писал при свечах. Ко мне постучали агенты из «пассивной обороны». «У вас свет горит». Я отвечаю: «Нет,

---

[1] Цепь продуктовых магазинов.

не горит». Один из них взял и включил: свет был яркий. «Горит», — сказал он. «Так это вы включили!» «А вы лампочки не поменяли! Нужно вкрутить тусклые лампы!» «Я электричество не жгу совсем. Я при свечах сижу». «Будете в суде объяснять». Но в суде я ничего не смог объяснить, мне сразу же выписали штраф на 180 франков, а как только я попытался сказать, что не пользуюсь электричеством, пишу только при свечах, судья мне удвоил штраф, и я решил молча заплатить, пришел домой и все лампочки выкрутил, чтоб их совсем не было, и продолжал жить при свечах, как обычно, т. е. предельно экстравагантно, будто никакой войны нет, я не позволял идиотам, которые решили трясти причиндалами из-за территории (в то время я полагал, что все это разразилось из-за земель Эльзас-Лотарингии), влиять на мои привычки. Помолвка с Лидой — один из самых безрассудных поступков в моей жизни (мама кричала из могилы: *не совершай роковых ошибок, Альфред!*). Наш роман был дурным спектаклем, двухактной пьесой начинающего драматурга, которую сыграли два провинциальных актера. Все началось с пародии на мою любимую книгу. Мы встречались весь декабрь, я много пил. Лидия обещала прийти ко мне первого января, но я уговорил перенести волшебное рандеву на Сильвестров день, второе января 1940-го (тогда и зачали Маришку). Я встречал новый год в хлопотах, не пил, трезвел, убрал весь дом, чтобы нигде не было пыли и теней прошлой жизни. Я твердил себе: новый старт, новая жизнь. Расставил предметы иначе. Многое побросал в ящик и спустил в подвал. Впервые за долгие годы я сдвинул мебель (позже все переставил обратно). Проветрил дом. Разжег камин, который не топил, наверное, лет десять. Убирал даже в тех комнатах, что были запечатаны, изгнал и оттуда тени, запахи прошлого (чуть не расплакался в родительской спальне, когда выносил совершенно истлевшие гардины — давно сорвавшись с карниза, они лежали на полу, как ошметки савана). Накупил цветы, очень дорогие цветы, расставил в вазах. Сбегал в парк, нарвал веточек миндаля. Сварил кофе, чтобы воздух наполнился ароматом. Я хотел быть с ней. Я желал, чтобы она пришла и вытеснила прошлое, заменила боль на радость, вылечила меня... О, как я ошибался! Лида́ всех этих усилий не оценила. Я видел, что ей не понравился мой дом. Она держалась напряженно, ее лицо вытянулось, когда мы проезжали в такси по Avenue Foch, свернули и проехали мимо мэрии с караулом. Признаюсь, маршрут оказался неудачным, и самое ужасное, что я его продумал и нелепой скороговоркой проговорил шоферу, который безукоризненно следовал моим причудливым инструкциям; выходит, я сам подготовил провал, сам обеспечил кошмар. Когда внезапно разразился скандал, она поносила меня, во всех подробностях, даже самых бессовестных, добавляя, что ее *взбесила роскошь,* в которой я *утопаю.* Где она нашла роскошь? Огромная пуховая перина, пурпурный балдахин, карминовый атлас, золотистые кисти на шторах... Богемское стекло, Кузнецовский фаянс, майолика, фарфоровые статуэтки, что маме привозил отец из Германии... Да, если сравнивать с той обстановкой, с тем хозяйством, посреди которого они жили на Разбойничьем острове, то любые апартаменты в 16-м аррондисмане покажутся роскошью, даже фонарные столбы, старые каштаны и самые потрепанные кофейни на rue de la Pompe существенно отличаются от аньерских; согласен, возможно, по тем временам — *преступная роскошь* — так сорить деньгами! Вино, мясной рулет, сыр, кофе, сладости, душистый табак... Лидия, как хозяйственная женщина, всему моему *фанфаронству* воспротивилась, взбунтовалась, не поняв, что я хотел ей показать: даже в такие трудные дни можно жить, можно себе позволить развернуться и душой, и телом, мы обязаны оставаться людьми, со своими слабостями и прихотями, а она решила, что я тяну ее в *омут разврата,* что я — сумасшедший. Что ж, даже если так: сумасшедший, развратный, — за что такая ненависть? Я же распахнул перед ней двери и сердце, я приглашал ее поселиться в моем доме, я хотел простой семейной жизни. Зачем говорить, что мой дом — это *дом разврата*? Почему? Я не предлагал ей ничего аморального: ни танцевать в кабаре, ни петь в притонах! Все было очень умеренно — немного вина, мирная беседа et le coït tout ordinaire[1], т. е. ничего, что могло бы оскорбить ее... Каким образом я дал повод для таких нападок? Тем, что жил один в двухэтажном доме? Неслыханно — согласен. Возмутительно? Пожалуй, да. Я знаю, моя жизнь далеко не образцовая, я — праздный порочный пустой человек, но... Что толку в этом разбираться? К любви это не имеет отношения. А ведь все не так уж плохо начиналось; в поисках интересных мест мы с Сержем поехали на *L'île des Ravageurs*[2], я знал, что где-то там был особняк Деломбре, я никак не ожидал увидеть такой совершенно русский домишко, с огородом, беседкой, кроличьими клетками, курочками, среди которых важно вышагивал петушок, мы легко сошлись с Боголеповыми и часто у них гостили, редко бывал и барон, уже печальный и во многом разочарованный, ему шел девятый десяток, мы выпивали все вместе, он нас приглашал в Руссийон, я не поехал, а Серж отправился, привез много набросков, отличное вино, три корзины сыра, ветчины и всевозможных деликатесов... Мне нравился Разбойничий остров, нравилось его потешное кладбище — я там забывался, я забывал Париж — ей-богу, в Аньере ты одной ногой еще в Париже, а другой в капельно-бестелесном мире Сёра; из орнитологической башни Париж казался другим, я любил на него смотреть, забирался, брал трубу старика Деломбре и, глядя на город, говорил: вот ты

---

[1] И самый обычный коитус *(фр.)*.
[2] Разбойничий остров.

какой, вот ты какой... Пастораль журчала и стрекотала, остров, казалось, не стоял на месте — он дрейфовал в струях дождя, уплывал вместе с Сеной, окутывался туманами и покачивался, облака опускались, деревья кружились, слепли окна, покрываясь парко́м, мухами и пылью от кострища, который разжигал Арсений, коптя своих кур, куропаток, кроликов; я часто ленился ехать домой и ночевал в башне, вдрызг пьяный, и однажды она ко мне пришла... Лидия тогда была бойкой девицей, она не могла не нравиться, но я даже не думал, что увлекусь, хотя и посматривал на нее, ужасно глупо, что так получилось... когда она пришла ко мне, я не совладал с собой, я отдался страсти сразу, я словно провалился под лед! В каком-то смысле я заслужил молву, те отвратительные слухи, что расползались среди русских эмигрантов, поделом мне, поделом! *Ensuite*[1], эти болтуны с восторженной радостью восприняли мою новую должность при нацистах: «мы так и думали», «ну вот, все подтвердилось», «извращенец занял свое место». Таких ни за что не переубедить, даже после моей реабилитации и отказа от награды, к которой меня ошибочно (так я считаю) представили, из сознания некоторых индивидов те сплетни нипочем не вытравить. По сей день ловлю взгляды, такие особенные взгляды... Как все-таки нравится людям о других думать плохо! Кто-нибудь из них и нашептал Вере обо мне...

Я к ним ездил в Отён. Во время одной из последних наших встреч я понял, кого мне напоминает Вера. Конечно, это очень сомнительное, очень личное впечатление, если не сказать — соблазнительное, во многом благодаря игре света и моему настроению, глубокой задумчивости, в общем, я внезапно увидел в ее улыбке ангела Реймсского собора. Я себе мог придумать это сходство. Дело не в сходстве, а в каком-то едва уловимом

---

[1] Затем, далее *(фр.)*.

присутствии покоя в ее улыбке в ту минуту, когда мы остались вдвоем. Мне хотелось ей открыться. Я боролся с соблазном признаться, и, когда ее лицо осветила та ангельская улыбка, я понял, насколько эгоистичны, ничтожны мои чувства — не только к ней (эти чувства, вероятно, были одними из самых возвышенных в моей жизни), а любые чувства, говорить о них было глупо, неуместно. Склоняюсь к мысли, что неуловимое присутствие Реймсского ангела было навеяно моей поездкой: на пароме по Марну в Мец через Реймс, — пренебрегая моими обязанностями, я провел в соборе больше часа, — оттуда в Дижон, через графство Макон, и будто заодно заехал к ним, а потом — Виши, Орлеан... Не важно, что там было потом, поездку устроило Propagandastaffel[1] с целью представить как можно больше французских городов, которые будто бы ликуют от счастья... Обычная гнусность, как и все прочее, чем занимался этот «эскадрон»; заниматься гнусностью просто, никаких особых усилий пропаганда не требует; утомительной возня в редакции становилась тогда, когда ты сознавал и каждую секунду думал о том, какой же глупостью занимаешься, а когда мне удавалось все это проделывать механически, in abstracto — т. е. я воображал, будто бумажки, которые я переводил и редактировал, никак не были связаны с действительностью, — тогда становилось легко; помню те «сигнальные» номера: высокая печать, линогравюры солдат в шлемах, марширующих по Европе в тяжелых остроносых сапогах, — образцы полиграфических монстров, их было противно взять в руки! Кто их читал? Из типографии они отправлялись в топку; сами немцы их не читали, связки так и стояли нераспечатанными в казармах Рёйи, Борегара, Версаля, офицерьё топило ими камины...

---

[1] Управление пропаганды (нем.), которое впоследствии заменил Propaganda-Abteilung Frankreich — французский отдел пропаганды.

Можно было обойтись и без помпезного турне, но немецкое командование посчитало, что мы — журналисты, писатели, поэты — должны проехаться по Франции, «увидеть» радость в глазах французского народа и эту радость «запечатлеть». Отвратительной кавалькадой наша делегация, как огромный слизняк, ползла от города к городу, всю дорогу буйно пьянствуя и развлекаясь. На берег сходили с песнями. Нас встречали с цветами и флажками, мэр и прочие должностные лица произносили невеселые приветственные речи, нестройно играл костлявый квартет, ресторан, гостиница, снова паром, плыли дальше, каждый раз кого-нибудь теряя (одного журналиста, как выяснилось позже, похитили будущие maquis). Все это не имело ни малейшего значения. Я возвращался один, ехал через Виши и Орлеан, как было предписано, видел, как после нашей делегации снимают лозунги и гирлянды с цветными фонариками, метут улицы ворчливые дворники, выбрасывают в ведра наши журналы и газеты, — примечал это сквозь туман, переполнявший мое сознание, я до дрожи боялся за Веру, за Бриговских, и когда я собрался действовать решительно, поговорить с ней, она мне написала, что больше не может меня видеть — кто-то сказал ей, что я работаю на нацистов... о моем подпольном задании знали только три человека, в случае их поимки, было уговорено, что я моментально ухожу, то же сделали бы они, если б я попался; никто больше обо мне не знал (так я полагал, во всяком случае). Вера, конечно, об этом знать не могла. Она мне написала лаконичное письмо: *больше не могу Вас принимать у себя, это невозможно.* Тогда же я уничтожил все ее письма — чтобы не достались потомкам и не могли скомпрометировать ее как-либо. Случалось, она писала очень откровенные вещи, о которых я бы не хотел ничего знать; обижался, удивлялся: зачем она мне такое пишет?.. возмущался: как она может!.. спрашивал себя: неужели она не догадывается, что такое может меня ранить?.. почему не боится, что другие прочтут? — Наверное, она понимала, что я не сохраню ее писем (тогда же я принял решение уничтожить все вверенные мне судьбой письма: матери, отца, друзей — одним словом все). Она знала, что я не из тех, кто преклоняется перед славой, кто будет гордиться и хвастать тем, что переписывался со знаменитостью. Ее проницательность меня восхищала, но в тот год она не замечала очевидного: им надо было бежать, а она не уезжала, сидела и писала роман — будто в романе можно спрятаться! Всегда изумлявшая меня наивность. И второе: как она не догадалась, что я не мог быть с нацистами?! Последнее письмо я получил после того, как их увезли в Аушвиц. Невозможно ни вернуть ее, ни как-то разубедить, ни отправить послание... Я всегда находил любовь гибельной, я чувствовал родство любви с историей (у истории женское тело, огромные крылья и сердце Фрица Хаарманна[1] — о том, как история выискивает своих жертв, возносит их на Олимп, а затем уничтожает, сохраняя воспоминания о них в застекленных шкафах своей бесконечной кунсткамеры, как-нибудь в другой раз). Любовь — пиявка, полип на моем сердце! Она уродует людей, превращает их в жестоких вилланов, насильников, злодеев, убийц, рабов, карликов, слизняков, червей, плесень. Одни обжигают предмет своего обожания, превращая в неподвижную керамическую статуэтку, другие пьют из реки забвение, приносят в жертву себя, а есть такие, как я: сгорая от любви, они обращаются в камень и наблюдают за тем, как Стикс уносит их возлюбленных в Аид. Любовь, я оставил тебя на Елисейских Полях, где разорвал ее последнее послание! Я был жалок, комичен, на меня смотрели, я был словно голый, кто-то смеялся...

---

[1] *Фриц Хаарманн* (1879—1925) — серийный убийца по прозвищу Ганноверский мясник.

я рвал письмо у всех на глазах... обрывки уносил ветер... слетелись голуби... глупые птицы, это не крошки! Это плоть и кровь моей возлюбленной! Мне хотелось, чтобы оно разлетелось по всему Парижу... чтобы все прочитали, узнали... я плакал, проклинал себя... По твоему письму, моя любимая, ехали нацисты на своих мотоциклах, по нему шел отряд Вермахта, они топтали твои слова, твое заблуждение обо мне... Прощай! Пусть любят другие! Пусть наслаждаются и сходят с ума! Пусть разберут этот город и разнесут по всему свету!

* * *

Было около двенадцати. Мсье Моргенштерн спал после утомительного ночного бдения. Много писал. Это было как странствие. Все утро снились мосты, через которые они ехали в поезде. Но поезд был. Поезд был какой-то игрушечный. Больше походил на паром, который он пускал в ручье. В дверь позвонили. Он услышал, как пани Шиманская открыла и с кем-то разговаривала, вслед за этим она поднялась к нему и с озабоченным лицом сообщила, что пришла полиция.

— Что делать, пан Альфред?

— А чего они хотят?

— Он. Один. Хочет вас, пан Альфред.

— Я спущусь. Спасибо, Рута.

В халате, наскоро пригладив волосы, Альфред спускается и видит в прихожей человека в штатском. Невысокий, крепкий, лет пятьдесят. Серый невзрачный человечек.

— Какое совпадение, — начинает Альфред.

— Никакого совпадения, — перебивает полицейский холодно, но руку протягивает, Альфред пожимает, — сцепление событий. Обычная вещь, все просто и логично...

— Если вы насчет ограбления в парке, то я претензий не имею и не сообщал даже... инспектор...

— Детектив Дюрель, — показывает удостоверение. — Какое ограбление? Вас ограбили? Я ничего не знаю об ограблении в парке. Расскажите, пожалуйста...

— Ах, чепуха, чепуха... Оно того не стоит. Ну, что у вас тогда, детектив?

— Я к вам по другому делу. Хотел вам задать пару вопросов. Можно мне войти?

— Вы вошли.

— Нет, можно мне *к вам* пройти? — Полицейский жестом указывает в направлении лестницы.

— Прошу. — Мсье Моргенштерн широким жестом приглашает полицейского наверх; не снимая плаща и шляпы, тот поднимается по лестнице; Альфред следует за ним, бормоча себе под нос: Дюрель... Дюрель...

— Не гадайте, не вспомните.

— Ваше лицо мне знакомо.

Прежде чем войти в гостиную, детектив осматривает дверь и щелкает пальцем по табличке.

— Все еще висит.

— Что? Табличка?

— Да. Вы же не практикуете давным-давно.

— Нет, но, знаете, не хочется снимать.

— Понимаю.

— Вряд ли. Садитесь, пожалуйста.

Детектив прохаживается по гостиной, выглядывает из окна, рассматривает раскрытый походный чемодан, стульчик, ширму.

— Так, скажите, однако, что вас ко мне привело?

— Я насчет мумии. — Дюрель говорит слегка гнусавя, с небрежностью. Он рассматривает бумаги на столе, бродит взглядом по полкам.

— Какой мумии? Садитесь, детектив! Кофе, коньяк...

— Ну, не разыгрывайте, будто не понимаете. — Он прогуливается по комнате, рассматривает клавесин, полки с книгами, картинки, часы, встает перед старинным зеркалом. — Я знаю, вы прекрасный актер, легенда, но не надо демонстрировать мне свое искусство сейчас. — Он резко оборачивается и смотрит на мсье Моргенштерна. — Потому что я знаю, что вы понимаете, о чем я говорю.

— Предположим.

— Так-то лучше. — Полицейский садится в кресло, но он не доволен. — Я могу переставить кресло, чтобы сесть напротив вас?

— Делайте что хотите.

Детектив аккуратно переставляет кресло. Он ходит мягко, точно боится кого-то разбудить. Садится очень близко к мсье Моргенштерну, до неприязни близко. Альфред невольно отодвигается. Полицейский наклоняется вперед, облокачиваясь на свои костистые колени, которые округло проглядывают сквозь материю брюк. Большие длинные ноги, короткий торс. Какая нескладность! Природная корявость. Небрежно мать родила? Горбун без горба. Плешь, мешки под глазами. Полицейский начинает.

— Не хотели бы сходить на опознание?

— С радостью бы сходил, но, увы, не могу.

— А что так? Я ведь могу и повестку прислать.

— Шлите, пожалуйста. Все равно не могу. Здоровье подводит последние годы. Не дойду.

— А хотите, привезем на машине.

— Нет, не хочу. Боюсь, укачает.

Полицейский обводит рукой комнату и говорит:

— А тут ничто не изменилось.

— Да, я ничего не меняю здесь. Откуда вам это известно? Вы у меня бывали?

— Бывал, но вы не вспомните. Итак, что вам известно о мумии?

— Ничего.

— Очень плохо.

— Что поделать.

— Плохо лжете. Не умеете. А друг ваш, Виктор Липатов, он что говорит?

— Не припоминаю такого.

— Да будет вам. — Полицейский извлекает из кармана фотокарточки, на которых молодой русский журналист и мсье Моргенштерн вместе, и Маришка... и Шершнев!

Ах ты, ищейка. Ну и мерзавец.

— Так вы следили за мной...

— Нет. За ним.

— Зачем?

— А что думает мсье Шершнев?

— Спросите его.

— Спрошу. Я бы хотел сразу вам дать понять одну вещь. Я сейчас работаю в ваших интересах. Я вас пытаюсь защитить.

— Умоляю...

— Нет, послушайте. Я поднял старые дела. Вы у нас тоже бывали. Помните два странных убийства? Утопленник. 23 марта 1947 года. Вы утверждали, будто он был убит. Есть ваши показания: утопленник выражал опасения, утверждал, что за ним следили.

— Поздно очухались.

— Затем некто под именем Иштван Отожч, если я верно произношу это венгерское имя.

— Первый раз слышу.

— Было заведено дело о подделке паспортов и коррупции. Личность убитого, так сказать венгра, не установлена. Убийство. Без сомнений. Огнестрельным оружием. Револьвер. Помимо этого было в те дни несколько исчезновений. Вы и еще ряд лиц, которые дали косвенные свидетельские показания, утверждали, будто это дело рук советской агентуры. Что теперь скажете?

— Это было давно. Почти ничего не помню...

— Видимо, придется вас пригласить на беседу.

— Едва ли вас похвалит начальство, если я отдам богу душу в одном из коридоров вашего участка.

— Хорошо. У меня нет ни малейшего желания вас вызывать и подвергать допросу. Я повторяю, я на вашей стороне. Мы оба граждане Франции. У нас одна цель. Не так ли? — Мсье Моргенштерн неопределенно пожимает плечами. — Будем считать, что мы поговорили и пришли к обоюдному пониманию. А как у мсье Шершнева со здоровьем?

— Ничего, не жалуется.

— Да, бегает резво, не поспеваем.

— Старый вояка.

— Огнестрельное оружие есть?

— Не знаю.

— У вас — есть?

— Нет.

— Хорошо. Надеюсь, до обыска не дойдет.

— Послушайте, какой обыск... у меня столько ценных хрупких вещей...

— Да уж. Было бы жаль все это сдвигать, вскрывать полы, разбирать мебель. Эта софа, как я погляжу, девятнадцатого века небось? Неорококо!

— Тут все из девятнадцатого века, включая меня.

— Ладно, вот это попросили вам передать, — полицейский достает сложенную вдвое бумажку.

— Что это? Очередная ловушка?

— Это от нашего с вами общего знакомого, от мсье Лазарева.

— Кто...

Альфред разворачивает записку: *Прошу Вас явиться в шахматный клуб в три часа пополудни. Л.* Его подпись, без сомнений.

— Черт, я думал, вы из полиции... — Мсье Моргенштерн встает, недовольно дергает халат, подходит к своему столику. Где эта трубка, черт подери?

Дюрель тоже встает, идет к двери, останавливается, хочет что-то сказать. Альфред бросает записку. Небрежно. Чтобы он — le petit flic de merde[1] — понял, что на него здесь плевать хотели, и не только на него, но и на Лазарева здесь тоже плюют, и на все прочие организации, государственные и самочинные, политические и религиозные, на любые тайные ложи и секты и на всех представителей оных структур на rue de la Pompe плюют с высокой горки! *Voilà!*

— Да, я из полиции, но кроме моей работы есть и другие дела. Вот, мсье Лазарев, узнав, что я иду к вам, просил передать... надеюсь, на встречу с ним у вас хватит здоровья.

Мсье Моргенштерн не оборачивается. Он яростно раскуривает трубку. Какая наглость! Неорококо!

— Тьфу! Трубка погасла... Зачем вы комедию ломали? Повесткой грозили...

— Всего хорошего, мсье Моргенштерн.

— Всего хорошего, — говорит Альфред, не оборачиваясь. Можно и обернуться... Нужно бы обернуться...

Но мсье Моргенштерн продолжает стоять с пустой трубкой и смотреть на улицу, на ворота, плющ, на то, как пчелы пролетают сквозь железные прутья, он слышит, как следователь, посвистывая, спускается по лестнице. Его шаги, неторопливые шаги. Наверное, поглядывает на картинки на стенах. Откуда он

---

[1] Маленькая говеная ищейка *(фр.)*.

меня знает? Он тут бывал. Когда? Какая отвратительная привычка — свистеть в помещении! Нет, все-таки, все-таки верно
сделал, что не обернулся. Но: письмо! Прошу Вас. Л. Который
час? Ах, еще есть время. Успокоиться. Кошка на подоконнике
дома напротив. Гортензии. Вьюн. Пчелы. Он слушал, как полицейский прощался с пани Шиманской. Дверь за ним наконец-
то заперта. Фу! Надо позвонить Шершневу. Он подходит к столешнице с телефоном, циферблат упрямствует, непослушные
пальцы соскакивают. Черт, руки трясутся... черт, черт, семь,
три... еще раз!

Ну вот. Никто не отвечает. Тьфу! Бросает трубку. Дзинь!
Написать записку. Берет бумагу, перо, открывает чернильни-
цу. Пишет.

Серж, дорогой мой. Сегодня хлопотный день, и таких пребудет. Объявился наш общий знакомый Л... Нет, имя лучше
полностью не писать. Ткач паутины. Серж догадается. Л. прислал ко мне своего... хм... *курьера*, скажем так, нельзя же писать
как есть, но — можно выразить почерком, чуть-чуть другой на-
клон, чуть-чуть нажим, рандеву с Л., нет, не рандеву, — vis-à-
vis, вот так, усилить, чтобы Серж понял: я раздражен, я пишу
с нажимом... *L'Homme Incroyable est fâché!*[1] Хорошо, хорошо!
Так, дальше: за нами приглядывают. За стариками уход нужен.
Глаз да глаз. Обязательно будь осторожней. Мало ли что. Жди
меня. Никуда не уходи. Многое обсудить нужно.

Хорошо. Записка готова. В конверт вложить послание от
Л. Чертов конспиратор. Новая белоснежная рубашка. Нет, не
годится. Черный галстук. Черный строгий костюм. Слишком
все черное. Не на похороны же. Что-нибудь легкое, льняное,
воздушное... Когда-то мне нравилось себя собирать, выдумы-
вать, производить впечатление... Все старое, старое... Когда

---

[1] Невероятный Человек зол *(фр.)*.

я прихожу к портному и делаю заказ, он говорит мне: сейчас так не носят, молчит, добавляет: и не шьют... Я старше всех портных, мне никто не поможет. Не потому что они меня не понимают. Они не умеют слушать. Сумасшедший старик, зачем на него тратить время? Где там были мои сандалии для прогулок в парке? Я для них сумасшедший старик. Желаю вам дожить до моих лет... И фетровая шляпа. Нет, лучше соломенную. А! Весело! Надо бы побриться. Попросить пани? Некогда. Взял машинку. Ключ потерялся. Шарил в ящике, шарил, наконец-то, нашел. Завел. Кое-как побрился. Где я мог его видеть? Чай. Холодный. В такой день холодный как раз... Я на взводе. Надо расслабиться. Посидеть минут десять. Яркое солнце, но сквозит как-то...

Он зажигает свечу. Садится в кресло. Пьет холодный чай и смотрит на плавно колеблемое пламя. Успокаивается... Часы шагают с хрустом... как по ломкому льду... да, как по льду... Раздражает. Музыку! Встает, выбирает пластинку. Ничего не может выбрать. К чертям музыку! Достает из стола алжирский кисет, берет щепотку кифа, смешивает с табаком, набивает трубку, закуривает, снова смотрит в окно: пчелы плавно проскальзывают сквозь прутья — счастливые, свободные... Он садится, забрасывает ноги на оттоманку, потягивает трубку, глядя на пламя свечи, курит медленно, с каждой затяжкой уходя глубже и глубже в себя, с трудом допивает чай, кружка кажется тяжелой... он оставляет ее на подлокотнике... некоторое время сидит в задумчивости... Часы вздохнули... Так-то лучше. Ну, пора, что ли? Встает перед зеркалом. Слегка покачивает. Хорошо. Осматривает себя. Нет, так не годится. Снимает пиджак, рубашку... Все делает плавно, почти танцуя. Так, попробуем еще раз. Что мы сегодня наденем? Долго выбирает рубашку... Нет, нет... Мне нужна... Равновесие, баланс, земля под ногами — вот что мне необходимо. Закрывает глаза, пальцы скользят, перебирая ткани, как страницы книги... что-то такое... что-то... легкое, тонкое, как продолжение кожи, как эпидерма... Вот! Что это? Открывает глаза. Ага! Серо-голубого цвета. Да, сегодня небо такое — серое, тревожное, с проблеском надежды. К ней пойдут дымчатые перламутровые запонки. И зеленоватый легкий шелковый пиджак — мой гибкий панцирь. Платок. Брюки. Прекрасно! Я готов. Он гасит свечу. Смотрится в зеркало еще раз. Он доволен собой. Спускается по лестнице.

— Рута, я в шахматный клуб. Вы знаете какой.

— Конечно.

— Вот это для Сержа. — Дает письмо. — Позвоните ему, скажите, чтобы немедленно ехал ко мне, и не отпускайте. Если не дозвонитесь, отправьте Ярека, чтобы привез его. Я буду около четырех. Самое позднее в пять. Пусть ждет!

— Так и сделаем. Берегите себя, пан Альфред.

Он задержался в дверях.

— Да, Рута, скажите, а вам он не показался знакомым?

— Кто? Полицейский?

— Да.

— Нет. Такое неприятное лицо я бы запомнила.

— Хо-ро-шо.

У Лазарева была неприметная внешность. Немного старше меня, невысокого роста, хорошего сложения. В своем киевском прошлом он был гимнаст или пловец. Боксер или фехтовальщик. Боксер. Кажется, Поплавский мне это сказал. Он встречал его на боксерских турнирах. Боб писал о боксе. Говорил, что Лазаря (так его звали тогда) многие знали, с уважением тянули руки, хотели сидеть рядом, слушать его комментарии, спрашивали прогнозы на бои. Кажется, он делал ставки. Может быть, фантазирую. Вряд ли Боб сошелся с ним. Лазарев к себе молодежь не подпускал. Жил и живет уединенно. В двадцатые занимался частной детективной практикой, писал романы про знаменитых аферистов, в том числе про Тер-Акопова, чьи аферы, без того раздутые молвой, в его романе были значительно преувеличены. Писал он под каким-то неброским псевдонимом, сам себя переводил на французский; в пятидесятые за английские переводы, со свойственным ему энтузиазмом, взялся было Вересков, однако Лазарев был недоволен и от его услуг отказался; Грегуар так просто не сдался, продолжал осаждать *старого друга* и, в конце концов, сумел нажиться от перепродажи прав на перевод книг Лазарева в Америке, где его собственные плутовские романчики (под псевдонимом Gregory Heath) пользовались популярностью. В бойких сочинениях Грегори Хита было все, что бросают в безнадежную книгу: карикатуры на известных политиков, убийства, шпионаж, предательство, любовь, «публицистические отступления», пророчества и очень много юмора. Грегуар считал, что надо писать с юмором: «Побольше юмора, господа, и успех вам обеспечен. Люди любят смешное!» Он ругал Лазарева за то, что тот пишет суховато: «Все вроде бы неплохо, но у него напрочь отсутствует чувство юмора! Я скучаю над ним!» Из-за этого они и рассорились окончательно. Книги Грегори Хита продавались стотысячными тиражами. Говорят, что в разгар Карибского конфликта, когда все вокруг паниковали, Грегуар смеялся: «Да вы что, господа! Это нам только на руку! Надо ковать железо, пока горячо», — выпустил три романа подряд, один хуже другого, зато Холливуд по ним снял триллеры (в одном, с парижским сюжетом, мелькнуло что-то знакомое, но тут же растаяло). В те годы Грегуар жил на широкую ногу, как миллионер, но одевался по-прежнему вычурно и безвкусно. Он умер три года назад от цирроза печени, похоронен на кладбище Сент-Женевьев-де-Буа. Пусть Лазареву не хватает чувства юмора, его детективы все равно покупают; люди глотают подобное чтиво, особенно в поездах:

в Ницце раскрыл — в Париже выкинул. Лазарев на свой лад продолжает эксплуатировать страх: устраивает пыльные ас-самблеи, где ужас раздают, как жетоны в запрещенных казино, я бывал пару раз, в удушливой сектантской атмосфере слушал проповеди об НКВД как о Сатане, ждал, когда нас пригласят за круглый столик — пошлейший стыд, пошлейшее блаженство! Как он до полиции добрался? Откуда у него свой ажан? На-сколько я помню, он только мечтал об этом. Он посвятил свою жизнь служению только ему известной идее. Не пил, никогда не был женат, в кабаре и публичных домах не был замечен; у него другая страсть — конспирация и что-то еще. Играл на бирже, покупал и продавал недвижимость, избежал три попытки по-хищения (по его словам), в пятидесятые возглавлял аналитиче-ское бюро, которое занималось самыми разнообразными иссле-дованиями... да, информация — его вторая страсть. Но ручной полицейский... un flic fantoche... c'en est trop![1]

Альфред входит в шахматный клуб. На него смотрят. Кое-кто узнает и кивает. Альфред снимает шляпу.

Слава святым, тут те же люди. Ничего не изменилось. Даже папиросный дым тот же, и шляпа соломенная, и мой костюм прекрасно гармонируют с местом, духом и членами клуба, ко-торые одеваются строго, но не броско. Повсюду бархат — бор-довые портьеры на дверях, темно-зеленые скатерти. Большой комод из грецкого ореха: в нем всегда хранились доски, фигу-ры. Такой же древний и столь же обшарпанный шкаф: полка с часами, другая с книгами знаменитых гроссмейстеров, на третьей — графины, стаканы; еще выше: вымпелы, кубки по-бедителей — членов клуба в турнирах, и за кубками — пор-треты, рамки и еще какой-то хлам, как знать, что там, может, что-нибудь бесценное, туда лет пятьдесят никто не заглядывал!

---

[1] Полицейский-марионетка... это уж слишком! *(фр.)*

Смотритель зала шепотом сообщает, что Альфреда ждут: «комната № 10», — «спасибо, Шарль», и справляется о здоровье, старый шахматист пожимает плечами: «здоровье, не знаю, что сказать, нет никакого здоровья, я просто жду смерти, тут медицина ничего не решает, все решается где-то там», — он машет рукой в сторону потолка, «а когда они там решат прибрать меня, не знает никто», — Шарль надувает щеки, делает губами пррр! никто! Альфред улыбается, понимающе кивает, похлопывает его по плечу. «Зато к нам приходят молодые, очень способные ребята... — слегка утешает себя гроссмейстер, — приятно слышать, хорошо, до скорой встречи, Шарль», — говорит Альфред, огибает старинную пианолу, с любовью гладит поцарапанную полировку, входит в коридор, сворачивает на зеленую, солнцем изрешеченную веранду. Старики с внуками играют на воздухе, во дворе. Еще салют, кивки, взмах рукой. Альфред идет мимо, поглядывая во двор, на террасу, на облака... На подоконнике кошка моется. Альфред гладит кошку за ухом. Она отзывчиво трется о руку и мурлычет. Десять минут четвертого. Запаздываю. Ну и черт с тобой, Л. Он гладит кошку, ты мой друг, ты мой верный ласковый друг на эти пять минут. Да, да... Вот так... Солнышко, весна, хороший корм, заботливые люди... Шахматный клуб — лучшего места тебе не найти, поверь старику! Ну все, прощай, котяра. Мне пора. Он идет по коридору веранды. Двери и портреты. Номера на дверях растут. Портреты: Рубинштейн, Рети, Ласкер, Тартаковер, Алехин, Капабланка, Ботвинник... Новые имена! Таль, Петросян, Спасский... Давно я тут не бывал... А вот и № 10.

Альфред входит в комнату. Лазарев сидит за столиком на стороне белых, читает английский шахматный журнал, за его спиной полки с книгами и песочными часами.

— Он свинья, этот ваш Миньон, — мсье Моргенштерн вешает соломенную шляпу, лента растрепалась и — отвалилась, — вот черт, лента оторвалась... — Он садится перед Лазаревым, засовывает ленту в карман, напуская на себя недовольный вид, присматривается к старому знакомому: на заказ скроенный пиджак, старомодный галстук, тонко выщипанные усики, редкие, плотно приглаженные волосы (крашеные). От француза не отличить.

— Здравствуйте, Альфред, — спокойно отвечает Лазарев, делая первый ход. — О ком вы? О Дюреле?

— Да!

— Ну, он же полицейский. Вы должны это понимать. Я хотел на вас посмотреть.

— Теперь вы таким образом рассылаете пригласительные? С полицейским. Интересно.

— Дело непростое. Нам повезло, что оно пока в надежных руках. Ходите.

— Ах, вот как? — Не глядя, Альфред ходит королевской пешкой. — В надежных? Вы решили мне это продемонстрировать? Удивляюсь, как вам это удается.

— О чем вы? Пока ничего не удается.

— Да, но делом-то занимается ваш человек.

— Элементарное везение. Вот так.

— А вы не осторожничаете.

— Говорить, собственно, не о чем, партия будет быстрой.

— Ну, так, что скажете?

— Скажу, что я спокоен. За вас — спокоен. А вот Серж...

— А что Серж?

— Слишком суетится. Может, уехать ему куда-нибудь?

— Например...

— У него же были знакомые в Нормандии... Съездил бы, навестил, заодно порисовал бы там...

Мсье Моргенштерн усмехается.

— Вы не смейтесь, а ходите. Кофе будете?

— К чему все это, господин Лазарев, а? Вы понимаете, я в любое мгновение могу умереть. Я свободен. Мне плевать. Мое сердце...

— Ходите, Альфред, и слушайте. Вам не плевать. На себя — может быть. Если то не бравада. Но есть люди, на которых вам не плевать.

Мсье Моргенштерн передвигает фигуры машинально.

— Знаете, за что я не люблю таких, как вы, мсье Лазарев?

— За что же?

— Вы заставляете людей чувствовать себя пешками. Вы считаете, будто можете указывать другим, посылать за ними инспектора, при этом вы всего лишь...

— Я всего лишь такая же пешка, как все остальные. Но я этого никогда не забываю. Нельзя об этом забывать. Иначе вами запросто пожертвуют. Как вы сейчас. Что это за необдуманные ходы? Что это за *я могу умереть в любой момент*? Вам наплевать на других? Соберитесь! Подумайте, что вы могли бы сделать для тех, кому жить дальше! Взяли бы под опеку молодого журналиста. Зачем он всем сообщает, что бежал из СССР? Это ли не безрассудство? Его же могут похитить! Затолкают в багажник и вывезут. Приехал из США, и точка. Вы можете ему это втолковать?

— Я?

— Да, Альфред. Вы желаете добра вашей дочери?

— Конечно.

— Так возьмите их обоих под свое крылышко.

— Как?

— Поселите у себя. Что может быть проще! Комнат мало?

— А вас это почему беспокоит?

— Я слишком много знаю. А когда так много знаешь, невольно начинаешь играть. Ходите, не спите. Я сейчас вашего коня съем.

— На здоровье!

— Я вижу, что в игру вступили теневые фигуры. Надо выяснить, что за этим кроется. На Дюреля давят сверху. Министерство внутренних дел прослушивают. Утечка информации на всех уровнях. Правительство в бегах. Страна на грани обвала, и при этом кому-то мумия покоя не дает. Кому? Одни силуэты. Это не игра, а какая-то лапта. Вы можете сконцентрироваться? Нас видят, мы их нет. Они могут себя проявить внезапно и в неожиданном месте. Мы не успеем увернуться. Ведь такое уже случалось. Не стану напоминать вам... Ходите!

— Так.

— Лучше передумайте. Я не хочу, чтобы по ту сторону занавеса злорадно потирали ладони. Мне надоело видеть, как пропадают документы, разыгрываются суды над предателями, которых шантажом или подкупом втянули в грязную игру. Ломаются судьбы. Все как будто знают, кто за этим стоит, но конкретных лиц в зале суда нет.

— Тогда вот так.

— Хорошо. — Лазарев мгновенно делает свой ход и продолжает монолог: — Это как дуэль с невидимкой: он тебе наносит уколы, а ты не знаешь, как отбиваться. Противно и досадно, когда секретную информацию из полиции или даже тайной полиции подносят на тарелочке нашим противникам. Вот это очень плохо. Вы, Шершнев, ваш новый молодой друг — все уже в списке лиц, которых прорабатывают, с одной стороны политическая полиция, с другой — неизвестная структура. Нужно быть предупредительным, осторожным. Ваш ход. Выиграть проигранную партию невозможно, но некоторые фигуры можно спасти. А если мы можем это сделать, значит, мы обязаны это сделать. Я достаточно ясно излагаю мои принципы?

— Более чем.

— Вот и хорошо. Нет, не годится. Переходите, я же возьму туру.

— Ах да. Так.

— Так лучше, но все равно... Вот вам и шах! Мы имеем дело с деспотичной, враждебной по отношению ко всем организацией, вскормленной одним из самых могущественных и самых кровавых режимов в истории человечества. Еще шах. Эта организация ни на минуту не прекращает свою работу. На некоторое время вам показалось, будто вы выпали из поля зрения этих людей, и у вас возникла иллюзия, что структура прекратила существовать. Я понимаю, что вам неприятно это слышать. Но я этого не придумываю. Шах! Не надо на меня злиться. Я на вашей стороне. Запомните это. Дюрель тоже. Только говорить ему все необязательно. Можете сказать мне, если вам есть что сказать. Дальше меня это не пойдет.

— Понятно. Обязательно скажу. И где вы только нашли этого ажана? Меня откуда-то знает...

— Он у вас лечился в детстве.

— А! Молчаливый мальчик с вечным насморком. У него была такая бедно одетая мамаша со смешно завитыми волосами.

— Они жили со мной на одной лестничной площадке. Отец их бросил. Мы с его матерью сблизились.

— Так он ваш воспитанник.

— Слушайте, Альфред, займитесь детишками. Думайте о них в первую очередь. С мумией я разберусь. Поселите у себя пташек. Самому будет веселей.

— Думаете, у меня безопасно?

— Я поговорю с Дюрелем.

— За домом установят слежку?

— Вам же спокойней будет.

— Не будет, но ладно. Это все?

— Доиграем?

— К черту! Вы можете попросить его не вызывать меня в участок?

— Он бы не стал этого делать. Мы ждем вас по этому адресу. — Лазарев протягивает бумажку.

— *Мы*? Кто эти *мы*?..

— Увидите.

3

Аньерские вечера летом сорок пятого были исключительно тихие, от плеска воды и пения птиц на душе собиралась густота, люди ходили по острову как во сне; даже трамвайный перезвон не нарушал этого покоя; унылые лица пассажиров проплывали, как портреты на вращающемся барабане. От тоски Крушевский стал ездить в Бельвиль к Игумнову; показывал редактору свои записки, тот хвалил, но не печатал. Шершнев тоже прочитал, похвалил, сдержанно, почти не вслух — одним кивком, взял под руку, повел в кафе, там заговорил вольнее:

«Это у тебя идет крупная проза, Саша. Может быть, роман... Не останавливайся, пиши. Что касается Игумнова, не думай о нем, он не редактор, не в том смысле, я хочу сказать, что тут тебе не надо это печатать, Игумнов не газету делает, а создает общество. Так мне кажется. Редакция эта, — Серж с прищуром почесал бородку, — не знаю даже, редакция ли это, но уверен, что эти люди себя еще проявят, но не как газета, газеты может и не быть... Это похоже на зарождение какого-то движения... на центр... Обрати внимание, сюда каждый день идут люди... и сам Игумнов ездит много».

У Игумнова был большой список людей, которых он считал своим долгом навещать, в этом списке красным карандашом были подчеркнуты те, кто вступил в Союз русских патриотов (или какое-нибудь подобное объединение) или как-либо выдал свои просоветские симпатии, — к ним он ехал в первую очередь и вел с ними себя так, словно ему ничего не было известно об их новых ориентирах (в особенности это касалось женщин, которые в прежние времена были в РСХД или замужем за членами РОВСа, а овдовев, стали склоняться к мысли, что в России все пошло вспять: как ото сна, убитые очнулись, встали, зажили, занимаются своими обычными делами, даже царь жив, только не показывается, живет тихо, вместе с графом Толстым, и те же газеты выходят, у всех все хорошо, теперь туда можно просто переехать, как ни в чем не бывало); редактор самого антисоветского парижского листка говорил с ними на обычные темы: здоровье, работа в школе, карточки на продукты, показательный суд над русскими спекулянтами и проч., — в конце беседы он обещал прислать свою газету. «Конечно, пока назвать наше печатное создание газетой очень трудно, — говорил он при этом, — пока мы зовем это сборником — Les cahiers[1]. Если у вас есть что-нибудь, присылайте!» Он обещал, что будет издавать все. «Людей надо окрылять, — объяснял он в редакции, — людей надо связывать и склеивать, как листки в книге, чтобы они не разлетелись кто куда. Можно и стишки опубликовать, даже дурные. Вроде бы формальность — подумаешь, стихи в газетенке! Но такой пустяк может удержать от большой глупости».

Les cahiers печатали на примитивном ротаторе, которым пользовались в период оккупации, и вручную сшивали. Первый тираж был совершенно смешным — 300 экземпляров — и очень быстро разошелся, сборник пошел по рукам, он пользовался неожиданным успехом, кое-что энтузиасты перепечатывали вручную на машинках и распространяли. Это во-

---

[1] Тетради (фр.).

одушевило Игумнова невероятно, он стал еще больше ездить, не выдержал и на две недели слег.

У Игумнова было слабое здоровье; взвалив на себя воз дел, он с чем-нибудь да не справлялся, на него обижались; будучи по своей натуре человеком нервным, он ссорился даже с очень близкими друзьями, о чем потом жалел и от расстройства заболевал. В недомоганиях он находил что-то остро-ностальгическое: «Когда еще не заболел, но чувствуешь, что уже на грани, сознание выкидывает различные фокусы: идешь по Парижу, а сам уже вроде как и не в Париже». Некоторые ошибочно полагали, будто у него была чахотка, — Игумнов сильно удивился бы, если бы спросили его о чахотке, никаких хронических заболеваний у него не было. Он жил в собственном мире, как в очень сложной раковине, возился со своими недугами, как с питомцами, не спешил поправляться, — под него требовалось подстраиваться; отношения с людьми, их личная жизнь, их спекуляции — все это он считал ерундой, *формальностью*. «Не стоит тратить себя на пустяки, — говорил он, — все силы нужно отдавать борьбе!»

Детские и юношеские годы Анатолия Васильевича прошли в Москве, Петербурге и Задонском уезде, в усадьбе Терново. Его отец много ездил по России, изучал флору и фауну то Елецкого, то Липецкого уездов, брал с собой Анатолика, но тот хворал, и мать увозила его в Ялту, но на очень короткие вакансы, и такие путешествия он не любил; с кузенами и кузинами его часто отдавали на попечение дядюшки Жоржа в Терново, где Анатоль сильно скучал, друзей и развлечений, кроме книг, в усадьбе не было, он был самым младшим среди детей в доме, они над ним как-нибудь подшучивали, доводили до слез, дядюшка Жорж был все время занят своими *нововведениями* и *преобразованиями*: разводил скакунов, возделывал пустоши, строил насосную станцию и проч. Проучившись семь лет в Петербурге, Анатолий Васильевич почти не знал города, да и Москву знал тоже очень слабо — передвигался по строго продуманному маршруту и всегда на извозчике (в период нелегального проживания он редко покидал свое убежище, всегда с провожатым). Почти вся семья Анатолия Васильевича спешно покинула Россию в 1918—1919 годах, а он остался: история разграбления усадьбы в Терново не давала покоя; разъяренные мужики, что сломали двери, побили стекла и порубили мебель, не шли из головы; он слишком ярко представлял, как краснощекие бородатые пьяные удальцы набивали мешки и ящики «барским добром», жгли библиотеку, в которой он проводил почти весь свой досуг тяжелыми душными летними днями; потеряв сон, Анатолий Васильевич переносился в родные места, гулял по конюшням дяди Жоржа, любовался тогда мало ему интересной оросительной системой, поливальными механизмами и трубопроводом, которые теперь ему стали необыкновенно дорогими; внезапно в его воображение врывались громадные — втрое выше человеческого роста — людоеды, они влезали в усадьбу, огромными ручищами шарили по шкафам и комодам, переворачивали их, как спичечные коробки, вытряхивали из них вещи, заодно рвали фамильные портреты, гоняли по дому кухарок и девок, как кур; высекли на помещичьем дворе милого, чудаковатого дядю Жоржа, не вынеся унижения, он сошел с ума и стал местным пугалом, погонщиком скота, запевалой песен на семи языках... 16 августа 1920 г. Верховный ревтрибунал ВЦИК признал А. В. Игумнова (в числе девятнадцати членов антибольшевистской террористической группы «Тактический центр») виновным в сотрудничестве с контрреволюционными организациями и оказании всемерной помощи Деникину, Колчаку, Юденичу и Антанте с целью ниспровержения диктатуры пролетариата и приговорил его к расстрелу, который был заменен тюремным заключением сроком на десять лет. 2 февраля 1921 года по ходатайству П. А. Кропоткина и др. (целый список народовольцев) из-под стражи освобожден. Во время мартовского восстания матросов Кронштадта снова арестован и незамедлительно сослан в Соликамск. 16 ноября 1922 года на борту парома «Пруссия» из страны выслан (в его портмоне хранится вырезанный из берлинской газеты «Будни» снимок, на котором запечатлены прибывшие в Штеттин пассажиры «Пруссии»). С 1925 года — Франция: одиночество, работа, нужда, постоянное недомогание. Поговаривали, будто Анатолий Васильевич занимался самолечением и придумывал несообразные диеты (анчоусы на гренках). Домыслы недоброжелателей! На самом деле Анатолий Васильевич не умел вести хозяйство и разумно распорядиться заработанными средствами; деньги, хозяйство, быт — все это он называл одним словом: *формальность*. Когда появлялись деньги, он тратил их на им издаваемый журнал или книгу — свою или какого-нибудь «невероятно талантливого» автора. Он не умел одеваться, не любил бутики, язык портных ему казался абракадаброй; случалось, ему дарили хорошую одежду, но даже она сидела на нем как-то мешковато; в редкие минуты Игумнов бывал элегантен — то были минуты вдохновения, которые преображали его целиком, вместе с костюмом. Раб привычки, он и в Париже придерживался особых маршрутов: не спускался в метро, избегал набережные, старался не ходить по прилегающим к Сене и каналам улицам, а если это было неизбежно, то на набережных его видели в странной марлевой маске (прохожие наверняка принимали его за сифилитика или ветерана Первой мировой). Игумнов изобрел себе специальный жилет, который обладал мешками для грелок на спине, а спереди был напитан большим слоем необработанной натуральной шерсти, испускавшей терпкий запах. Разумеется, все эти ухищрения мало способствовали укреплению здоровья — врачи советовали переехать поближе к Средиземному морю. Игумнов уезжал, селился у знакомых, много писал, закончив работу, возвращался, и все повторялось: его снова видели с повязкой на носу или едва-едва скользящим по гололедице, на каком-нибудь собрании, произнося речь, он заходился кашлем. Болезни заменяли ему родственников, они задавали тон его жизни, сообщали особое настроение и даже влияли на некоторые решения: Анатолий Васильевич мог завернуть материал только потому, что статья не совпала с ритмом его недомогания.

Редакция «Русского парижанина» находилась в здании новой русской школы, в классной комнате, которую превратили в склад для учебного материала и реквизита школьного театра; на полках стояли чучела птиц и животных, пустой аквариум с камнями, реконструкции внешности неандертальца и питекантропа, сделанные Сольгером, на стенах висели довоенные карты мира, России, Евразии с еще не разделенной Молотовым и Риббентропом Польшей, портреты Ферма, Декарта, Гаусса, Чехова и Пржевальского, в шкафах было полно костюмов, самым грустным из которых был костюм Льва, частенько появлялись мыши — их приветствовали как полноправных жильцов; на шесть столов было четыре машинки, кругом царил беспорядок, бумага, книги и пыль.

Игумнову нравилось работать в школах и гимназиях; нигде подолгу не задерживаясь, он переходил из кабинета в кабинет, словно совершал странствие по огромному зданию, часто не мог вспомнить ни адреса учебного заведения, в котором работал, ни даже своих коллег, читал он в основном лекции по литературе и истории России XX века (с какой-то ехидной оглядкой на девятнадцатый), на его лекции приглашали всех желающих, в зале никогда свободных мест не оставалось, многие слушали стоя, долго не расходились, пили чай, дискутировали. Он был очень популярен не только во Франции, много переезжал, всюду выступал и везде — успех, толпы народу. После освобождения Парижа ему подыскали место в Бельвиле, на rue de l'Ermitage, недалеко от места, где возникла русская школа. Директор — еще не пожилой, очень деловой господин («из тех, кому бы чем-нибудь другим заниматься, коммерцией, например», — так характеризовал его Анатолий Васильевич) очень обрадовался Игумнову, сообщил с почтением, что читал его книги («возможно, он меня с кем-то перепутал, потому что сказал, что читал мои *философские* книги, а я не писал философии», — заметил Игумнов, но копию последней книги, аккуратно подписав, подарил директору, заметив между прочим, что большая часть тиража была сожжена издателем в страшной спешке во время наступления нацистов на Париж); директор предложил Анатолию Васильевичу работу (на *любых* условиях!), с радостью отдал помещение, ни о какой арендной плате слышать не хотел. «Он несколько раз повторил: *Вы нам сделаете честь, Анатолий Васильевич...* И не спросил, что собираемся печатать, удивительно». Больше всего Игумнов был доволен тем, что школа находилась в двух шагах, буквально за углом, на rue de Ménilmontant; кроме того, директор разрешил всем работникам редакции раз в день ходить в школьную столовую. Анатолий Васильевич сильно смущался, упрямился, избегал посиделки, никто не знал истинной причины, думали, что он брезгует или стесняется чего-то, но на самом деле атмосфера столовой — смешливая кухарка, звон посуды, журчание голосов — напоминала Игумнову летние вечера в усадьбе Терново, вспоминался дядя Жорж, с которым Анатоль впервые увидел Париж во время выставки 1900 года, и потрясение это было неизгладимое; школьная кухарка напоминала Игумнову старую служанку Аглаю, прекрасно помнившую все истории дедушки Федора, который пятнадцатилетним юношей участвовал в войне 1812 года; под конец своих дней Аглая ослепла, но продолжала показывать Анатолику ордена, безошибочно знала их на ощупь: орден Святого Владимира 2-й степени, орден Святого Георгия 4-го класса, орден Святой Анны 2-й степени и так далее; никто не знал, сколько Аглае лет, говорили коротко: *сто*; несмотря на слепоту, она продолжала прислуживать, и никто с ней сравниться не мог, она поместье знала назубок и всегда могла сказать, где кто находится, делом ли занят или лясы точит; слушая, как школьная кухарка тихо воркует то с детьми, то со взрослыми, Анатолий Васильевич, дабы скрыть наплыв нежности, слабости (да что там, слезы, слезы он старался скрыть!), вставал, снимал очки, с притворной тщательностью протирая их, выходил из школьной столовой, ни на кого не глядя, шел по коридору к дверям, но мог поклясться, что несколько мгновений шел не по школе, а по коридору усадьбы, мимо фамильных портретов, шел через библиотеку, комнату для танцев, где стоял большой грозный рояль, шел через заднюю кладовку с посудой, кухонной утварью, с разложенными на широких крепких дубовых полках полотенцами, скатертями, салфетками (порядок в хозяйстве восхищал маленького Анатолия не меньше, чем стройно расставленные книги в библиотеке), на больших деревянных крючках были развешаны фартуки, косынки, ключи от кладовых, там же висели лопатки, крупные ножи, прихватки, рукавицы, стояли чугунки и... когда он — в замешательстве, почти затмении — выходил из школы, то вместо бульвара видел пустой двор, хозяйственные постройки, конюшню, за красными кровлями цветущие шапки деревьев, по пригоркам вилась сонная дорога, над миром простиралось густое вечернее небо и в ушах Анатолия Васильевича шумел не Менильмонтан, а река Хмелинка.

В редакцию к нему приходили многие, и «патриоты» тоже (кое-кого из них Анатолий Васильевич знал с дореволюционных времен по партии народных социалистов). Лазарев сказал, что с теми, кто занимается ловлей людей, разговаривать

не о чем. Игумнов пытался с ним спорить, но Лазарев настаивал: «Они обманом завлекают беженцев и сдают агентам
НКВД, а те им платят — две тысячи франков за голову[1]. Как
мне с ними говорить? Они — наемные охотники за головами!
Посольство их снабдило машинами и бензином для этого, на
издание их вонючей газеты СССР дает безумные деньги. Разговора с ними не будет». Он категорично отказывался садить-
ся за один стол с «патриотами» и пригрозил, что в такой редакции, где пьют чай с большевистской сволочью, ноги его не
будет. Шершнев обязательно шел и меня с собой брал. Ради
этого сдвигались два школьных стола, их накрывали темно-си-
ним сукном с белыми кистями, на блестящий поднос ставили
большой горячий чайник, кружки, конфитюр, бисквиты, по
обе стороны столов ставили стулья. Делегация от Союза русских патриотов (Марков, Ступницкий и Могилев[2], — однажды

---

[1] Поначалу к этой цифре относились с сомнением, далеко не все
верили, что большевики платят за поимку или донос, но впоследствии
точную сумму подтвердил Дмитрий Пересад, который работал в газете при
посольстве. Помню, произошел между Игумновым и Сержем разговор.
Игумнов возмущался и все повторял: «Две тысячи за голову... две тысячи
франков...» Серж буркнул: «А что, хорошие деньги. Многим и за месяц
столько заработать не удается». «И что? Сережа, ты так говоришь, будто
оправдываешь их». «Я не оправдываю, но понимаю: люди натерпелись
и наголодались настолько, что за деньги готовы и на такое». «И как это тебе
удается *такое* понять? За две тысячи франков они готовы загубить душу.
Как ты *это* понимаешь?» «Да, понимаю», — сказал Серж. «Как? Я не могу!
Мой разум отказывается это понять!» «Две тысячи франков побольше, чем
тридцать сребреников». Игумнов не унимался. «Русский русского за две
тысячи франков большевикам готов сдать на растерзание! Готовы сами
поймать и приволочь в посольство. Извини, Серж, я этого никогда не пойму».
На что Серж спокойно сказал: «Но разве мы прежде подлости человеческой
не видели?»

[2] *Могилев* — псевдоним Вениамина Тихомировича Курмалина: окон-
чил юридический факультет Петербургского университета, присяжный
поверенный, энес с февраля 1917 года, участник белого движения, член

с ними пришли Гальперин и Китов — старые боевые товарищи Игумнова) и редакционный совет «Русского парижанина» садились друг против друга. Машинки и бумаги громоздились на других партах — там сидели зрители, и я в их числе.

Переговоры с «советскими патриотами» походили на давнюю тяжбу с родственниками; «патриоты» знали, что Игумнов их насквозь видит, поэтому старались убедить его в том, будто они на самом деле верят в то, что говорят, они выражали недоумение: «Да в чем вы нас обвиняете, Анатолий Васильевич?.. о каком предательстве речь?..»; «о чем пишете в своем провокационном листке!»; «Вы сеете вражду, Анатолий Васильевич!.. так нельзя... ни к чему хорошему разобщение не приведет»; «Вы не желаете признать роли Советского Союза в этой войне», «не понимаете, какой ответственный момент наступил в отношениях между СССР, Западом и — нами», «как это важно для нас», и многое другое.

Игумнов терпеливо слушал, пил чай, давая им высказаться, смотрел на них с какой-то мышкинской растерянностью,

---

Русского совета Врангеля, сменовеховец в двадцатых годах, член Союза русских писателей и журналистов, часто бывал на собраниях литературного общества «Зеленая лампа», сотрудничал в изданиях: «Современные записки», «Числа», «Иллюстрированная Россия», «Воскресение», «Новый град», плодовитый поэт, художник, преподавал право и вел юридическую практику; с восторгом писал о д'Аннунцио и Муссолини; в начале тридцатых сближается с монархистами; примкнул к генералу Туркулу (в период, когда тот возглавил Русский национальный союз участников войны), писал для его журнала «Сигнал», был членом РНСУВ, вышел из РОВСа вслед за тем, как исключили ген. Туркула, естественно, входил и в Национальный союз, а в 1944 году — становится одним из основателей Союза Друзей Советской России, активно агитирует принимать советское гражданство и ехать в СССР. Вершина карьеры — аудиенция с Молотовым! Его банкетные речи и напутственные слова, обращенные к отбывающим в Советский Союз эмигрантам, печатали в красных газетах, — однако сам сохранил французский паспорт и в СССР не уехал.

можно было только гадать, о чем он в те минуты думал: когда они изменились?.. что их подтолкнуло?.. захотелось на родину, под теплый подол советского тулупа?.. бесплатные билеты туда и обратно, поездка по декоративным республикам с жирными коровами и грудастыми доярками, застолье с лоснящимися упырями, скатерть, водка, хлеб с солью, пьяные слезы в березовой роще?.. выслужиться перед Сталиным и получить квартиру в Москве?.. работа при посольстве?.. Гальперин, ты ведь против большевиков поднимал казаков, так в чем дело-то?.. а ты, Китов?.. нас с тобой вместе судили... что, тускло жить в эмиграции?.. устали?

Оба старых товарища Игумнова молчали; возмущались Марков, Ступницкий и Могилев, и чем дольше молчал Игумнов, изводя своим спокойствием старых товарищей, тем громче говорили основатели Союза русских патриотов.

Анатолий Васильевич покачивал головой, болезненно улыбался, его круглые очки блестели, на лбу собирались морщины и легкая испарина, а затем он вставал и, театрально прохаживаясь на фоне завешенных тяжелыми гардинами окон, поглядывая то на карту Евразии, то на неандертальца с питекантропом, спокойно твердо отвечал: «Ошибаетесь, господа, если думаете, будто я не понимаю, что за момент наступил в истории, я все прекрасно понимаю, ибо я — историк. Вам это известно. Двадцать лет преподаю. За последние пятнадцать лет, не считая брошюр и монографий, я опубликовал восемь книг, в том числе и о СССР, Сталине, Ленине, Дзержинском. И это вы знаете. Кое-кто из вас мои книги читал и разделял мои взгляды на протяжении многих лет. Видимо, забыли важные страшные вещи, мною описанные. Но я не забыл. Ни на минуту не забываю о том, на чем стоит власть большевиков».

Его перебивали: «другое время... СССР меняется...»; «важно сделать шаг... такой исторический шаг навстречу друг другу...»; «вот и американцы уже поняли, что важно дружить, а не воевать... сколько можно воевать?», «вы вставляете палки в колеса истории!»

«Ах вот как! — воскликнул Игумнов. — Палки в колеса истории? Я-то? Ого! Позвольте вам сказать одну прехорошенькую вещь, господа! — Игумнов снял с полки голову неандертальца, поставил ее на стол перед гостями и сказал: — Каннибалы не перестанут есть плоть никогда!»

Оскорбившись, «патриоты» ушли. Игумнов смотрел из окна им вслед.

— Это только начало, — говорил он, поглаживая голову неандертальца, — это только начало... — Анатолий Васильевич ходил по классной комнате, не замечая, как другие приводят ее в порядок: уносят кружки, сворачивают сукно, расставляют столы, — он ходил и сам с собой разговаривал: — И все-таки, все-таки, господа, я не понимаю, не понимаю... Черт подери! Как? Когда это с ними приключилось? Я могу понять, почему Марков угодил в это болото: у него сына нацисты убили, они с женой вступили в Резистанс, выживали в глуши, голодали и еще прятали у себя беглых. Ярость, понятная и закономерная, их захлестнула и вынесла на советскую сторону. А вот что случилось с Могилевым? Когда сломался Ступницкий? Этого я никогда не пойму. Толстой говорил: человек изменчив, потому судить его нельзя. Да, человек изменчив и текуч, иной болтается, как маятник, из грязи в князи, и обратно, с кем не бывало! Многие садились между стульев. Вот и Милюков плюхнулся, так сказать... Мережковский рявкнул перед смертью... но всякое перед смертью бывает, разум помутился, нельзя строго судить... А есть такие, знаете, в здравом уме, но — слишком осторожны, ни с нашими ни с вашими, мое дело сторона... Только Могилев и Ступницкий определенно свой выбор сделали! Они подались в *красные князи*! Почему? Мы же

все прекрасно помним, каким был Ступницкий! Он был ярый
антибольшевик, борец, офицер, ближайший к Милюкову человек... и вдруг — поклоны Богомолову, хвала Гузовскому... Что
это? Попытка прилепиться к паровозу истории? — Он ходил
и хмурился, вздыхал, смотрел то в окно на бульвар, то снова
обращался к портретам на стенах и работам Сольгера: — Ну,
Гальперина и Китова, господа, я вытащу из этого болота, их
я так просто не отдам, нет, не отдам![1]

«Русский парижанин» для Игумнова очень много значил,
он отдавал своему детищу всего себя и считал, что его сборник — настоящая идеологическая мина; где бы Анатолий Васильевич ни появлялся, он всюду оставлял парочку номеров,
даже на Гренель, куда он ходил на беседу с послом, он втиснул
брошюрку между журналами на столе секретарши, когда та от-
влеклась, и в «Союзе» на rue de Galliera — тоже оставил три
выпуска, а после, потирая руки за своим редакторским столом,
смеялся и рассказывал:

— Да, неплохо они устроились... Не то, что мы. Ну, разве
это не закономерно, что в «Управлении» гестаповца Кобылки-
на теперь сидят советские патриоты? Знали бы вы, кого я там
видел! Какие лица! Какая ирония! Прямо в дверях в меня вле-
тел молодой Турмазов, тот самый, который вместе с другими
отпрысками нашей аристократии, никому не в обиду будет ска-

---

[1] И был прав: в конце 1945 года из «Русских новостей» вышло много
сотрудников; из ССП (Союз советских патриотов), к неудовольствию
руководства и полпредства, люди тоже уходили — Игумнов с наслаждением
вычеркивал из своего блокнота их красными чернилами написанные имена.
Где-то тогда же, в 1946 году, Гальперин и Китов перестали появляться на
выступлениях ССП, их имена исчезли из «Русских новостей», оба вышли
из позорной организации: Гальперин под предлогом занятости в Обществе
помощи русско-еврейской интеллигенции, а Китов заперся в своей
лаборатории, отгородился от политики навсегда (по слухам, к газетам не
прикасался).

зано, был в кадетском корпусе Версаля. Я там недалеко жил и много раз видел, как они маршировали с российским флагом, с песней, в голубых касках, в белых рубашках и черных погонах с инициалом царя Николая. Немцы им салютовали. А теперь он — советский патриот! Вот так пируэт! Молодой человек мгновенно перекрестился. И его отец, когда-то монархист, пытался вернуть Святую Русь своими писульками, которые печатал в фашистском «Вестнике», нацистский подпевала, а теперь он в штате записных советизанов! Вот так дела! Комедия!

— Анатоль, ты слишком строг к людям, — сказал Шершнев.

— Я слишком строг?

— Видишь ли, этот молодой человек вряд ли по собственной воле в кадетах оказался, родители туда его запихнули... да и надо же было где-то учиться...

— Ему было восемнадцать, когда он маршировал! Мой дорогой Серж, не говори мне, что восемнадцатилетнего человека можно куда-то там запихнуть, как клизму какую-то, прости Господи, в восемнадцать человек делает свой выбор. Кто-то делает выбор и оказывается под бомбежкой в форте Баттис, — Крушевский от неловкости вжал голову в плечи, — а кто-то в голубой каске, раздобрев на немецких харчах, шагает по мостовой оккупированной Франции. Кто-то из форта Баттис попадает в концлагерь, бежит из него и, пройдя уличные бои, голод и прочие мытарства, становится сотрудником нашей редакции. А кто-то снимает белую рубашку с черными погончиками, стягивает гольфы, снимает голубую каску и вступает в Союз советских патриотов! Неужели ты не видишь разницу? Ты будешь искать оправдания этим людям? Не надо! Потому что это оскорбляет выбор, который сделал Александр и каждый из здесь присутствующих! Каждый! Ты знаешь, в каких условиях мы все трудились и выживали во время оккупации...

— Анатоль, Анатоль...

— Я хорошо знаю этих людей. Это прихлебатели, парази-
ты. Они упиваются Россией в своих квартирах, украшенных ка-
лендарями и иконами, у них в сервантах стоит русский фарфор,
на пуфах лежат гобелены с кошечками, они постятся и молятся
по расписанию, пьют водочку и поют русские песенки, свою
Россию они вывезли, им не нужна *та* Россия, которая прости-
рается от Балтийского моря до Тихого океана, на нее им плевать! Они уютно уживаются со своей собственной комнатной
Россией, и чтобы продолжать комфортное существование, им
надо держать нос по ветру и приспосабливаться. И они при-
спосабливаются: подачки из Кремля идут щедрые. Настолько
щедрые, что даже французские писателишки, как тебе известно, не чураются писать в красные газетенки! На этих индивидов
мне наплевать, но, к сожалению, они сделают все возможное,
чтобы передать в руки Сталина как можно больше русских беженцев, а заодно и сдать НКВД таких, как мы.

— Анатоль Василич, я просто хотел сказать, чтобы ты так
сильно не нервничал...

— Хорошо, — говорил Игумнов, поправляя на себе старый
пиджак, стряхивая с рукава волосы и перхоть, — я не буду нерв-
ничать. Я просто выпустил пары. Прошу у всех прощения. Что
касается дела, я с ними договорился — еще раз встретимся.

— Зачем?

— Я уверен, что можно переубедить некоторых «товарищей». Есть среди «патриотов» те, кто ошибкой туда попал.
Я столько лет знал некоторых из них... столько лет... Они еще
одумаются. Вот Маклаков же одумался. Отступился. Понял.
Написал, что понял, вы сами читали. И эти поймут. Не всем
скопом, но кое-кто поймет, я уверен. Я хочу, чтобы они знали:
дверь для них остается открытой, они еще могут выйти из тумана, их тут ждут. И вы должны понять: чем больше их уйдет

из Союза, тем ясней станет общая картина. Я хочу увидеть, как они каются. Хочу увидеть их открытые письма в нашей, черт подери, газете!

Лазарев считал, что Игумнов напрасно тратит время и силы, напрасно ждет, и даже если кто-то из них опомнится, Лазарев ни одной из этих заблудших собак руки до конца дней своих не подаст, но по-прежнему «Свободный клич» и «Русский парижанин» в виде сборников и тетрадок выходили вместе и печатались на одном станке, что стоял в хозяйственной пристройке на rue de la Pompe под присмотром Ярека и Егора; там, кстати, и познакомились Лазарев с Глебовым, их легендарная беседа, опубликованная в «Свободном кличе», состоялась у меня в патио. Как сейчас вижу: на столике перед ними чашки, чайник, бокалы, бутылка вина, пепельница, Лазарев с блокнотом и карандашом, Глебов с сигаретой, нога на ногу, лиственные тени шевелятся на его белой рубашке, грустная улыбка...

Отца Егора расстреляли в период коллективизации (причиной стал кабанчик), осенью 1932-го мать отправила одиннадцатилетнего Егора из Белоречинска к своему брату в Черкесск, но голод был и там, и если бы не самогон, который дядя прятал зарытым в землю (пили по рюмке в день) да охота с рыбалкой, Егор не выжил бы. Видел он и убийства, и умирающих на улицах людей, и трупоедство, и арест дяди тоже видел, после чего начались его странствия по всей стране, вплоть до Амура, а потом война, плен, концлагерь... Все это можно прочитать в журнале «Свободный клич» № 5 (в рубрике «Беседы с невозвращенцами»), но особенно мне запомнилось одно удивительное отступление, на страницы журнала не попавшее. Глядя на записывающего интервьюера, Глебов улыбался... и вдруг сказал: «Вот вы в своем журнале пишете о свободной России, о свободе для народа, о свободе слова и демократии, я раньше-то даже не задумывался о таком, я не понимал, что такое свобода, демократия, до сегодняшнего часа, я сейчас могу с вами вести так беседу без оглядки, теперь понимаю... Думаете, я не испытываю стыда?»

«А за что вы испытываете стыд?»

«Я стыжусь за наше рабство, в котором мы живем. Мы с вами несколько часов говорим, я всю жизнь перед вами развернул мою. Пока рассказывал, словно со стороны посмотрел. Я понимаю, в каком жутком рабстве мы там живем. Раньше не понимал. Отца взяли и расстреляли, назвали так: раскулачили. Мне тогда было семь лет. Последний раз его видел на свидании. Я и не знал, что это будет навсегда. Мать на меня надела большую белую накрахмаленную рубаху, новые штанишки и ботиночки. Я в первый раз надел ботинки в тот день. Я почти круглый год босым бегал. Ботинки лежали, ждали часа. Думали, я в школу в них в первый день пойду. А вот пришлось идти на прощание с отцом. Они мне немного велики были — не подгадала. Когда ей сообщили, что отец умер в тюрьме, так сообщили: умер, она убивалась, никто успокоить не мог, а потом она меня прогнала, она била меня от души: иди, говорила, иди пока жив, била и плакала, и я плакал, уходить не хотел. Если б не ушел, не выжил бы. Ее я так и не видел с тех пор. Мы с детства в рабстве живем, и не зазорно нам. Для нас это обыкновенно. Никто не стыдится, что с нами так можно поступать, а мне теперь стыдно. И еще мне стыдно за то, что я с вами об этом говорю, в этом признаюсь. Другие там меня за эти слова просто камнями забили бы. Без суда и следствия. Без НКВД. Обычные люди. Просто чтобы не пиздел. Потому что я такой же, как все, а потому терпеть и молчать, как все, должен».

«Свободный клич» и Игумновские сборники бесплатно раздавали юные добровольцы на rue Daru и Denfert-Rochereu; Анатолий Васильевич считал, что «сборники статей и стихов» не вызовут претензий со стороны французских властей: разве можно тетрадки считать «политическим органом» или «периодической прессой»?.. Но именно так их называли в посольских депешах, летевших с курьерами в Министерство внутренних дел и Префектуру. После первого номера «Свободного клича» советское посольство сразу пожаловалось на Лазарева: «лживый политический памфлет», который выходил без лицензии, — переодетые в гражданскую одежду агенты репатриационной миссии вломились в квартиру Лазарева, но никого, кроме залетевшей синицы, не нашли, птица сидела на краешке книжной полки и тихонько, но очень мелодично посвистывала; к Игумнову полиция пришла в неурочный час — Анатолию Васильевичу ставили пиявки на спину, и он, находясь в таком неловком положении, с ними разговаривал. «Я не являюсь собственником ни одной газеты. Я живу, пишу и работаю на благо страны в согласии с указами временного правительства Франсуа де Мантона, я считаю эти указы абсолютно верными и незыблемыми, утверждающими свободу слова и плюрализм мнений как в печати, так и в радиовещании. Да здравствует свобода слова! Я — составитель и редактор книг и учебников по литературе и истории. Еще я — писатель, культуролог, литературовед и историк. Да, я участвовал в выпуске единоразового историко-литературного листка, но ведь это не преступление, потому что листок — не периодическое информационное издание. Студенческий листок, в котором студенты пишут, не требует лицензии, потому как политическим не является. В него входят сочинения студентов, которыми они гордятся. Может быть, там проскальзывают политические взгляды, но студентам это простительно, не правда ли? Если хотите, мы можем прекратить. Для этого надо поговорить со студентами... Все это, право, несерьезно, не стоит так беспокоиться... А что еще? Все! Больше у меня ничего не выходит. Средств нет! Даже в соответствии с указом от двадцать шестого августа, с которым я полностью согласен, я бы не смог предоставить документацию о моих доходах, не говоря уже о вышеупомянутых изданиях, — они не являются коммерческими! Их не продают — их раздают бесплатно студенты. Я полностью согласен с утверждением в указе от двадцать шестого августа: пресса не может и не должна быть средством обогащения частных лиц! Не должна! Не может! Она должна служить инструментом духовного развития человека! Подписываюсь! Посмотрите, как бедно я живу!» Он обвел рукой свою комнату. И правда: в квартире Игумнова почти не было мебели, большой старый потертый стол, ящички которого не выдвигались (днища провалились), огромный платяной шкаф, набитый жалкой одеждой, издававшей затхлый запах, узкая металлическая кровать, на которой он и произносил свою речь, лежа на животе (с пиявками на спине), взмахивая руками, как учащийся плавать; голые стены и полы, даже лампа на столе стояла без абажура; на кухне — примус, несколько кастрюлей и чашек (одна из которых, хрупкая, с отбитой ручкой и щербатым краем, простая, без узора, была особенно дорога — любимая с детства чашка), небольшой стол и два табурета; все пустое пространство занимали тиражи спасенных Анатолием Васильевичем журналов и книг. Французские полицейские спросили, не занимается ли он и его студенты антибольшевистской пропагандой, Игумнов взмахнул плавниками, изобразил замешательство, предложил им самим в этом разобраться; они взяли парочку экземпляров Les Cahiers[1] для проверки и как-то забыли о нем. Игумнов продолжал в одиночестве до поздней ночи жечь свет в школьном кабинете, разговаривал с головами питекантропа и неандертальца, гонял мух, придумывал заголовки, бормоча себе под нос, выре-

---

[1] Тетрадки (фр.).

зал журавлей и лисиц, усердно печатал на машинке, составлял разнообразные списки, раскладывал на всех партах материал, подбирал шрифты, бумагу, мечтал, как будет выглядеть его газета через год-другой (авось, найдутся средства и давление на независимые печатные органы ослабнет); он представлял, как его газета появляется в киосках и на прилавках книжных магазинчиков, как он встречает своих знакомых со свернутым в трубочку экземпляром; воображал, как из себя выходят в советском посольстве, а в Америке Алданов восклицает: «Ну, вот! Теперь мы видим — есть в Париже русская эмиграция!» Переполненный идеями, он собирал людей, произносил речь, выслушав его, вся редакция дружно приступала к работе: пили чай и балагурили, спорили, рассказывали анекдоты, делились новостями, жаловались на житейские неурядицы: безумные цены на непригодные продукты, карточки, ужасный транспорт, давка на черном рынке, убийство, похищения, разбой на дорогах Нормандии, цены на отопление и электричество, ограбленные виллы, советские патриоты, ржавый водопровод, крыши прохудились, стекол нет, отравление углекислым газом в автобусе, самоубийство, транспорт, ужасный транспорт!.. репатриационные лагеря растут как грибы!.. на улицах тысячи Ди-Пи!.. портреты Сталина продаются на набережных Сены... Игумнов хлопал ладонью по столу:

— Хватит сидеть! Выпускаем экстренный выпуск! Немедленно отправляйтесь в Борегар и эти новые лагеря: в Нормандию, в Бержерак... Где там они, Грегуар? Привезите мне материал! Такой, чтобы вся советская система рухнула! Полетела кувырком вон из Франции!!!

Все разбредались кто куда; далеко не искали, высокопробный материал был под рукой; Шершнев садился на скамейку в парке, открывал свою тетрадку и через пару часов приносил дюжину страничек превосходных сюрреалистических рассказов, от которых у редактора закипала кровь, он хвалил Сержа. Крушевский открыл свой дневник и дал почитать Розе Аркадьевне историю о том, как он сходил в Храм Христа Спасителя в Аньере на rue du Bois, 7 bis.

5.VIII.1945

Впервые был в этом храме. Меня поразила сама церковь. Обыкновенный особняк, каких много в Аньере, да и в Париже вообще. Длинная узкая улочка тянулась к нему вдоль железнодорожных путей, поезда с грохотом неслись мимо. Я зажимал уши руками. Долго в нерешительности стоял возле ворот. Было много людей, в основном рабочие, простые, бедные люди, они шли семьями, тянулись длинным ручьем. Оказывается, в Аньере немало русских. Все пришли на службу митрополита Евлогия. Я увидел знакомые лица. Даже из Сент-Уана сюда приехали! Пришли и Боголеповы — все семейство. Старик мне обрадовался, взял под руку. Его жена мне улыбнулась, дочери не обратили на меня внимания. Николай ничего не сказал. В церкви мне показали местное чудо — икона Воскресения Христова. Старик рассказал легенду: икону нашла Любовь Гавриловна! Я удивился. «Это было в тридцать пятом, что ли, году. Она увидела, как дети дощечкой какой-то играются, в луже запускают кораблик. Ей показалась форма дощечки подозрительно гладкой. Она забрала ее, принесла домой. Я посмотрел, почистил и понял, что это икона. Отнесли в Храм, где ее реставрировали. Прекрасная икона!» Я согласился: прекрасная! Приехал владыка Е. Все ему кланялись, как царю. Служба была не очень торжественной, но вызывала чувство. У многих глаза блестели от слез. Я не крестился, стоял в стороне, смотрел. Потом была проповедь и выступление митрополита, которое он важно закончил тем, что надо стремиться всем как можно скорей вернуться в Россию. Началось роптание, кто-то громко сказал, что не для того бежал оттуда, чтобы возвращаться. Владыка не смутился, с усталостью заметил, что его это не удивляет: дескать после завоевания Вавилонского царства царь Кир отпустил иудеев в родной Иерусалим, однако вернулось всего только сорок две тысячи триста шестьдесят человек (1-я книга Ездры, 2:64—67), остальные держались за старое, не сдвинулись с насиженных мест — *и все из-за шкурных личных интересов!* Люди оскорбились и ушли. Кто-то напоследок крикнул: «Вот вы сами и поезжайте!» Некрасиво. Остались Боголеповы и те, что к ним на собрания ходят (их, кстати, становится меньше и меньше).

Роза Аркадьевна перепечатала и показала Игумнову, слова митрополита его возмутили, он решил эту историю осветить в следующем номере. Попросил расписать подробней. Александр воодушевился, рассказал о Боголеповых и собраниях в Аньере, припомнил, что видел там одного из «патриотов», описал его... Игумнов заинтересовался: «Ага! Вы, значит, Могилева там встречали! Ну, ну...» — «Я тогда не знал... кто он...» — «А можно вас попросить продолжать посещать эти вечера?» Александр согласился: «Пригласят — пойду», и затем вспомнил о своей встрече с советским беженцем Сергеем, которого он отвел на rue Réaumur, 116. Лазарев отправился к Софье Михайловне. Сергея поселили в глухой провинции, где тот, притворяясь немым, вместе с несколькими другими Ди-Пи дожидался документов или отправки в Южную Америку — все было неопределенно. Лазарев долго беседовал с нелегально проживавшими и сделал замечательный материал. За ним поставили рассказ о том, как жители Целовца и прилегающих деревень — и австрийцы, и словенцы — выловили из реки Муры трупы преданных британцами казаков, похоронили, поставили кресты, украсили могилы цветами, свечки зажгли и отправили ходока в ближайший православный монастырь заказать панихиду. В криминальной хронике снова были похищения агентами репатриационной миссии (читай НКВД) советских граждан, не желавших возвращаться в Советский Союз, и ограбления, совершенные на территории Франции русскими беглецами и дезертирами, драка в провансальском кабачке, взломанные погреба нормандских винокуров, похищенная живность, особый интерес вызвали разграбленные виллы департамента Сены-и-Уаза — расследуя это дело, французские полицейские взяли след, который привел к воротам лагеря Борегар, ворота лагеря не открылись для них даже после запроса, сделанного Министерством внутренних дел в советское посольство. Вновь французская полиция обращается к «товарищу Богомолову», чтобы вызволить из казарм Рёйи своих граждан, месье Дюпона и мадемуазель Кафритцу, причины задержания коих на территории советского репатриационного лагеря с середины июля по начало августа 1945 года выяснены не были. В тех же числах в лионском квартале Пар-Дьё произошло столкновение советских военных с французскими правоохранительными органами, стычка случилась на почве недоразумения по поводу полномочий, которыми, как были уверены советские военные, они обладали, — советские военные считали, что им было дозволено вольготно патрулировать улицы Пар-Дьё, останавливать прохожих, проверять их документы без особых на то причин (они искали русских невозвращенцев), — французские полицейские приняли их действия за разбой, в результате чего советский лейтенант Лиманский был госпитализирован с пулевым ранением в ногу. В конце номера поместили коротенькие литературные рецензии, стихи, перевод новостей с французского радио о событиях в провинции: фифи[1] останавливают поезда и машины, конфискуют имущество, табак, бензин, масло, мясо,

---

[1] Les Forces françaises de l'intérieur — французские внутренние силы (*фр.*).

алкоголь. «По исчислению швейцарской прессы количество новых русских эмигрантов доходит до 800 000 человек — указанная цифра значительно подскочила бы, если бы не Ялтинские соглашения союзников о насильственной выдаче советских граждан». Адрес международной организации помощи беженцам всех стран: Secours International aux réfugiés, Berne, Schöbergrain, 2. Номер заканчивался фрагментами из эссе Поля Клоделя «Время в аду». Все были довольны, выпуск получился сильный и наделал много шуму, один Игумнов ворчал:

— Нет, не то... Недостаточно хлестко! И вообще, нужно организовать независимое общество русской эмиграции. Независимое Общество Русской Эмиграции Франции. НОРЭФ. Как? Звучит? Необходимо собраться и все это обдумать, обсудить... После постыдного явления в посольство нас нет. Мы должны стать настоящей политической силой. В каждом лагере есть люди, которые не хотят уезжать, они передают записки, что готовы бежать, а мы ничем им помочь не можем, передаем им свои записки, чтобы держались, они там в тюрьме перед отправкой в ГУЛАГ, они на нас надеются, а мы ничего не делаем, чтобы им помочь!

— А как бы вы хотели им помочь? — спросила Роза Аркадьевна.

— Да, Анатоль, — подхватил Вересков, — лагеря-то за решеткой. Даже с пропуском пускают не каждого. Контроль ужесточился.

Они долго размышляли над тем, что можно было бы сделать... и придумали.

В сентябре в советских лагерях в честь начала учебного года устраивали детские праздники, директор русской школы договорился с послом, что его ученики и учителя покажут советским гражданам представление «Изумрудный город страны Оз», и началась суета, идея исходила от Игумнова, постановку делали на ходу, участвовали все кому не лень, кромсали книгу и ссорились, я написал все песни и сыграл роль Короля Нома, школьники были моими гномами, я играл на клавикорде, а они пели и танцевали под мой аккомпанемент, Дороти сыграла очень смышленая русская девочка из достойной эмигрантской семьи (в посольской газете отметили: «обаятельная местная девочка, которая говорила по-русски с сильным акцентом»), на роль Жестяного Лесоруба уговорили Крушевского (он боялся, что будет заикаться, а я ему: «Ну и заикайтесь себе на милость! Вы же заржавели — сам Бог велел заикаться»), Трусливого Льва играл довольно пожилой актер Лев Олегович Дробин, старику пришлось тяжелее всех, его отговаривали, но он настаивал, в марлевом костюме он еле переставлял ноги и почти не пел, но рычал громко, душевно. В труппе было еще пять или шесть актеров-любителей, которые играли несколько ролей зараз, школьники переодевались чаще всех: им пришлось изображать всех маленьких созданий. Было очень жарко, суетились много, но все по делу, иначе было не сыграть. Ездили в школьном автобусе, старе́ньком и тряском; духота, пыль на дорогах стояла адская, детей укачивало; в Бретани было полегче — море, ветер, моросящий дождь. Успех всюду случился фантастический, нас не хотели отпускать, провожали толпой, лагерная администрация не замечала, как под шумок раздавались номера американского «Социалистического вестника», «Клич» Лазарева, игумновские «тетрадки», — а самое главное, не замечали, как с нами уезжали Ди-Пи. Всего удалось вывезти восемнадцать человек, немного, но как говорил Игумнов, *на счету каждая жизнь*, и был прав. В ответ на эти «бегства» советская агентура устроила облавы. В военной форме, вооруженные до зубов, они обрушились на детский лагерь о. Александра Чекана: кто-то донес, что о. Александр у себя держал бывших советских граждан — повара и его жену с детьми. Женщину арестовали, а повар с детьми скрылся. Советские молодчики избили двух русских эмигрантов, выпытывая, куда мог бежать повар, требовали, чтобы того нашли и привели в полпредство. В Русском Доме для престарелых княгини Мещерской советские военные (вероятно, те же, что совершили налет на колонию о. Чекана, так как в их главе был примечательно жуткий комиссар с железными зубами) устроили ночной обыск — никого не нашли. Дети и старики были в ужасе. Дабы как-нибудь сгладить ситуацию, военные угощали напуганных конфетами. Игумнов не преминул эти инциденты осветить в своем самопечатном органе. В нижнем храме Собора Александра Невского на рю Дарю митрополит Евлогий на собрании духовенства произнес речь о возвращении в Россию. Между тем ждут прибытия из Москвы митрополита Николая. Умер Лев Дробин. Пока готовили некролог, пришел мрачный Шершнев, принес готовый материал о похоронах Зинаиды Гиппиус. Описал свой поход. На похоронах встретил Усокина. И зачем он только туда пришел? Неужели поесть? Людей было мало. А приличных еще меньше. Пришли какие-то совсем незнакомые. Потолклись и разошлись. Бродяги... а может, примерещились? Из ветвей и теней склеились. Из моих снов вышли и встали перед глазами те, кого хотел и не хотел видеть. Кто из нас властен над своим подсознанием? Шершнев знал, что так и будет. Знал, что люди не придут, а какие-нибудь черносотенцы заявятся поглумиться. Накануне он ходил и подбивал идти с ним. Все говорили «да-да, обязательно будем», но не пришли, а Усокин, будь он неладен, пришел, прицепился к Шершневу, тащился рядом с похорон и все время тарахтел, как заводной:

— Вот, Серж Иваныч, посмотри-ка сюда. — Он достал из кармана газету «Русский патриот», театрально развернул. — Смотри! Хошь не хошь, Серж Иваныч, а большевики теперь в мире сила номер один, и Франция со дня на день будет красной. Неспроста вся наша элита к ним в посольство бегала! Смотри, что пишет Бердяев. — Шершнев не стал слушать, сказал, что ему все равно, что пишет Бердяев, и тот убрал газету. — Ладно. Тогда вот тебе, что Евлогий говорит. — Но и этого слушать Шершнев не стал. — Тебе все равно, а мне нет. В днях моих хоть какой-то просвет появился. Прямо вторая молодость. Даже стишки писать снова начал. Неприличные, как и прежде, все же веселей. Это так, побочное. Дела первостепенной важности — это, конечно, Россия, подготовка к перевалу. Это осознать надо. Рассвет, возрождение, новая эра вылупилась из доисторической скорлупы. Да, мне теперь многое ясно стало, теперь знаю, что делать. Вот и сегодня не просто так сходил. Вот я тут всех, — он вынул из кармана вчетверо сложенную мятую бумажку, развернул с аккуратностью, на ней крупными буквами карандашом были записаны имена людей, в том числе и Шершнева, — буквально всех и каждого я тут записал, и себя тоже не забыл, всех, документ, на этом документе у меня все, кто пришел сегодня на похороны жидовки, антибольшевички, фашистки, срамницы, тьфу на ее могилу! Сами помните, с кем они были, выступление мужа ее на немецком радио помните? Такое нельзя забыть. Отнесу в Комиссию на Бижо, пусть там возьмут на заметку. Ох, Сергей Иваныч, помяните мое слово, начнется! Возмездие. Скорей бы уж!

Шершнев остановился в сильном недоумении. Глаза Усокина блестели безумно, щетина топорщилась, волосы торчали клочками во все стороны. Он стоял и переминался. Шестьдесят лет, а резвости, как в молодом!

— Вы это серьезно? — спросил Шершнев.

— Вполне серьезно, — ответил Усокин. — Второй месяц пишу один документ. Пока не озаглавил. Может, так и оставлю — Документ, а может, так: Отчет о жизни русской белой эмиграции. Вот туда я всех-всех, кто чем занимался, кто что говорил, писал, все документально, о каждом...

— И что потом? В советскую миссию понесете?

— Да! Пусть напечатают! Чтоб как в зеркале каждый себя увидел! Я теперь повод и смысл повсюду являться обнаружил. Буду ходить и документировать! Это чтоб вы наперед знали. Я не подличаю, а пишу как есть. Это не донос, а отчет о нашем бытовании. Потому что все виноваты. Нет невиновных. В чем-то да провинились перед Россией-матушкой. Я каюсь таким образом, понимаете? Мережковский-то к Розенталю за денежками бегал? Бегал. Многие, очень многие на еврейские денежки существовали. Иуды! А я — никогда! Вот большевики-то нас теперь и рассудят!

После этих слов голова Усокина сделала оборот на триста шестьдесят градусов — и еще, и еще — вывинтилась из шеи совсем, взвилась на самые ветви дерева, там повисла скворечником, к ней тут же слетелись синички, бойко щебеча, птахи вились вокруг головы, влетали в нее сквозь отверстие в шее, вылетали через распахнутый рот, а одна, самая настырная, выбила глазное яблоко и громко запела из своего окошечка. Шершнев поймал глаз и спрятал в карман. Посмотрел на повисшую черепушку — из ушей неприлично высунулись гусеницы и извивались — попрощался с ней и пошел. Тем временем подлинный Усокин был уже в нескольких шагах, он чуть ли не бежал по кладбищенской тропинке, скользил, чертыхался; перед тем как свернуть и раствориться в дымке, он обернулся и крикнул что-то, кажется, «теперь события будут развиваться стремительно, Серж Иваныч, помяните мое слово!».

— А нужно ли об этом? — поморщился Игумнов.

— О чем? — Шершнев растерялся. — О глазе?

— Нет, о глазе-то как раз хорошо. Это ты в своем духе, по-шершневски. Я о другом думаю. Нужно ли нам писать о похоронах? — Игумнов встал и начал расхаживать, рассуждать. — Какая задача у нашей газеты? О чем мы пишем? На чем сосредотачиваемся? Какая основная цель? Я вот о чем думаю. Усокин как раз вписывается, а вот госпожа Гиппиус, боюсь, что...

Серж аж приподнялся, но Игумнов не дал ему возмутиться, усадил.

— Основная цель, — продолжал он, — не какие-то там события, которые происходят в повседневной частной жизни некоторых эмигрантов или даже французов, а борьба с пропагандистской машиной большевиков. Вот я и спрашиваю себя, и вас заодно, нужно ли в нашей газете писать о смерти Гиппиус?

— А как же? Я не понимаю... Это же Зинаида Николаевна...

— Ну... мы же знаем, какие у нее были взгляды...

— Какие?

— Ну, Сергей, ты понимаешь, о чем я. То выступление Мережковского еще не забылось... да и вряд ли его кто-нибудь забудет...

— Да при чем же тут это?!

— Как же, как же. Это тебе кажется, будто нет тут никакой связи. Я должен тебе, Сережа, напомнить, что мы выступили против хорошо вышколенной агитационной политической организации, которая уже не первый десяток лет ведет наступление, и вот дошла эта красная машина до Парижа, вот она здесь, перед нами, и тут нам никак нельзя оступиться, потому что нас на прицеле держат и осечки ждут. И я знаю, что про нас скажут, если мы напишем о похоронах Гиппиус...

— И что про нас скажут, если мы напишем о похоронах Зинаиды Николаевны?

— А вот что: мы тут пишем антисоветские статьи и чествуем тех, кто поддерживал Гитлера. Мы себя ставим в уязвимое положение. Нас молниеносно объявят фашистами!

— Ладно, — Серж встал, — я вас понял, господин редактор.

— Серж.

Шершнев не смотрел на Игумнова. Он не хотел его слушать. Я так и знал, думал он. Этим кончится. Так и знал. Отвернулся. Обидно. Зонтик.

— Где моя шляпа?

— Серж, стой.

— А, вот она.

Все так же не глядя на Игумнова, он сделал едва заметный салют и, не говоря ни слова, вышел (слегка хлопнул напоследок дверью). Два дня Игумнов успокаивал Шершнева, обхаживал, наконец, пообещал напечатать его очерк, и они помирились.

За ссорой с Шершневым последовала ссора с Гвоздевичем: все началось с невинного монолога Грегуара — он прохаживался по классной комнате и от нечего делать сотрясал воздух:

— Ах! Как я скучаю по человеку! Как скучаю! Дайте мне человека, обыкновенного человека! Без России, без Америки, без паспорта и политических вшей! Я тоскую по всему простому в нем! Я уже не помню обычного разговора ни о чем. Я забыл, что такое приватная светская беседа. Все, как в сомнамбулическом сне, говорят одно и то же, балаболят, как бубенцы на единой для всех упряжи.

— Ой ли? — зачем-то встрял Гвоздевич. — Прям-таки все масса и бубенцы? Взять меня, например. Неужели я — бубенец? И я книгу готовлю, между прочим. Это еще как личное! Экспериментирую со шрифтами, как в прежние времена.

— Книга, говоришь, — ядовито сказал Игумнов, — стихи...

— Да, стихи. Что ж теперь стихов не писать? Одной агитацией заниматься? Глупо.

— Что глупо? — Лицо Игумнова засветилось от негодования.

— Да все это глупо, — в сердцах сказал Гвоздевич, и его понесло: — Какая разница — царь-батюшка или Сталин? Неужели до вас всех еще не дошло, что никакой разницы нет! Царизм или большевизм! Не помните, как в царские времена чеченцев убивали? А как унижали простого человека? Чуть что — в морду! Солдата секли. Лазов и турков давили. Всех, кого только можно, под царскую подкову и печать сверху — шмяк! Я это видел в Гюрджистане и Лазистане. Насмотрелся тупости и чванства российских войск, абсурда и близорукости тыловой администрации. Я сыт по горло русской окраинной политикой. Меня тошнит от колониального империализма и русского джингоизма. Грабеж, насилие, захват земель. Политика нагайки, виселицы и штыка! Русь — чужой кровью упьюсь!

— Ну, это чистой воды русофобия, — сказал ошеломленный Вересков. — Это даже неинтересно...

— Так что, Илья, — сказал Игумнов, нервно подергиваясь, — теперь на всех наплевать? Так и так — все одно. Тебе не жалко тех, кто уедет и, вероятно, окажется в каком-нибудь лаге, под каблуком?

— Не имеет значения...

— Ах, вот как?

— Не перебивай, Анатоль! Я сказал: не имеет значения, что я чувствую, жалею я или нет. Над всем стоит Рок. Он превыше всех. Я — ничто. Даже если б жалел я, допустим, то выходило бы, что я для себя этим занимаюсь, своим чувствам потворствую. Или вот как вы: из ненависти к большевикам, наперекор им, вашу ненависть питаете. Нет, не в жалости и не в ненависти дело.

— А в чем? — спросил Вересков. — Газету, что ли, теперь не делать?

— Да делайте что хотите. Я же о свободе личного выбора говорю. Пусть едут, если они так решили. Дайте им самим решить.

— Ты не прав, Илья, — сказал Игумнов. — Это не совсем личный выбор. Пропаганда сталинская, вот что тут склоняет чашу весов. Некоторые просто запутались. Они поддались очарованию. Наслушались этих индюков, советских патриотиков. Увидели, что Бердяев или Одинец написали, и встали в очередь. Поверили Евлогию по наивности или простоте душевной. А другие — по закону толпы: куда все, туда и я. Может, чаша-то весов совсем чуть-чуть колеблется, и тут мы можем весы склонить на нашу сторону, спасти человека.

— А кто вам сказал, что это ваше дело? — ухмыльнулся Гвоздевич. — Кто вы такой, чтобы колебать весы в сердце человека? Забыли, что об этом уже писали? Я себя богом не считаю и качели подталкивать не хочу. Творить добродетель не спешу. Нет ни зла, ни добра в чистом виде. Между ними грань тончайшая. Не знаю я, не знаю. Ни в чем не уверен. Вы меня, выходит, в искушение вводите. Подталкиваете: пойди, Илья, спаси их. Откуда мне известно, что я поманю их на спасение? Я не уверен, что сделаю лучше, если кого-то схвачу за лацкан и уговорю остаться. Может, ему самое время ехать в Россию. Может, там ему будет лучше. Каждый сам должен решать, что делать со своей судьбой. Я в свое время насилу из России вырвался. Тараканом вильнул прямо из-под каблука — сначала царского, потом большевицкого. Многое повидал, и мне тогда уже все было ясно — и про большевиков и белое движение, про личные интересы, про политиков и агитаторов. Помните, как судили Юденича? Как деньги из него вытягивали? По сю сторону, во Франции, в демократической стране... Деньги за папиросы... Всю армию он кормил, поил, табаком снабжал, вступая в рискованные сговоры с европейскими спекулянтами, чтобы на Петербург идти — и ведь почти дошел! — а когда проиграл, во Францию приехал, что ему устроили предатели? Как его по судам таскали! И это один из тысячи примеров.

Вы не хуже меня знаете, что подлецы и предатели, низкие люди во всех сферах России были всегда. СССР не на пустом месте и не за одну ночь построился. Зерно упало на благодатную почву.

— Допустим, что так, допустим, ты прав: зернышко в России упало на вспаханную, возделанную, щедро удобренную почву. Ну а как Франция большевистской станет? Посмотри вокруг, все к тому идет.

— Оставьте Францию французам. Что вы всюду лезете? Типичные русские интеллигенты — всюду лезть, всех учить жить, и французов, и американцев. Своей страны нет, так теперь этих учить будете? Их страна, пусть сами разбираются. Мало вам того, что вы пишете в книгах...

— А что я такого в книгах пишу?

— Да пишите что хотите! — Гвоздевич двинулся к двери, но Игумнов подскочил, встал между ним и дверью.

— Нет, погоди, Илья. Некрасиво получается. Мы — «пишите что хотите», а ты будешь сидеть на своем заводике, ткани красить для мадам Шанель и в свободное от работы время стишки кропать?

— Да, именно так. Кто-то же должен...

— Хорошо. Допустим. Один ты помнишь о высокой цели. Мы погрязли в мирском, тварном, а ты, как Сизиф, продолжаешь катить свой камень. Предположим. — Игумнов хрустнул пальцами, побелел, у него на лбу пот выступил, он сделал паузу, взвешивая, говорить или нет, прочистил горло, собрался с духом, сказал: — Ну... а как же Володя Свечников? Сколько теперь таких *свечниковых* пребудет?

— Не приплетайте! — крикнул Гвоздевич. Его глаза вспыхнули, лицо исказила гримаса ярости. — Это другой случай. Это было его собственное решение. — Он тут же овладел собой, его лицо окаменело, стало бледным и безразличным, точно в нем что-то захлопнулось, и огонь, только что показавшийся и чуть не вырвавшийся с угаром ругательств, скрылся. — Всё, — сказал он ледяным голосом, проверяя пуговки рубашки у горла и поправляя галстук. — Я вам свою точку зрения высказал. С совестью моей говорить я буду один. Всего доброго. Желаю вам удачи в вашем непростом предприятии.

Он прошел мимо оробевшего Игумнова. Роза Аркадьевна поставила на стол редактора чай с мятой, Анатолий Васильевич медленно подошел и тяжело сел, вытянул ноги, как никогда похожий на учителя. Роза Аркадьевна вышла. Некоторое время все молчали. Вересков вздохнул, но тишины не поколебал. Крушевский посмотрел в окно: Гвоздевич шел, слегка хромая; Роза Аркадьевна держала его под руку.

* * *

Вскоре после этой сцены Гвоздевич появился на Аньерском мосту. Александр сразу узнал его: стремительная походка, назад зачесанные волосы, высоко вздернутый подбородок, он шел словно с презрением к самому ветру и дождю.

— А я к вам шел, — сказал он. — Я знаю, вы не можете и не обязаны... Тем более что все ясно... То есть все бессмысленно... Но все-таки, все-таки... Поймите, я все равно хочу, чтобы вы для меня и для нее... для нас...

— Что? Осмотреть вашу... жену?

— Для этого не потребуется ничего. Вы просто придете и посмотрите, а потом мы выйдем, вы уйдете. Все. Ничего больше. Я не требую чуда. Одно явление на нашей квартире, осмотр, уйти. Не более того. У вас есть ваши принадлежности? Все, что обычно требуется?

— Да, в башне.

— Идемте!

Гвоздевич стремительно пошел вперед. Александр послушно поплелся следом (когда калитка скрипнула, за окном в усадьбе кто-то на них глянул, было неприятно).

В башне Гвоздевич высказал странную мысль.

— Знаете, моя жена все время говорит, что будущее за Советским Союзом. Видимо, так на нее подействовало освобождение. Что, если я вас ей представлю как советского доктора? А? Доктор из Советского Союза?

Крушевский пожал плечами.

— Ну, тогда берите ваш саквояж и идемте.

Долго ехали на трамвае. Всю дорогу молчали. Крушевский нервничал, как если бы они собирались совершать какое-нибудь преступление. *Для нее... для нас... Явление...* Чтобы отвлечься, он старался запомнить маршрут.

Проходя мимо сильно сдвинутого канализационного люка, Гвоздевич остановился, встал перед отверстием на колени, склонился над ним и громко крикнул:

— Идите к черту! — поднялся, отряхнул колени, поправил галстук на шее и сказал: — Им лишь бы биться лбом о какую-нибудь стену. Все равно ради чего.

Гвоздевичи жили в странном узком доме, похожем на тоненькую книжечку стихов, втиснутую между двумя толстыми османскими томами-доминами. Дверь его квартиры тоже была довольно низкой, к ней вела узкая вьющаяся деревянная лесенка. Маленькая тесная прихожая, много одежды, узкий длинный коридор. Заготовки картин, свернутые холсты. На стенах висели картины, тарелочки со старинными рисунками (на одной в виде желтка был изображен человеческий глаз с отражающейся в глубине зрачка Эйфелевой башней). Александр приметил плесенью и сыростью проеденные обои. На стенах выкройки, офорты, гобелены... *чтобы спрятать безобразие*, подумал Александр. Мебели было мало, но места почти не было. Коридор повернул и продолжал скользить по откосу. Странная стена, странный скос... Александр собирался на ходу надеть марлевую маску, вдруг замер — в дверях стоял мальчик лет шести, темнокожий, с густыми курчавыми волосами, большими губами и глазами отца (и светлый покатый лоб, отметил Крушевский). В руках у мальчика была мандолина. Костюмчик, как для циркового представления. Возможно, отец сам выкроил.

Гвоздевич поцеловал его в темя.

— Это доктор, — сказал он.

— К маме?

— К маме.

— Русский доктор?

— Русский.

— Угу, — сам себе сказал мальчик, посмотрел на Александра. — Здравствуйте.

Крушевский кивнул.

В спальне было темно. Очень плотные занавески. Если б я *так* жил, я бы, наверное, тоже *так* задергивал окно. На просторном диване лежала чернокожая красивая женщина. Кожа слегка будто пепельного цвета. От болезни так, наверное. Чрезвычайно худа. Habitus phthisicus. Говорили, что она давно должна была уйти. Видимо, он о ней хорошо заботится. Большие мягкие глаза блестят. Bonjour, madame. Bonjour, m'sieur. Голос слабый. Когда он осматривал ее, все время думал о мальчике. Его хрупкий образ в раме двери не шел из головы. Вот для кого, значит, он меня сюда пригласил. Ради сына. Ради него. *Явление*... Ее спина... плечи... он это много раз встречал, и все равно... не смог привыкнуть. Шрамы, язвы, признаки истощения. Сделал топографическую перкуссию. Прочистив горло, спросил, какие лекарства принимает пациент. Гвоздевич показал список.

— Хорошо, хорошо. А это что за пузырек?

— А это от американцев. Подарок. Витамины...

— Ага. Понятно.

В комнате было тепло, только что топили. Кто-то где-то возился. Был кто-то еще. В другой комнате. Как только он приложил к ее груди стетоскоп, квартира вдруг сотряслась от шума. Прямо за окном, между гардинами, промелькнул поезд. Ее дыхание было частым, слабым и сухим. Щелкнул саквояж. Пошли обратно. На этот раз мальчик был с кисточкой. На пальцах — пятна краски.

— Мама правда поправится?

Гвоздевич положил ему руки на плечи и безмолвно поцеловал в темя.

В прихожей Илья дал Александру денег на трамвай и талоны на хлеб, мясо, сладкое. Крушевский замешкался:

— Нет, что вы. Не надо.

— Надо, надо.

— Я вас умоляю, не надо...

— Держите, держите. У нас много. Мне стабильно выдают. Она почти не ест, мы с сыном едим мало. Вам нужно поправляться. Кожа да кости... Спасибо вам за все.

— За что...

— Проводить вас на трамвай?

— Нет.

— Найдете?

— Найду.

* * *

Получив временный документ, Александр отправился в Бельгию. Пока делали паспорт, он разбирал свои вещи, которые хозяйка квартиры сохранила в подвале, там и заночевал, не спалось, все думал: что делать с этим барахлом? бесценным барахлом? Днем гулял, вечерами перебирал тетради, книги, до глубокой ночи вздыхал над фотографиями, по утрам его посещало пугающее равнодушие: все выбросить к чертям! Расспрашивал старых знакомых об отце — никто ничего не знал. «А мы не думали, что ты жив». Могли не говорить: он и так понял. Получил паспорт и без проволочек выехал в Париж. Альфред устроил его на почту. С первого жалованья Крушевский заказал дрова для себя и Боголеповых. Старик был очень доволен.

* * *

15.IX.1945

Вчера я был в гостях у Альфреда, у него был Этьен Б., он считает, я должен изменить образ жизни; например, начал рисовать, вести дневник сновидений. Альфред сказал, что Огюст Деломбре был потомком известного французского астронома и сам отдал много лет изучению космических тел, в частности влиянию Луны на человеческую психику и сны, вел дневник сновидений и сопоставлял свои записи с лунными фазами; был активным антидарвинистом-социалистом, выступал против колониальной политики. Selon la légende[1], когда барону было десять лет, на него произвела жуткое впечатление этнологическая выставка, юный Деломбре был так сильно потрясен, что не мог есть, спать и говорить, он долго и тяжело хворал, не выходил из дома, перебирал карты, атласы и всевозможные книги об Африке и Индокитае, после чего он отправился в путешествие, которое продлилось несколько лет, в результате он стал активным борцом с устроителями человеческих зоопарков, он писал антропологические труды и сам печатал брошюры. Любитель анаграмматических игр и поклонник Киркегаарда[2], барон также писал философские опусы под разными псевдонимами; интересовался психологией, гипнозом и снови-

---

[1] Согласно легенде (фр.).
[2] Имеется в виду датский философ Сёрен Киркегор.

дениями, ставил опыты, в том числе и на родственниках. Кузен его жены (мадам Деломбре англичанка, живет в Руссийоне), мистер Харриз (в шутку барон за глаза его звал Снорриз) был родом из Корнуолла, он страдал не только от расстройства всех им унаследованных фамильных предприятий, с которыми ему пришлось проститься, но и от многочисленных заболеваний, в том числе от ожирения, одышки и редкой, мало изученной болезни: у него во сне останавливалось дыхание, несчастный вынужден был спать под наблюдением сиделки. Он бедствовал в своем Корнуолле, и Деломбре пригласил его переехать к нему. Альфред сказал, что мистер Храпун недурной был шахматист, правда увлекшись игрой, сильно сопел. Барон взялся лечить своего гостя — тот не имел ничего против, более того, м-р Харриз не воспринимал барона всерьез и до конца не верил, что на нем ставят опыты. Порывшись на полках, Альфред показал мне сочинение: *Auguste Delombré "Le Somnambulisme et L'Âme Immortelle", Paris, 1938*. Довольно толстая книжечка, в которой подробно описан случай мистера Харриза, а также опыты, целью которых было не только излечить пациента от сомнамбулизма, но и доказать наличие души; приглашенный для этого гипнотизер (наверняка шарлатан) колдовал над спящим англичанином, который под воздействием метронома и команд гипнотизера вздрагивал во сне и бредил (примеры сомнамбулической речи были уморительные), однако вибрации души так и не были обнаружены; м-р Харриз прожил в Шато-Деломбре что-то около пяти лет и покинул Францию с началом «drôle de guerre»[1], что с ним было дальше — неизвестно.

Этьен считает, что писать важно (организация внутреннего психического мира). Это должно стать каждодневной практи-

---

[1] Так называемая сидячая война — период Второй мировой войны, отмеченный тактикой выжидания, — длился на Западном фронте с 3 сентября 1939 по 10 мая 1940 года.

кой. Я сказал, что мне будет непросто; я пробовал — головные боли; он посоветовал описывать ощущения непосредственно перед приступом или писать раз в неделю.

Приступа у меня давно (две недели) не было, но это ничего не значит, он может вернуться с целым выводком и погрузить мою жизнь на месяц в кошмар.

Этьен ушел; я остался, мы выпили бутылку вина, Альфред тоже посоветовал записывать отдельные мысли: «Это все равно как делать моментальные снимки внутреннего ландшафта. Помните: *votre âme est un paysage...*»[1]

Он взмахнул рукой: «что тут говорить!» — сел за клавикорд и очень долго играл...

Раньше я вел дневник в виде писем отцу; я начинал его так: *mon cher papa*[2] — это потому, что он всегда был и всегда будет *ma boussole morale*[3]. (По-прежнему никаких новостей.)

Но как же трудно писать! Даже обломки, которые мы разгребали после бомбежки, давались легче. Я вспоминаю только руины, колючую проволоку, бараки и баррикады. Это и есть мои слова — обломки. В голове моей вертятся ошметки фраз того искалеченного языка, на котором мы говорили в лагере. Я пытаюсь подобрать слово, а оно улетает от меня, я хватаю его, а оно разрывается на осколки. Трудно поверить, что на эту небольшую запись у меня ушло три дня. Я столько бумаги исписал.

19.IX.1945

Сегодня проснулся и сразу все забыл. Теперь мне кажется, что снилась река, по которой мы переправлялись из Германии во Францию. Вряд ли. Обычно не снится так, как было. Навер-

---

[1] Ваша душа — это пейзаж *(фр.)*, из стихотворения Поля Верлена «Лунный свет».

[2] Мой дорогой папа *(фр.)*.

[3] Мой моральный компас *(фр.)*.

ное, я просто думал об этом в дреме. Этьен четыре года прожил в маленькой смежной комнате, которую накрепко закрывали и заставляли книжными стеллажами. Полное одиночное заключение. Его спасла от помешательства китайская дыхательная гимнастика и медитация. Я спросил его, где он этому обучился. Он пространно ответил, что китайское гетто Лионского вокзала славилось не только опиумными курильнями, гейшами и игорными салонами маджонг. Я попросил, чтобы он меня тоже научил медитации.

28.IX.1945

Сегодня я сделал несколько разноцветных фигур, буду созерцать и дышать глубоко. В башне для этого самое подходящее место: простор, вид, свет, воздух. Надо бы тут немного подлатать стену — отогнулись доски, торчат бумаги, которыми утепляли стены, негодно сделано. И крышу очистить от листьев, окна от птичьего помета... Много дел. Хорошо. Этьен мне сказал: «Попробуйте переосмыслить вашу травму и то, что вы называете болезнью». Я спросил: как? Он: «Война — это стихия. Она поделилась с вами частью своей силы. Не думайте о людях. Вся беда в том, что вы думаете о том, что вас люди искалечили. Вспоминаете ужасы, которые они творили. Это приводит к негодованию. Справедливо, но разве гнев помогает вам справиться с вашими приступами? Нет. Это приводит к кошмарам. Исключите людей. Думайте о войне без людей. Представляйте взрывы так, будто они сами происходят. Вообразите вулкан, землетрясение, шторм в океане. Вы оказались в центре разрыва связей. Не думайте о том, что стихия нанесла вам ущерб. Она могла вас трансформировать, могла в вас открыть нечто. Шум, который вы носите в голове, судороги и видения — помыслите их не как последствия нападения на вас, а как религиозный опыт. У многих пророков и гениев случались похожие вещи. Подумайте, что у вашей так называемой болезни может быть иное происхождение — божественное». Удивительный человек, Этьен. Он говорил о том, что без мрака не было бы света, а без горя не было бы счастья, и т. д. Не представляю, как он просидел в своей комнате-коробке столько лет. Я бы точно сошел с ума. Философия помогла, буддизм. У него не было окна. Люди, которые его прятали, провели хитроумную вентиляционную трубу к нему в убежище. Комнатушка — не больше пещеры, которую освещала слабая электрическая лампочка. Чтобы Этьен не сильно скучал, когда все уходили, ему оставляли радио, негромко. Наверное, сидеть в пустом доме совсем страшно. Меня пугает тишина пуще любого грома. Со своими опекунами он общался из предосторожности записками. Все время шли обыски, а в сорок третьем, говорят, обыски были особенно тщательные. Кто угодно предать мог. У нас был в лагере француз-еврей, его не выдали, во всяком случае, до той поры, что я оставался.

12.X.1945

Очень трудно писать. Пока я лежу, глядя в небо, слова во мне звучат значительно, между ними бескрайний простор, и они светятся, как в речной строке звезды. Стоит мне пошевелиться, чтобы записать, и слова рассыпались, звезды разлетелись. Волны поколебались, унесли смысл. По ночам просыпаюсь в страхе, дрожу. Судорога. Я снова в лагере, в оцепенении, боюсь пошевелиться. Мрак стоит стенами. Я поднимаюсь, встаю, зажигаю спичку. О, какая это свобода — просто зажечь спичку! Разогреваю на примусе чай. Сижу, пью чай! Свобода меня пьянит, она на меня наваливается, как океан, и тогда опять появляется страх, безумие, такое редкое безумие, которое случалось со мной еще до войны, когда я студентом был, *papa* уезжал в командировки, я оставался один на несколько дней, и ночи были особенные. Проснувшись в темноте, я слушал, как тикают часы, и если часы вдруг вставали, на меня наваливалась тишина, мне казалось, что мир сжался в точку, а я, окаменев от ужаса, стою на открытой всем ветрам скале, на которую летит с огромной высоты ангел, сейчас он сойдет на меня, и я потеряю себя. Так и случалось! Кто знает, какой это ужас — терять себя!

23.X.1945

Старик Боголепов зашел ко мне сегодня около трех, хитро улыбаясь, поманил: «Идемте, кое-что вам покажу». Входим к нему (по пути нам попались дети: девочка Лидии и двое сироток), на стене огромная карта, он на нее с гордостью показывает, с восторгом говорит: «На рынке раздобыл предвоенную карту Евразии, еще до раздела Польши. Какая теперь огромная Россия, а! Не правда ли, дух аж захватывает!» (Он раньше не знал будто?) «А теперь небось пол-Европы оттяпают. Молодцы!» Кажется, он полагает, что большевики заберут себе всю Польшу и половину Германии. Наивный человек. Ну, даже если так, спрашивается: ему-то что с того?

* * *

Ноябрьский выпуск «игумновских тетрадок» почти целиком был посвящен невозвращенцам. За исключением обзора парламентских выборов и референдума 21 октября 1945 года. Обозреватель (наверняка Игумнов) откровенно симпатизировал христианским демократам Народно-республиканского движения, уделяя Роберу Шуману больше внимания, чем де Голлю с его «планом спасения» Франции *и* — писал анонимный обозреватель — *возвращения ее на арену крупных политических игроков: договор о сотрудничестве и военной взаимопомощи, безоговорочная выдача всех бывших советских граждан и прочее содействие большевикам — всё это части плана генерала де Голля по спасению Франции.* Дальше в номере:

подробное описание, как выдают и размещают перемещенных лиц во временных лагерях. «Обыск и террор». «Нападение на французскую семью в Марне»: попытка похищения русской девушки, которая готовилась выйти замуж за француза. Открытое письмо от главного редактора: Игумнов согласился с Алдановым и Маклаковым («никогда со Сталиным, всегда с народом») и разошелся с Керенским (надежды на «мирную эволюцию большевистского строя» нет, узурпаторская диктатура никогда не перерождалась и не сходила с подмостков истории добровольно). «Большевистская мафия и ее методы»: похищения, преследование, показания свидетелей и тех, кто предоставил кров не желавшим возвращаться бывшим советским гражданам. «Репортаж изнутри маленького ГУЛАГа»: рассказ балтийского русского, сбежавшего из лагеря для перемещенных лиц. Признав присоединение балтийских земель к СССР, шведский парламент заявил, что вынужден выдать Советскому Союзу покинувших Прибалтику русских беженцев. Вслед за этим заявлением последовали массовые манифестации шведов возле королевского дворца в Стокгольме: «Русские не станут диктовать нам, что делать!» — заявила общественность и шведская пресса. Отложив поездку в оперный театр, король Густав занялся русскими беженцами. В результате Швеция отклонила требование Советского Союза. «Вопрос о выдаче русских беженцев готовится к обсуждению в Социальном Комитете Союза Объединенных Наций». Большая статья о Комитете Советских Невозвращенцев Франции, перепечатан манифест КНФ и история его написания и распространения[1].

---

[1] В статье безымянный репортер лукаво пишет, будто Комитет был создан неким Е.Х. в гаражах Сент-Уана, манифест писали тринадцать беженцев — украинских и русских, которые потеряли веру в то, что им удастся избежать возвращения; листовка якобы была напечатана на шапирографе, который нашли на свалке и привели в действие, ну и т. д., не без красочных деталей,

Вот некоторые выдержки из «Манифеста советских невозвращенцев Франции»:

Кто-то полагает, будто советские граждане не хотят возвращаться в СССР потому, что они соблазнились материальными ценностями и лучшими условиями жизни, которые нашли на Западе, — нет, не имея документов, не зная языка, без средств к существованию, находясь под угрозой поимки и выдачи советским властям, мы не имеем возможности насладиться ни замечательными условиями западной жизни, ни материальными ценностями. /…/ Советские невозвращенцы, доводим до вашего сведения, влачат ужасное, затравленное существование, которое можно с легкостью сравнить с обитанием пещерного человека. Но тем не менее мы не желаем сдаваться, не желаем попасть в моральное и физическое рабство у себя на Родине. /…/ Мы любим Россию. Мы тоскуем по ней. /…/ Освободившись из немецкой неволи, мы не хотим терпеть унижение и репрессии на родине. /…/ Мы объединились в борьбе за право на свободную жизнь, за право выбора. Мы имеем право заявить о том, что не хотим возвращаться. Мы верим в свободное будущее нашего народа. Каждый невозвращенец, которому вы протянете руку, — борец за наше дело. /…/

Манифест заканчивался воззванием: «Да здравствует свободная Россия! Да здравствует народ Великой России!»

* * *

Александр несколько дней работал в башне, стучал, пилил, ходил вверх и вниз; обрушил в *библиотеке* книги, снова стучал и что-то сжигал в печи — дым валил черный. «Как в те дни, когда в Париже архивы жгли», — подумал Боголепов. До-

---

одним словом, миф. На самом деле все было несколько иначе. Манифест писали Глебов, я и Лазарев (Игумнов сильно поправлял), печатали у меня, распространяли листовку студенты Игумнова.

ждавшись, когда неугомонный жилец появился на лестнице, он спросил:

— К зиме, вижу, готовитесь?

— Да, — коротко ответил Крушевский и пошел внутрь греметь дальше.

Старику показалось, что тот слишком озабочен чем-то, даже как будто напуган. Он вошел следом в кухню. Крушевский торопливо запихивал в печь бумаги.

— Зачем же столько бумаги жжете? Дождались бы холодов...

— В холода дрова жечь буду. От бумаги пыль и место занимает. Нечего.

— После сожжем. Давайте, что ли, пивка домашнего выпьем?

— Нет, спасибо, — не щадя пальцев, продолжал запихивать бумагу в пылающую печь.

— Случилось чего?

— Что? — Крушевский замер. — О чем вы?

— Узнали что-то?

— Что узнал?

— Об отце вашем, — видя, что Крушевский бледнеет, Арсений Поликарпович растерялся. — Может, весточку получили?

— Н-нет... Н-ничего, — взял метелочку, пошел суетиться.

Старик вздохнул и ушел, весь день прикладывался к ковшику с пивом, посматривал за своим странным жильцом. Дым долго валил из его трубы, и молоток гулял вверх и вниз по Скворечне: то громко — со злостью, то глухо — со сжатыми зубами; до самого вечера Крушевский шуршал, скреб, мыл стекла, чистил крышу от старой листвы. Наконец, угомонился.

Курил, глядя на закат над рекой. Смеркалось.

Немного писал:

Я образую Свет и творю Тьму, делаю Мир, и произвожу Опустошения; Я, Господь, делаю все это. Исаия 45:7

А еще ниже: Скажет ли глина гончару: «что ты делаешь?»

Я — глиняный сосуд, внутри которого горит свеча. Сколь долго смогу носить в себе?

Темнеет быстро. В сумерках пение некоторых птиц кажется особенно пронзительным и взывающим. Птицы тоже молятся?

Свеча во мне горит неколебимо.

Отнес наверх одеяло, свечи, чайник, попил чаю. Зажег свечи, помолился, постелил пальто на пол, лег, накрылся одеялом. Облаков не было. Он смотрел на звезды и думал, что у него нет дома... и отца — теперь совершенно точно — нет... возвращаться некуда, вспоминать себя нет смысла. Есть это небо, эти звезды — самая надежная карта, самые преданные друзья. Они никуда не денутся, не подведут, всегда здесь, над головой. Зачем искать что-то еще? Обрести себя здесь и сейчас!

Он ощутил вокруг себя присутствие невероятной силы, той самой, что в каземате форта Баттис оторвала его от земли и бросила о стену, — теперь эта сила бережно несла его на ладони, звездами заглядывала ему в сердце.

1

Меня перевезли на rue de la Pompe. Шел проливной дождь, Серж ехал окружной дугой: по бульварам Маршалов, по недавно построенному мосту... а потом хлынуло так, что мы были, как в подводной лодке; я не мог ничего разглядеть снаружи, бултыхался на заднем сиденье; костыли, Continental, бумаги...

— Держитесь, держитесь, скоро будем на месте.

Всю дорогу он рассказывал, как съездил в Шамбери навестить какого-то их общего знакомого, которого приютила во время войны русская графиня NN, — один из тридцати пяти евреев, которых она у себя содержала до их отправки в Швейцарию, по каким-то причинам он остался у нее, сначала прятался от итальянских фашистов, потом от немцев, затем от НКВД. Со слов Сержа, этот несчастный всегда чего-нибудь боялся, далеко от виллы не уходил, завидев автомобиль, прятался, у графини в Савойе был большой дом с виноградником и прудом, он там жил как в раю, за двадцать лет он не потрудился себе сделать документы, ему даже мысль в голову не приходила отправиться в Париж или в Женеву, чтобы решить этот вопрос, он даже в Шамбери не выезжал, Серж у них частенько бывал, рисовал кувшинки, камыш, старый пруд, поросший шелковичными кустами виноградник, оливковые деревья, сады, лавандовые поля... И вот, в начале шестьдесят первого года, графиня умерла, незадолго до кончины она, по всей видимости, утратила здравомыслие, потому как составила странное завещание: она все завещала Корсунской епархии Русской православной церкви, но с одним условием: епархия получит ее владения только после смерти кота (у них жил большой черный кот, они оба его очень любили), по воле графини кот мог проживать на вилле в соответствии со своими привычками, а за ним должен был присматривать тот самый знакомый Сержа, теперь уже пожилой и дряблый человек. После смерти графини кот прожил что-то около семи лет, за это время его опекун успел здорово спиться, поэтому, когда он нашел кота мертвым, у него случился психический припадок, его изловила полиция совершенно обезумевшим. Серж ездил все эти дела утрясать, объяснять шамберийским психиатрам и властям, кто этот человек, история обещала быть длинной...

— Туда ехал — бензин еще был, а вот обратно... Ох, пришлось выкручиваться... чуть ли не в каждой деревушке спрашивал... с миру по капле... целая повесть! Ну, говорят, во время оккупации так же было... И что вы думаете! Вчера звонил им туда, узнать, все ли в порядке. Знаете, что говорят? Приезжайте, говорят, мсье Шершнефф, нужно протокол и заявление подписать! Видали? Хотят, чтобы я из Парижа —!!! — в Шамбери приехал и подписал какие-то показания... Бюрократия! Тут мир рушится, а у них — бумажки... Трудно паспорт человеку сделать, видите ли... Ну, как всегда... Куда деваться — поеду, конечно. Пропадет он без моей закорючки. Упрячут в дурдом, поминай как звали. Ярек обещал бензину дать... Запасливый поляк...

Мсье Моргенштерн спал; пани Шиманская сказала, что он, наверное, перепутал снотворное со своим лекарством (он спал до заката). Мне помогли подняться по лестнице. Налево от нее начинались комнаты хозяина, направо вел неосвещенный коридор: четыре комнаты, подсобное помещение-шкаф (белье, гладильная доска, утюг, метелка, ведро и т.д. — на свободные плечики я повесил мои рубашки, пиджак, плащ), ванная комната с душем и туалетом; лестница на чердак.

Я вошел к себе: просторная кровать, небольшой стол, старинный стул с очень высокой прямой спинкой и мягким сиденьем (потемневшие от времени заклепки), старые обои с неразборчивым узором, линия судьбы на потолке... С удивлением обнаружил, что дождь кончился. Распахнул окно: влажное шуршание сирени, птичьи голоса... Постоял, подышал, глядя в ясное небо, немного разрисованное розовыми нитяными облачками. Крохотный сад жался к щербатой стене с облетевшей старой черепицей. Rue de la Pompe поблескивала лужами. Над старыми платанами возвышалась остроконечная крыша с каменным крестом — часовня католического лицея.

Ярек внес мой чемодан.

— Благодарю вас...

— Не за что, мсье инвалид, — похлопал меня по плечу и добавил что-то по-польски, наверное, пожелал мне скорейшего выздоровления.

Серж внес машинку, заметив мимоходом, что та возвращается домой, щелкнул пальцами на странный эскиз над кроватью (нечто бесформенное, в высшей степени абстрактное).

— Работа Макса Эрнста. Без названия. Хотя легко догадаться, что это один из тех ангелов, которых он рисовал в тридцатые годы. Этого не закончил, но все равно хорош, нечего сказать. — Он постоял, посмотрел на картину, вздохнул, протяжно произнес: — Даааа, хорошо.

— Да, — сказал я.

Ангел был впечатляюще грозный, правда, он больше походил на хлопья грязной пены, или рыхлый поржавевший сугроб, или сгустки закатных грозовых облаков, а может, на сваренное в чане белье: рубашки, юбки, наволочки, носки — все вперемешку, и все покрасилось! Можно притвориться, что та яркая сизая полосочка — это небесная молния, которую скрученной в мыльных муках рукой сжимает ангел; но, признаюсь, если бы Шершнев не сказал, что это был ангел, мне бы никогда это в голову не пришло.

— Ну, вы вроде как устроились, — сказал Серж, — а я пошел за бензином... Надо снова ехать.

— Спасибо вам! Ни пуха ни пера!

— К черту!

Вот уже несколько дней я живу на втором этаже в розовой комнате (она становится розовой по вечерам); у меня поселился еще один стул, мне принесли тумбочку, к вечеру скапливаются чашки и кружки, утром я их выношу, подсовываю в гостиную, ставлю на поднос или прячу на подоконнике за занавеской; на полки я расставил книги, привезенные из Америки, Мари принесла свой маленький портрет, чуть больше медальона, я его поставил на тумбочку рядом с изголовьем и посматриваю (даже разговариваю так с ней). У меня есть пепельница из толстого стекла с медной ручкой в виде головы тигра; коробочка для канцелярских изделий; линейка, ножницы, клей и — много-много бумаги, целые коробки, они стоят повсюду, теперь места совсем мало, но, кажется, даже если комнату заполнить вещами доверху, простора в ней не убудет. Свет, вливаясь через окно, раздвигает стены, делает дверь прозрачной. Лежа с закрытыми глазами, вижу, как летят птицы и пчелы. В доме тонкие стены, предупредила Мари. Лежим обнявшись, курим, шепчемся...

Она права — тонкие стены: я слышу, как у себя ворочается мсье М., встает, идет в гостиную, закуривает, переставляет шахматные фигуры, я слышу, как звякает ложечка, скрипит тугая рукоятка на окне, он дергает раму на себя, чиркают кольца по карнизу — занавеска взлетает, он откашливается; по лестнице поднимается пани Шиманская, слышу, как они говорят, она собирает на поднос посуду, уносит вниз, возвращается, идет в конец коридора, открывает подсобную комнату, берет метелку и легко шуршит ею, затем еще звуки, она опять идет по коридору мимо, в гостиную, что-то делает, чем-то гремит, уходит вниз по лестнице; я улыбаюсь, открываю окно, закуриваю...

Альфред большую часть времени просиживает за своими бумагами, иногда в странном восторге он садится за клавесин и долго играет, перетекая из одной пьесы в другую; с закрытыми глазами я следую за ним, мне представляются комнаты, залы, помещения, наполненные людьми, картины и сцены; внезапно он перестает играть, встает и уходит курить, спускается вниз; я остаюсь в постели, закуриваю, думаю, музыка не отпускает, видения все еще сковывают мое воображение, трудно пошевелиться...

Дней пять мы жили очень замкнуто. Я много работал, с утра до глубокой ночи, и даже по ночам я просыпался и перебирал записки мсье М., наугад вытягивал из большой коробки три или четыре бумажки и вертел их, примеряя к моей собственной жизни; я слушал клавесин, голос из скрипучего радиоприемника Клемана крался где-то за кулисами сознания, дождь постукивал по подоконнику, гудел город...

Мари появлялась по утрам, я докладывал о том, что у нас происходит, она слушала как-то рассеянно, пила кофе, говорила со всеми немного; я вытягивал из коробки листок, зачитывал ей, она тоже что-нибудь вытягивала, читала, смеялась и убегала ухаживать за больным отчимом («Мать его съест без меня»).

Как-то дождливым вечером пришел Серж, все время рассказывал нам о своей поездке, ругал бюрократов и дороги, он был все еще в дорожной пыли, мы втроем сыграли по партии в шахматы, победил Шершнев, принял душ и остался ночевать — пани Шиманская постелила ему на давенпорте в комнате родителей мсье М., с тех пор так и живет. Часа не проходит, чтобы он не помянул Сартра: «Да чтоб его унесло на воздушном шаре, когда он делал метеорологическую разведку! Улетел бы в космос, стал бы первым космонавтом».

Приятно после нескольких бокалов вина лежать с открытым окном и слушать импровизации мсье М. Я курю третью сигарету кряду, подмешиваю к табаку немного гашиш, мои мысли беспечны, как дымок. Машинка превращается в пирамиду индейцев майя. Я слежу за переливами света и движением теней на стенах и потолке. Сколько смысла! Сколько поэзии! Какие гармоничные переливы! Шуршат бумаги; поблескивают карандаши, пепельница, полная пепла, окурков и карандашной стружки... Я рассматриваю картину с бесформенным ангелом; тихонько журю свою безобразную ногу; пение птиц и кошачье мяуканье сливаются с клавесином; заслушавшись, проваливаюсь в короткий безмятежный сон; очнувшись, первое, что понимаю: клавесин стих. Начинаю день заново. Стараясь не побеспокоить хозяина, вхожу в гостиную с бумагами под мышкой, сажусь, читаю, подчеркиваю, перебираю; иногда задаю вопросы, Альфред отвечает... Гостиная когда-то служила приемной, теперь это и библиотека, и маленький концертный зал. Перебрали кипу бумаг; в результате автор оставил десять страниц — вот эти, разве что, ничего, можно отдать Шершневу, пусть они дальше редактируют, — а как их связать между собой? — да никак... — и весь ответ! День прожит не зря, говорит себе под нос мсье М., уходит, спускается по лестнице: Рута! Рута... а где Ярек?.. Остального не слышу. Пью остывший кофе, курю, рассматриваю странный чемодан, который стоит вертикально, из него выдвинуты ящички и ширма, он обставлен погасшими свечами, бюстами, пепельницами и чернильницами, возле него стоят коробки с исписанной бумагой; на стене возле двери в кабинет плакат Soirée du coeur à barbe (Théâtre Michel; 40 Rue des Mathurins; venDredI 6 et saMedI 7 JuiLlet 1923; OrganISée par TCHéREZ; и маленький образ лисицы, которая бежит с куропаткой в зубах); чуть поодаль другой плакат: джаз-бэнд из шести чернокожих музыкантов с трубами, банджо, саксофоном, седьмым был француз с барабанными палочками, восьмой — мсье М. за роялем в уголке. Шахматный столик и секретер словно охраняют вход в святая святых — дверь в кабинет приоткрыта: корешки книг, веретенообразные ножки большого стола из красного дерева, тяжелый, на каракатицу похожий, стул с широкой спинкой и массивными мягкими подлокотниками — это все, что мне удается увидеть в кабинете (я там еще не побывал). Стряхиваю пепел, делаю глоток кофе, смотрю в окно: шпиль Эйфелевой башни, крыши, деревья; тушу сигарету, поднимаюсь, подхожу к окошку ближе: ворота здания напротив, такого же старинного (XVIII век), что и дом, в котором мне оказана честь поселиться ненадолго; изящная решетка ворот поросла вьюном; приглядевшись, можно заметить, как сквозь прутья летают пчелы; за воротами настоящая лубочная картинка: разросшийся куст жасмина, лаванда, гортензии в окнах, белье на веревке, деревянные ставни (прорези на них частые, узкие, как не до конца сомкнутые глаза у некоторых слепых), тощая кошка на черепичной крыше. И над всем этим разливается небо. Кажется, что это не просто окно, а дверь в бесконечность.

— Весь этот... как бы получше выразиться... chambardement[1], что ли... порядком надоел, — говорит мсье М.

— Не говори, Альф, не говори, — соглашается Шершнев. — Вот он — коллективный муравьиный героизм во весь рост и во всю ширину плеч!

Альфред бросает газету.

— Во время испанки театры работали! А теперь — всё парализовано! Всё вышло из строя! Вода идет с перебоями! Так невозможно жить! Цирюльник закрылся. Цирюльник!

— Ты мог бы раз в жизни бороду отпустить.

— Ни за что, — говорит мсье М. и спускается вниз просить пани Шиманскую побрить его — немедленно, будто вопреки происходящей революции.

Мы почти не гуляем, слушаем радио, читаем газеты, которые приносит Ярек, мсье М. их почти не читает, перелистав, отдает нам. Шершнев над ними сопит, цыкает, шуршит очень

---

[1] Переворот, смятение, беспорядок (*фр.*).

добросовестно и подолгу, пока не послышится храп. После Клемана газеты пропадают.

Мы все болеем революцией, каждый по-своему; если мы о ней не говорим, она все равно продолжается, и внутри нас тоже.

Обедаем втроем за большим раздвижным столом в гостиной под Гайдна — Музыка на воде или для королевского фейерверка; дабы нарушить согласное стариковское ворчанье, к нам присоединяется Клеман (тогда за столом говорят по-французски).

— Все эти революции ни к чему не ведут, — начинает мсье М., — человек все равно остается прежним, меняются только кунштюки, с помощью которых люди обустраивают свои кости в этом ненадежном мире. — Серж поддерживает: «угу, угу». — За что и дерутся. За удобство, средства существования. Комфорт — это все, что беспокоит человека! Душой, силой, разумом человек наших дней ничуть не превосходит людей прошлых столетий. Как и прежде: достигнутое людьми мнимое совершенство — источник всех человеческих несчастий. И революциями этого не поправить.

— Ты не прав, — говорит Клеман.

— Тогда и Руссо не прав.

— Твой Руссо мне напоминает овечку, которая пошла гулять в лес, увидела, как волк пожирает лошадь, увидела преследующую зайца лису, увидела льва, увидела кабана, то бишь — увидела жизнь, испугалась и побежала обратно в загон плакать: «О, какие все злые! Как все несправедливо! Нет искренности! Нет дружбы! Ах, ах!»

— Послушай...

— Нет, это ты меня послушай! Люди ничем не отличаются от животных. Мы — часть этого мира. Изолироваться от природы невозможно. Мы все такие же, какой она нас создала. Мы во всем подобны ей. А что главное в природе?

— Что? — спрашивает Серж.

— Сила.

— О?

— Стихия!

— А не гармония? — поддразнивает мсье М.

— Нет! Животворящая сила стихийна, как революция. Именно сила толкает людей на борьбу. Ради этого люди выходят на улицу: ощутить в себе силу, способность изменить мир, прыгнуть выше других, показать себя. Когда тебе не дают высказаться, когда на тебя давят абсурдные правила и законы, когда тебя вяжут бюрократы по рукам и ногам, не давая силу применить, она сама вырывается, как пружина.

— О! Красивый образ, — замечает Серж.

— Природа — не комната, из которой можно выйти.

— Еще один отличный образ...

— Ладно, но зачем долбить улицы? Мы же не гунны.

— А зачем пилить деревья? Я же говорю, если на тебя давят снаружи, тебя распирает изнутри. Или тебе это так сложно понять?

— Нет, но...

— Впрочем, очень может быть, что тебе и не понять. Тот, кто не ощущал внутри себя силы, тот, кто все получил в наследство и ничего не добивался в жизни, никогда не поймет нашей борьбы.

Клеман встает и уходит.

— Когда тебя ждать? — кричит мсье М.

На этот вопрос ответа не бывает. Хлоп!

Мсье М. с Сержем почти каждый вечер выходят в сад, пьют чай с аперитивом; узенькая хрусткая лестница мне пока дается с трудом, поэтому я стою на балкончике, курю, пью мой чай и переговариваюсь с ними, их это забавляет.

— Спускайтесь вниз, к нам! — зовет Серж.

Я отмахиваюсь.

— Тогда я попрошу Ярека вас отнести, — говорит мсье М. — Он у нас силач.

— Ни в коем случае! Я не позволю себя носить на руках. Я не ребенок.

— А по мне так...

Смеются.

Они поднимаются в гостиную, помогают мне расположиться поудобней на софе с выгнутой волнистой спинкой и мягким подлокотником. Серж подкладывает подушки. Я вытягиваю мою больную ногу, рядом со мной появляется тумбочка, на подносе небольшие графины — с вином и водой, два бокала, розетка с мелко нарезанным сыром, пепельница и несколько сигарет. Серж и Альфред садятся в кресла и начинают беседу, которая уводит их в бесконечный мир отражений и перекличек, секретных кулуаров и пассажей, тайных встреч, интриг и совпадений. Одна история перетекает в другую, многие так и остаются не досказанными, повисают, как оборванные провода; появляются новые персонажи, а вместе с ними и новые истории, анекдоты, случаи, узлы свивающихся жизней — поток захватывает и несет, как поезд, медленно пересекающий фантастическую страну, но этот поезд странствует во времени, перелетая по волшебным мостам через десятилетия. Вместе с освистанным Пиранделло и актерами Серж выбегает из театра Валле через черный ход, а мсье М. ведет нас в китайский квартальчик, где в опиумной курильне находит одного из тех актеров и дополняет рассказ Сержа невероятными подробностями. Их рассказы переплетаются, вьются. Кажется, это был не простой табак — вкус был у него несколько кисловатый, он окутывал меня плотнее обычного, стелился по одежде, как туман по холмам, вился вокруг изогнутых ножек, поблескивал вместе с серебряным подносом, угольки в пепельнице отказывались гаснуть, долго светились, подмигивая... время останавливается, мы замираем посреди вечности, из прорех которой выплывают портреты мифических созданий.

В середине дня я читаю в кабинете Альфреда. Тут так много книг, хочется окунуться во все разом, но моя нога не дает мне возможности взбираться по лесенке, верхние полки мне недоступны, я взираю на них с беспомощностью ребенка. Когда хозяин приходит поработать, я, стараясь не шуметь, уволакиваю мою ногу.

Мсье М. работает каждый день; секретарь ему необходим, и мне эта роль нравится. Во-первых, его хотят издать русские в Америке. Серж им отправил несколько фрагментов рукописи, и там пришли в восторг. Альфред смеется: «Они не представляют себе, что за этим ничего больше нет, все остальное — такие же разрозненные эпизоды, целого нет, и не будет». Во-вторых, нашелся падкий на русскую литературу-в-изгнании блаженный французский издатель, которого настропалил Серж (сам у него издается). В-третьих, из Бонна вот уже несколько лет наезжает рассеянный славист (всегда что-нибудь забудет — то зонтик, то штиблеты, а один раз оставил привезенную с собой кофемолку): «И ему тоже отчего-то хочется меня издать, — мсье М. смеется, — он сам не знает, чего хочет... может быть, мою мебель... офорты Бенуа... эскизы Эрнста... или использует мою квартиру как бесплатный отель?» Мсье М. относится к своей писанине без должной серьезности — «обычная рутина, почти как гимнастика». Я тоже пока в полной растерянности. Наиболее целостными кажутся две повести: «Девять дней шторма» и «Американское лето», — разрозненные записи, которые А. М. организовал в роман о путешествии в Америку на трансатлантическом лай-

нере «Левиафан». В 1920-е А. М. был одержим Н. Евреино-
вым. Это подтверждает невероятное количество газетных вы-
резок из французских, русских, немецких, английских и даже
польских газет. А. М. внимательно следил за путешествием
Евреинова из СССР в Европу; есть запись о том, что его им-
прессарио Уилфред Эндрюз советовал Альфреду «не связы-
ваться с этим советским агентом», на что А. М. пишет: *даже
если Е. и был советским агентом, я плевать на это хотел,
я играл бы в его постановках, в любых, даже самых неудач-
ных*. Попав в шторм, «Левиафан» вместо пяти дней шел девять: *сама природа пытается мне помочь, устраивает бурю,
чтобы задержать корабль, но проклятая морская болезнь
свалила меня, единственное, что меня спасает, это даже не контрабандный ром и не опий, а мои записки: когда
я пишу, совершенно не чувствую качки, поэтому большую
часть времени я сижу над моими бумагами*. А. М. подробно
описывает попытки сблизиться с драматургом в Париже; узнав от доверенного лица, что Евреинов отправляется в Нью-
Йорк ставить «Самое главное», А. М. покупает билет на тот
же рейс. «Девять дней шторма» — это не только девять дней
бушующего океана, но и девять дней бури в душе актера, который находится на одном лайнере со своим кумиром и никак
не может найти способ с ним поговорить; это девять дней морской болезни (именно морскую болезнь он винит в том, что ему
не удалось попасть в ближний круг Евреинова: *мне помешали
морская болезнь и Рудольфо Валентино, который не пойми откуда взялся на борту корабля и тут же подружился
с четой Евреиновых, — кстати, молодая женушка маэстро
как будто испугалась меня, даже отказала мне в танце,
когда я, превозмогая морскую болезнь и слабость, появился
на балу*); девять дней стыда, отчаянного изучения собственной маниакальной натуры и одиночества: *Leviathan — самое*

большое судно в мире, водоизмещение почти 60 тыс. тонн, 3000 пассажиров на борту, бары, танцевальный зал, кинотеатр, *jardin d'hiver*, банк и Бог знает что еще! Город на воде, плавающий остров Верна и — ни души, с кем можно было бы поговорить. Печаль, контрабандный ром был настолько плохой, что я предпочел опиум. Нигде и никогда я не был так одинок! Именно на «Левиафане» А. М. понял, что больше не может обходиться без алкоголя (в американских водах действовал сухой закон), не переносит морскую болезнь, терпеть не может океан. «Американское лето» — это road journal, путешествие по Америке, которое длится пять лет (в действительности, А. М. пробыл в США чуть дольше одного месяца, о чем сам неоднократно говорил, подчеркивая, что знает Америку плохо: *нигде, кроме Нью-Йорка, в Америке я не был*). Америка мсье Моргенштерна — это фантасмагорический сон, которым бредит Европа: *Нью-Йорк, необозримое человеческое море посреди каменных айсбергов; грандиозный Нью-Йорк, из недр которого слышится один и тот же вопль исторического отчаяния; печальные звуки, пробирающиеся по улицам и канализации, как воздух по трубам органа, забираются в сердце и шепчут: тебе не на кого положиться — ни в прошлом, ни в настоящем, ни в грядущем — из этой безотрадной людской массы не выйдет ничего путного, все будет однообразно и безнадежно.*

Очень много склеенных бумаг, вырезанные ножницами ленты тянутся из папок и, красиво завиваясь, падают под ноги. Нотные тетради, в которых среди нот попадаются рисунки: человечки, смерть с косой, виселицы, гильотины, черти, солдаты. Большая пьеса Hebdomeros[1] в какой-то момент, насколько

---

[1] *«Гебдомерос»* — роман Джорджо де Кирико, написан на французском языке и опубликован в Париже в 1929 году.

я понимаю, превращается в бесконечный монолог. Испещренный заметками, переполненный вложенными открытками и закладками небольшой томик французского издания Рильке «Записки Мальте Лауридса Бригге»[1]. Большой сценарий о вундеркинде...

Потрясенный злоключениями Уильяма Сайдиса, — в газетах писали, что родители упрятали его в сумасшедший дом, — я за три месяца написал сценарий о жизни вундеркинда, впоследствии превратил его в довольно растянутую драму, подумывал над романом, но все обрушилось, когда я понял, что мой агент меня водит за нос. Он говорил, что мой сценарий просто *formidable*[2], по его словам, все вроде бы шло к тому, чтобы сняли фильму, м-р Э. утверждал, что он разрывался, ведя переговоры с различными компаниями, режиссерами, говорил, что сценарием якобы восторгались и Абель Ганс и Жан Эпштайн. *The thing is being talked about!.. a very promising hotchpotch!*[3] Все врал. Никаких разговоров не было. Никто ничего не слышал. Вращаясь белкой в колесе, я продолжал делать то же, что всегда. Съемки для картинок и журналов, календарей — ему ничего не стоило это устроить; но театр и кинематограф смущали. Зачем усложнять себе жизнь? Холливуд легко завоевал Париж. Антрепренеры исчезали со сцены, как постаревшие актрисы. Выпустил волшебные нити из рук — и тебя нет. Мой замысел его сконфузил, он никому

---

[1] Позже я обнаружил альбом фотографий, который назывался «Коллекция Мальте Л. Бригге», там были фотографии мсье Моргенштерна, примеряющего самые неожиданные костюмы, видимо, он изображал этого вымышленного Мальте Бригге. Рильке — один из самых любимых поэтов М. («Не считая дядюшки Кристиана», — игриво добавлял он).

[2] Внушительный *(англ.)*.

[3] О нем говорят!.. многообещающий замес! *(англ.)*

не показывал манускрипт. «Ну, чего ты ждал, Альф? — говорил Серж. — Манекены не пишут сценариев и не говорят, как их ставить. Не таскаются по борделям и не играют негритянскую музыку в варьете»[1]. Для моего агента я был куклой. Мне следовало двигаться только тогда, когда он поворачивал ключик, и, сделав работу, возвращаться в мою шкатулку на rue de la Pompe. Никаких мыслей, стихов, идей... Театр? Выбрось из головы, Альфред! У тебя все хорошо. Looking swell — doing great![2] Уилфред Эндрюз был старомодным человеком. Les Années folles его оглушили, он потерялся в пестрой толпе маскарада. Мне хотелось сниматься у Рене Клэра и Пауля Вегенера, но предлагать себя не умел; каждый раз, поучаствовав в какой-нибудь пьесе, я, отчитываясь перед моим тираном, сталкивался с высокомерными издевками: «И зачем тебе это кривлянье?..» — м-р Э. смотрел на меня как на мальчишку, который замарал им созданный образ; иногда мне казалось, что он относился ко мне, как родитель, но я заблуждался: он заботился о своем творении, которое мне выпало носить, как костюм.

Но все это в прошлом, вихрь времени уносит все... А сколько стихов улетело по трубам буквально в пустоту, и что с ними стало, даже думать не хочется. Можно ли их как-нибудь извлечь, выкупить, вспомнить? Чтобы собствен-

---

[1] В поэме «Монпарнас» (1929), написанной онегинской строфой, С. Шершнев перечисляет многих знаменитых Montparnos — завсегдатаев кафе, поэтов, художников, уличных музыкантов, писателей и просто колоритных личностей, обитавших на Монпарнасе в двадцатые годы, и среди них мелькает мсье М.:
Там чаще всех со мной кутил
голубоглазый тощий *dandy*
он с неграми играл в джаз-бэнде
и *kif* с арапами курил
[2] Выглядишь превосходно — дела отлично! *(англ.)*

норучно отвергнуть, разорвать, сжечь, взглянуть напоследок; не отделаюсь от ужасной мысли, что за жалким порывом проститься с моими стишатами скрывается желание (не более сложное, чем условный рефлекс) оттянуть прощание с собой. Иногда я их вижу: мои стихи висят, болтаются, как гирлянда, протянутая сквозь арки, пассажи, страны, террасы, кафе, рестораны и корабли; старенькие фонарики помаргивают; один, с отбитым цветным стеклом, силится улыбнуться, но как-то зловеще светит нить накаливания, напоминающая зубной протез; некоторые лампочки слепые. Надеюсь, что в конце, перед тем как гирлянда погаснет, у меня будет время перебрать эту бессмысленную пряжу. Я вспомню все: и поцелуи сквозь вуалетку, и пузырьки эротического смеха, и цветными полосами фейерверка выстланный коридор, по которому я бродил сквозь ширмы сновидений, меняя оболочки, — и тогда, возможно, мною собранный словесный ворох вспыхнет чистым пламенем и вернется в родную стихию.

(Бывают дни — такие ясные, будто отмытые от позора и мусора — я чувствую, что шагаю внутри огромной стеклянной трубы, плавно скольжу в ней, как запечатанное в капсулу послание, лечу навстречу таинственному адресату, и я знаю: он — единственный, кто поймет меня.)

* * *

Каждый день мы слушаем радио, узнаем новости от Клемана, который ходит в «Одеон» и Сорбонну, как на работу. Со мной Клеман держится совершенно не так, как прежде; теперь я — гость мсье М., и меня он третирует так же, как и прочих гостей своего отчима; кстати, у него испортились отношения и с Жюли, из моего окна я видел, как они ругались в саду, он ей кричал о свободных отношениях — *ты же об этом столько мечтала!* — в ответ на это Жюли называла его сволочью, животным и шлюхиным сыном — *о да*, говорил он, *вот это верно, вот это очень верно*... Жюли продолжает у нас бывать, мозолит глаза Клеману, выводит его из себя. Мари — единственная, с кем Клеман пока не испортил отношений. Он может заявиться когда угодно, всегда покрытый новыми ссадинами и синяками, в белой крошке и пыли.

— Тебе нужна новая одежда, — замечает мсье М., когда мы все сели обедать.

— Очевидно. Только где ее взять?

— Ты прав.

— Мари мне кое-что приносила, — говорит Клеман, оруя перечницей (любит перченое), — кое-что из одежды своего брата... Что толку? Сразу изорвалась...

— Ты прав, — соглашается мсье М., — нету толка... Современная одежда ни на что не годится. Современные вещи не имеют души. Они все однотипны. И быстро ломаются.

— У вещи не может быть души, — возражает Клеман.

— У старых вещей есть индивидуальность, а это и есть душа. В конце концов, мы даем им душу.

— Вещи ломаются быстро потому, что их делают так, чтобы они быстро ломались.

— Это не совсем так, не совсем... Некоторые, исключительные предметы интерьера и даже целиком здания — такие, как творения великого Эктора Гимара — просто не смогли прижиться в нашем грубом мире. Они были слишком изящны! Их заклеймили недостаточно функциональными, непрактичными. Да, наверное, то были замки для фей и эльфов, для принцесс из сказок, но не для людей. И эти волшебные замки разрушились, им не нашлось здесь места.

— Та же ерунда с поэзией, — говорит Серж. — Всякая чушь ползет из века в век, а настоящее, тонкое — гибнет, потому что оценить могут единицы...

— Да, — продолжает Альфред, — раньше поэт был un chiffonier, человек, который давал вещам вторую жизнь. Помните: ничто не умирает — все трансформируется? Поэт был собирателем, который рылся в жизни, разбирался в предметах, мог многое сказать о человеке по вещам, одежде... Вещи тебе указывают твое место, ты понимаешь, где твой мир заканчивается, где начинается другая страна. А теперь? Что можно сказать о нашем времени? О людях? Все вырождается в руках человека. Все одинаково. Везде. Не знаю, как там, в СССР, и не хочу знать. Мне достаточно того, что я вижу в Европе. Я был в Италии в прошлом году. Там все то же, что и у нас: текстиль ужасен, посуда отвратительна, автомобили — передвижные склепы. Глядя на людей, я больше не могу сказать: они французы или итальянцы, бельгийцы или немцы. С городами та же беда. Кругом все больше и больше пластмассы. Пластмассовые вещи все одинаковы. Вещи теперь безличны, вместе с вещами теряют индивидуальность люди, утратив индивидуальность, они теряют душу.

— Я с нетерпением жду новую поэзию, — ворчит Серж, — давно жду, а она так и не появляется, догадываюсь почему: все трансформируется в дребедень!

— То, что я читаю в наши дни, — говорит мсье М., — похоже на рекламы, объявления, некрологи, что угодно, только не стихи...

— Да, да, — подхватывает Шершнев, — наудачу вырезанные из газеты слова, которые небрежно бросили на бумагу и склеили как попало... случайно...

Клеман смеется.

— Да, точно, так они и пишут. Я сам видел, как у нас в общежитии поэты бросали кости над газетой, на какие слова кубики упадут, с теми и клепают стишки.

— Voila! — Серж набивает трубку. — Что тут добавишь?

— Чем быстрей изнашивается вещь, — продолжает свою мысль Альфред, — тем быстрей забывают ее владельца.

— Никому и не нужно, чтобы помнили человека. Людей слишком много. Вот в чем беда! Люди обесценились, потому что в человеке все меньше видят личность. Государству неудобно посылать на войну уникального индивида, а солдата-робота запросто. Продать побрякушки думающему человеку не так-то просто, а идиоту — раз плюнуть! Фак в Нантере — это индустрия однотипных роботов. Из них и будет состоять общество потребления. Биологические роботы будут жрать дерьмо и выполнять любые приказы.

— Чепуха, Клеман. Личность в человеке не так просто подавить. Думаю, тут банальная бесхозяйственность.

— Ошибаешься. Это не банальная бесхозяйственность, а намеренное превращение страны в концентрационный лагерь. Видел бы ты аудитории для ста и более человек. Видел бы ты, как студенты слушают старых пердунов, которые мямлят в микрофон что-то невнятное. Студенты тупеют и бросают учебу. В кого они потом превращаются? В кретинов. Пожил бы ты в общежитии Нантера! Поучился бы на Факе! Посмотрел бы я на тебя! В твое время все было иначе: ты был окружен вниманием и заботой, с тобой носились, как с китайской вазой! Но сейчас — *другое время*. Поэтому мое место на улицах Латинского квартала!

— Клеман, разве мы не видели в тебе личность? Мы недостаточно возились с тобой? Я тебе всегда говорил: живи здесь, на рю де ла Помп! Но ты сам выбрал Нантер!..

— Заладил: *Рю де ла Помп, рю де ла Помп...* Аллилуйя! Думаешь, если я заползу в твою нору, поселюсь в ней, как святой Франциск Ассизкий в пещере, то я спасусь, все беды пройдут мимо нас... Как бы не так! Меня бесит, когда люди ограничивают себя своей верой, догматами, какой-то партией или страной, говорят: *вот у нас во Франции, вот у нас в Италии...* Мир гораздо больше и Франции, и Италии, и уж он точно больше, чем твой дом! Ни одна религия, ни одно политическое направление не могут изменить положения вещей! Все изобретения нашей цивилизации привели нас к сегодняшней трагедии!

— Трагедии?.. — удивляется Шершнев, но мсье М. едва заметно просит не встревать, чтобы Клеман выпустил пары. Ничего не замечая, Клеман продолжает:

— Мне мало того, что происходит во Франции и Италии... Я все время говорю о большем, а вы меня не слушаете. Вы ни черта не понимаете! Об этом нет смысла говорить... многие выходят на улицы и не понимают, почему они там, что они делают, ради чего пишут на стенах, клеят плакаты и выкрикивает лозунги, они даже не понимают смысла ими написанных слов... Вот о чем я говорю! О слепоте, об инерции, о духовном рабстве... Но вам этого не понять. Совершенно точно одно: твой дом не может вместить всех. Ведь я не о себе... Мне начхать на себя. Миллионы людей не получают того, что ты предлагаешь мне. Есть Вьетнам. Есть мои товарищи, которые сидят в тюрьмах. Есть американские парни, которые отказались идти в армию. Есть атомное оружие. Мир соскальзывает в бездну, и я не могу не замечать надвигающейся катастрофы. Что толку прятаться в апартаментах в стиле ар-деко, когда фундамент под зданием оседает, дом вот-вот развалится?! Если мы не изменим мир теперь, завтра будет поздно, нас смоет всех!

Больше не говоря ни слова, он встает, покидает нас; такие сцены я наблюдаю тут каждый день; Клеман исчезает, а потом появляется, ночью или утром, один, с чемоданом бумаг и книг, чаще он приводит с собой свиту, человек семь-восемь ободранных, как он сам, студентов, они несут с собой инструменты или везут их на тележке. (Серж полагает, что это скорей всего первые встречные.) Клеману недостаточно шума и беспорядков на улицах, он должен привести грохот и беспорядок с собой, чтобы мы все, поселившиеся в домике, обставленном в стиле ар-деко, поняли, что такое революция, что значит строить новое будущее, новое общество, давать росток новому человеку, для этого Клеман приходит в сопровождении ватаги студентов гораздо моложе себя, он их называет *друзьями*, но на самом деле Клеман их не знает, он даже не помнит их имен, поэтому раздает им титулы, все его друзья — *поэты*, *философы*, *писатели*, *музыканты*, *революционеры* и т. д., мы редко слышим имена, у них просто-напросто их нет (я тоже думаю: это первые встречные); как нет среди них обычных людей: каждый чем-нибудь занимается, они не могут быть простыми рабочими или заурядными бездельниками, бродягами или пьяницами, — в мире Клемана это недопустимо; все они что-нибудь значат, где-нибудь учатся, числятся, состоят в партии или профсоюзе, за что-нибудь привлекались, чем-нибудь прославились или вот-вот должны прославиться; это не просто люди, а — носители идей, аккумуляторы энергии, копилки цитат. Мсье М. находит с ними общий язык. Сержу удается их не замечать. Пани Шиманская обхаживает наших бунтовщиков, лечит, кормит, иногда ночью я слышу, как она успокаивает какую-нибудь плачущую девушку, склеивает, как чашку, разбитое сердечко. Мне с ними очень сложно — они говорят быстро, остро, слова, как петарды, взрываются у них во рту; у каждой группы свой жаргон и свой идол, которого они цитируют. Клеман превозносит качества своих *друзей* напыщенно и многословно, но имена забывает, на фоне достоинств этих молодых людей имена ничего не значат. Не представляю, где они ночуют, по утрам они появляются в самых неожиданных местах: на ступеньках с книгами, с гитарой возле клавесина мсье М., который увлеченно аккомпанирует, приговаривая: «нет-нет, не так, молодой человек, вы не тот аккорд берете, слушайте еще раз»; они что-нибудь напевают в душе или, насвистывая, выходят из туалета, спорят, сидя с ногами на столе, в саду, на кухне беседуют с пани Шиманской; благодаря им — и умению Клемана ежедневно обновлять ансамбль игроков, сохраняя стандартный набор ролей: философ, поэт, политик, художник, музыкант, писатель (девушки бывают реже, и они тоже не просто девушки, но — *милитантки, журналистки* и т.д.), — наши дни красочны и разнообразны, а дом словно превратился в небольшой паром, который плывет куда-то, подбирая случайных попутчиков. Клеман требует, чтобы всю компанию кормили и поили; мсье М. с этим не спорит; накрывая на стол, пани Шиманская ворчит: «Откуда продукты брать? А если негде будет покупать еду, что тогда?» Обычно за обедом они выпивают две бутылки вина, на дорожку опрокидывают пастис, дисциплинированно, как солдаты, один за одним ходят в уборную и отправляются на баррикады.

Я пытался их понять, кое-что за ними записывал (отправлял отчеты в газету), но очень скоро запутался; некоторые утверждали, что необходимо не дать левым партиям воспользоваться ситуацией, помешать синдикалистам захватить главенство, тогда я спрашивал, для чего нужна эта революция, я-то полагал, что тут все ясно: пролетариат, социализм. Клеман надо мной посмеялся:

— Мой бог! Он услышал, как поют *Интернационал*, и ему все стало ясно! Если бы все было так просто...Ты ни черта не понимаешь! Ха-ха! Да ты просто — *советский Гурон!* — Он залился издевательским смехом, тем же вечером приклеил на дверь своей комнаты бумажку: «Осторожно, злой марксист!»

Я долго проговорил с таинственной хрупкой девушкой, которая пришла вместе с остальными и пробыла у нас два дня (ей было плохо; пани Шиманская отпаивала ее какими-то травами), она казалась отсутствующей, углубленной в себя, — я забыл спросить ее имя; может быть, она намеренно мне его не сообщила — она мне казалась немного чокнутой, у нее были следы порезов на запястьях, куда-то устремленный взгляд, такой взгляд бывает у человека, который смотрит на воду, на струящуюся быструю воду; она много курила гашиш и говорила путано, или мне так казалось, я не понимал ее логики; возможно, там и не было логики, но была убежденность в том, что мы «обречены», она часто повторяла: «человечество обречено», «мы в тупике», «нам скоро придет конец», «единственное, что нас спасет — преодоление эго или феминизм» и т. д. и т. п. Меня возмутило, что она все видит в таком мрачном свете, как какой-то подросток. Она сказала, что это вовсе не так: в сломе границ представлений о себе, как о замкнутой эгоистической машине, нет ничего пессимистического, — да, согласился я, — в слиянии с сияющим храмом стремящейся к совершенству природы нет ничего мрачного, — да, это так, и все-таки все это очень пессимистично, — потому что человечество на опасном пути, мы должны позволить планете переродиться, сломать скорлупу старой коры и выплеснуть клокочущую энергию наружу, — погоди, каким образом? — посредством исторического перерождения человека, человек — инструмент истории, инструмент трансформации планеты, но в отличие от обычного инструмента, человек обладает самосознанием, однако пока человек не откроет свою ангельскую сторону, он не сможет управлять историей, — а что по-твоему история? — история — это алхимический локомотив, который везет нас всех в неведомое, и если мы воссияем, этот поезд влетит на полных парах в прорезь, сквозь которую прорывается свет бесконечного совершенства, но если машинист пьян или слеп, то сам понимаешь... — нет, я, конечно, не был уверен, что правильно ее понимал, я приблизительно передаю мои впечатления от ее поэтического монолога (старый Continental взвизгивает, когда я печатаю сейчас ее слова!), я был заворожен тем, как она, устремив глаза вдаль, раскачивалась и произносила слова alchemique, apocalyptique, imprévisible, providentiel, l'infini etc., она вещала, как пифия, бледная, голубоглазая, худая, потусторонняя, под тонкой кожей были видны голубые вены, на тонкой шее была ссадина; я спросил, откуда она почерпнула эти эзотерические познания, она сослалась на Логос, я обрадовался, подумав, что она имеет в виду какую-то книгу, которую можно взять в библиотеке, вот, отлично, есть книга, я ее прочитаю и все расставлю по полочкам, она рассмеялась: — о нет, это была не книга, Логос говорил с ней, Логос говорит с ней каждый раз, когда она принимает ЛСД, дальше она рассказывала о Логосе, ЛСД, своих видениях, о грандиозном водовороте времен, она входила в этот водоворот и встречалась с великими алхимиками прошлого, я расстроился, я почти ничего уже не понимал, она говорила негромко, но очень быстро, у меня кружилась голова, стоп, так мы ни к чему не придем, сейчас я сойду с ума, — она рассмеялась и отправилась за помощью, сказала, что поищет Мари или пани Шиманскую или Альфреда, чтобы кто-то из них нам помог, я сказал, что это великолепная идея, она попросила меня сидеть и ни в коем случае не сдвигаться с места, чтобы все, ею сказанное, не развеялось, я сказал d'accord, и продолжал сидеть, не сдвигаясь с места, в моей голове завивались ее слова, я пытался их записывать, но у меня двоилось в глазах, я закурил, она не возвращалась, люди приходили и уходили, а ее не было, так я прождал три часа, она не вернулась, я больше никогда ее не видел. Я спросил Клемана о ней, он пожал плечами:

— Лучше бы ты что-нибудь серьезное писал. — Он имел в виду лозунги, воззвания, какие-нибудь речи; мы стояли в ванной комнате; он отмачивал кисточки в ведрах; он только что закончил свой очередной шедевр плакатного искусства: игла гигантского шприца, наполненного сывороткой «общество потребления», протыкает земной шар. — Вот, — говорил он, показывая на свое творение — плакат лежал в коридоре (он был настолько длинный, что не помещался больше нигде), теперь оставалось дождаться, когда плакат высохнет, чтобы скатать его и отнести в Сорбонну, или в Оперу, или в Одеон, или еще куда-нибудь, а пока все мы (и я на моих костылях) должны были прыгать и ловчить, чтобы не задеть его. — Оцени мою работу! Сегодня подлинное искусство на улицах! — Клеман ухмыльнулся, вытирая испачканные в краске руки, во рту у него курилась папироса с марихуаной. — Лучше бы ты писал что-нибудь *настоящее*, — сказал он и передал мне самокрутку, я затянулся, он яростно чистил свои пальцы, продолжая насмехаться, мол, пока я занимаюсь ерундой, он занят *настоящим делом*: курит гашиш и сочиняет с утра до ночи лозунги, воззвания, речи, которые никто, кроме него, не сможет придумать, а значит, если не он, никто не спасет человечество, т. е. всех нас, от рабства, — хорошо, — сказал я, возвращая ему самокрутку, — я занимаюсь ерундой, а ты делом... — да, конечно, — сказал он, уверенно кивая, глубоко затянулся, немедленно дал мне самокрутку обратно, глазами указывая, чтобы я не отставал и курил, а сам, удерживая дым, как ныряльщик за жемчугом, продолжал вытирать руки от краски, оставляя грязные разводы на красивом полотенце; я затягивался осторожно, дым был мягкий, но цепкий, меня повело, я попытался заговорить, слова застревали в глотке, медленно вываливались из меня, казались чересчур длинными, мягкими и вещественными, их можно было вытягивать изо рта, как жвачку или перламутровую проволоку, нужно было только исхитриться и ухватить, я перешел на английский, в глазах Клемана блеснул зайчик снисходительной улыбки, которую он не выпустил на поверхность, продолжая удерживать в легких дым, — но даже английский отказывался складываться: я с ним боролся, как тот портье с заклинившей раскладушкой в голливудском фильме; я пытался сказать, что девушка мне сказала... — какая девушка? — она не сказала своего имени, — значит, оно ей не нужно, — он затянулся...

— Окей, пифия, которой не нужно имя, говорила об инструменте истории... о преодолении в себе личностного... слушай, как ты думаешь, в ее словах есть какой-нибудь смысл?

Он ядовито рассмеялся, выпуская из себя клубы неправдоподобно белого дыма, закашлялся и захрипел на меня:

— Я не понимаю, что ты пытаешься сказать, я не знаю, о какой девушке ты толкуешь, ну, конечно, да, конечно, если тебе сказала девушка, которая пришла со мной, если что-то сказала, то в ее словах наверняка был смысл, хотя очевидно, что ты ничего не понял... Короче, слушай: все, что тебе говорю я и те люди, которые приходят со мной, имеет смысл, даже если тебе кажется, что мы несем полную чушь, не важно, что тебе там кажется, все, что мы говорим, — *настоящее*, потому что мы *выходим на улицы*, — ты понимаешь, что я хочу сказать, мы — выходим на улицы, а не сидим в четырех стенах и глотаем дерьмо, которое нам скармливают сгнившие насквозь патриархи, мы выходим с камнями и транспарантами, и до тех пор, пока мы боремся, все, что мы говорим, имеет смысл и будет иметь смысл до тех пор, пока мы даем отпор гнилостным испарениям дряхлых мозгов, а вся та жвачка, которую из себя тянут другие, кто на улицу не выходит и не борется, а сидит дома и глотает дерьмо, смысла не имеет. Теперь ясно?

Он бросил полотенце на пол и пнул его ногой, полотенце полетело в кучу грязной одежды, которую он собирал в ванной комнате.

— Да, — сказал я, глядя на эту кучу, — мне теперь ясно, Клеман.

Но он уже ушел, он не слышал, ему было плевать, понял я или нет; я пошел к себе докуривать его марихуану; долго курил и очень медленно думал, мысли тянулись, они были похожи на плакаты, которые рисовал Клеман и его товарищи, плакаты разворачивались один за другим, они склеивались в грандиозного бумажного змея, который парил в ярко-синем небе, — так я пытался думать над тем, что сказал мне Клеман, но мне не удавалось разобрать слов и рисунков, которые плыли с плакатами по небу, я подходил и высовывался в окно, пока не понял, что так могу запросто вывалиться, и вывалюсь напрасно, потому что в небе не было ни змеев, ни плакатов, ни слов, ни рисунков — там плыли обычные облака; я попил воды и долго думал о Клемане: парень на пять лет меня младше, но... он стал для меня большим испытанием, этот молодой тощий француз, он стал для моих нервов, для моей психики, для всей моей личности (для ее целостности) большим испытанием; я чувствовал, что он со мной фехтует словами, и он меня переигрывает, он то и дело мне наносит ранения, он меня не щадит, он беспощадно колит и рубит меня; мое самомнение трещит по швам; мне хотелось что-нибудь противопоставить Клеману, что-то ему доказать, потому что моего прошлого, моего героического прошлого мне не хватало, я думал, что мне будет достаточно моего побега, — мой побег из СССР, полагал я, будет освещать героизмом мою жизнь до ее почетного конца, скажем, он станет маленьким подвигом, таким, как луч карманного фонарика, и все-таки это будет подвиг, мой побег — мой маленький тайный триумф, который, никогда не утратив значимости, позволит мне на всех смотреть с небольшим превосходством, — но вот появился Клеман и его так называемые друзья, все завертелось, мне уже не достает моего персонального триумфа; Клеман лихо выбил из-под меня пьедестал — пьедестал-то оказался не больше кирпича! Вот поэтому нельзя довольствоваться малым, нельзя останавливаться! — Вечером много писал о том, какие чувства пробудил он во мне; не спал, курил, мучился, злился; в конце концов, решил, что надо успокоиться и стойко выносить издевки и насмешки, как это делал мсье М.

Я продолжал работать, а Клеман подтрунивать надо мной. Наглец даже в туалете меня не оставлял в покое, стучал и говорил: «не разгроми нам унитаз своей ногой» или «перди не так громко — весь дом поднял на уши!» Так мы и существовали. Стоило мне сесть за машинку, как он высовывался в окно и кричал:

— Что, опять засел за свои доносы?

Так он называл мои записи — des plaintes[1]; первый раз, когда я это услышал, я даже не поверил, поискал слово в словаре, подумал, что ошибся, взял костыли, пошел к нему в комнату, он сидел на стуле и подрыгивал ногой, ковырялся зубочисткой в своих ужасно плохих зубах.

— Как ты сказал, des plaintes, я не ослышался — *доносы*?

— Нет, не ослышался, доносы. — Он почесал пах левой рукой и повторил несколько раз: — Доносы. Доносы. До-но-сы. Доносы!

— Прости, а можно поинтересоваться, почему ты так говоришь?

Клеман расхохотался, но вдруг закричал:

— Какой ты к черту репортер! Посмотри на себя! *Можно поинтересоваться...* Репортер не должен задавать идиотских вопросов, репортер вообще не должен ничего спрашивать, он должен приходить и брать, если надо — на расстоянии, репортеру нужен магнитофон! Нужна сцена! Театр действий! А ты — увидел красный флаг и пошел пятнами. Ха! Разок мескалину попробовал и чуть не убился. Если б мы тебя не выловили из Сены, глядишь, в морге бы сейчас лежал. Настоящий репортер должен опережать не только события, но и техническое развитие. Знаю

[1] Доносы *(фр.)*.

одного настоящего репортера — всегда с нами, всегда в центре — он усовершенствовал свой микрофон до того, что может записывать голоса людей с невероятной дистанции. Настоящее шпионское оборудование. Вот как должен быть оснащен современный журналист! У меня вот есть магнитофон, на, бери, все общее, частной собственности нет, он твой, попользуйся!

Я спросил, может быть, я ему просто мешаю работать своим стуком, поэтому он так кричит; он скорчил жалкую мину:

— Ну, послушай себя! Что ты скулишь! Бери магнитофон и убирайся отсюда!

Я спросил мсье М. разрешения записывать наши беседы, он пожал плечами:

— Если это вам облегчит работу или чуть приукрасит быт, то пожалуйста.

Наблюдая, как я вожусь с магнитофоном и пленками, он заметил:

— Забавная штукенция.

В его комнате стоит радиола пятидесятых годов с проигрывателем, телевизор все ходят смотреть вниз к Шиманским, я не хожу — берегу ногу, к тому же трансляции идут с перебоями.

2

Во время оккупации мне пришлось поработать в нескольких периодических изданиях: Pariser Zeit, Signal, Der Deutsche Wegleiter For Paris[1]. Я занимался отбором материала, просеивал тонны мусора, который в невообразимом количестве несли вылезшие из своих щелей графоманы. Я видел много русских эмигрантов, которых немцы почему-то брали на работу охот-

---

[1] Периодическое издание «Немецкий гид по Парижу», выходил под контролем Комендатуры исключительно для солдат вермахта.

ней, чем французов; одна девушка мне призналась, что она должна за мной следить и писать, и я сказал, чтобы она так и поступала, улыбнулся, она просила прощения за это, я сказал, что в этом нет ничего ужасного; среди таких наймитов встречались удивительные экземпляры, они были масонами в двадцатые годы, становились яростными антисемитами в сороковые, а после оккупации с легкостью перевоплощались в «советских патриотов», агитировали принимать советское гражданство, в этих людях будто что-то сломалось, они были готовы на что угодно, им стало все равно, лишь бы выжить, лишь бы их оставили в покое, как правило, они говорили, что устали, что им нужен покой, «нигде нет покоя!», с возмущением повторяли они, все с одинаковой интонацией: «ах, никакого покоя!», — у них отняли покой, а вместе с тем и душу, наверное; были и безобидные идиоты, которые, почуяв, что появилась возможность печатать все, что угодно, только бы в ногу с национал-социалистическими лозунгами, несли свою писанину. Особенно приветствовались французские поэты, писавшие на немецком. Я был обязан уделять таким пристальное внимание. Был один неряшливый, распухший от соплей, салфеток и капель, бумагомарака, он писал так скверно, что приходилось переписывать заново, буквально *пересочинять* его собственные стихи. И он всегда был пьян, всегда был пьян, очень часто до невразумительности... С приходом немцев он говорил только по-немецки. Ужасно плохо, со страшным акцентом, но утверждал, будто он — немец; может быть, он регулярно напивался до дурака затем, чтобы скрывать свой ужасный немецкий... Его стихи порой напоминали примитивные детские рисунки, но в детских рисунках есть обаяние, здесь же примитивизм и лозунги иссушали язык. Одевался он хуже, чем писал, придумывал себе идиотские псевдонимы, их было за сотню, под конец с ним перестали возиться, ни у кого не хватало терпения, безумца печатали не правя, иногда в одном номере выходили его стихи аж под тремя псевдонимами сразу, таким образом возникла целая школа новой нацистской французской поэзии. Когда его судили, от него требовали назвать подлинные имена «собратьев по перу», он утверждал, что не знает *всех этих личностей*, в то время как *всеми этими личностями* был он один. Ему было чуть за шестьдесят, выглядел он как конферансье в цирке, с бабочкой, в смокинге, в больших ботинках девятнадцатого века и тирольских гетрах, иногда приходил в наполеоновской треуголке с плюмажем (разжиревший арлекин). Хоть был плешив, все равно на остатки волос клал много бриллиантина плохого качества, который стекал с головы и капал на плечи, чего он, разумеется, не замечал. Он носил румяна, пудру, подкрашивал брови, нюхал табак. Находиться с этим бегемотом хотя бы пять минут в одной комнате было пыткой; мое маленькое окошко плохо открывалось, весь первый этаж редакции был обнесен решетками. «Вы тут как в тюрьме, герр Моргенштерн», — говорил он. «Да, похоже на то, что вся страна в таком положении», — отвечал я, не отрываясь от его стишков (например, он рифмовал «Lebensraum» и «Liebestraum»[1]). Я читал их, а сам думал: а что, если он придумывает себе псевдонимы в надежде получить дополнительные карточки?.. Нет, чепуха. Дурные мысли возникали от голода и беспокойства: как там мои мальчики?.. Я оставлял их одних, строго-настрого запрещал им жечь свет и много чего другого — я придумал много всевозможных считалок с запрещенными вещами, мы повторяли их каждый день. Я боялся, что, пока меня нет — а работал я допоздна, они

---

[1] Lebensraum — отсылка к программе национал-социалистов заселения германскими народами Восточной Европы, целиком: Lebensraum im Osten — Жизненное пространство на Востоке *(нем.)*. Liebestraum — буквально «любовная мечта» *(нем.)*.

от голода, темноты и одиночества начнут беспокоить соседей, включат радио или патефон, будут шумно играть или высовываться из окна, выбегут во дворик... В то же время в сознании пробивались гейзеры самых невозможных комбинаций, благодаря которым я, как наяву, действуя в некой параллельной жизни, приобретал продукты и алкоголь! Волшебные схемы возникали сами по себе, они складывались и распадались так же просто, как образуются складки на гардинах, они были абсолютно фантастическими — скажу больше: они были натуральным бредом (предвестием психического заболевания), — я бы никогда не решился на то, чтобы провернуть хотя бы одну из них, даже самую правдоподобную, они вертелись в голове сами по себе, как мухи, они изводили меня, я заставлял себя не думать — ни об этих комбинациях, ни о еде, которой все равно не мог добыть (еда была, например, был хлеб, рыбные консервы и всякая прочая дрянь, с голоду мы не умирали, но хотелось человеческой пищи); я продумывал маршруты, куда и как ходить, чтобы не оказаться вблизи казарм, штаб-квартир и проч. Со мной работали невежественные людишки, некоторые из них когда-то были марксистами, выходцами из Коминтерна, — кем бы они ни были, к журналистике, как и я, эти клоуны не имели отношения. Я подозревал, что они пошли работать на немцев только из-за еды, к сорок второму всем стало ясно, что голод убивает, в сорок третьем я все-таки отправил моих мальчиков на юг к maquis, хотя там тоже голодали, но они жили среди крестьян и натурального хозяйства, там было то, что называют *природой*, а в Париже в сорок третьем даже на карточки ничего было не достать, спекулянты наглели, с отоплением творилось черт знает что, я боялся, что зиму мы не переживем. Немцам, кажется, было наплевать, кто на них работает, настоящие журналисты или идиоты, брали кого попало, у проходимцев появилась возможность поиграть в репортеров, им позволили сесть за пишущую машинку, что-то тявкнуть, взять интервью у знаменитости. Все равно у кого. У Алексиса Карреля или Жана Марэ, у Поля Мариона или хозяйки борделя Paris bei Nacht. При иных обстоятельствах между ними была по меньшей мере бездна, а теперь... в этой бездне мы купались все вместе, как дети в лохани.

Помню один день особенно отчетливо (я его записал, как многие дни, но помимо записанного, я его еще и в памяти храню, он чистый и прозрачный, как хрусталь). Сумеречным утром я решил пройтись... Иду, из тумана выплывают люди, шагов не слышно, деревья не шуршат, тихо, кто-то бомбит кого-то где-то, а здесь тихо, туман, велосипедист ведет за рога своего металлического друга, мы идем по одной из тех улиц, которых не замечаешь, они нужны только затем, чтобы их миновать, по таким улицам я и предпочитал гулять в годы оккупации, да, по таким улочкам я прогуливался с наибольшей охотой...

За всю войну я умудрился всего раза два оказаться на Риволи, я избегал place de la Concorde, Avenue Kléber, Avenue Foch, Boulevard Raspail — всюду стояли патрули, толклись кретины-ополченцы, маршировала солдатня, приходилось на каждом шагу предъявлять аусвайс; как переводчика-журналиста, меня часто куда-нибудь направляли: на встречу деятелей культуры с Отто Абецом и прочими должностными лицами; поход на выставку в Сенате, где заседал вермахт; выставки, выставки... Le Bolschewisme contre L'Europe, акварели немецких солдат в Jeu de Paume, прием в Château de Chantilly, триумфальное сожжение произведений «дегенеративного искусства»; восторженный отзыв на «Наши предвоенные годы»[1] писать не стал, выкрутился; Festen в конце месяца, Альфред!.. вы идете с нами... будете переводить в борделе... Какая честь!

---

[1] Notre avant-guerre — роман Робера Бразильяка.

Переводить во время оргии — какие перспективы! Дополнительные карточки! Вино! Скульптурная экспозиция Арно Брекера в Оранжерее и — вино! Я еле переставлял каменные ноги. Вино больше не воодушевляло. От него становилось мрачней и страшней, в голодные времена похмелье может убить. Я готов был плюхнуться и сдохнуть прямо среди мраморных статуй арийцев Брекера. Нужен переводчик с русского, выбор пал на меня — я плелся и чувствовал себя губкой, из которой невидимая рука выжимает пот и силы... Со мной происходило много неожиданного, я забывался и обнаруживал себя в переулках Менильмонтана, сам не помнил, как туда забрел, спешил домой, чтобы успеть до наступления комендантского часа. Боялся, что меня убьют соседи. Подожгут дом. Боялся, что спекулянты отравят. Патруль забавы ради спустит на меня собак. Я знаю, что такое отчаяние; я был уверен в том, что ничего стоящего не делал, я считал, что напрасно тратил свое и чужое время, транжирил себя и обманывал ожидания других, вся моя информация была бестолковой — сплетни, слухи, спекуляции, кое-какие имена офицерского состава, но даже такая ерунда доставалась мне с большим трудом, я сильно напрягал мою память, а когда так насилуешь память, носишь балласт всякого мусора или ужаса, то перестаешь справляться с обыденными вещами, отстаешь от жизни, всякая мелочь дается с невероятным трудом, под конец дня я был в лихорадке — *украденная* информация отравляла мозг, спешил домой все записать, зашифровать и избавиться, выходил ровно в шесть утра и петлями шел к тайнику. В те дни я запоминал целые страницы, и еще писал свое! Теперь, пока пишу, большая половина сгорает в топке беспамятства. А были великие люди — о них жива молва! — те, кто заново по памяти переписывал целые книги. Я ни одного стиха не вспомню, я столько их отправил в свистящую пневматическую пустоту...

Из нашего отдела даже спичку было не вынести, нас обыскивали, раздевали донага; ближе к концу это стало рутиной, думаю, нам устраивали эту экзекуцию для профилактики: каждый из нас должен был помнить, что мы — ничтожества. Нас запускали по тринадцать человек в большую комнату без мебели и требовали раздеться. Со временем мы научились проделывать это автоматически без команд, послушно снимали с себя одежду, вставали в ряд, женщины и мужчины — абсолютно жалкие существа, нас рассматривали, мы поворачивались, наклонялись, раздвигали ягодицы, сгибали ноги, выпрямлялись и поднимали руки, прыгали, трясли волосами, открывали рот, высовывали язык. После этой дикарской пляски я спешил домой, чтобы записать то, что казалось сколько-нибудь важным. Это сильно замедляло мое мышление, мускул памяти почти все время был в напряжении, отсюда эти приступы, я терял связь с действительностью, все вокруг казалось фарсом, кукольным представлением, розыгрышем или неправильным сном.

В то утро мы — я и еще несколько безмолвных прохожих — идем по булыжникам так, словно никакой войны нет, это совершенно обычный день в Париже, и мы идем согласным шагом согласной страны, у меня в голове появляются праздные мысли праздного фланёра, на которого не падают бомбы, и даже тени от дирижабля не видно, и даже звука самолета не слышно, ни сирен, ни грохота, тишина, чириканье, покой, в тумане, у этих серых стен, на гладких булыжниках, покой и блеск, странный блеск, отсвет фонарей, улыбка киоскерши, она вышла помыть свой киоск, тепло, на ней легкое платье, на голове платок, она моет исписанный мелками киоск, немного ворчит, on ecrit sur les murs n'importe quoi[1]... дети написали бранные

---

[1] Пишут на стенах невесть что (фр.).

слова на ее киоске, n'importe quoi.. des pattes de mouche[1]... в моем воображении дети превращаются в мух, которые пишут каракули на ее киоске, за стеклом у нее газеты, брелоки, пеналы, карандаши, игрушки, всякая всячина, которая может разлететься кишками наружу, попади в него бомба, нас бы снесло к чертовой матери, вдребезги, на части, на крупицы, меня охватывает тревога, я отчетливо представляю нашу смерть: наши тела на этих торжественных булыжниках, осыпанные стекляру́сом разбитой витрины, наши тела лежат неподвижно, они дымятся, испаряя тепло, рядом лежат игрушки, пеналы, карандаши, брелоки, части тел, ее и моя кровь смешались, наши внутренности переплелись, навсегда, мы бы стали такими же нечленочитаемыми, как надписи, по которым она возит своей тряпкой, размазывая пену; да, подумал я, любой из нас может сплестись и в смерти породниться с кем угодно, с тем, с кем тебя в постели застигнет бомба, с тем, с кем ты будешь пить за одним столом или разговаривать на улице, когда в непосредственной близости разорвется снаряд... с цирюльником-спекулянтом при обмене тушенки на табак и свечи... с лифтером... с продавцом кокаина... с проституткой... человеком последнего объятия мог стать кто угодно... трусливый солдат с экземой и вшами... Кокто или просто бродяга... кошка, собака... птичий помет и трамвайные пассажиры... или просто книги... у нее там в киоске были книги, ах, нет, не книги, книг у нас нет, пардон, жаль, да, нет, к сожалению... и тут я узнал ее: она была girl в одном из мюзик-холлов Монмартра, давно это было, в начале двадцатых, у нее такие запоминающиеся черты и были очень крутые бедра... я узнал ее, а она узнала меня, мы оба смутились, и я притворился, что рассматриваю товар в ее киоске... ну, что у вас еще есть... там были блокноты, ну, конечно, блокноты,

---

[1] Каракули (буквально — следы мух, *фр.*).

футляры, записные книжечки, обтянутые молескином, и прочая мелочь; жаль, я бы купил книгу, по пути в парк, с досадой подумал, лучше пусть меня разорвало бы с книгой, с любимой книгой, с Лоуренсом Стерном, Диккенсом, Вольтером или Руссо... я начал думать о книгах, выбирая, с какой бы из них в предсмертном вопле слиться, раз и навсегда, красиво и страстно, я думал об этом страстно, мне захотелось, до боли в висках, захотелось открыть свой букинистический магазинчик, в те дни для меня это было невозможно, слишком занят, слишком не на своем месте, я только вздохнул и пожелал: ах, был бы у меня букинистический!.. и мысль судорожно сжалась, я дал слабину, болезненно сжалось что-то под ложечкой, ползучий гад моей мечты поджал хвост, я подумал: сейчас бы сидеть в магазинчике, читать книгу, дуть на чашку горячего чая... где-то в морях и океанах торпеды, подводные лодки, крейсеры, летят авьоны, роняют бомбы, ползут солдаты, стреляют и умирают, катятся танки, палят и горят, смерть дышит полными легкими, где-то там, в полях, на равнинах, а ты тут, ты ходишь и боишься, думаешь, скоро нас начнут бомбить, скоро начнут, ведь начнут же, а если бы я сидел в моем букинистическом, мне было бы наплевать, попадут так попадут, я же был однажды под обстрелом, Claude Bernard бомбили, ночью, между десятью и одиннадцатью, две бомбы попали в павильон, крыша рухнула, случилась паника, шесть убитых, четырнадцать раненых, одиннадцатое марта восемнадцатого года, среди убитых был мой приятель, с которым мы вместе учились, Давид, он выскочил наружу, и тут же неподалеку на парковую дорожку упала еще одна бомба, она убила его, раскурочила бордюр, снесла ограждение, пробила стены четырех изоляторов, среди убитых была американка с передвижной кухни Y.M.C.A., Уайнона Мартин, библиотекарь тридцати лет, она была добровольцем, про нее говорили, будто она в Европу прибыла на субмарине, но это было не так, она болела скарлатиной, боялись — испанка, оказалось — скарлатина, быстро шла на поправку, говорила, что скоро снова возьмется за старое, она горячо жаждала бороться с деспотией, она была демократ, она постоянно говорила, что борется за демократию, хотела в окопы к французским солдатам, в окопы, вот сейчас поправлюсь и попрошусь, в ней было столько духа и отваги... когда бомбы упали, было уже очень темно, я дежурил в другом крыле больницы, во всех окнах распускались прекрасные огненные бутоны, это было похоже на фейерверк, только вместо оркестра гремели сирены, вспыхивали ослепительные звезды и гасли, рассыпаясь, проносились кометы, сотрясались стены и стекла, по темным коридорам бегали больные и сиделки, медсестры молились, призывая святых и Деву Марию заступиться за нас, я на них не обращал внимания, я знал: как только все это прекратится, они успокоятся, они моментально придут в себя, я уже видел это, уже бомбили и все обошлось, пронзительней всего кричали дети, громче сиделок и сирен, громче моторов и ухающих бомб, громче гаубиц, до утра будет не уложить, придется что-нибудь рассказывать, отпаивать чаем с мятой, обещать что-нибудь вкусное, разыгрывать небольшой спектакль, я не боялся, я был отчего-то уверен, что нам опять повезет, как в прошлый раз, слышите, с нами ничего не случится, они же не способны попасть, мы погасили свет везде, нас не видно, говорил я им, поглядывая в небо... но нам не повезло, и с тех пор я боюсь, боюсь... ах, был бы у меня магазинчик, сколько можно трястись от страха, я шел и думал о тех книгах, которыми обставил бы свою усыпальницу, я мечтал о том, что, когда все кончится, я открою мой букинистический, я думал о том, что умереть в такой лавке было бы счастьем, высшим счастьем, самая прекрасная из смертей, я думал об этом, но все равно верткая мысль змейкой уползала в поля ужасов и боли, и вновь я думал о трупах, крейсерах, цеп-

пелинах... о бомбах, что могли попасть в мой дом, о бомбах
и снарядах, что разорвались на улицах Парижа в восемнадцатом году, я вспоминал руины на Rivoli и Faubourg du Temple,
rue Charles V, rue Geoffroy-Marie, Boulevard de la Gare, Tolbiac,
вспомнил разбитую церковь Мадлен, наполовину снесенный
дом на rue de Ménilmontant, то же на rue d'Edimbourg, Rocher,
quai de la Loire, rue Нахо, взрыв между статуей Клоду Шаппу
(впоследствии расплавленной вишистами) и банком Crédit
Lyonnais, зловещая яма на rue de Charlemagne... Ménilmontant,
Faubourg-Monmartre, boulevard Monmartre, снова rue de
Ménilmontant... и так далее... я список улиц знаю до конца, сохранил газеты, в которых сообщалось о погибших, с тридцатого
на тридцать первое января в Порт-Рояле бомбили госпитали
Рикор и Брока, и той же ночью на подступах к больнице Святого Антуана разорвалась бреющая авиационная торпеда, тридцатого марта бомба попала в приют для умственно отсталых
детей, шестого апреля «большая Берта» разорвалась возле
клиники Тарнье, одиннадцатого апреля — родильное отделение
больницы Боделёк: шесть убитых (среди убитых: дула-ученица,
четыре молодые матери и один ребенок), четырнадцать раненых
(среди раненых: десять молодых матерей, два ребенка двух дней
от роду, две ученицы акушерки); двадцать девятого мая — Ша-
тийон, шестого июня — Сальпетриер, пятнадцатого и шестнадцатого июля — детская больница Андраль, снаряд попадает
в инфекционное отделение коревых пациентов, другой взрыва-
ется между аптекой и администрацией, бомбы падают на столовую, кухню и павильон тифозных больных... я думал об убитых,
чтобы не думать о бомбах, которые могли упасть на меня и на
прохожих рядом со мной, лучше думать о погибших, о тех, кто
сгорел и оказался на кладбище, которое, кстати, тоже бомбили,
лучше всем сердцем отдаваться мертвым, чем думать о живых,
беспокоиться о тех, кого уберечь не можешь, хуже всего, когда

ты боишься за тех, кем дорожишь, они кажутся такими хрупкими, такими беззащитными, и почему-то кажется, что именно на них — самых хрупких и беззащитных — направлен перст судьбы, и ты никак не можешь им помочь, не в силах человека изменить предначертание, я смотрел на детей и думал о моей маленькой Маришке, лучше не думать и не смотреть по сторонам, чтобы ненароком не подглядеть работу смерти; я представлял себя в окружении книг, как в крепости, мои книги — мои щиты, мои стены, мои пуленепробиваемые панцири, моя воображаемая букинистическая лавка была моим приютом, моим убежищем, бункером, пирамидой со сложным лабиринтом, я гулял по ней и мысленно расставлял воображаемые книги, я видел саркофаги со спящими друзьями, в один из них, не больше купели, я укладывал маленькую девочку (я тогда еще ни разу не видел Маришку), обставлял книгами, оберегая от рока; магазинчик мне представлялся небольшим, чуть просторней купе, если бы у меня и правда был такой, я бы угощал посетителей чаем и кофе, просто так, вы взяли книжку и читаете, вот тут есть маленький пляжный раздвижной стульчик, садитесь, пожалуйста, сегодня мирный день, обычный мирный день, налить вам чашечку чая или кофе, je vous en prie, madame, j'insiste![1] да, со сливками, ну, конечно, сахар тоже есть, как же без сахара, вот и сухарики, s'il vous plait, ах, старые книги, старые книги, я люблю только старые книги, их приятно листать, а читать — о, читать старые книги одно удовольствие! — читая старую книгу, ты словно идешь по следу Невидимки (Гриффин был преступник); из старых книг вылетают эльфы, выползают гномы с вещевыми мешками, набитыми всякой дребеденью, для них я бы строил дома из спичечных и шляпных коробок, шкатулок, футляров, кофемолок и перечниц, у меня есть всевозможные сосуды, много со-

---

[1] Я прошу вас, мадам, я настаиваю (*фр.*).

судов — много домов, для жителей книг я бы придумал страну, в которой не было бы нагруженных бомбами авьонов, никакого оружия не было бы вообще, ни паспортов, ни тюрем, ни денег, я бы для них варил кофе и чай, снабжал бы всем необходимым, я был бы очень заботливым богом, знаете, я бы заботился о моих книгах и их жильцах, потому что старые книги, они как старые люди, часто болеют, когда их долго не перечитывают, — было воскресенье, я пошел домой и занялся перестановкой на полках, ожидая бомбы, прижимал том к груди, закрыв глаза, ждал, ждал, что вот-вот послышится вой сирен, рокот винтов, но было тихо, ничего не произошло, кроме лая собак, все было спокойно, а потом была самодовольная среда, спутала карты, я все оставил лежать, книги были повсюду, беспорядок, за средой пришла пятница, привела выводок поэтов, пятница носила людей на руках, бренчала чем-то в карманах, в понедельник я все расставил и вышел сквозь непрочную дощатую ночь, как сквозь дверь, вышел и пошел по устланному мягким ковром коридору, наконец оказался здесь, из тумана выступает труба, с нею часть старой фабрики, дальше порт, на лужах еще видны белые морщины, но скоро они сойдут, никуда не надо идти, можно сесть на скамейку, на доске что-то вырезано, ножом или гвоздем, и сидеть, глядя перед собой на стальную ограду, за ней парк, играют дети, слушать щебет в кустах, трепыхание, ждать не стоит, никто не придет, в такой день, выпавший из недельного пасьянса и потерявший имя, в такой день можно сбросить кожуру бытия и пуститься сновать воробьем между строк...

3

Ярек перестал выбираться в центр, стало слишком опасно ездить. Я звонил в редакцию — никто не снял трубку. «Ну, вот и все, кажется», — сказал я себе. Необходимость следить за революцией отпала. «Наконец-то, — подумал я с облегчением, — жизнь в этом доме для меня гораздо важней, чем то, что творится в мире».

Газет больше не приносят — почтальон заходит порожняком, по привычке, поболтать с Шиманскими и кивнуть мсье М. В курсе событий нас держит Клеман. Сегодня он пришел с чемоданом, набитым листовками. Громко поставил его в прихожей, с трудом поднялся на второй этаж, стянул ботинки, чтобы показать нам свои кровавые мозоли:

— Уфф, весь день на ногах.

Мсье М. пришел в ужас.

— Господи, мой мальчик, что с тобой?

— А ты как думаешь... Три таких чемодана сегодня уже опустошил, раздал, поклеил... Весь город обошел. И в Отей и в Пасси здесь у нас... Весь город обернул в них!

Альфред срочно позвал пани Шиманскую, чтобы она приготовила раствор, таз с теплой водой; началась суета вокруг Клемана, тот только того и ждал, оказавшись в центре внимания, он рассказывал о происходящем:

— Вы тут сидите и ничего не знаете, а между тем мы взяли под контроль инфраструктуру страны и сельское хозяйство. Больницы, школы, ясли — все в наших руках. Скоро мы раздавим этих буржуев.

Мсье М. заметил, что Клеман опять изодрался.

— А где та куртка, которую тебе принесла Маришка?

— А ты как думаешь? Ее сорвал с меня ажан.

Мсье М. порылся в шкафах, собрал ворох — рубашки, пиджаки, брюки, попросил пани Шиманскую ушить их для Клемана, он поел и пошел спать, наутро, с кислой миной от боли в ступнях, примерил изготовленный для него костюм и пришел в удивившее меня негодование.

— Вы хотите, чтобы я носил это? Хотите, чтобы я так ходил? Да вы издеваетесь надо мной! Я вам не какой-нибудь клоун!

Пани Шиманская обиделась. Бессердечный Клеман сорвал со спинки стула мой старый пиджак, буркнул, что берет его поносить, взял чемодан и был таков.

— Great men are seldom overscrupulous in the arrangement of their attire[1], — пробормотал Альфред, сел за клавесин, начал играть, но сбился. — Ах, к черту! Виктор, посидим с чаем в саду? Идемте! Я помогу вам спуститься...

— Ничего, я сам, сам...

В саду пели соловьи. Полоумные ласточки, летая между домами, плели для улицы кокон. Небо полнилось предчувствием — то ли дождя, то ли пушечного выстрела. Я пил чай и, жмурясь от удовольствия, прислушивался к городу, пытался разобрать — идут ли бои. Ничего...

— Тихо, — сказал мсье М.

— Да, тихо.

Весь день так и было; только с наступлением темноты, когда я лежал с сигаретой, сквозь гудение моторов и негромко игравшую в комнате мсье М. музыку начали пробиваться глухие хлопки газовых ружей.

4

27.X.1945

Наверху снова набежало воды. Убрал. Было холодно, но скоро привык. Созерцание и глубокое дыхание меня успокоили. Казалось, я замедлял дыханием время: оно утекало сквозь

---

[1] Великие люди редко придают особое значение своему внешнему виду (англ.).

сужающуюся горловину воображаемых песочных часов. Как Этьен и говорил, оранжевые и красные фигуры становились то синими, то зелеными, а иногда делались цвета горящего газа. Я забыл свои мысли и испытал невероятную легкость. Сумерки колебались. Вспыхивали и гасли огоньки. Я плыл вместе с башней над рекой. В тумане звуки кажутся то очень приближенными, то сильно отдаленными. Иногда они сливались в мелодию. Река, гул города, голоса, стук колес поездов и трамваев, свисток, крик, рожок — все сплелось в один концерт, который меня убаюкивал. Вдруг вспомнил картину, что висела у нас в квартире на авеню Мольера. Горы, озеро в дымной долине, виноградники, поля, поля, а за ними дивная, солнечными лучами пронизанная и тенями размеченная роща. Отцу картина тоже нравилась, он расспрашивал о ней хозяев, но я теперь не помню, что они ему сказали. Я увидел ее здесь, в Скворечне, совершенно ясно, как если б она висела передо мной в воздухе. Я услышал тиканье часов и запахи той брюссельской квартиры. Оторвавшись от учебника, я поднимаю глаза. Мой взгляд утопает в роще, летит над ней и блуждает среди деревьев. Вижу фигуру человека, не более пятнышка, но какое выразительное это пятнышко! Сколько в нем человеческой жизни! Вижу стол из моего школьного детства, узнаю каждую царапинку. Стол пережил маму. Отец был в панике, мы уехали в Ватерлоо. Сердце забилось. Я подошел к окну. Этьен говорил, что он научился входить в состояние между сном и явью. Четыре года между сном и явью! Хотел бы я такому научиться. Он считает: травмированные личности, как я, не догадываются, что находятся к покою гораздо ближе, чем остальные, потому что они побывали в средоточии взрыва. «Однажды ощутив на себе силу, тело и сознание несут ее отпечаток на себе, поэтому ты легко можешь вернуться к источнику, дверь за тобой остается открытой». Он прав: дверь за мной будто всегда открыта, и многочисленные створки распахнуты. Взрыв, удар, толчок, по его мнению, таков и есть исток всего — бурлящий, как вулкан. Он советовал вспомнить. Войти в море и получить удар волны в грудь. Я помню море. Остенде, Мидделкерке, Тестереп, дюны Де Панне. Мне было семь лет, когда впервые я увидел настоящие морские валы. Нет, я все еще сильно напряжен. После созерцания я произносил перед зеркалом фразы, которые он мне написал. Было непросто. С Альфредом мне удается говорить без напряжения; он мне сказал интересную вещь: «Оккупация меня спасла. Это странно слышать, я понимаю, но это так. После смерти матери я несколько лет прожил совсем один. Вы вряд ли догадываетесь, до какого разврата человек может опуститься. Если бы вы знали, какой была моя рутина до того, как пришли нацисты, вы бы перестали меня уважать. Я губил себя. Оккупация придала моему жалкому существованию смысл». Когда француженка оставила ему мальчиков, Альфред учил их читать и писать хитрым способом: он их пугал немцами, обысками, заставлял вести себя тише воды ниже травы, привил им привычку с ним переписываться, а не разговаривать, мальчики несли ему записки, он им отвечал длинными письмами. «Я все сохранил, — сообщил он застенчиво, — очень они трогательны, о многом напоминают, не смог уничтожить и никогда не смогу». Он показывал мне одну тетрадку. Рука ребенка была ужасна, оба мальчика писали одинаково коряво. «Мишель-Анж, младший, писал лучше старшего, но, заметив, что у Клемана не получается, он подражал ему и писал так же косолапо». Большие уродливые буквы, похожие на оставленные на песке следы птиц. М. не учил их русскому, потому что отец — русский еврей, которого забрали в Дранси, — этим не занимался. У Альфреда спокойно, в его комнатах можно обнаружить самые неожиданные безделушки, настоящий коллекционер, по выходным прогуливается вдоль набережных, выискивая какие-нибудь редкие книжки, а потом идет на блошиный и черный рынки, заглядывая по пути в антикварные магазинчики. С ним приятно работать вместе. Пневматическая почта меня устраивает. Этьен говорит, что мне нужна рутина. Мы с Альфредом часто гуляем по подземным коридорам, это так успокоительно, словно читаешь большой роман, в котором все развивается неспешно, и ты знаешь: здесь не будет громких фраз, великих идей и бессмысленных убийств, — все будет хорошо.

11.XI.1945

На работе было много беготни: меняли воздушную проводку на нескольких улицах сразу (вернее, в тоннелях, которые мы зовем улицами). Суетились, как в форте во время учений (как слаженно мы трудились при подготовке! и как бездарно все валилось из рук, когда на нас, как снег среди ясного неба, обрушились немцы!). Причиной всем неполадкам было обычное разгильдяйство. Меня раздражает маломальский беспорядок. У старого вахтера ключи блестят на крючках, под каждым табличка с гравировкой; выдавая ключи, он говорит: «у каждой двери свой замок, к каждому замку свой ключ», — подмигивает; в этих простых словах глубокий смысл; «если ключа на крючке нет, — он щелкает пальцем по гроссбуху, — тут все записано»; у него ключи от шестидесяти дверей и коридоров; «берешь ключ, ставишь подпись, вот так, — ворчит он, пока я ставлю подпись, — возвращаешь ключ — подпись, так вот». Я улыбаюсь, от старика исходит умиротворение, ему не надо суетиться, все записано, — так должен быть устроен мир. Закончили с первым трамваем. Было в нем сквозисто и зябко, от деревянного сидения шел холодок, скоро заломило спину. Несмотря на холод, громыхание, треск, хихиканье кондуктора и пассажирки с подленьким голоском, которая это хихиканье ежесекундно подпитывала своими сплетнями, я чуть не уснул. На минуту будто провалился и полетел капсулой по трубе, а потом от толчка проснулся, и стало сразу дурно. Неожиданно для себя, сошел задолго до Клиши. Обычно иду по rue Martre мимо аккуратных нарядных домиков и мэрии с барельефом на фронтоне. Сегодня не торопился возвращаться. Долго гулял по незнакомым улицам. Было так темно и тоскливо, как бывает в мертвых деревнях. В густых сумерках не рассмотреть названий улиц на табличках, многих и не было, а другие истерлись. Что за черт меня подтолкнул выпрыгнуть из трамвая? Не хотел ехать в Скворечню спать, впустую убивать время! Последние дни так и уходят: после работы ем круассан из первой попавшейся патиссерии и еду спать, сплю до двух дня, а потом все не так и все лень. Бросился вон из трамвая, и даже немного испугался: что делаю? куда лечу? Долго шел по rue du Faubourg St Denis. Все магазинчики, кафе и буланжерии спали. Только проститутки охотились. Возле дверей и арок вспыхивали их сигаретные огоньки, горели «светильники любви» (свечи в бутылках), шевелились силуэты. Одна, совсем старая, в драной шубке (под ней виднелась дряблая тяжелая грудь, увешанная крупными бусами из фальшивого жемчуга, который выстилал на ее бледной коже лунное оледенение), придерживая дверь оголенным коленом, окликнула меня низким голосом. Я не обернулся, упрямо пошел дальше, притворяясь пьяным. Она что-то пробурчала мне вслед, как бывает поругивается собака во сне. Рядышком пристроилась молоденькая арапчанка, шла и бестолково молола глупости. Я отрезал: «нет денег». Отклонился от арки. Проститутки кончились. Брел, брел, вышел к St Eustache. Отогнув холстину сумерек, из ящика выполз лохматый дядька с заспанной физиономией. Его лицо было такого же землисто-песочного цвета, что и стены церкви. Еще кто-то шевельнулся. Шепот. Под картонками в тряпье копошились тела (как мокрицы под камнем). Наверняка русских среди них тоже хватало.

Весь день был все равно потерян. Ночью проснулся от сильных спазмов. Не сразу понял, что наступает. Случился приступ. Недолгий и не такой сильный. Я помню, что сквозь меня проходили потоки света. Они шли сгустками. Такое странное чувство, будто меня рвало световыми спазмами (сквозь меня тянули из света сплетенную веревку, и была она узловата), все тело покалывало. Помимо этого я бредил: я — луч света, я — луч света... Помню смутно, что вытянул над головой руки, сплелся кистями, и так я вытягивался, повторяя: я — луч света. Это был приступ. Больше не спал до утра. Мыслил обрывками какими-то, как шелухой. Мерещилось, что за окном начинается улица, на которой стоят проститутки. Кемарил, сидя на кухне у печки, вновь шел рядом с проституткой-арапчанкой, и мы пошли к ней, она зажгла свечи, налила мне кофе, я почувствовал приятный аромат, поднес кружку и проснулся — носом прямо над кружкой. Чувствую себя больным, пишу с трудом.

5.XII.1945

Не хватает снега. Преследует странное чувство. Снега, хочется снега. Я бы его поел. Просыпало на днях, но скупо. Желтые фонари — вот что меня волнует. В детстве они такие же были. Мы приезжали в Брюссель и много гуляли. Запахи вина, миндального печенья, вафлей, корицы, гвоздики... Люди оживлялись, по вечерам зажигали больше огней, из темных углов доносились псалмы и неприличные куплеты, смех, скулеж подорванной гармоники, дрожание расстроенных струн, поблескивали в стаканчиках горящие свечи.

В церкви Св. Женевьевы прижились польские бездомные, незаметно вложил десятифранковую монету в руку мужичка, он благодарил негромко по-польски, от его напряженного набожного шепотка у меня по спине побежали мурашки, задрожали веки, поспешил домой, растопил, поставил чайник. Боголеповы не появляются. Света в окнах нет. Поднялся наверх. Снова смотрел на округу. На кладбище затишье. Ветер ободрал деревья до последнего листа. Никто не шатается. Ни одной тени. Только баржи плывут по Сене. Их огни размазываются в воде, как краски. Спустился. А чайник все холодный.

16.XII.1945

Целых десять дней проболел; меня выхаживали Боголеповы; приходили, топили, предлагали перенести меня к себе, но я напрочь отказался. Очнулся — у печи сидит Лидия, увидела, что я пришел в себя, села, лоб отерла, волосы погладила; она что-то мне говорила, но я не понимал смысла слов. Может быть, все это был бред, потому что еще привиделось, будто слышу, как за стенкой поет русская старушка, с которой мы по соседству жили в пансионе на авеню Мольера. Тихая, покорная судьбе, лет восьмидесяти, благородная и совершенно одинокая. Хорошо помню ее улыбку. Редко показывалась на улице, ей помогали люди, ухаживали за ней, приходил и батюшка, иногда до меня доносилось ее пение, ласковое, и разговор в солнечные дни: наверное, с солнышком говорила. И вот, лежу в Скворечне с закрытыми глазами, меня мучает страшная слабость, и слышу, как старушка из-за стенки поет нежным голоском, и это пение возвращает к жизни *maman*.

27.XII.1945

Сегодня в церкви Св. Женевьевы я вспомнил, как вбежал в комнату отца и увидел, что он весь в слезах стоит на одном колене перед окном и смотрит в небо. Это было после смерти *maman*, я подумал, что он опять по ней плачет, но он сказал, что узрел Господа. Я был так потрясен, так восхищен, я бросился к нему, обнял его, мы расплакались от счастья, в нашей жизни появился смысл.

Почему я это вспомнил только теперь? Где от меня пряталось это воспоминание все эти годы?

Я тогда внезапно понял, что мой отец — пожилой человек, измученный и несчастный, и я не имею права быть еще одной причиной для его расстройства. Я старался так жить, чтобы радовать его сердце, но теперь думаю, что жил не своей жизнью (как многого я не знал! и даже если бы он попытался рассказать, вряд ли я понял бы). По-настоящему я начал жить где-то тогда, когда он уехал, а я записался в армию санитаром, когда началась эта не вполне настоящая война.

Полежал немного, припоминая себя во время гарнизонной службы: я испытывал гордость, я был патриотом. Теперь я понимаю, что все это было игрой. Насколько игрушечной была наша служба в Баттисе! Но видение, которое случилось за сутки до того, как нас атаковали, то видение меня предупреждало...

Как я мог о нем забыть! Ведь ничего возвышенней я не видел! Мне теперь стыдно, точно я отрекся от высшей цели ради спасения моей шкуры, ради выживания предал самое высокое. Я знал это, знал, и забыл.

5

Прогуливаясь в Jardin du Ranelagh[1], думал о Лазареве. Есть нечто военно-монашеское в его образе. Бреется безупречно, одевается неброско, манеры сдержанные, сосредоточенный, углубленный в себя. Он мог бы быть членом секты или тайного общества. Но чехлы на креслах в сумеречном зале легко принять за силуэты людей. Сегодня я встретился с Розой. Не-

---

[1] Jardin du Ranelagh — Сад Ранелага.

лепый, пунктирный разговор. Quartier de l'Europe. Давно не заглядывал сюда. Дверца в пассаже Pas de Calais была незаперта, я покурил на скамейке в патио полуразрушенного здания, в котором проработал почти десять лет. Брошенный трактор тянет ковш, прося подаяния, — окно отмахивается занавеской; царапая коготками, по алюминиевому водостоку ходит ворона. Демонтаж дома уже начался, его снесут, как только закончатся манифестации. Прошелся по этажам. Вдоль стен змеились шнуры отключенных телефонов. Лазарев придумал это аналитическое бюро, чтобы собирать обычную информацию, из которой он — после тщательного анализа — получал информацию *другого рода*, аналитическую выжимку, так сказать, выводы, которые он кому-то продавал за неизвестно какие деньги. Он все держал в строгой секретности, конечно. Но мне всегда казалось, что мы занимались ерундой. Как в рассказе «Союз рыжих». Переписывали словари, перебирали газеты, переливали из пустого в порожнее, составляли бесконечные подшивки статей, которые вырезали из журналов; мы названивали на фабрики и заводы, брали подчас бессмысленные интервью, клепали статьи, собирали досье на директоров компаний, политиков, рестораторов, хозяев кафе, лавочников и мелких коммерсантов, — все это отправлялось на полки архивной комнаты, где хранилось годами; в алфавитном порядке, корешок к корешку, полка за полкой, под самый потолок в огнеупорных металлических стеллажах. Архивная комната — святая святых нашего бюро — напоминала большой банковский сейф: с бронированной дверью, встроенными стальными замками на шифре и сигнализацией. Охрана в здании тоже было хорошая. Теперь архивная комната пустовала: огромную дверь вынули и увезли вместе со стеной; стеллажей не было. В моем офисе ни столов ни стульев, только большой металлический шкаф, на полки которого мы отправляли на вечный покой наши ежеквартальные отчеты. Шкаф тоже запирался, ответственным за шкаф был я, ключи были большие, тяжелые, неудобные. Меня они раздражали. Когда бюро закрылось, я с облегчением вздохнул, точно с меня сняли пояс верности: больше нет этих дурацких ключей, ничто не звякает, не стучит по чреслам и — самое главное — никуда не надо ходить, ни с кем не надо говорить, притворяться, будто все это имеет смысл. Я с первого дня не верил в эту затею, наши аналитики мне казались идиотами; я думал: что они могут выжать из наших дурацких интервью, из газетных статей, из тех цифр, которыми мы заваливали их отдел? Отдел работал, но никто не видел их результатов: каждый сдавал свои бумаги шефу, т. е. Л., а тот их запирал в архивной комнате. Что было с ними дальше, не знал никто. За ширмой этой деятельности Лазарев, наверное, обслуживал английскую разведку, устраивал встречи, посылал курьеров, снабжал информацией *другого рода*. Может быть, фантазирую. Может быть, не было никакой ширмы. Может быть, он затем и вливал свои гонорары в это подозрительное предприятие, чтобы создавать видимость, будто все это ширма, за которой ветвятся коридоры и происходит что-то важное, потому что ничего-то важного в его жизни не было. Он просто дурачил нас и продолжает дурачить, — так я и сказал Розе...

Мы встретились в кафе на rue d'Amsterdam; она справилась о Викторе, *как он у вас устроился*, я сказал, что отлично; то да се, и вдруг:

— Вы знаете, Альфред, господин Лазарев обеспокоен последними событиями...

— По-моему, он преувеличивает...

— К нам приходили из полиции!

— Он сам его подослал.

— Зачем ему это нужно?

— Не знаю, Роза, не знаю. Напугать хочет.

— Кого?

— Да хоть нас с вами.

— Ха-ха-ха! Зачем?

— Откуда мне знать.

— Вы думаете, это из-за списка?!

— Какого списка?

— Как, он вам не говорил, что это все могло быть из-за списка агентов НКВД?

Так, и она туда же! Или... ну, конечно! ее тоже подослали. Хватит!

— Первый раз слышу.

Бросаю деньги на столик, салют официанту, выхожу. Наверняка подослали. Она тащится за мной. Провалившаяся актриса. Полное фиаско. Тень на покатых плечах. Я вижу ее в стеклах и зеркалах. Маленькая жалкая фигурка, перегруженная заданием и преданностью делу, в котором больше нет ни малейшего смысла. Театр, театр... Она хватает меня за руку. Ей внезапно делается нехорошо. Это от духоты. Она что-то плетет о приступе. Сейчас разразится гроза. У нее давление. Я смотрю в чистое небо.

— Какая гроза? Умоляю вас...

Она говорит, что все почернело на минуту. Она и правда валится с ног. Я ее подхватываю. Пульс слабый.

— Такси!

Она просит отвезти ее домой. Да, конечно. Всю дорогу боится шофера, старается не говорить при нем. Я подыгрываю, ничего не говорю. С трудом довожу до лифта. Поднимаемся. Слишком тесно. Слишком медленно. Лифт гудит и клацает так, будто и в самом деле громыхает буря. Устал от ее духов и вздохов. Выходим.

— Дальше я сама, — неверной рукой водит ключом по замку — а исцарапан-то!

— Вы уверены, что вам не нужен доктор?

— Будьте осторожны, Альфред. Мы все ходим под дамокловым мечом. Спасибо вам и — прощайте!

Исчезает у себя. Мне по-прежнему кажется, что все это была игра. Стою возле двери, не хочу уходить, тихонько слушаю, чтобы убедиться, что она меня разыгрывала. Жду продолжения. Шевелится, шуршит в прихожей. Там же у нее стоит и телефонный аппарат. Слышу, как вращается барабан. Она кому-то звонит, не разберу слов, говорит шепотом, придушенным шепотом... Все ясно — докладывает. Не имеет смысла тут стоять. Делать мне, что ли, нечего? И так ничего не успеваю. Моя жизнь — это такой беспорядок. Стольким людям обещал написать, позвонить... Врачи готовы меня убить: где вы все это время были?.. почему не явились на обследование?.. не сдали анализы!.. как, вы забыли снять швы?.. Я их сам снял... Они хватаются за голову, подбрасывают бумаги под потолок, настоящий фонтан. От меня ждут всевозможных решений... а я забавляюсь тем, что подсылаю Руту к Дюрелю с пончиками, и наблюдаю за этой сценой из окна... он берет пончики, ест, а потом укатывает, поджав хвост... напрасно я так с ним, наверное, но ведь пончики Рута делает славные, я же не виноват, что он обижается, да и нечего ему торчать у нас под окнами... соседи пялятся... я смеюсь, он так напряженно принял пончики, так забавно жевал... смеюсь, хотя кто скажет, сколько мне осталось, надо бы все держать в порядке, у меня такой бедлам! В конце концов, бухгалтерия моей лавочки... завещание... кремация, надо тоже... назначить встречу с нотариусом... все откладываю, куда дольше тянуть-то? Можно было бы оправдать свою лень забастовками, переждать и, пока то да сё, составить список дел... Ха, у каждого свой список! Если я попытаюсь перечислить всё, что обязан сделать в ближайшие дни, то это будет роман, и жизнь снова пройдет мимо. Я незаметно умру, заваленный извещениями, уведомлениями, письмами, пневматичками... и все равно, пусть у каждого свой список, но — есть один универсальный справочник, куда более грозный, чем все микрофильмы тайных разведывательных управлений вместе взятых — Список списков — la Liste! В нем есть сразу всё, живое и неживое, возможное и невозможное, каждый твой взгляд, даже то, чего ты не заметил, поступок совершенный и тот, что мог ты совершить, но удержался, каждое ничтожное прегрешение, однажды мелькнувшая мысль, тень мысли, сон, все предметы, к которым ты прикоснулся хоть раз или от которых отдернул руку, все птицы, что пролетели над тобой, перышко к перышку, листок к листку — каждое дерево, под которым ты шел, аллеями, аркадами, проспектами la Liste уводит тебя в бесконечность, раздвигается зеркальными занавесами, плодящими в складках бессчетные отражения, подмигивает созвездиями... у этих созвездий примечательные имена: Красота, Совершенство, Гармония... мы живем в хаосе, в вывернутом нутром наружу театре, где эти слова ничего не значат... потому так больно возвращаться в безупречно выстроенное мироздание подлинных значений... нет смысла тут что-то переставлять, склеивать, править, пусть останется так, как есть, раз уж... ты играешь, заимствуешь звуки, они были до тебя, ты целиком себе не принадлежишь, и каждая, тобой сыгранная нота, каждый полутон — все отправится в вечность с тобой, все твои опечатки и огрехи встретят тебя на входе, этот список — твой пропуск, твой билет, твой паспорт... твое истинное гражданство... эх, был бы я поэт!.. мне так не терпится себя избыть, стравить со дна горечь и сердечную немощь... я знаю, что совершенство не терпит пробелов, список должен быть полным, я должен сделать то, что я сделаю, но пока не представляю, что... где... с кем-то поговорить... где-то есть место, оно меня ждет... слышу бой колес, настойчивый и прыткий, солнечные зайчики резвятся... излить душу, но, к сожалению, все чаще встречаются кретины, которые сбивают с толку, задают нелепые вопросы: почему я перестал ходить в театр, оперу, музеи... ах, домой с небес!.. их беспокоят книги, музеи, галереи, литературные вечера... Мы вас больше не видим... Я занят. Ах, как так можно жить? Им ни за что не понять: моя голова — вот это музей! Театр — это я! И там никого, кроме меня, нет! Никто не сделает того, что могу сделать один я на всем свете! Я достаточно отдал себя миру, достаточно изумлялся, восхищался, презирал и просто смотрел на него, с безразличием. Мне некогда стоять в очередях и ходить по бордовым дорожкам. Нет времени на шампанское, сплетни и шуточки. К черту кулуары, тайные знаки, рукопожатия, похороны!.. к черту поминки и совместные поездки в Сент-Женевьев-де-Буа в вынимающем душу автобусе! Хоронить мертвецов с мертвецами — увольте! Регулярно присылали пригласительные, насколько хватало вежливости и сил я посещал, отвечал, звонил, соболезновал, если не мог приехать, за мной присылали — чтоб их черти побрали! — ехал: а куда деваться? Организационные вопросы решал Л., и речи произносил тоже он. На последнем рандеву мне стало плохо; помню первые пятнадцать минут, все задавались одним вопросом: «почему нас собрали?..»; помню консьержа, который развозил прохладительные напитки, отвратительный скулеж тележки, шуршание веера столетней польской княгини NN; в пыльном зале бродили силуэты; плотно зашторенные окна, зачехленная мебель, все было точно во сне, мне с каждой минутой делалось хуже, бред происходящего давил на сердце... У колонны стоял и сам с собой разговаривал пьяный господин с пышными бакенбардами; он странно вздрагивал; я присмотрелся к нему: уж не Грегуар ли это? Ведь он... Нет, не он. Сделав два мучительных шага, я с отвращением увидел, что у него за спиной, согнувшись вдвое, стояла женщина — она дергала фалды его фрака, будто совершала странный религиозный обряд. «Ну, все, ма-шери, — сказал он ей. — Спасибо. Теперь сидит отменно». Она еще разок дернула... Я отвернулся, боль из груди поднималась к горлу (время — убийца с холодным ножом). Из сумерек бесшумно выкатилось инвалидное кресло: шевеля огромными крючковатыми пальцами, впавший в детство старикан в парике скалил на меня грозные протезы. «Мы страшно рады Вас видеть, мсье Моргенштерн», — сказал его сын, по-хозяйски опираясь на ручку кресла. Больше ничего не помню. Дальше была больница. О, если бы у меня был человек, с кем я мог бы плыть, как пузырек с пузырьком, с кем мог бы быть окончательно и полностью откровенен, я бы не писал столько, и, глядишь, был бы порядок в моей жизни. Есть близкие, но им лучше не знать... Я мог бы составить список тех, с кем я пытался поговорить по душам... Нет, еще одна бесконечная повесть. Ни одной не закончил. Все. Ухожу. Голосок за дверью всхлипывает. Да, наверняка она сообщает Лазареву результат нашего с ней разговора. Пусть трепыхаются в паутине. О да, пердун не помрет от скуки. Подозревает меня? Почему нет? Альфред Моргенштерн, агент НКВД, продажная сука, мы в нем ошибались, элементарно! Праздный ум — мастерская Сатаны. Враги повсюду. Столько трухлявых подленьких людишек, готовых от страха мочиться в штаны! Триумф обеспечен. Обсосать мои косточки в тишине пыльного закулисья — какое редкое удовольствие! Почти каннибализм. О, нашли мумию? Повод для новых эмоций. Без агентов и дня не проходит. Революции мало. Это не *наша* революция. Им нужны шпионы, предатели, убийцы мерещатся на каждом углу, в каждом таксисте и портье они видят оборотня, всюду советские засланцы, надо быть осторожней, дамоклов меч — над нашими головами! Меч, молот и серп!

Я представил, как Лазарев, получив послание от Розы, садится за свой большой стол, открывает какую-нибудь тетрадь или папку (возможно, с моим именем на корешке, хорошенькой кипой фотокарточек и бумаг внутри), записывает ее «отчет» и свои соображения. Ох, как бы я желал увидеть его лицо! Ему все еще не терпится заполучить список тех, кто работал на НКВД... Удивляюсь: неужели ему до сих пор не все агенты известны? как такая ерунда может беспокоить? как не остыть за столько лет? Или я не так его себе представляю? У него, конечно, есть свой архив, своя Вавилонская башня, и список — о каком бы списке ни шла речь — дополнил бы пробел в безупречно выстроенной конструкции. Да это страсть собирателя! Ну, конечно! Он желает заполучить список, как иной коллекционер мечтает купить у меня ларь или шкатулку. Был один, долго ходил, буквально сватался к моему секретеру, вел беседы, притворялся ценителем музыки, играл со мной в шахматы, приносил дорогое вино, пил, а сам на секретер поглядывал влюбленными глазами, не выдержав, он подходил к нему на полусогнутых ногах, как к невесте: «Не позволите посмотреть?» — наслаждаясь комедией, я позволял, он его ощупывал и вздыхал, с трепетом в голосе говорил чуть ли не стихами: «Ах, тисненая кожа... позолота... стиль Людовика шестнадцатого, не так ли? А это откидная доска? Не позволите открыть? Благодарю... — ах, какие маленькие ящички-тайнички! Какая прелесть!»

А вот вломятся к Л. гэрэушники, вытряхнут из него все, что он насобирал, все справочники, которые компилировало наше бюро, увезут эту макулатуру в СССР, — кем тогда будет наш мсье Лазарефф? Рупором! В чьих руках? Как и все те, кто работал в его необыкновенном бюро... Но пока этого не случилось, он воображает себя ассенизатором Европы. Стоит на страже Демократии. Само достоинство. Меня обрабатывает — чует: что-то мне известно, и давит... вгрызается до самой сердцевины... ему нужна правда... La Vérité! Наверняка пишет мемуары или роман, хочет подвести итоги, устроить окончательный суд русской эмиграции, поставить жирную точку над i, назвать вещи своими именами. Конечно, для этого нужен список. Свериться надо. Не дай бог не того по плечу похлопал... Ах ты, чистоплюй! Ажана подослал, Розу втянул, спектакль устроил... Шахматная кукла с горбатым карликом внутри! Ха-ха-ха! Ничего не получишь! До Сашки тебе никогда не добраться.

Поймал такси. В шестнадцатый! Сел на скамейку возле статуи Рыбака с головой Орфея, закурил, вытянул ноги и вдруг отчетливо вспомнил, как в 1946 году, сидя на этой же самой скамейке, видел Николая Боголепова и Наденьку Тредубову, с ней был ее мальчик (малышу тогда было пять или четыре). Николай был в нее влюблен. Это было очевидно. Годы оккупации — годы затмения, должно быть, притупили боль разлуки; с одной стороны, Николай с отцом работали на немцев — мастерские, собачье кладбище, получали бензин, занимались деменажем[1]. Николай еще что-то делал для maquis... куда-то ездил... Может быть, стрелка любви на часах его чувственности замерла года на два-три, но как только Надя появилась, я знаю: его сердце забилось с удвоенной скоростью. Представляю, он пробудился и видит Надю... Они знали друг друга с детства, их породнил Аньер, русская школа и еще что-то... музыка, кажется... Но теперь она замужем за известным актером, теперь она — американка, мать и женщина, а не та легкая гибкая беззаботная девушка... и все же... он тоже изменился; наверное, Наденька с любопытством смотрела на его огрубевшие шоферские руки, широкие плечи, щетину, она видела в его глазах грусть; наверняка ее удивила его кривая на французский манер улыбка сорвиголовы, хрипловатый голос. Возможно, первые

---

[1] От французского *déménager* — переезжать или заниматься транспортными перевозками *(фр.)*.

дни она была немного увлечена им. Когда я их увидел, я испугался за ее мужа — после приезда я еще не видел его, я только слыхал о том, что Тредубовы вернулись. Я не сразу узнал ее, подумал: с кем это Николай гуляет, да еще в нашем парке? Его я признал сразу, а она — так изменилась, похорошела, да, стала настоящей дамой... Ей так это шло!

Второй раз я их увидел через месяц на place d'Anvers. Я искал Шершнева по всему Монмартру, набегавшись, сидел в маленьком сквере и долго делал заметки, было много всего, закостенел, оторвался от блокнота и увидел их. Они спускались по улочке, ведущей вниз от Sacre Ceure, Надя была с большой сумкой, полной покупок. Николай страдал... а она делала все возможное, чтобы держать его на расстоянии. В ее походке и жестах я прочитал пресыщенность встречами со старыми друзьями. Надя смотрела по сторонам в поисках предлога, чтобы уйти. На нем лица не было. Они пересекли площадь совсем недалеко от сквера, в котором я сидел. Меня скрывала метель из перьев. На площадке дети футболили подушку, перья плавали в воздухе повсюду, они садились мне на плащ, брюки, шляпу.

* * *

Устроившись водителем к Тредубовым, Николай стал больше играть на гитаре, до глубокой ночи читал, а по утрам вставал последним; он слушал, как оживает дом, ходит отец, что-то бубнит, курит, мать кормит козу и кур, хлопочет по хозяйству; думая о своем, Николай слушал, как ворочается Катя, потихоньку пробуждаясь, ее дыхание становится громче и беспокойней, наконец, она потягивается, встает и, надев носки, платье, тапки, уходит вниз; а он еще долго лежал с закрытыми глазами, вспоминая, как в детстве любил прислушиваться к звукам и представлять, что находится не в своем доме, а в волшебном дворце, и его родители — сказочные существа.

Тогда дом был другим, Лидия не огрызалась, отец курил меньше и не матерился (во время оккупации он стал неловким: разобьет кружку и выругается), мать любила стихи и часто проводила дни с книгой и письмами, которые давно перестала писать, а Катя была совсем маленькой, она просыпалась чуть ли не раньше всех, сидела в кроватке и что-нибудь лопотала на своем младенческом языке, подпевала птицам, которые заливались за окном точно так же, как и теперь! Николай со всей ясностью понял: раньше в их доме было счастье, хоть сколько-то, а теперь и той малой щепотки не осталось, все огрубели, обозлились, отчаялись. Он услышал голос Лидии, она что-то громко сказала, а потом засмеялась, долго смеялась. Зачем она так некрасиво смеется, думал он, чего заливается? В ее смехе не было радости — сестра смеялась с вызовом: вот всем вам назло я смеюсь. В ее смехе звучали нотки озлобленности, и — понял он — это навсегда, ничто ее... нас не изменит. Он зажал уши и попытался представить лицо Нади Тредубовой, ему отчаянно хотелось услышать ее смех, увидеть ее глаза, взять за руку...

Пройдет много лет, оглядываясь назад сквозь колодцы бессонных ночей, он будет думать, что те долгие ленивые утра в усадьбе Деломбре, когда, лежа в постели с закрытыми глазами, он капризно сердился на отца и с нежностью думал о Наденьке, были одними из самых беззаботных минут его жизни; Николай поймет, что тот январский день 1946 года, когда он увидел Надю, был роковым: она была прекрасна, до безумия прекрасна! В манто, легкой шапке из заячьего меха, полусапожках на шнурках (под стать военным), светло-коричневых перчатках, где на одном пальце была небольшая дырочка (эти короткие прикосновения кружили голову, эти взгляды, улыбки — от них он пьянел; вот тогда-то все и решилось, сразу). Бывают дни, когда судьба застает тебя врасплох; находясь под властью очарования, испытывая редкое волнение (так и было: еще не зная о том, что Тредубовы вернулись в Париж, Николай чувствовал жжение в груди, в солнечном сплетении словно включился родник, пробивающий путь к сердцу, он назвал это «дурным предчувствием»), ты скажешь что-нибудь такое, чего сам от себя не будешь ожидать, что-то, чему сначала не придашь значения, а потом, когда оно, так сказать, сбудется, тобой посеянное слово прорастет событием, которое зацветет тревожным свечением над мглисто-лохматыми сопками, ты будешь недоуменно шептать себе: «Бес попутал — прав был отец».

Она пригласила его зайти; мужа не было; они сели пить чай; с ребенком занималась няня. Раз показались французы и снова спрятались у себя в комнате.

— Они сдают нам эти апартаменты, — объяснила Надя. — Хозяин квартиры — известный дирижер в прошлом. Ему почти девяносто! Они сдают нам комнаты, чтобы было на что жить.

Николай покивал грустно.

— Такие времена, многое изменилось, — сказал он и добавил, что и в их семье произошли изменения. — Отец как с ума сошел. Хочет ехать в СССР.

— Сейчас многие хотят. Удивляюсь: неужели они не понимают?

— Я за мать и сестер переживаю.

— Как они?

— Мама чувствует себя хуже и хуже, сердцем слаба. Лидка мечется, как залетевшая в дом птица. Катюша торопится выйти замуж и ни о какой России слышать, разумеется, не хочет, у нее все только начинается, глупо было бы ее куда-то увозить, но жених ее такой... наивный, что ли... француз, романтик, говорит, что с удовольствием переехал бы в СССР! — Николай усмехнулся. — Он восхищен советскими людьми, армией...

Он говорил, а сам смотрел на нее и думал, что она приехала сюда ради него, этих лет как не было; она говорила, что они приехали по делам; какие дела были у Юрия Тредубова во Франции, Николай не слушал — он думал о своем: «нет, не по делам вы приехали, ты приехала ко мне»; он говорил с ней так, как пять лет назад, он даже забыл, что она была в Америке, и то, с кем она туда уехала и что о ней говорили потом в Париже, — все это он вычеркнул; поэтому, когда пришел Тредубов, сел с ними за стол, у Николая защемило сердце. Наденька звонко сказала, что Николай возил ее полдня по городу. Тредубов достал портмоне, молодой человек засобирался домой, отказываясь принять деньги. Надя заметила, что он сильно побледнел.

— Николай, *вы* же безработный! — Никогда прежде она не говорила ему *вы*, к тому же она так подчеркнуто отчужденно произнесла его имя, чужим голосом, словно он для нее — *чужой*. Ему захотелось рассмеяться, вместо этого он сделал нелепый отцовский жест и с интонацией отца сказал:

— Ну, в общем, пора мне...

— А почему бы нам не нанять вас? — сказал Тредубов. — Будьте нашим шофером! Мы себе это можем позволить... а у вас и деньги, и бензин будут.

Николай обещал подумать; он уехал от них стремительно, как ошпаренный; всю ночь он думал, а на следующий день приехал смущенный и помятый, сдавленно согласился, сославшись на то, что он посовещался с отцом, и тот посоветовал не упускать такой случай.

Юрий Тредубов произвел на него странное впечатление: нездоровый, старый (сорок четыре года), седой, волосы жиденькие, щеки дряблые, худоба. Когда Тредубов размышлял, как отправиться в Кламар к Бердяеву: поездом или на машине, — в его лице случился целый мимический концерт, точно сразу несколько личностей, которых он в прежние времена сыграл на сцене, ожили в нем и отчаянно спорили друг с другом, мешая актеру принять решение (Надя настояла, чтобы он ехал с Николаем на машине).

Все, кто его знал, отметили, что вернулся Тредубов сильно постаревшим: «видать, в Америке не сложилось», — говорили одни; «и там жизнь не сахар», — соглашались другие. Актерская карьера в кино у него и верно не сложилась, он сильно рассчитывал на кино, однако за годы в Америке, активно себя предлагая и всюду появляясь (с томиком английского словаря под мышкой), он получил только два приглашения на незначительные роли в фильмах «Миссия в Москву» и «Песнь о России» (оба раза отказался); он играл в театре, работал в газете, сотрудничал с журналами, писал рассказы, воспоминания о своей театральной парижской жизни, которые напечатали только в двух номерах, но затем их раскритиковали и не взяли продолжение, анекдоты из жизни театралов в период войны никого не веселили, писал в стол, жил неприметно, пока его пьесы не появились на Бродвее; член НТС НП, но с оговорками: отказ солидаристов от демократического будущего России Юрий Тредубов назвал «не чем иным, как соглашательством с большевиками», и грозился выйти из партии, — гневное письмо было напечатано в «Новом русском слове» (никто не обратил внимания). Где-то в конце войны Тредубов окунулся в неведомую прорубь и вынырнул в редакции «Русского парижанина» с рекомендациями от неизвестных лиц. Рекомендации на Игумнова произвели положительное впечатление, он несколько дней хитро ухмылялся, посвящал Юрия во все свои дела, рассказал о каждой болезни, о каждой статье, обо всех планах, а также раскрыл для него свою записную книжечку со списками всех желавших уехать в СССР, пожаловался, что список этот растет каждый день; Тредубов поинтересовался, зачем ему этот список, на что Игумнов ответил, что старается изучить каждый отдельный случай.

— Хочу знать причину, побудившую каждого из этих лиц покинуть Францию.

Тредубов от изумления потерял дар речи:

— Но... но... позвольте... Анатолий Васильевич... это же... Как?! Как вы один можете собрать столько информации? Поговорить с каждым! Это же немыслимо!

Игумнов успокоил артиста, объяснив, что ничего немыслимого в этом деле вовсе нет, под видом подписки редакция рассылает опросник следующего содержания: «о чем бы вы хотели почитать в нашем следующем выпуске?», «каким вы видите журнал в эмиграции?» и другие вопросы, отвечая на которые — а читатели любят отвечать подробно, — люди невольно выдают свои планы.

— Хитро! — восхитился артист. — Умно!

Довольный собой, Игумнов продолжал: одним он звонил, к другим приходил с визитом и, как бы между прочим, спрашивал, не задумывались ли уехать в СССР и по каким причинам (часто люди сами вперед говорили), — так он работал...

— Да, да, как интересно, — говорил Тредубов, — этак можно было бы и сюжет завернуть...

— А, роман? Да! Берите идею! Пишите! Я вас нагружу деталями и персонажами, ими море нашей парижской жизни кишма кишит... Я вот что скажу вам, я заметил одну странную вещь. Начинка для детектива, можно сказать. Почти в каждом доме, где положительно настроены ехать в СССР, побывал один и тот же человек.

— Да вы что! И кто же это?

— Некто Каблуков.

6

Целый день вчера перепечатывал все подряд. Все время думал о ней. Вырезал бумажные цветы, склеивал, сворачивал, получился букет.

Подвернулась газета. Ого! В ту ночь, когда Мари была у меня, госпитализировали 367 человек, арестовали 468, повреждено 188 автомобилей. Если так и дальше пойдет, мир не выдержит. (Сохраню заметку на память.) Le Monde, 16 mai: Le général de Gaulle condamne les "hégémonies" mais affirme que l'URSS est un "pilier essentiel" de l'Europe[1]. Ха! Видали? Это Советский Союз-то оплот Европы! Ну-ну, мон женераль. Щелкнул пальцем по газете, перевернул, чтобы не видеть. О чем он думает? Пытается запугать? Мол, Советский Союз нам поможет? Тьфу! Не знает он, о чем говорит... Оплот — из крови и костей... Надо отвлечься, отвлечься... Вытянул из коробки Альфреда листок:

расшифровывать медленно и кропотливо (помнишь: действительность медленна и подробна?), тщательно смахивать песочек метелочкой, годами сводить с истории патину, не соблазняться легкой добычей (можешь запросто оказаться заживо замурованным), не впадать в ложную надежду, будто во всем можно разобраться, все можно понять (чувствуешь, как пальцы сжимают древко топора?), — не верь словарям! Бросайся в бездну без страховки, вгрызайся в бессмысленные символы с тем отчаянием, какое испытываешь, когда разбираешь иероглифы судеб, вписанные в криптограмму истории. Бездну измерить нельзя. Жизнь понять невозможно — тем она и прекрасна. Что-то можно переписать, скопировать

---

[1] Генерал де Голль осуждает «гегемонии», но утверждает, что СССР — «основной оплот» Европы *(фр.)*.

какие-нибудь фрагменты барельефа… Если сравнить жизнь с речью, то это вопль безумца, смешанный с лепетом младенца, добавь к этому страстный шепот потаскухи, которая пытается разогнать твою похоть, чтоб ты покончил с ней поскорей, плесни сюда рев пьяной горячки, стоны агонизирующих больных, взрыв бомбы, лай собак, крик солдата, бросающегося в штыковую атаку, и неловкое бормотание влюбленного в смазливую официантку студента. Вот такое будет послание! И все равно, жизнь — не послание, жизнь — это шквал, ураган, вселенская буря, переходящая в пустынное затишье, в мелколесье тундры и ледниковую неподвижность, жизнь сплетена из сил, которые обращают тебя в послание, иероглиф, символ… сегодня в Опере я вдруг подумал о том, что в этом мире есть еще по меньшей мере несколько сотен тысяч залов… и в одном из них есть человек, который, как и я в эту минуту, перестает слушать музыку, чары искусства теряют власть над ним, он выпутывается из кокона приятных чувств и с изумлением оглядывает своих соседей; как и я, он думает о существовании сотен тысяч подобных залов, в одном из которых сидит человек и думает о возможном его существовании… что, если большего слияния с другой душой твоя душа достичь не может?

* * *

Мари заглянула на минутку; кажется, вот только сидела на этом стуле; на ней было длинное платье, на левой руке браслет, ее волосы были неряшливо убраны, ручьи волос струились вдоль лица, глаза смотрели хищно; хотелось спрятаться, убежать, я попытался подняться, но она толкнула меня, я упал на неубранную постель, она смотрела, с норовом, мне было стыдно, что я завалялся в постели, небрит; она сказала, что хочет знать, что я думаю о ней; я сказал, что люблю ее; она бросилась на меня, поцеловала так, что я задохнулся, она терлась о меня своим лицом, она целовала меня еще и еще... картинки, открытки, рисунки, карикатуры, классики на асфальте, фотокарточки, васильки, улыбки, синяки и ссадины — все пронеслось, перечеркнув сознание, как воробьиная стая, с щебетом, с дырчатой тенью и ощутимым ветерком... Мари сорвалась, сказала, что ей надо бежать... Я застонал, но она уже вылетела на лестницу... ветер, губы, духи... ее сердце билось на моей груди вот только, а теперь я лежу и вспоминаю, как стучали ее каблучки, как шуршало платье, как она сидела на этом стуле передо мной, вспоминаю ее спину... в моей комнате на rue d'Alesia... той первой ночью сломленных баррикад... вспоминаю ее ягодицы... я подарил ей мои бумажные цветы... я представлял, как она идет по rue de la Pompe, доходит до Триумфальной арки, спускается в метро... я представлял, что она где-то там... в Эпинетт или Клиши... закрыв глаза, я превращал шелест листвы в ее шепот; издалека доносились автомобильные гудки, голоса, шаги, пение птиц... время и шло и не шло... с закрытыми глазами лежал в полусне, шептал ее имя, улыбался, как пьяный... целовал воздух, представляя, что целую ее ускользающие губы, целовал смех, да, я пытался поцеловать ее смех, обнимал ее запах, плел нечто бессмысленное... с тобой... мне все равно, куда ехать... с тобой... карусель моей жизни обрела ось... ее взгляд исподлобья продолжает жечь меня изнутри... пряди, спадающие вдоль висков и щек, дыхание... она была со мной... только что... уже несколько часов прошло... ее пальцы отпечатались на моем теле...

На следующий день она пришла — другая, расстроенная, собранная, злая — ругала мать.

— Все она... Ненавижу... Ненавижу...

Я целовал ее, высвобождая из заколок и резинок ее длинные вьющиеся волосы, темные, с каштановым отливом, целовал их...

— Ненавижу... Я бы давно уехала отсюда, если б не отчим... жалко его...

Я целовал ее виски, шею, плечи и смотрел в ее бесконечно светлые, слезами омытые глаза...

— Когда все кончится, — она имела в виду *революцию* (мы произносим это слово насмешливо), — я нипочем не вернусь в парикмахерскую... мне *всё* надоело!

Всё — магазинчики, парикмахерские, пансионаты, больницы, конторы; ей надоело стенографировать, переводить, приглядывать за чужими детьми, быть une fille de chambre[1]:

— Когда мне было девятнадцать, мне казалось, что у меня впереди столько всего... Возможности, любовники, приключения, путешествия... Весь мир! Роскошь, пираты, алмазы, острова... Теперь я вижу, как все это исчезает, как дым сигареты, которая сгорает слишком быстро, не оставляя ничего, кроме желания достать следующую. Моя жизнь сгорает — как сигарета!

Она говорит порывисто, страстно, с жестами француженки, даже акцент слышится, ничего лучше ее в моей жизни не было... я готов ради нее на всё!.. она улыбнулась... ее знакомая устроилась работать в итальянский крупный магазин...

— В Италии сейчас тоже *революция*... Да и не нравится мне там, если говорить откровенно. Думаешь, очень мне нужна Италия? Вот еще! Острова и пляжи — это такая скука! Но куда-то же надо ехать...

Когда она была маленькой, ей очень нравилась Италия, она с удовольствием учила итальянский, мечтала, что выйдет замуж за итальянца и уедет, но потом, когда она выросла, Италия изменилась, появились агрессивные мужчины, приставучие и наглые, узнав, что она из Парижа, они начинали

[1] Горничная *(фр.)*.

вертеться перед ней и коверкать скабрезные французские словечки, при этом они с хохотком старались залезть к ней под юбку, тянули ее к себе на колени, Мари вырывалась и убегала, а они кричали ей вслед, что она — парижская шлюшка, которая слишком высокого о себе мнения; еще одна вещь поразила ее: когда итальянцы видели черную кошку, они хватались за причинное место, мужчины любого возраста и положения зачем-то делали этот стремительный непонятный жест: перекреститься одной рукой, а другой схватиться за пах, — ее подруга объяснила, что это суеверие: они боятся бесплодия или импотенции; во время последней поездки в Италию Мари представлялась путешествующей по Европе русской аристократкой из Америки, и с ней вели себя как с леди — кланялись, снимали шляпу.

— А хочешь, можем поехать в Грецию... Я переписывалась с одними русскими эмигрантами, которые живут в Афинах. Можно к ним поехать. Они нам только рады будут. Я отыщу их адрес, напишу, можно притвориться, будто у нас медовый месяц, а там что-нибудь придумаем...

Придумаем, я поцеловал ее руку, конечно, придумаем... зажмурился и содрогнулся... я опять один... лежу, млею, впитываю в себя бледный утренний свет; прислушиваюсь к городу — тихо; дотягиваюсь до окна и тяну за крючок — птичий гомон наполняет комнату. Голова немного гудит; запахи сада, ее духов и слегка отсыревшего за ночь белья, — хочется нырнуть в беспамятство и сквозь сон вынырнуть во вчерашнем вечере, обнять ее...

Встаю, выволакиваю мою ногу, наваливаюсь на подоконник, чтобы вдохнуть всей грудью свежий воздух, и вижу Альфреда, он танцует в саду, на столике кофейник, чашка на блюдце, отчетливо вырисовывается длинная серебряная ложечка, трава поблескивает, а он танцует, кружится, шуршит туфлями. Я набросил халат, пошел в уборную. Проходя мимо комнаты Альфреда, заметил, что у него везде горят свечи. Остановился залюбовавшись: бледный утренний свет и свечи — все вместе это делало комнату слегка ненастоящей, увиденной сквозь стекло.

* * *

Сегодня мы обедали все вместе. Шиманские раздвинули большой стол в гостиной. Альфред поставил пластинку с камерными концертами голландских барочных композиторов, налил всем красного, — за исключением пани Шиманской, которая в середине дня, да к тому же такого жаркого, предпочла шабли, — и произнес тост:

— За те необычные обстоятельства, что свели нас под одной крышей!

— Значит, за революцию тоже, — сказал Клеман.

— Да, естественно, — согласился мсье М.

Клеман поднялся и громко произнес:

— Alors, vive la révolution![1]

Ну, выпили за революцию. Пани Шиманская приготовила куропаток и итальянские макароны необычной формы: «Ничего другого, к сожалению, в доме нет, извините», — сказала она, все ее бросились успокаивать, — «Давно пора их уничтожить, — пошутил Ярек, — запаслись макаронами так, что можно целый год держать осаду», — все посмеялись. Салаты, маринованные огурцы, поданные отдельно, как невесть какое лакомство, оливки, крекеры, паштет и приятный кисленький соус. Было еще что-то на десерт, но все отказались, пили вино, плавно перешли к кофе, к которому подали коньяк и аперитив. Ярек удалился с папиросой в сад. Пани Шиманская принялась

---

[1] Тогда да здравствует революция! *(фр.)*

убирать со стола. Вот тогда мсье М., выключая проигрыватель, позволил себе подшутить над Клеманом:

— Мир стал похож на пластинку, которую заело где-то в Латинском квартале...

Клеман громко прочистил горло, начал ходить, собираясь произнести монолог, но вдруг посмотрел на часы и убежал. Мсье М. сел за клавесин и пропел:

> Дитя, торопись!
> Дитя, торопись!
> Помни, что летом —
> летом фиалок уж нет...[1]

Несколько минут он играл и пел, мы пили вино, кофе и шутили. Мари пошла прихорашиваться. Шиманские, убрав со стола, взялись убирать и сам стол. Мы с Сержем курили, болтали ни о чем, легко и непринужденно, все были в прекрасном расположении духа, мсье М. все время мурлыкал романс, иногда позволяя словам вырваться на свободу: *помни, что летом — летом фиалок уж нет*. Серж тихонько кивал и приговаривал: «Да, верно, летом фиалок уж нет». День был ясным и звонким. Мысленно я пожелал, чтобы он не кончался, но и без того время в доме мсье М. было медленным, как густая кровь, долгим, насыщенным запахами, звуками, красками, смехом, жизнью особого свойства...

* * *

(кое-что сложилось в голове, сейчас попробую перевести на язык) Наша счастливая жизнь отца, думаю, заставляла скучать, наши будни и праздники ничем не отличались от будней и праздников многих

---

[1] Романс Михаила Кузмина «Дитя и роза».

других обывателей: Френкели тоже бывали на Трокадеро или в Тю-ильри в те же дни, что и мы, они, как и многие другие, тоже смотрели фейерверки с Эйфелевой башни или с Монмартра, они тоже катались на катере по Сене, они тоже ездили в Рим, — мы все жили банально. Отец понимал: нехватка воображения и средств толкает нас на про-стые, всеми испытанные развлечения; чувствовал, что он ничего осо-бенного за все годы так и не сделал (банальность развлечений может быть исправлена каким-нибудь открытием, подвигом, чем-то из ряда вон выходящим, даже дуэль в собственных глазах может поднять над обывателями и самим собой; уверен, многие ходят на охоту именно поэтому, и мой отец тоже был охотник, только он не вешал шкуры на стены, охота оставалась за стенами нашего дома, и мне неловко это вспоминать); допускаю, что он не только мог кому-нибудь показать-ся пошловатым поверхностным господином — по большей части он и был таковым; как рациональный трезвомыслящий практичный не-мец, он подвигов не искал, и вот (пытаюсь представить) в 1918 году у него появилась возможность (дверца приоткрылась с той стороны) спасти жизнь человека, вытянуть его из полымя. (Я так мало узнал о том, что на самом деле произошло, поэтому карандашный набросок, так сказать, скетч — это все, что могу предложить.) За одной душой другая, третья... Воображаю, как он себе говорил: «ну, еще одно-го», — приближаясь все ближе и ближе к краю. Я никогда не винил его, я понимаю: противиться было невозможно, — и я на его месте, наверное, поступил бы так же.

Как только мы поняли, что он не вернется, мы перестали быть прежней семьей, но это не значит, что мы стали особенными, хотя так мне казалось первые дни. «Случилось нечто особенное, и мы стали особенными», — говорил я себе. Но это было не так. Мы остались все той же обычной семьей, — мать и сын все еще семья, — одной из тех пронзенных горем многочисленных семей, чьи отцы погибли, пропали, в нашем веке в каждом доме кто-нибудь да погиб, каждое родовое древо ощутило на себе грубую работу пилы или удар топора, все они вели обыкновенное существование, как всякое дерево, потеряв ветвь, старается жить и шевелить оставшимися ветвями как ни в чем не бывало. В общем, за всю мою жизнь я встретил много незаурядных личностей, и все они вышли из вполне заурядных семей. Однако все это с ним случилось потому, что мой отец забыл те важные слова, которые однажды произнес доктор, который спас мне жизнь в детстве, тот пожилой русский доктор, чей образ навсегда мне врезался в память, и кому я втайне подражал, кем хотел стать, я даже прочищал горло, как он, и — я никогда не забуду тех слов, которые навсегда стали характеристикой России.

Мне было семь лет, мы с отцом пошли в гости на кукольное представление с настоящим французским кукольником, которому устроить спектакль помогали родители детей (даже если я их знал, то теперь не вспомню, кто были эти люди). Спектакль на меня произвел сильное впечатление. Когда мы возвращались домой, в небе стояло какое-то сияние, — видимо, мороз был крепкий, но я этого не замечал: я был взбудоражен и восторженно пересказывал папе свои впечатления. Вдруг из какого-то, кажется, питейного заведения, нам под ноги на тротуар баба выплеснула воду, папа негромко выругался: «Тьфу тебя!» Спохватившись, баба ойкнула и попросила прощения, мы прошли дальше, папа с досадой сказал: «Вот видишь, Альфред, как некрасиво она сделала! прямо под ноги нам воду плеснула!» — «Да, — сказал я запальчиво, — некрасиво! А может, она нас не заметила?» — «Да, — сказал папа, поведя бровью, — может быть... — Чуть подумав, он добавил: — И все же». — «Да, — подхватил я важно, — и все же некрасиво получилось». В чайной мне стало дурно, руки и ноги ослабли, а голова стала тяжелой, как ядро, и когда мы собрались домой, я не смог встать, отец меня поднял на ноги, а я сел: «Да ты совсем обмяк, братец! — воскликнул он. — Что с тобой?» Он попросил, чтобы нашли извозчика, сам отнес меня в разросшуюся до фантастических размеров двуколку. Всю дорогу он не выпускал меня из рук и несколько раз вспоминал, как нам баба плеснула воду под ноги. Дома я не узнавал родителей, вокруг меня творилось черт знает что: летали в воздухе черные птицы, делая петли вокруг люстры, словно выполняя какое-то скорбное задание, с каждым кругом мне делалось тоскливей, я понимал, что не могу противостоять их вытягивающей душу силе; на стенах распускались огромные цветы, бутоны шевелились, быстро вяли, лепестки, скукожившись, падали, рассыпаясь в пыль, появлялись новые, без конца... Все это нарисовала акварелью медленная мудрая кисточка, и когда ее обмакнули в стакан, мой рассудок наполнился новыми красками, сгустками смыслов, новыми изгибами и дополнительным пространством. Я услышал, как напуганный отец вновь и вновь рассказывает доктору о воде, что нам плеснули под ноги, слышу, как доктор говорит: «В России станешь суеверным». — «Ах, как же это верно!» — восклицает мой отец, и я потихоньку прихожу в себя. Птицы, цветы и акварель испарились, на меня смотрит мама, боится и чуть-чуть сердится.

Пока пишу, пока держу карандаш, ощущая сопротивление бумаги, они — и другие, кого давно уж нет — живы: мать собирается в театр, слышу шелест ее платья за дверью, чую аромат духов, она что-то напевает, отец — сидит в какой-нибудь мифической канцелярии, ведя учет душ или казенного бездушия, а потом, под охраной, держась гордо и прямо, идет в свою вечную избушку, в ней горят неугасимые свечи, в незашторенное окно светят звезды, и мой бокал не пустеет, Вольтер, Дидро и Руссо улыбаются, рассвет не наступит, нет, не наступит, будет Вечная Темная Ночь (сосуд Бога), шуршит шелковый мотылек, трепыхается, запутавшись в занавесе, на подмостках ни души, некому напомнить, что пришла пора сделать последний и самый мучительный

* * *

Парижские улочки — моя паутина, и я гуляю по ней, как мне вздумается. Я не прикладываю никаких усилий, чтобы придать этому узору ненужных сложностей, не созываю пауков соткать новые измерения. Я до сих встречаю прекрасных людей, но с ними надо быть осторожней — они такие хрупкие, мне проще разговаривать с ними через предметы… История спит в вещах, к которым люди прикасались. Меня увлекает поиск следа, отпечатка исторической руки; люблю созерцать безмолвный покров времени, сквозь который проступает посмертная маска неординарной личности, увидеть зыбь на этом покрове — великая привилегия. Есть любопытные феномены… Наверное, я люблю это больше всего; мне нравился театр, мне нравилось кино, я бы с удовольствием сыграл Носферату, Лая, Лира, да и мало ли кого, только слишком много шума. Дни стали яростней и громче. Слава поиграла со мной и ушла, я следил за тем, как на ее пенистой волне взлетали другие… и где они теперь? Где я? У себя, за тем столом, за которым когда-то сидел отец. Я тихо пишу. Что мне еще нужно? И — кому я нужен? Разве что коллекционерам старья: они полагают, я выжил из ума и задешево отдам мои сокровища — ошибаетесь. Моя жизнь — старый роман, который пишет усталый человек, он набил руку, я это чувствую — смелость и опыт есть, но не хватает жизнерадостности, бодрости, страсти, он устал от мира, от людей, от себя самого, его силы на исходе, как и мои… в любом случае, моя жизнь удалась, я могу тянуть паутину откуда угодно, из любой ее точки, до бесконечности, последовательность больше не имеет никакого значения — и потом, что такое последовательность? зачем она мне нужна, если меня восхищают только вспышки, непредсказуемые вспышки?

Очень важную роль в моей жизни играют терафимы (такие, как тот серебряный крестик мертвой девочки). Я их собирал много лет, пока были силы. Некоторые предметы сводят меня с ума; одни будоражат воображение, другие ввергают в уныние, третьи вызывают странное беспокойство: кажется, что вот-вот вспомнишь нечто такое, отчего изменится все; я на них наталкиваюсь с раннего детства, задолго до того, как начал вести им учет: — на сегодня их 47, каждый воздействует по-своему (несмотря на уникальность, я поделил их на семь категорий по степени и эффекту воздействия и изобрел отдельный шифр[1] для каждой). Такая дотошность необходима; ежедневная практика; дисциплина; таксономия etc. В пятнадцать-семнадцать лет я этого не понимал, все мешал в кучу, хватался за первый попавшийся странный предмет, уделял недостаточно времени, не умел сосредоточиться (не хватало тишины!), беспорядочная была жизнь, мы много перемещались; в двадцать семь, когда смирился с тем, что отец к нам не вернется (и в душе что-то скорчилось — первые морщины опыта, первая настоящая боль, глубокая рана), начался новый период, я стал относиться ко всему с большим вниманием, самый ничтожный аспект моего существования казался мне достойным своей отдельной тетради, или секции, и стиля, и даже языка — во избежание неразберихи изобрел семь алфавитов для подставных шифров (отдельный цвет чернил — очень удобно: с ходу понимаешь, с чем имеешь дело); естественно, каждая секция, помимо шифра, имеет свой символ, свою дефиницию (примеры ниже, все ниже); я экспериментирую с этими предметами всю жизнь, помимо сорока семи, включенных в список и имеющихся у меня в наличии, в отдельной тетради сделал обширную опись тех, что встречались мне в детстве

---

[1] Здесь под скрепкой еще одна запись, сделанная очень мелким почерком на оборотной стороне открытки (L'Homme Incroyable et Les Muses: вокруг мсье Моргенштерна кружат девушки в воздушных нарядах, эта открытка, кажется, была рекламным проспектом какого-то театрального представления): «шифр вызовет в случайном читателе удивление, о котором писал де Кирико; этот первый миг больше не повторится — расшифрованный текст станет его собственностью, но передаст мною написанное только поверхностно — перевод настолько же схож с оригиналом, насколько увиденный во сне человек является тем, кого привык знать наяву. Я хочу вызвать детское изумление. Для этого надо заклинать язык, чтобы слова перестали походить на послание, утратили связь с человеческим намерением, необходимо потерять к ним ключи и смотреть на строчки сквозь быструю мутную воду (бессонница, переживания, страх, страсть, ярость, голод, похмелье, если потребуется — украсть что-нибудь, выставить себя подлецом, а затем читать)».

и сохранить которые не удалось, таким образом, я полагаю, у меня есть полное представление практически о всех предметах, имевших на меня специфическое влияние, — те, с которыми я еще работаю, находятся здесь, на rue de la Pompe, другие отбыли на Pas de la Mule. Кое-какие записи я зашифровал[1]. Но это ничего не значит. Просто

---

[1] Это очень странная запись, потому что никакого шифра ни в одной папке я не встречал. Что касается списков «терафимов», они действительно есть, я их видел и изучил. Это довольно обширные и подробные каталоги, хорошо переплетенные толстые кожаные гроссбухи, а также исписанные мелким почерком карточки в большом бюро; однако описанных вещей я не обнаружил, за исключением некоторых, вот они: каминные водяные часы, английский подсвечник колониального периода в форме танцующей богини Кали на четыре свечи, североафриканские амулеты и статуэтки (18 штук), брошь со сколотым камнем, ладанка, бронзовая лампа с засохшей веточкой раскрошившейся лаванды, медная спичечница в виде пирамидки, осколок стекла с нанесенным на него рисунком (фрагмент сумеречной улицы: обсаженная тополями аллея, желтые фонари, под одним из которых силуэт человека с сигаретным огоньком — это было похоже на дагерротип или фрагмент какой-то мозаики, я спросил А.М., что это такое, каким образом нанесли этакие изумительно нежные краски, будто влили фотографию в стекло, но он не смог дать вразумительного ответа, сказал, что похоже на кусочек разбившейся пластинки для «волшебного фонаря», и виновато улыбнулся), кресало с трутом и кремнем, восточный ритуальный реликварий, старинная чернильница, — всем этим и многим другим предметам А.М. посвятил не одну страницу описаний своих экспериментов, каждый из которых сопровождался глубокими волнующими переживаниями, причудливыми видениями, внутренними странствиями, он созерцал артикли своей коллекции на протяжении многих лет, вычерпывал из них тайну, пока те не «опустошались». Например, таинственный медальон без портрета (в каталоге под номером 31), найденный на берегу реки в Реймсе, где незадолго до этого обнаружили тело самоубийцы; А.М. писал, что медальон принадлежал мужчине, который покончил с собой. «К созерцанию № 31 возвращался до тех пор, пока не почувствовал, что вещица окончательно опустела, царапины на оправе, казавшиеся мне причудливым орнаментом, мельчайшими египетскими иероглифами, потеряли смысл, стали просто насечками, страсть человека и тень ему дорогого лика в этой овальной коробочке больше не чувствовались. Портрет из медальона выветрился, он истлел, и боль и память о призраке, которого самоубийца заключал в объятия, ушли. Много лет тот призрак вызывал в моем сердце эмоции, которые, как я полагал, обладатель медальона испытывал, в воображении моем возникали картины, которые,

я устал от обыденности слов. Мой шифр — это прихоть, вызванная особым свойством моей коллекции. Подобно тому как метафизические трофеи отличаются от заурядных вещей, так и описание этих предметов должно отличаться от повседневного языка; чтобы изменить его облик, я разработал шифр, который можно разгадать за четверть часа, не в тайнописи суть, а в инаковости письма, в нем *другой* я: — не тот знакомый для всех Альфред Моргенштерн, ни тем более l'Homme Incroyable, не буффон, пианист, образ, тело, но скрытое от всех, проживающее в лабиринте существо, замурованное в тех мгновенных приступах невозможного счастья, когда на моей спине шевелятся крылья; поэтому нужен шифр, чтобы в словах ощущался трепет ангела; и это нужно только мне, я в идеальном одиночестве, стоп! чьи-то шаги за дверью — нет, все хорошо, Рута подметает в коридоре, в любом случае никто не станет вламываться, никому нет до нас дела, можно продолжать…

* * *

Мы отдыхаем в гостиной; дождливый день, никого в доме, все разбрелись; я пью аперитив, мсье М. курит трубку в своем кресле. Старые потертые розовые обои создают венецианский фон (я видел на репродукциях итальянских мастеров здания такого бледно-розового цвета). Я листаю альбом с фотографиями: двадцатые, тридцатые и — пятидесятые… Свет входит в окно, которое никогда не открывают, возле него стоит кла-

---

как мне грезилось, посещали его, и вот, оправа стала похожей на пустую глазницу и ценности для меня не представляла (я рано начал просыпаться по ночам, я лежал и не мог уснуть, иногда смотрел в окно на большую лужу, и когда в ней отражалась Луна, форма лужи преисполнялась выразительности до такой степени, что она мне казалась одухотворенной и приобретала особую власть над моим воображением, но поутру, когда я шел в лицей мимо нее, я не находил в ней никакой таинственности, это была просто вода). Я избавился от медальона тем же вечером». — Судя по этой записи, от остальных «волшебных вещей», утративших для него ценность, А.М. тоже избавился.

весин, над которым в простой буковой рамке висит небольшое вогнутое зеркало. В нем помещается вся комната, и мы. Между нами тележка с подносом: пепельница в виде кувшинки, изящная рюмка на длинной ножке, как поганка, маленький графин с аперитивом. Беру графин, подливаю себе еще... Мсье М. чистит трубку, что-то напевая. Узор, вышитый на его потрепанном турецком архалуке, поблескивает. Справа от мсье М. картина неизвестного художника восемнадцатого века: наездницы, совершающие прогулку в Булонском лесу; там пасмурно. С другой стороны: карандашный портрет его матери, обрамленный розами и вьюном, в изящной раме в стиле рококо; массивное, теряющее амальгаму зеркало и наконец — часовой дома — напольные куранты, с прихотливой резьбой на пузатом ящике и инкрустацией на маятнике и циферблате. Все это напоминает помятую почтовую марку, наискось прилепленную в уголке большого коричневого конверта, берешь такой старый конверт и с легким испугом понимаешь, что его не вскрывали со дня получения, четверть века тому, никак не меньше, и — кто я такой, чтобы его вскрывать? Я откладываю конверт, набрасываю на него бумаги, карандаши, придавливаю книгой, стараюсь забыть о находке. Пусть о нем не вспомнят еще столько же!

7

7.III.1946

Сегодня на нашей двери появилась красивая медная табличка: «Русский парижанин — Le Parisien Russe», но внутри все по-прежнему: хаос. Как и сказал Шершнев, это больше похоже на общество или клуб, куда приходят обсуждать самые свежие события. Приятно, что идут к нам, сюда, в школу, а не в «Русские новости», — советские газеты теряют доверие читателей, Вересков узнал, что у них подписчиков стало меньше, и это не может не радовать. Сегодня обсуждали Фултонскую речь, реакция неоднозначная, спорщиков привалило, материала хватает, будет сразу три мнения. Тредубов написал статью «Ex oriente lux» по книге Шубарта «Европа и Душа Востока» — чувствуется, книга его воодушевила. Игумнов похвалил Т., сказал, что это очень своевременно, попросил вычеркнуть большую цитату И. А. Ильина, и Т. пришлось остаться вечером после собрания и дорабатывать статью, сшивать фрагменты, я возился с поэмой, и мы чай вместе пили, Т. упоминал Поремского с его молекулярной революцией[1]; я сказал, что знаю человека, который с Поремским в германском лагере общался лично. Т. разволновался, попросил познакомить с Глебовым; это возможно, если Егор еще не сбежал из Франции. Сидели, пока вахтер не пришел за нами, совершенно русский старик, с усами и бородой, с густыми бровями, хромой, на сторону перекошенный радикулитом, в вахтерском камзоле, он был как с иллюстрации к каким-нибудь военным рассказам, этакий старый русский вояка: «Пора и честь знать, господа». Мы с Т. прошлись вдвоем до метро, почти ничего не говоря. Душа полнилась. Можно было просто молчать. «Приятная ночь», — сказал он. «Да», — сказал я. И все. А много ли надо? У станции метро простились.

В будущем номере: статья Игумнова о выборах в СССР, перепечатываем материал о насильственной выдаче американцами казаков — рабочее название: «Кровавое воскресенье в Дахау», сюда же идет речь Черчилля в Потсдаме и анализ директивы МакНарни-Кларка, подробности выдачи американца-

---

[1] Имеется в виду молекулярная теория революций Владимира Дмитриевича Поремского, лидера Народно-трудового союза российских солидаристов с 1955 по 1972 год.

ми русских пленных в Платтлинге; я готовлю поэму, которую Игумнов думает поставить в самый конец, за мной последует фрагмент из романа «Великая Гулагия» и выдержки из книги Андре Жида «Возвращение из СССР».

10.III.1946

Появился Дмитрий Пересад, который работает в газете при советском посольстве, про себя он говорит так: я там «на птичьих правах». Непонятная фигура: шпион или перебежчик? Говорит, что бежал из плена (история похожа на мою), только не сказал, из какого лагеря, сразу перескочил к тому, что был в Красном Кресте в городе Линдау у А.А. фон Лампе; что было дальше, снова мутно; верующий, только кто его знает, что он у нас делает? Шпионит для большевиков? Фон Лампе-то арестовали. Игумнов с Пересадом дружит, вытягивает из него информацию. Пересад рассказал о появлении в советском посольстве нового отдела — отдел пропаганды, во главе его недавно прибывший из Москвы «кардинал» в штатском, неизвестного звания, но, как говорит Пересад, по его манере держаться всем ясно, что он в немалом чине, ведет себя уверенно, скрытен, наблюдает, записывает в небольшую книжечку. Вместе с ним прибыл тучный громкий агитатор, который всюду сует свой нос, всех поучает, приходил в редакцию посольской газеты и произносил речи, которые Пересад со смакованием для нас изобразил: «В Париже коммунистов хватает, товарищи! Мыслящих, как мы, хоть отбавляй! Да вот только социализма нет как нет!» Вот еще одна, наиболее яркая: «Надо шире работать, товарищи! На всех фронтах завоевывать сердца французов. Завоюем сердца, завоюем Францию! Без единой пули! Победим демонстрацией собственного превосходства! Все очень просто! Культура! Достижения! Цирк! Кино! Спорт! Любовь Орлова и лучшие спортсмены! Поразить воображение! Пусть знают: мы лучшие на Земле! Мы — победители в самой великой войне! Эмигранты должны собирать вещи и с радостью ехать к нам! Франция должна присоединяться! Помните, товарищи, слова великого Ленина: победа коммунизма во всем мире неизбежна! Так приложим усилия, чтобы этот день наступил как можно скорей! За работу, товарищи!»

Миссия по репатриации, утверждает П., будет вести работу более дерзко и с расчетом на результат, которого ждут в Москве, а именно: больше русских эмигрантов обращать в советских патриотов (этот клуб растет на глазах, их уже 12 000, пошли шутки, будто за вступление в ССП платят); прибыли новые агенты, которые снабжены инструкциями, они осваиваются, ждут сигнала, в редакции «Вестей с родины» говорят, будто *указ* со дня на день выйдет. Советские офицеры всюду: в театрах, кинотеатрах, ресторанах, на улицах прохаживаются, говорят громко, нагловато себя ведут. Русские эмигранты прячутся и шепчутся: «В Париже русским тесно стало».

12.III.1946

Обессилен. Еле-еле добрался до дома. Сердце сходит с ума. Меня преследовали. Не сразу заметил. Стоял плотный туман. Я шел, думая над моей поэмой, что-то вертелось в голове. И вдруг, шаги. Я оглянулся, на углу фонарь, и в его свет вошли двое. Отчетливо увидел. И сразу все понял. Я побежал. Они тоже. Я свернул и долго бегал от них, пока не почувствовал, что теряю сознание. Сел на скамью, что стояла в темном закутке, плохо стало, будто желудок через спину вытягивают, ах, не вовремя! Лег, вытянулся на скамье. Кругом туман. Я не знал: настоящий то был туман или из меня он вышел? Старался думать так, как говорил Этьен: представлял розовые и оранжевые формы, читал в уме стихи. Закрыл глаза — круги, круги, розовые, зеленые, синие... Думал, сейчас начнется. Полежал немного, успокоился. Они прошли мимо меня и не заметили. Туман помог. Растерялись, встали и озирались, расслышал их речь, матерились, сплевывали и сморкались. Закуривая, они замерли. Огонек зажигалки вырезал их лица частями, грубо выточенные деревянные маски, как на картине кубиста. Подмазанная огнями тьма служила фоном. Легко угадал, кто из них был главный: корявая кряжистая фигура в фуражке. У него была широкая борцовская спина, без плавности переходящая в толстую шею. Его металлическая нутряная сущность выглянула, когда второй поднес ему зажигалку, — железные зубы блеснули, он что-то сказал и сплюнул. Второго не разглядел, но встреть я его еще раз в темноте, признал бы обязательно: по ощущению угрозы, что исходила от него, как от хищного зверя; я бы узнал его по развязной извилистости; может быть, я бы узнал его искривленный рот и набок свернутый нос. Все в нем было испещрено множеством мельчайших черточек и завитков. Особенно меня поразило сродство плаща с крыльями летучей мыши. Они покурили и пошли. Я лежал на скамейке, тихо замерзая двойным холодом: тем, что окутывал меня, надвигаясь с реки, и тем, что поступал изнутри, сковывая сердце. Я долго слушал, как цокали в темноте их набивки на ботинках, шаркали по-хозяйски вальяжно.

Завтра отправлю пневматичку Игмнову: за школой следят. Зачем они ходили за мной? Зачем я им нужен? Кончики пальцев холодеют, тают сосульками. Знобит. Внутри летят качели.

15.III.1946

Вторые сутки слышу музыку. Как за стенкой скребется. Откуда она? Выползает из норы, сплетается из дюжины народных неприличных песенок в грязную карнавальную гирлянду. Такие вешают бедные под Рождество в узких рабочих кварталах. Змеей музыка заползает в мое ухо и там свивается в кольца, кружится. Слышался голос, я выглядывал в окошки — никого, ветер, дождь, ветки. Отвлекся, мыл пол, убирал пыль, и снова налетели хлесткие словечки, обрывки фраз, как на вокзале, иногда на непонятном языке, будто вокруг башни бегают. Я поднялся наверх, осмотрелся — нет, пусто. Река почернела. Закрылся в *обсерватории*, лежал с закрытыми глазами. Видел барханы черной пустыни, дюны мрака. Гроза росла. Я оделся потеплее. Смотрел, как пузырятся тучи, молнии пишут руны на пергаменте неба. Грохот надвигался, как армия. Скворечня дрожала от шквального ветра. Башня мне кажется странным механизмом, и я стал его частью: маховик или поршень? Бегаю по ней, торопливо задраиваю окна, подтираю натекшую воду. Свистит сквозняк, размеченный бряцающей дверной защелкой и оконной дрожью. Запыхался. Растопил. Сижу, курю, жду, когда закипит чайник. Сердце колотится. Стараюсь его успокоить. Дышу глубоко, ровно, представляю оранжевые геометрические фигуры. Накатила сонливость. Шорох навевает видения. Вижу юного служителя церкви. Католическая служба. Мантия. Я превращаюсь в церковь Святой Женевьевы. Внутри меня гудит орган. Опять послышалась музыка! Да что это? Откуда? Она вливается в мою кровь, завораживая сердце. Откуда она взялась? Кроме мотива, я улавливаю шум улицы, нездешние возмущенные голоса, крики, плач, словно где-то случилась давка, и музыка струится над головами обезумевшей толпы. Видение отчетливо встает перед глазами. Плотный поток человеческой массы. Сперва подумалось, что это похороны короля Альберта, но я ошибся, то была потасовка, которую организовали VNV[1], они требовали не то билингвизации Бельгии, не то полной ее фламан-

---

[1] Vlaams Nationaal Verbond — Фламандский Национальный Союз.

дизации. Стычка с полицией произошла в Брюсселе недалеко от Северного вокзала. Дальше их не пустили. Оттеснили на рынок. Мне было семнадцать. Я делал покупки, когда толпа хлынула на меня, смяла, сбила с ног, накрыла, меня топтали и давили. Обезумевшие лица, сошедшие с картин Брейгеля и Босха. Люди обрушивали лотки, под ноги летели фрукты и овощи. Базарная площадь превратилась в свалку. На меня упала женщина. Она визжала. Из ее корзинки сыпалась мука. Я был весь белый. Тела валились друг на друга. Это нежданное воспоминание парализовало меня. Сквозь вопли и завывание пробивалась тоскливая музыка. Я не мог понять, что это за инструмент. Было похоже на рояль. Но потом стало совершенно ясно, что это скрипка или какой-нибудь индийский смычковый инструмент. И снова не то! Не рояль и не скрипка! Это орган! Какой орган? Откуда здесь взяться органу?! Я выходил наружу, чтобы проверить, может, у Боголеповых играет радио или патефон? Подходил к их дому, прислушивался. Постучать не решился. Постоял, послушал — тихо. Значит, показалось. Сходил на улицу, покрутился на остановке, вернулся. Бряцанье цепей, сказал я себе, вот что это было. Снял цепи. Или поскрипывание ставней. Закрутил покрепче ставни, подоткнул тряпками поплотней. Законопатил щели и уплотнил порог полоской ткани (обрезал старую шинель), чтобы не поддувало, а стены комнаты обил войлоком, насколько хватило, а где не хватило, оклеил мешковиной и газетами. Стало тише. Несколько дней не слышалось ни музыки, ни разъяренной толпы. Было спокойно. Подолгу возился с бумагами, разбирал газеты и журналы, топил ими потихоньку, пил чай, жег свечи. Сутки было тихо. И вновь незаметно подкралась музыка, будто вплелась в мою рутину. Прав Альфред: одному жить нельзя — опасно для рассудка.

17.III.1946

Игумнов сказал, что теперь со мной кто-нибудь будет ходить. Я спросил его, сам он не боится? «Мне поздно бояться», — ответил он. Показал газеты. Наконец-то, французскую прессу прорвало; не зря мы, значит, старались, трясли у них перед носом фактами, после продолжительных убеждений они поддались и начали печатать: так их, кажется, напугало или возмутило поведение советских охотников за черепами (как их Игумнов называет); в *Paris-Matin* написали, что французское правительство должно выразить протест советскому представительству, они не имеют права насильно вывозить с территории Франции людей, которых они считают советскими гражданами, потому что это еще доказать надо. Молодцы! В *La Parole républicaine* пишут про Борегар и тайные советские миссии шестнадцатого округа! Здорово! Значит, поверили и проверили. Была фотография замка — серая, мрачная, с охранниками у ворот и колючей проволокой. Пишут, что людей ловят, отвозят в Борегар, а потом на авьонах оттуда вывозят. Игумнов потирает ладоши, но со скорбью в лице добавляет: «Большой кровью все это дается, слишком большой кровью...»

9.IV.1946

Сегодня на Champs-Élysées в частном кинозале был сеанс демонстрационных советских фильмов о духовной жизни в СССР. Нас пытались убедить, будто в СССР есть духовная жизнь, празднуют церковные праздники, люди ходят в церковь. Но не верилось, нет, не верилось. Один фильм был посвящен Патриарху Московскому и всея Руси митрополиту Сергию. Вечер был устроен только для духовенства, и я переживал, что меня не впустят, однако народу было так много, что мне удалось затесаться в толпе, я шел, смиренно опустив глаза, как послушник, встал в сторонке. Мероприятие устроил Рощин, небольшой кругленький, с ловкими гладкими манерами; улыбаясь, он произнес зажигательную незамысловатую речь; голос у него сильный, смелый, но слух не резал, — располагающий к себе человек. Фильмы были лживые и отвратительные, все в них было сделано напоказ. В конце блеснул короткий очерк о развитии физической культуры. Никто не ушел. Все смотрели с интересом и на спортсменов и на то, как в школах и на фабриках люди скопом делают зарядку. В это верилось охотно.

18.IV.1946

Приходил старик Арсений. Был угрюм. Тень на лице. В чертах что-то мрачное. Лицо казалось глиняным. Я вышел с ним поздороваться; в ответ он буркнул: «Коза перестала доиться, и кролик умер». Смотрел на меня так, словно я в этом был виноват. Полез на третий этаж, вся лестница ходила ходуном и скрипела, искал что-то, все передвигал, рылся громко. Я слушал. Тяжелый шаг, мощный стук костыля. Спустился, зашел, сел чай пить. Показал небольшую стопку номеров журнала «Утверждение»: «Перечитаю, — сказал он, поглаживая журналы, — с собой-то взять наверняка нельзя будет». С большим чувством говорил о князе Юрии Ширинском-Шихматове[1]. Для него это была важная фигура русской эмиграции. С восхищением и жалостью шептал: «Не прав он был, заблуждался». Чуть не до слез себя довел!

23.IV.1946

Посреди ночи я понял, что это была за тревога! Я вновь ощущаю внутри себя глубину, во мне есть полости, ходы, потаенный мир. Я забыл, какой я на самом деле внутри, сложный,

---

[1] Князь *Юрий Ширинский-Шихматов* (1890—1942) — кавалергард, военный летчик, активный деятель русской эмиграции, председатель «Объединения пореволюционных течений», убит в Освенциме. В 1931—1932 годах издавал журнал «Утверждение».

ветвистый. Война опустошила меня, заколотила все двери, задраила шлюзы, а теперь вновь они распахнулись, и я ощущаю себя наполненным яркими веселыми красками, которые плещутся внутри меня, как игристое вино.

8.V.1946

Опять фейерверки, толпы, конница, всеобщее торжество. М. сказал, что дни, когда он испытывал печаль, для него намного ценней, чем те дни, когда он испытывал радость, — «печаль придает моим дням глубину, в них больше смысла, хотя допускаю, что эта глубина может оказаться мнимой». Меня раздражают праздники; дни всеобщей радости мне кажутся пустыми; в такие дни, как в тесном вагоне, не к чему себя приспособить, в людской толчее плохо думается, даже не читается, но и печали я боюсь, она меня делает калекой.

10.V.1946

Сегодня, да вот только что: ко мне зашел старик Б. с какой-то бумажкой и карандашом, спросил:

— Вы сейчас где прописаны, в Брюсселе или в Париже?

— В Брюсселе.

— А где именно? Адресок не дадите?

— А зачем вам?

— Вот, циркуляр. — И он мне показал бумагу, которую получил, как он сказал, каждый член Союза советских патриотов — настоящая директива из центра (читай Кремля): каждый член ССП обязан приступить к составлению картотеки характеристик всех эмигрантов, кого он знает, в характеристику входит: имя, отчество, фамилия, адрес, семейное положение, туманная графа «прошлое и настоящее» (был/является ли членом белого движения или какой-нибудь партии), религиозность, политические взгляды, степень активности, место работы, достаток, положение в обществе, слабости и недостатки.

Вот как!

Я вспыхнул, у меня руки затряслись, и старик испугался, глядя на меня, попятился, вырвав бумагу из рук.

— Ты это без фокусов. Лучше на вопросы ответь, а то съехать попрошу.

И я подумал: а пусть они там узнают, все равно я в Борегаре был, регистрацию проходил, был и в их посольстве, разговаривал с Богомоловым, спрашивал: где отец, отвечайте? Ну, теперь-то все равно. Да и что со старика взять? Умом он слаб. Ему любой документ подсунь, напиши звезды считать — не меньше тысячи за ночь! — он и полезет в башню, счет вести будет и ходить отчитываться. Ответил на его вопросы (разве что насчет адреса соврал, дал старый, авеню Мольера), смотрю, а в самом низу циркуляра написано: каждый член ССП несет ответственность за собранную информацию и обязуется держать под наблюдением данное лицо. В графе «слабости» написал: заикание, неустойчивый характер, эпилепсия.

— Вы разве эпилептик?

— Да.

— А почему раньше не сказали?

— Зачем? Незаразно ведь.

— Чтоб наперед знать, помощь при необходимости оказать.

— Теперь знаете, — посмотрел ему в глаза и спрашиваю: — Что, Арсений Поликарпыч, вести наблюдение тоже будете?

— А что за тобой наблюдать? Ты и так на виду. Лучше к нам на собрание приходи. Видишь ли, у меня дома — ячейка Союза Советских Патриотов, теперь официально зарегистрировались. Приходите с друзьями. Лучше дуру не валяй, вступай в Союз, понял?

Я сообщил об этом Игумнову; он аж затрясся, сказал, что немедленно об этом надо писать, но прежде надо добыть проклятый циркуляр.

12.VI.1946

Пересад принес циркуляры, сказал, что ничего об этом не знал; кроме этого, во все отделы ССП разослали инструкции: «о необходимости ежемесячных собраний», прилагались темы докладов — «о вредоносной деятельности различных эмигрантских общин и организаций», а также список имен тех, кого необходимо «изобличать особенно», среди них был, конечно, и Анатолий Васильевич, «анархист, антибольшевик, савинковец». Это вызвало смех. Посмеялись, посмеялись, сели чай пить, Игумнов вдруг говорит: «Ну, что, здорово за нас взялись, а? Скоро вывозить начнут, как думаете?» Шершнев сказал: «На этот раз, если вывезут, церемониться не будут». «Это верно», — вздохнул Игумнов. И мы притихли, пили чай молча.

13.VI.1946

Пересад сильно удручен, хоть и кажется спокойным, я вижу: он боится. Шум в прессе его не воодушевляет. Он дал твердый отказ выступить. «О своей жизни в СССР, о войне и плене, а также о встрече с редактором "Воли народа" я расскажу как-нибудь позже. Может быть, — уклончиво сказал он, — когда уже окончательно переберусь сюда, тогда напишу об этом, а пока рановато». Вместо своей истории он принес документальную новеллу о том, как он с семьей московского поэта Боровина странствовал по Германии. Боровин был в Одесском кадетском корпусе имени Великого князя Константина Константиновича, во время Гражданской войны вступил в Добровольческую армию, попал в плен, бежал, вступил в подпольное антибольшевистское движение, скрывался в Средней Азии, нелегально жил в Москве, был арестован и сослан в Соловецкий лагерь, жил в ссылках, немцев встретил на Украине, служил репортером в газете при Hauptverwaltung der Kosakenheere[1]. В октябре 1945-го, когда стало опасно оставаться в лагере Линдау (советские военные постоянно совершали набеги, похищали Ди-Пи), Боровины купили лодку и самостоятельно отправились по Боденскому озеру в Швейцарию. На этом новелла заканчивается. Я спросил его, почему он не отправился с ними; он ответил, что лодка была очень маленькая, ему стало страшно: «Со мной она могла бы запросто пойти на дно. Озеро большое. Как море. Волны сильные. Я не умею плавать. Боровин не очень умел грести. Я тоже. Все это было слишком опасно. Я их уговаривал пойти пешком, но у его жены больные ноги. С тех пор ничего не слыхал о них».

Новелла пошла в номер, разумеется, под псевдонимом. Самым ценным остается информация изнутри посольства. Пересад сообщает, что на Гренель прибывают новые кадры (сколько их, никто не может точно сказать, но речь идет не о дюжине, а о нескольких десятках!). После того как газетчики написали о произволе советских охотников за черепами, многих работников военной и репатриационной миссий отозвали, на их место прислали новых, растерянных и обозленных, они не в своей тарелке здесь, советские патриоты им содействуют, Дмитрию и прочим «старожилам» надлежит новичкам показывать Париж, на это развлечение выдают деньги, они обязаны ходить в кафе, кино, театр, ездить в метро, словом, привыкать. Он рассказал, как гулял с одним из таких агентов. Тот был только что из Москвы, на все вокруг таращился, все ругал чуть ли не сквозь сжатые зубы: «Тут на каждом шагу проститутки! Бордель! И это ихнее эгалите-фратерните! Тут нужно навести железный порядок!» При этом Пересад отмечал, что иногда глаза

---

[1] Главное управление казачьих войск (нем.).

этого человека (как впрочем и у других) вспыхивали от восторга и тут же суживались от зависти и злобы (один даже брякнул: «Да, не бомбили французишек. Дали бы по Парижу разок, как по Ленинграду, или в кольце блокадном подержали, хотя бы с месяцок, от я бы посмотрел на них»). Да, такие с удовольствием навели бы во Франции порядок.

14.VI.1946

Я сегодня искал домик, в котором Шенье жил, — хотел на него при дневном свете посмотреть, — и не нашел, до темноты шатался по бульварам; возвращался через Клиши, на всякий случай оглядываясь. Улица шла под уклон, подстрекала ноги припустить. Было темно. Я слышал, как журчит ручеек. Я шел очень быстро. Вдруг у меня за спиной поднялось какое-то движение: плащи, перчатки, шляпы... Захлестнула волна тошного воздуха, и я в панике бросился со всех ног. Не знаю, сколько я бежал. Когда оглянулся, никого не было. Я встал отдышаться. На перекрестке откуда ни возьмись появилась машина с погасшими фарами, совершенно бесшумно плыла с выключенным мотором. Какое-то пушкинское колдовство! Я стоял и смотрел, как она катится мимо, ждал, что будет. Ничего. Из-за поворота показался трамвай. С будничным выражением покачиваясь, позвякивая и светясь, проехал мимо, и еще долго после него в голове успокоительно поблескивало и звякало.

16.VI.1946

Ну вот, случилось то, чего так ждали, о чем было столько слухов и пересудов. Вышел этот указ[1], «приманка для идио-

---

[1] Речь идет об Указе Президиума Верховного Совета СССР от 14 июня 1946 года о восстановлении в гражданстве СССР подданных Российской империи, а также лиц, утративших советское гражданство, проживающих на территории Франции.

тов», как говорит Игумнов, и никто больше не рассуждает ни об отставке де Голля, ни о парламентских выборах. Французов и Франции как будто не стало! Не знаю, что будет дальше. Вересков и другие считают, что это многим перевернет сознание. Боголеповы забили козу, устроили праздник.

* * *

Дмитрий Пересад все чаще и чаще появлялся в редакции «Русского парижанина», он делал больше для этой газеты, чем для «Вестей с Родины»; основным его занятием было поддерживать в Игумнове горение, сам редактор, чахнущий как полупустая спиртовка, нуждался в его присутствии, ему необходимы были новости и байки о внутренней жизни, что протекала в советском посольстве, для него имело значение все, даже самое незначительное. С болезненным удовольствием он слушал сплетни Пересада о том, как жены офицеров военной миссии и посольских работников стирают белье в больших ваннах, а затем развешивают сушиться на чердаке — в l'Hôtel d'Estrées! Представив знаменитый отель, построенный при Людовике XIV, и советских женщин с бельем на его чердаке, вообразив их бабью перекличку, их вздохи, телеса (может быть, даже матерок), он смеялся, долго смеялся, кашлял, не мог успокоиться, — ну вот, наконец, успокоился, с прищуром выслушал историю об ухаживаниях главного редактора «Вестей с Родины» за русской эмигранткой, которая к ним пристроилась работать машинисткой; Анатолий Васильевич возмутился, облизал губы и имя ее записал в блокнот. Дальше, дальше... Шушуканье женщин — так, так, Игумнову интересно, как подсчитывают рублики и франки, перебирают пядь за пядью приобретенные тряпки, заворачивают хрустальные трофеи, упаковывают меха, и — что говорят о французах и эмигрантах... офицеры и люди в военных кителях без знаков отличия, что-то они говорят о нас, думает Анатолий Васильевич, наверняка они все про нас знают: адреса и биографии, им донесли на нас наши прежние соратники, свои же все растрепали. Анатолий Васильевич злится, представляет, как они все вместе пьют водку, он легко себе воображает эту сцену, их тонкие, сплюснутые, как монеты, слова проскальзывают сквозь по-рыбьи сжатые щелочки ртов. Игумнов видит их глаза и уши: глаза выкатываются из черепов и закатываются в комнаты, прячутся под тумбочками, а уши, отвалившись от головы, прирастают к цветам в горшках: кактус от товарища Богомолова советским патриотам в штаб на рю Гальера! И они вынуждены цветок принять, поставить на солнечное место, обязаны его поливать. Все следят друг за другом: никто не ляпнул лишнего? Новые и новые подробности дополняли мозаику и витражи храма игумновской неврастении, над созданием которого Анатолий Васильевич трудился из ночи в ночь, — оставалось запечатлеть главного героя этих фантасмагорических картин.

В начале 1946 года в посольство под видом культурного работника прибыл тайный советник; его называли по-разному: лингвист, полиглот, переводчик, перевозчик. Игумнов его назвал Хароном. Теперь в его воображении постоянно присутствовала фигура Харона, темная и зловещая, даже не человек, а некая злобная могущественная субстанция, вроде большой и густо-насыщенной тени, которая готова была явиться и переместить Анатолия Васильевича из его съемной парижской квартирки на Пречистинский бульвар прямиком в зал Верховного ревтрибунала для участия в постановке очередной чаесамоварной драмы. Присутствие воли Харона обнаруживалось во всем: пролитый кофе сделал знаменательно мрачное пятно, в узоре которого Анатолий Васильевич видел коричневые контуры огромной грозной страны («слишком большая, — шептал он, глядя на кофейное пятно, — вплоть до Берлина!

оттяпают-таки, значит»); рассыпавшиеся по полу карандаши сложились в символы: «Не приближайтесь! — страшным голосом приказал он. — Никому не прикасаться! — Согнувшись над рассыпанными карандашами, он изучал их, плавно шагая по кругу. — Неужели вы не видите!.. Это послание... стойте все!.. я должен зарисовать их расположение...» Париж облетел анекдот. В редакцию принесли посылку. Игумнов входит и видит: Крушевский собирается открыть коробку; все сгрудились вокруг него. Главный редактор в крик: «Что происходит? Что такое? Откуда?» Александр растерялся: «З-здесь б-была...» Игумнов строго-настрого приказывает не открывать: «Ни в коем случае! Кто доставил? Кто внес ее к нам? Пришли, она была, говорите? Ну-ну! Где bon de livraison?[1] Совершенно безымянная посылка... Какой-то неизвестный отправитель... Типография? Я не знаю такой типографии! Это может быть бомба!» Настоял на том, что сам откроет: «Все вон! Я один, только я! Все вон пошли!» С ним спорили: «Почему вы, Анатолий Васильевич?», «Вы — сердце русской эмиграции!», «Вы не имеете права собой рисковать!» Он никого не слушал. «Я могу! Мне можно умереть. Смерть мне станет облегчением. Пусть я погибну! Все вон!» Последней он буквально вытолкал Розу Аркадьевну. Она хваталась за него, он отцеплял ее пальцы, как колючки. В посылке оказалось семь экземпляров последнего романа Германа Руля и открытка с провансальским видом.

Появление тайного советника на Гренель Пересад связывал со свертыванием репатриационной миссии: почти все советские военнопленные были отправлены домой. Никакими культурными связями, конечно, Харон не занимался, он методично просматривал дела всех посольских работников и воен-

---

[1] Квитанция о доставке (фр.).

ных миссий (взвешивал: кому на родину ехать, а кому оставаться), заодно прочитал все номера «Вестей с Родины» и принес в офис главного редактора свои замечания, приложив конверт с инструкциями и директивами, после чего несколько дней его не было, вновь объявился тогда же, когда Игумнов с артистами вернулся из Бретани и Нормандии. «Совпадение? Вряд ли. А что, если он там был и следил за нашим выступлением?» — Пронзенный этой внезапной мыслью, Анатолий Васильевич похолодел, будто лежал не в постели, а в сугробе. Он мучительно перебирал лица присутствовавших в зале небольшого клуба: металлурги, литейщики — прихожане церквушки в Лизьё, которую они построили на свои сборы; вспомнил, как они с Тредубовым постояли, глядя на нарядную, выкрашенную в бирюзовый цвет церковь: «Смотрите, Юрий! — говорил он восторженно. — Вот стоит красавица-церковь! И зачем уезжать? Работа есть, дети растут, женятся, внуки побежали. От добра добра не ищут». Он лежал в темноте и вспоминал тех, кто подходил к нему на митинге в Лионе на улице Капуцинов в Доме русского разведчика: встречу устроил барон Бильдерлинг, пришло много «соколов» и «витязей»[1], были и бывшие члены РСХД и Национального союза, младороссы, журналисты закрывшихся газет и журналов принесли свои заметки о лионской жизни русских эмигрантов, поэты, прозаики и проч. — людей было так много, что устроили еще две встречи подряд; шли и шли, красильщицы по шелку, модистки, вышивальщицы, обитатели рабочих кварталов, измученные лица... — задавали вопросы, говорили, что подумывают уезжать («что нас тут ждет?» — «а что там вас ждет?»), брали сборник — «ну-ну, посмотрим» — недоверчивые рабочие с завода Берлие, могли сотрудничать с большевиками, заводы-то реквизировали ко-

---

[1] Детские и подростковые организации.

миссары, владелец Мариус Берлие арестован, может, и рас-
стреляют, времена смутные, в Лионе полно советских, очень
активны, ненормально взбудоражены, фанатики, какой-нибудь
отчаявшийся безумец возьмет да выстрелит, просто так, натерпелся...

Игумнов ворочался, думал о Хароне. Как он выглядит,
интересно? Скользкий, бесшумный, с серым крысиным лицом. Как знать, может, этот призрачный субъект порождение
фантазии Пересада? Он ведь боится. Все время спрашивает: «Что-нибудь решено относительно моего дела?» Хочет
остаться, но для этого ему нужна наша поддержка. Без нас он
пропал.

Игумнов нервничал, потел, замерзал, кашлял; принимал
снотворное, менял простыню, переодевался в свежее белье;
набрасывал сверху на одеяло плед, зажигал свечу, для уюта.
Пусть тлеет, не жалко. Ставил чайник на огонь, выпивал стакан кипятка и снова укладывался. «Теперь надо уснуть, — уговаривал он себя, — слышишь? Ты должен спать!» Ему пред-
ставлялись сады, сквозь которые они с отцом летели в бесшум-
ной и совсем не тряской кибитке, отец смеялся, гикал, хлестал
лошадей; подскочив на кочке, кибитка взвизгивала, маленький
Анатолик вскрикивал от восторга, лепестки черемухи и яблонь
взлетали из-под колес, как снег, за кибиткой оставался отчетливый след, и на плечах отца, на его руках были белые и розовые лепестки, в гриве лошади, на ее ушах, везде были лепестки, лошадь отворачивала морду, фыркала, ее огромный
глаз смотрел в сторону, казалось, она пыталась что-то сказать
отцу... Анатолий Васильевич видит себя на сцене, он открывает
бумаги, но вместо своей речи обнаруживает чьи-то стихи —
не то, совсем не то — он поднимает глаза: сквозь ряды людей
к нему приближается странный человек, с зонтиком, в цилиндре, в смокинге, у него усики, французские усики, он — фо-

кусник в белых перчатках, он достает небольшую коробочку из кармана, на которой крупными золотыми буквами написано «РОССИЯ», открывает коробочку. Что это? Нюхательный табак? Нет, мсье Игумнов, это не нюхательный табак. А что это? Волшебный порошок, мсье борзописец. Фокусник берет щепотку и делает красивый размашистый жест: сверкающий порошок, как пыльца, разлетается по залу, превращаясь на лету в белые и розовые лепестки... Или это бабочки? Да, это мотыльки, господин Игумнов, мотыльки... Фокусник смеется отвратительным смехом, медленно уходит, люди, одетые в траур, встают со своих мест и медленно следуют за человеком в цилиндре, как крысы за Гамельнским крысоловом. Стойте! Игумнов просыпается. Ходит по комнате. Смотрит в окно. Пустая неотзывчивая улица; в доме напротив сонно горит тусклая лампочка... Кто там жжет свет, гадает Анатолий Васильевич, глядя в окно на огонек. Кто ты? Бессонницей мучимый влюбленный поэт? Молодая девушка? Старик, как я? Кем бы ты ни был, ответь, что не дает тебе покоя? Он набрасывает плед на плечи, садится в кресло, укладывает ноги на табурет и так сидит, ожидая рассвет; огромный пузырь вплывает в его комнату, Игумнов слышит хрип и скребет, затем, как из старого фонографа, раздается голос Ленина, Игумнов вздрагивает и просыпается. Возбужденный, измученный, с воспаленными глазами и впалыми щеками, он собирает в редакции людей, объявляет, что он назначил новую встречу с русскими эмигрантами, которые решили принять советское гражданство, — главным оратором должен стать Тредубов.

* * *

— Ах, мсье Моргенштерн, и вы здесь?

(Тредубов узнал меня, вот это да!)

— А как же! Я всегда ходил на ваши спектакли.

Верно, если бы не Тредубов, я и не пошел бы на это чертово собрание. О нем и его молодой жене, которую он вывез в США совсем юной девицей, ходили разнообразные сплетни, люди прятали ехидные улыбочки, шептали что-нибудь о пикантной разнице в возрасте, Юрий старше ее лет на семнадцать (тогда это не бросалось в глаза). Впервые я увидел Тредубова на Кампань Премьер в «Бешеных деньгах», было это в начале тридцатых годов, он играл Василькова, мне показалось, что он слегка моложав, слишком утончен для этой роли. Ему тогда было лет тридцать, если не меньше, и я подумал, откуда Кирова его взяла? Выяснилось, что приехал из Белграда, родом из Самарской губернии, его отец был самым типичным Васильковым, из тех провинциальных дельцов-промышленников, которые в столицы выезжали, чтобы кутнуть и прогреметь, поразить размахом. Юрию было с кого играть, и маленькая личная месть в этом тоже чувствовалась. Он конфликтовал с отцом и в Париж перебрался, порвав с семьей окончательно. Легко представляю его отца: властный, жесткий, привыкший раздавать команды. Верно, с трудом привыкал к жизни в изгнании. В России у него были и мукомольни, и пивоварни, а тут — Сербия. Но жили они неплохо. Он вывез достаточно капитала для того, чтобы заняться предпринимательской деятельностью. Кто только не выехал из России! Инженеры, архитекторы, опытные строители, механики, электрики и огромные бригады бывших солдат и офицеров. Он их собрал, организовал, дал работу. Под его началом строили дома, виллы, мосты, но что это в сравнении со своими фабриками и баржами на Волжском пути? Ерунда. Он хотел, чтобы сын учился на юриста, но мальчик мечтал о сцене. Юрий рос в Петербурге, Самары не помнил (или не хотел вспоминать), два года учился в Белграде на юридическом, бросил, занялся литературой, ходил в «Русский дом», вступил в Союз русской молодежи, занимался спортом, играл в театре, дебютировал в местном журнале с какими-то рассказами или стихами, в конце двадцатых переехал в Париж, никуда поступить не смог, работал в отеле или в ресторане, у отца денег не просил, экономил, брал уроки актерского мастерства, искал сцену, писал и публиковал стихи, пьесы, наконец, попал в Интимный театр, а после и у французов играл, ездил в Англию сниматься в каком-то фильме, обзавелся полезными знакомыми (поговаривали, будто через Евреинова вступил в масонскую ложу, но больше похоже на выдумку) и в сороковом году с молодой женой бежал в Америку. Только зачем он вернулся? Я и за этим тоже шел. Хотел услышать историю (или придумать, глядя на них). Я хорошо его помнил. Высокий, длинные руки, худые стройные ноги. Неплохо танцевал, пел. Красив? Скорее нет, чем да. В нем была какая-то болезненность, преждевременная суховатость, будто все ему дается через силу, что не портило образа совершенно (ему бы в молодости князя Мышкина сыграть). Голосом владел безупречно. Я это сразу отметил: рост, голос, пластичность, бледность, пепельно-вороной волос, густые брови и ранняя седина, борода росла густо и быстро. Разве что он всегда казался новичком на сцене, я следил за ним и переживал: сейчас что-то будет, какой-нибудь срыв, осечка, запинка. Он казался неуверенным, выводил меня этим из себя, после спектаклей, в которых он играл, я выходил измученным. С тех пор он изменился. Америка меняет людей. Старается держаться уверенным, изображает хозяина судьбы, a master of his own. Но я-то вижу: играет! Меня не проведешь. Все такой же высокий, но со слабостью в спине, жаловался на боли в пояснице (в Америке попал в аварию). Еще больше седины и бледности. Теперь он не просто худ, а изношен, голос стал слабее, как мосток, прогибающийся под тяжестью. Непросто далась им Америка. Не все гладко складывалось, через многое прошли, ох, как это чувствуется! Могу себе представить... Да и ребенок родился, это добавило переживаний. Стал носить очки, и в образе появилась въедливость (поменять бы оправу). Теперь Париж ему кажется провинцией. О Белграде и родителях ни разу не вспомнил (что с ними-то стало? был у него брат, кажется, — что с ним-то?). В Америке он играл, но немного, зато его ставят и, говорят, успешно. С трудом верится. Он обмолвился, что ему повезло с переводчиком. Пусть так, повезло, но так повезло, чтобы сразу успех? Это вряд ли. Он был напряжен. Оставались минуты до его выступления. Люди шли, зал наполнялся, стулья гремели, доносились голоса, артиста за кулисами настраивали, как инструмент. Я волновался за него, мы все волновались. Игумнов раздражал меня. Он нервно ходил, выглядывал в зал, возвращался, просил, чтобы не курили, и обращался к Тредубову.

— Ну вот, Юрий... Собираются, собираются. Людей много. Хорошо много! Помните, Юрий, что вы говорите с теми, кто уже переступил порог советского консульства, они одной ногой в СССР...

Тредубов сковал себя руками. Его лицо посерело. Со всех сторон шептали: «только не иронизируйте», «не надо устраивать панихиду», «не хлещите их»... Игумнов посоветовал не упоминать о его причастности к партии солидаристов.

— Почему? — как во сне спросил актер.

— Было бы неосмотрительно. По многим причинам. Во-первых, я бы хотел, несмотря на всю очевидность политической акции, чтобы эта встреча была встречей актера со своими зрителями. Я хочу, чтобы в беседе с ними вы были тем человеком, который воплотил для них героев Чехова, Тургенева, Островского и других... Говорите с ними о театре, о прошлом как о нашем общем прошлом, зайдите, знаете, издалека, заставьте их слушать, верните в те дни, когда гремел Евреинов, Михаил Чехов, Инсарова, Интимный театр... Заманите их!.. Тяните невод терпеливо и понемногу, слово за словом... Актер не обязан быть хорошим оратором, пусть увидят в вас человека, расскажите о жизни в Америке, о том, что вы приехали в Париж, потому что тут жизнь, неповторимая атмосфера, дорогая вам сцена, прошлое...

Тредубов кивал, прикрыв глаза. Я не понимал, зачем Игумнов сейчас — в последний момент — давал ему эти запоздалые наставления, возможно, он полагал, что таким образом помогает Юрию; мне казалось, что Анатолий Васильевич, все перекроив, сильно конфузил актера.

— ...что касается солидаристов, вот что я вам скажу: солидаристы себя зарекомендовали националистами в прошлом, на них теперь только так смотрят. Вылезет кто-нибудь, крикнет: «а с Гитлером-то солидаристы заодно были!», и пошло-поехало, ничего не докажешь, все двери для вас закрыты. В Лионе как было? Забыли? Или не заметили, как пробежал ропот по залу, когда вы о «Посеве» заговорили? Молва летит быстрее ветра. На нас давят. Мы на прицеле. Осторожность и такт прежде всего.

— Люди сейчас прут на вокзал с вещами, как бараны, — сказал Вересков, пуская дым. Игумнов подскочил к нему:

— Я же просил — не курить!

Вересков торопливо погасил папиросу.

Чтобы не видеть напряжения в лице актера, я отвернулся; они продолжали...

— Надо им показать, что мы — артисты, писатели, мыслители — остаемся. Интеллигенция остается. Мы не ищем Россию. Она с нами. Это надо продемонстрировать. Не кричать против ветра, а затронуть нежные струнки в душе человека. Один задумается — и то хорошо.

— Юрий, попросите их, пусть расскажут о своих ожиданиях. Начнут рассказывать и сами увидят: никаких гарантий, одни сладкие обещания, одни фантазии...

— Да, точно, переубеждать наших нет смысла.

— Самое главное, душевно...

8

Выяснилось, что во флигеле стояла старая типографская машина. Клеман раздобыл шрифты, очистил флигель, привел машину в действие и танцевал вокруг нее:

— Теперь у нас есть своя типография! Мы будем печатать наши листовки!

Дом наполнился новыми, более деловитыми, личностями; Клеман называл их редакторами, корректорами, наборщиками и, конечно, журналистами... Одного представил мне лично:

— А вот это Пьер — *настоящий* журналист.

Я кивнул, сказал, что наслышан, очень приятно. Пьер мне пожал руку, тоже кивнул с достоинством, занял место у Клемана в комнате; Клеман о нем заботился, носил сигареты и выпивку, вытряхивал пепельницы, раздобыл машинку, выпросил у меня ленту, бумагу. Пьер почти не показывался, слушал радио, кому-то звонил, много курил, пил аперитивы и много печатал. Клеман был от него в восторге, он носился по лестнице, забегал в комнаты: «Слышите стук?.. Это — Пьер!..»; выбегал, оставляя после себя облачко дыма и тающего обрывка монолога: «...Пьер написал отличную статью!.. ее надо немедленно размножить!.. вот это журналист!.. вот это да!..»; восторги слышались в саду, возле флигеля, в самом флигеле, на чердаке, из окошка которого вместе со словами — «да здравствует новое время!.. долой старье!..» — вылетали мебель, коробки — все то, что Клеман назвал *барахлом*. Мсье М., глядя на битую посуду, говорил:

— Мы все вместе — папа, мама, я — сидели с этими тарелками за одним столом...

В коридор вышел Пьер, увидел меня, подошел.

— Добрый день.

— Добрый день.

Пьер выглянул в окно, тут же отошел и осмотрел мою комнату: магнитофон, коробки с бумагами, машинка, эскиз на стене — взгляд задержался, Пьер нахмурился.

— И у вас вино закончилось?

Я вылил ему в стакан остатки, он ушел к себе и больше не появлялся.

Тихо. Сгорбившись под тяжестью напечатанных «шедевров», бунтовщики ушли на баррикады; какую-то груду бумаги везли на тачке. Сегодня все это будет расклеено по стенам Парижа, этой бумагой будут устланы улицы и площади, по этим бумажкам пройдут миллионы ног, по ним пробегутся глаза, чьи-то глотки прокричат напечатанные воззвания, что придумывал Клеман с друзьями в саду, раскуривая марихуану: Историю творим мы — здесь и сейчас. История — это молодая кровь. Наша кровь пенится от ярости, как волны, когда мы бросаемся в бой, когда мы разбиваемся о щиты и дубинки полицейских. История ревет от негодования, когда нас вяжут и пакуют в «салатницы». История — это наше дыхание, оно сотрет с лица земли тюрьмы и банки. Мы бьем витрины старого мира. Мы выбрасываем ценники и сжигаем деньги. Разрываем оберточные бумаги грехов и кромсаем тесемки пороков. Мы выбираемся из скорлупы и уходим в свободное плавание нагими. К черту ваше искусство, ибо искусство — это всё! Да здравствует новый язык! Да здравствует новый человек!

Да здравствует новое общество! Мы пробуждаемся к Новой Истории! Мы открываем глаза и видим. Каждый из нас кричит: Я — Личность! Я — Свободен! Я буду стоять до конца! Победа уже совершилась — в моем сердце. И когда придут шлемы и запихают меня в «салатницу», они не победят, потому что они всего-лишь выполняют приказ, у них нет свободной воли, они — роботы-грузчики, а я — Свободная Личность! Я высвобождаю мою волю. Я расправляю крылья. Я — бесконечен! Мой вопль будет звучать в коридорах человеческих душ, его будут слышать в веках! Он развевается высоко над миром...

О, Клеман, эти строки будут вспоминать, может быть, не один десяток лет, и тебе еще не раз встретятся девушки, которые будут говорить твоими словами, они легко отдадутся тебе, в их страсти будут отголоски твоих воззваний, твоих мыслей, твоего гнева, тобою творимой истории; чьи-то руки будут сдирать эти бумаги со стен, ревниво заклеивать новыми, своими; кого-нибудь из твоих друзей собьют с ног, и пачка разлетится, вслед бумагам понесется отчаянный вопль скрученного бунтаря, которого сфотографирует журналист, фотографию поместят в Le Monde, Figaro, Daily Telegraph, Time; подхваченные ветром, листовки разлетятся по городу, разойдутся по рукам, упадут в Сену, поплывут, поплывут и будут так плыть не один день, не одну неделю, на улицах все закончится, а те еще долго будут липнуть к бортам и днищам лодок и катеров... Что станет с твоими мыслями, Клеман? Куда они уйдут — твое негодование, твой протест, твоя революция? Кто-то свернет из них голубка, кто-то спалит их в костре, пеплом они вознесутся к небесам, упадут на город черными каплями дождя — их не только прочтут, их вдохнут вместе с дымом, их выпьют вместе с водой. Клеман, ты сольешься с миллионами!

Я записывал на магнитофон его речи, а потом прослушивал; иногда забывал магнитофон в гостиной, перед сном слушал, курил, чесал мою ногу, забравшись под гипс карандашом, и слушал... звуки комнаты, шумы, доносившиеся с улицы, пустое, шаги, поскрипывание половиц, и вдруг — посреди этих таинственных и вполне самодостаточных звуков — Альфред играет на клавесине, слушаю, перематываю бестолковый наш разговор о моей ноге, о его голове, слышу, как Альфред уговаривает Клемана не уходить, хлопает дверь, Альфред громко вздыхает, снова долгая тишина, перематываю, слушаю наш разговор о свободе и ограничении свободы — перематываю: громыхая костылями, я ухожу из комнаты, вздох, шаги Альфреда, шуршание коробка, чиркнула спичка, он курит и читает стихи на немецком, жаль, немецкого я не знаю, по ритму похоже на детскую считалку — забавно, наивно, дурашливо...

Другая бобина — Клеман: «...выбросить телевизор! В нем поселился де Голль! Построить баррикаду из телевизоров. Телевизор годится только для того, чтобы его выкинули в окно...»

Клеман вбивает слова, как гвозди, — сила, страсть. В нем живет несколько ветров. Он развевается, как знамя. Делаю погромче: «...менять общество начиная с семьи! Сломать семью! Эта система устарела. Государство ни на что не годится. Государство — это ржавый танк, который больше не едет. Все! Государство стоит. Оно препятствует развитию человека. Границы — сломать. Не надо их резать как ленточки. Ломать без жалости! Революция не должна ограничиться Францией и Италией. Я с нетерпением жду новостей из Соединенных Штатов. Надеюсь, они там дадут полицейским прикурить. Революция должна охватить весь мир! Мы должны построить общество нового типа!»

Его голос звенит, как тетива.

«...язык не имеет границ; язык выводит за пределы органической природы; благодаря языку человек обретает бессмертие, выходит за рамки времени...»

Его слова летят, как стрелы.

«...авторство не имеет значения; надписи на стенах домов не имеют авторов, все принадлежит всем, личность растворяется в безличной толпе, преодолеть эго, подавить в себе собственнические инстинкты...»

Клеман явился из иных миров. В нем живет будущее — может быть, не только этой страны...

Я с ним согласен: мир и правда устарел. Костюмы, бабочки, галстуки, манжеты, запонки, зажимы, клипсы, сословия, классы, визитные карточки, капитализм, социализм, религия, национальность — надоело. Усики, стрелочки на брюках, свадьбы, похороны... часы с кукушкой... Я вспомнил комнату Клемана — в ней были книги, стол, стул, одна тарелка, один стакан, ложка, вилка, нож, чайник... матрас, пара брюк, две рубашки — для описи его имущества хватило бы трамвайного билета. Голые стены. Созвучная футуристам аскеза. Взывающая к вещам другого типа пустота. Комната, как голый, ожидающий заливки холст, как форма, в которой будет отлито пока не изобретенное. Никаких занавесок. Окно приглашает небо войти и посеять звезды. Радиола. По ночам я слушаю блюз... Не знаю, кто играет, мне нравится курить, слушать музыку и смотреть в окно на городские огни. Я закрываю глаза и вижу голые стены комнаты Клемана. Я вижу стопки книг, которые, подобно сталагмитам, дорастают чуть ли не до потолка. Эта пустота неслучайна. Он наверняка сделал это в пику Альфреду, который силой исторического тяготения удерживает вокруг себя вещи и вместе с ними — память, пытаясь затормозить время (взвесить на ладони, прежде чем отпустить). В кабинете Альфреда — чего только нет! — там ощущаешь себя, как в гробнице фараона, как в ковчеге! В пустой комнате Клемана предчувствие нового старта, зарождение новой эпохи; его комната — своеобразное чистилище, в котором возьмет начало новая жизнь, из него выйдет новый человек.

Тишина, стук, шаги, голоса, женский смех — Мари? Нет, это голос Жюли, голос Клемана, они игриво ругаются, смеются. Помирились все-таки. Еще сто раз поругаются. Их шаги убегают, хлопает дверь комнаты Клемана, у нее такой особый скрип, сухой, нервный, дверь ему подстать.

Перематываю, тишина, перематываю, тишина, оставил, пусть вертится, курю, пью вино, вдруг голоса: Шершнев и Мсье М.

— Как там дела в Шамбери?

— Ох, там... — Неразборчиво. — С митрополитом говорить надо...

— Может, тогда его сюда привезти? Пусть у нас побудет, пока вся эта бумажная волокита идет...

— Боюсь, Альф, что лучше не надо. Он сейчас не в том состоянии. За ним уход нужен. Он кота оплакивает...

— Так что ж, пусть и оплакивает. Кто ему тут мешать будет?

— Не думаю, что его отпустят. Он, как бы это сказать, под арестом, что ли...

— А! Ну, да... Столько лет без документов...

— Поэтому и на епархиальный совет это дело вынесли. Никто не хочет на себя брать ответственность... ходатайствовать за какого-то... не говоря о том, чтобы нанимать юриста... Мало ли, кто он такой, столько лет скрывался... От кого бегал, спрашивают?

— От кого только не бегал...

Голоса затихли.

Шаги, шаги...

Шепот. Нет, шуршание. Чиркает спичка.

Шаги уходят.

Опять тихо.

Перематываю.

Вкрадчивая занавеска. Хлопнула дверца машины, еще раз открыли и хлопнули, voila, bon. Надо же, как хорошо слышно!

Перематываю.

Клеман. Что-то говорит, поднимаясь по лестнице. Скрипят ступеньки. Слова все четче, но я еще не могу разобрать, вот, теперь отчетливо слышно:

— ...грабишь, празднуешь праздник варварской смерти, наслаждаешься, а потом, когда пир подходит к концу, а за воротами американская армия, ты понимаешь, что надо как-то свою шкуру спасать, и придумываешь: а спасу-ка я тридцать этих официантов, они неплохо мне подносили пиво и кровь в фужерах, да, спасу их, авось зачтется. Семь лет исправительных работ — слишком маленькое для него наказание!

— Ты бы предпочел, чтоб его казнили.

— Да. Всех эсэсовцев без исключения. Смертная казнь. Точка. Был в СС — отвечаешь за всё, вообще за всё, наравне со всеми, несмотря на чин, ранг, звание и так далее.

— Почему бы вместо казни не проявить великодушие — позволить им, всем осужденным в Нюрнберге, жить дальше?

— Как? Просто жить? В тюрьме?

— Нет, не в тюрьме. На свободе. Среди людей. Представь, они бы жили среди нас в мире, который идет дальше. Они бы жили с сознанием собственного поражения, они раскаялись бы...

— Нет, они не раскаялись бы, — категорично говорит Клеман. — Там нет никакого сознания. Это же просто пустые люди, машины...

— Мы не знаем наверняка. Что, если мы бы прочли новую исповедь кающегося палача? Стали бы свидетелями перерождения? Так мы покончили бы с ветхозаветными методами и, кто знает...

— О да! Я уверен, ради дополнительного пайка они что угодно написали бы.

— Нет, не поймем мы друг друга, Клеман.

— Не поймем. Потому что я — французский еврей, а ты — русский немец. Мы слишком разные.

— Хоть я почти не занимался воспитанием, не произносил дидаскалических речей, все-таки ты со мной разговариваешь, как французский сын со своим французским отцом.

Он задумался.

— Да, это так. Другого отца у меня просто нет. И ты знаешь...

Альфред его перебивает; слышится странный хрипящий звук, кашель, нет, звон — это звонят часы!

— Погоди, Клеман, дай им отзвонить.

— Ах, ты будто не наслушался!

— Ну, я тебя умоляю. Клеман, это так редко бывает.

Часы звонят, звонят... шаги, скрип половиц... Клеман что-то бормочет неразборчиво — и сам себе усмехается. Звон прекратился, кажется, не доиграв.

— Ну вот...

— Знаешь, хоть я гораздо младше тебя, но, кажется, понимаю людей намного лучше, понимаю, какими они могут быть, какими они бывают, я чувствую, как они могут поступить со мной, я угрозу чувствую постоянно. В любой момент мир может перевернуться с ног на голову и нас будут вешать и жечь в печах.

— А разве не затем ты ходишь на баррикады? Мир уже перевернут! Вы добились своего. Что дальше?

— Увидишь!

Клеман стремительно сбегает по лестнице. Хлопает дверь. Грустный клавесин. Слабый голос мсье М.:

> Он душу младую
> в объятиях нес
> для мира печали и грез...
> печали и грез[1]...

Прекратил играть. Вздохнул.

— Мда, для печали и грез, это точно.

Негромко рыкнул стул, хрустнул паркет. Шаги. Тихонько напевая — и звук его песни... в душе молодой... — скрипнул пружинами кресла: остался без слов... но живой.

Тишина. Еле слышный напев. Звуки города. Еще шаги. Стук. Мои костыли.

— Мсье Моргенштерн? — Мой голос. Вспомнил: Альфред сидел в кресле, положив правую руку на середину груди, у него было кислое выражение лица.

— Сосет? — спросил я.

— Да. Капли надо бы попить...

Я накапал ему в ложечку, он выпил.

— Это естественно, — говорит он. — C'est tout à fait naturel.

— Да, конечно.

Пауза. Вздох. Скрип кресла. Шаги. Он больше ничего не сказал, вышел. Я некоторое время сидел в волнении, курил, с улицы поступали звуки: проехала машина по влажному асфальту, с шелестом, шли люди, смеялись, накатывала тяжелая влажная листва, пели птицы, кричали дети... я выключил магнитофон — звуки за окном были те же...

---

[1] «По небу полуночи ангел летел...» (М. Лермонтов).

* * *

Шершнев считал, что его подлинная жизнь началась в Париже, поэтому он не любил вспоминать свое «российское» прошлое; он родился в купеческой семье, в доме правил отец, мать «пребывала в унынии и своих детей не замечала даже во время родов, не помнила их по именам и не могла отличить от соседских ребят»; с раннего детства Сережа был очень подвижным любознательным ребенком, с ним было много хлопот, и отец отправил его в Воронежский кадетский корпус. Вытерпев пять лет «бессмысленного мучительства», Сергей сбежал из Воронежа в Москву, жил бродяжкой на улицах, попавшись на воровстве, он был со скандалом доставлен домой, провел полгода под домашним арестом, продолжая изводить родных. Чтобы избавиться от непоседы, отец выхлопотал для него место в Самарском коммерческом колледже, в Самаре было скучно. Внезапно обнаружив в себе страсть к искусству и женщинам, Серж бросил колледж и уехал в Петербург. Там написал свои первые картины, выступал на сцене в Куокколе, разъезжал по провинции с «Передвижным театром» Гайдебурова, носил свои первые стихи Каменскому в «Весну», посещал поэтические салоны, жил впроголодь, в 1910 году перебрался в Москву, познакомился с Крученых, торговал пивом и табаком на улице «как мальчишка», занимался оформлением брошюр и авторских сборников футуристов, написал свои первые поэтические листовки (был задержан по подозрению в незаконной политической агитации), уехал во Францию, в Париже немного учился[1], посещал Лигу анархистов, попал под сильное

---

[1] Он так и не вспомнил, где и чему учился. А.М. предполагает, что Серж посещал какие-нибудь лекции, но его бурная мятущаяся натура не позволяла ему сосредоточиться на чем-то одном. Он учился в монпарнасских кафе у поэтов, писателей, пьяниц, на тротуарах и в парках набирался опыта у уличных художников, они-то и открыли ему аньерские места ван Гога.

влияние Льва Черного[1], вместе с которым работал таксистом по 1913 год, в 1915 году Серж отправился в путешествие, которое длилось шесть лет...

...в Париж я привез Сержа из Германии как раз в очень опасное время, осень 1921: — пропадали люди, их убивали, разделывали и подавали в ресторанах; может быть, я спас ему жизнь; Серж нищенствовал, бродяжничал, часто ночевал на вокзалах. Мы встретились случайно. Я приехал в Берлин посмотреть «Войцека» Макса Райнхардта (ох, Эуген Клопфер меня сразил — гений!). На представлении я познакомился с блестящим Лео Нуссимбаумом, сыном разорившегося нефтяного магната. Его отец был сильно подавлен, если не сказать сломлен, но он очень тщательно и умело это скрывал, держался достойно. Они жили в ужасных условиях, над ними был настоящий бордель, их комната находилась в длинном мрачном коридоре (за каждой дверью плакали дети) одного из тех безличных каменных домов, что проглатывают жизни людей без остатка (в Нью-Йорке я вспомнил об этом доме, там я увидел нагромождение подобных термитников). Под предлогом поиска гимназии для Лео мы оставляли Абрама Львовича наедине с его газетами, книгами и мыслями. Стараясь держаться подальше от иностранцев, мы гуляли по Spandau и Weißensee. Лео говорил по-немецки лучше меня, в свои шестнадцать лет он повидал мир — Баку, Тифлис, Константинополь... В маленьких уютных кнайпах нам встречались поэты, Лео всех очаровывал, а я с радостью тратил мои франки, в Берлине я чувствовал себя миллионером. Серж выглядел настоящим оборванцем, он топтался с листовками возле дверей небольшого скромного отеля, в который его не впустили «по причине убогости костюма и внешнего облика»: курчавая шевелю-

---

Главным идолом Шершнева был, конечно, Клод Моне. Серж побывал в Живерни незадолго до смерти великого мастера.

[1] *Павел Турчанинов* (Лев Черный) — российский политический деятель, анархист, теоретик анархо-индивидуализма.

ра, борода, рваная одежда, совершенно стоптанная обувь. «Вот так, господа, — пожаловался он нам, — даже сюда не пускают. Придется искать ночлежку или опять спать на вокзале». Я полез в карман за деньгами. Лео изучил его сквозь свой монокль и спросил: «Вы — поэт?» Тот протянул нам свои листовки: «Судите сами, господа». Говорил он необычно, как фонтанчик: «Не желают ли господа почитать футуристическую поэзию? Вот вам наша новая русская поэзия». Мы взяли листовки. «Поэзия? Хорошо. Все ж не политика. Правда, Моргенштерн?»

...На людях Лео звал меня только по фамилии: она ему казалась цветистой, поэтической — думаю, поэтому он со мной сошелся. Утонченный, не по годам умный юноша со странным именем, Лео чувствовал себя иностранцем не только в Германии, но и среди русских Шарлоттенбурга. Он слишком выделялся среди эмигрантов, поэтому подбирал себе в компаньоны необычных людей. Любитель псевдонимов и анаграмм, Лео записывался в библиотеки под разными именами; не окончив школы, он умудрился поступить в университет, создав своего двойника, — и много лет спустя я встречал тех, кто верил, что Эссад Бей не мистификация, а настоящий человек. В 1942-м, когда я работал в «Сигнале», узнав от общего знакомого, что Лео очень плох, я попросился в Италию, придумал повод: сделаю репортаж — все равно о чем; меня не хотели отпускать, я уговаривал, наконец, через неделю нытья уступили, я приехал к нему в Позитано. Лео умирал (ниточка натянулась), я увидел проблеск в его глазах после того, как он произнес мою фамилию более дюжины раз. Он лежал на старом матрасе посреди убогой комнатушки в затхлом отеле, проваливался в бред, возвращался с новым именем на устах, пытаясь убедить меня в том, что он кто-то другой, терял сознание, приходя в себя, спрашивал: «Кто вы? Откуда?» — каждый раз на новом языке. Я отвечал. Он вздыхал: «Хмммм... Хмммм...» — наконец, выдул из себя мое имя с воображаемым дымом, как та гусеница-кальянщица, и воскликнул: «Ах, это вы, мой Моргенштерн!.. Мой милый, милый Моргенштерн!..» — Конечно, он не узнал меня, — он решил, что я был его персонажем, одним из многих *alter ego*. Возвращаясь в Германию, к моим делам, моим нацистам, в поезде, набитом казаками атамана Краснова (они ехали на фронт, не догадываясь, что через полтора года в таком же поезде они будут ехать обратно и гадать: куда бежать?.. в какой норе затаиться?), я читал его записки, с трудом разбирая закорючки (ничего подобного я больше нигде никогда не видел). Это был роман. Одного из персонажей звали Феликсом (Фениксом) Моргенштерном, и это был, естественно, не я. Сердце мое разрывалось. Глаза оставались сухими. Размышляя о моем старом друге, я напевал песенку о птичке по имени Печалька: она прилетает и садится на веточку подле Смерти и поет ей о людях, в чьи души Печальке довелось залетать; Смерть слушает ее, поглаживает перышки птички и приговаривает: «Молодец, моя пташка. Молодец, моя милая. Теперь я знаю, кого мне искать. Меня к ним приведет твоя песенка». Смерть отправляется в путь, но моего друга ей не найти. Лео удалось ее обмануть. Он, как мумия, запеленался в псевдонимы — Смерть утомится раздирать эти рогожи, у нее не хватит терпения доискаться автора.

Итак, на плацу возле берлинского отеля, я и Лео, мы берем у чудака бумажки, на которых — по-русски! — написаны непонятные заклятья с множеством восклицательных и прочих ненужных знаков, с рисунками, орнаментом, листки похожи на дурные салфетки, которые в те годы были повсюду, грубо вырезанные из тонкой плохой бумаги, с прилипшими волосками и табачинками. Мы идем, слегка хмельные, настроение праздничное, вечером будет пирушка с поэтами, мы предвкушаем, разглядываем листовки. Что-то удалось разобрать. Лео вдруг залился своим детским хихиканьем и воскликнул: «Какая прелесть! Моргенштерн, вы только поглядите, сколько брани! Простой живой мужицкой брани! Какая изумительная площадная матерщина! Какая прелесть! Моргенштерн, а давайте его возьмем с собой! Пусть берлинские поэтишки послушают!»

Рассказы Сержа о бурной карнавальной жизни, которую в Фиуме устроил д'Аннунцио, произвели на всех сильное впечатление; он рассказывал всю ночь, пил и не хмелел, взрывался стихами, хватался за воображаемый пистолет, влезал на стол и декламировал, и так всю ночь напролет — то кокаиновый ритуал посвящения в рыцари Ордена Красоты, то пиратские налеты на проплывающие мимо Фиуме суда, то шествия, то пляски, то театральные представления, которые заканчивались оргией или пальбой из пушек по просторам Адриатики... все аплодировали! Как Франц Штернбальд, Шершнев обошел всю Европу, большую часть пешком, всюду бывал, все видал, везде у него случались любовные истории, рисовал и дарил картины, посвящал стихи, он мог писать поэмы в духе трубадуров и Вийона или онегинской строфой, все это он делал играючи. В Италии он излечился от анархизма, но заразился фашизмом, переболел сыпным тифом, во время которого его посещали видения, и пробудился абсолютно здоровым. Он называл себя квиетистом, читал Якоба Бёме и распевал стихи Блейка на ужасном английском. Я предложил ему ехать со мною в Париж: «У меня можно жить как в келье, читать, рисовать, петь сколько душе угодно!» Он отказался: «Не хочу вести иждивенческий образ жизни». «Я буду брать у вас уроки итальянского». Он согласился, на несколько месяцев поселился на rue de la Pompe, писал картины, а я учился в школе Жака Копо, намереваясь всецело посвятить себя актерской карьере, но не вышло: джаз, пирушки, Шершнев... Он искал приключений, он желал, чтобы жизнь бурлила, била ключом; ему нужны были друзья, девушки, ночные огни Монмартра, я шел туда вместе с ним... Никто меня не знает лучше его; Серж — одно из стеклышек мозаики, внутри которой я живу, ибо моя жизнь —

Шершнев старше Альфреда почти на десять лет, но энергии и здоровья, судя по всему, в нем гораздо больше (вряд ли он попал бы под нож в Германии). В двадцатые годы Шершнев разрывался, он был и футуристом, и дадаистом, много рисовал, спешил познакомиться со всеми, всем понравиться. От Шершнева Альфред узнал о Габриэле д'Аннунцио — на многие годы роман «Наслаждение» стал одной из его любимых книг (*я тоже, как Андреа Сперелли, рано потерял отца, во мне тоже есть тяга к странным вещам, я ищу в них душу прежних владельцев*). Серж подражал Пикабиа, рисовал механических людей, разорванных надвое, с пружинами вместо конечностей, изобразил Альфреда куклой со стеклянными лучистыми глазами. В середине двадцатых годов по воскресеньям Серж ходил в салон на rue Emile-Aigier, его картины выставляли в галереях, был членом «Гатарапака» и «Через», участвовал в постановках Тцара, выступал и на политических собраниях, называл себя сменовеховцем, восхищался Устряловым, говорил и писал много глупостей, например: «революция — это перерождение России, которая в результате даст нового человека»[1]. Скандалы, галереи, слава, Монпарнас, женщины... Когда до него дошла весть о смерти Устрялова, он воскликнул: «Ну, я же вам говорил, что этим кончится! Они убили его! Он был романтик». Год или два он бредил Мариенгофом, а потом был «Улисс» — плавание, из которого Шершнев не вернулся.

Серж часто спорит с мсье М., у каждого своя версия их общего прошлого; однажды Серж мне сказал, что Альфреду не стоит слепо доверять: «не потому что он врет или не помнит, а потому что он — больше сочинитель, чем мемуарист».

---

[1] В повести «Бредобрей Куделяпа», подражая своему кумиру Д. Джойсу, Шершнев посмеялся и над своими политическими взглядами, и над религиозными скитаниями, и над артистическими поисками и экспериментами, напр.: «рев'люцая — это перхоть! это похоть! это грыжа! это кража шаромыжа! плюс, пинок под задок чистюле-интеллибанту».

* * *

Мы с Мари немного гуляли, посидели в «мексиканском» кафе, купили вино, я проявлял фотографии в ванной комнате, пока они сохли, мы играли в нашу лотерею — вытягивали листочки из коробки и читали их, пили вино, кофе, курили... потом она взяла с меня обещание не смеяться и принесла свои коллажи: на больших картонках наклеенные фрагменты улиц, части городов, и она — вырезанная из модельного журнала девушка с лицом Мари, лет тринадцати... Сколько тебе было, тринадцать?.. Ага!.. Я лет до шестнадцати их клеила!.. Только не смейся. Ты обещал!.. Я не смеюсь, не смеюсь... Я так путешествовала... Венеция, Лондон, Нью-Йорк, Китай... в синем пальто и черных сапогах, с сумочкой из крокодильей кожи... в белой шубке, короткой юбке, длинные ноги... I wonder, whose body is this?.. она стукнула меня кулачком, я пошутил, пошутил... потом рассматривали подсохшие снимки... мне нравятся те, что мы сделали на Avenue Foch... Мои костыли чуточку вязли в рыхлом после дождя грунте, издавали чавкающий звук. Мари забегает вперед, целится. Я заслоняю лицо, один костыль падает. Так я и вышел — с отделяющейся от меня деревяшкой и перечеркнувшей снимок расплывчатой в движении рукой. Следующий: Мари стоит возле сухой изогнутой акации, всю правую часть снимка занимает просторный берег улицы и разлив дороги с единственной машиной, на другой стороне: высокие облезлые платаны, на ветвях сидят жирные вороны; поставив свои плакаты напротив вилл миллионеров, революционеры валяются на траве, полулежат на мраморе мемориала Альфану, пьют вино, целуются и курят марихуану. Я слышу их смех и крики. Свист! Они встают, уходят, мы занимаем их место на мемориале. Мари повторяет шутку Шершнева: «Ты одной ногой в истории». Смеемся.

Фотографии, лица, надписи на стенах, полицейские, революционеры, улицы... они изгибаются, как проволока: вспышки, как сварочная пайка, скрепляют мгновения с лентой памяти — свернутая в спираль, она лежит в черном футляре.

Я дотянулся до окна и распахнул его пошире; накрапывал теплый летний дождь, пели птицы... В комнате Клемана работало радио, — мы не знали, у себя ли Клеман, он никогда не выключал радио, — шла трансляция из «Одеона».

— Ты слышал, что они там, в «Одеоне», теперь требуют деньги за каждое интервью?

— Да?

— Да, да! У них высокий тариф!

— Что? Франк за десяток слов?

— Не думаю, что так, но в любом случае деньги они берут. Оправдывают это тем, что людей в театре надо кормить.

— Молодцы! Требуют плату за то, чтобы восхвалять социализм. Как забавно. Знаешь, капитализм не умрет.

Она меня обнимает и шепчет в самое ухо, я не понимаю, не могу разобрать... что ты говоришь?.. постой... слова распадаются... меня захлестывает волна счастья...

Я даже не мечтал о таком!

Я проснулся посреди ночи; лежу с закрытыми глазами, меня тревожит что-то; не понимаю, покачивает, как на корабле, все вибрирует и струится; в свете дня каким-то образом мне удавалось верить, будто мы живем в вечном настоящем, но в темноте ночи я увидел: тела крошатся, личности раскалываются, и время по крупицам нас уносит: что-то остается в прошлом, а что-то течет в неминуемое будущее...

9

Соловей — каллиграф рассвета — вьет узелки своей песни. Фонари светят снисходительно. Дождь оставляет на стекле редкие длинные царапины. Небо расчесано на тонкие пряди.

Альфред садится в кресло. Шелест листвы (портьера ночи сдвигается слева направо). Ох, с каким пониманием иной раз дерево может шуршать! шевелить ветвями! покачивать ими — для тебя, для тебя одного...

Сердце опять ведет себя своенравно. Будто в груди проснулся гном, ползает и бьет молотком.

Я помню те послевоенные дни... La guerre est finie — on recommence à vivre![1] Начнем сначала! Той весной все казались детьми: наивны, глуповаты, готовы были целоваться с первым встречным! Скольких обворовали, ограбили, изнасиловали! Сколько судеб обломалось о колючую проволоку, которой обнесен заманчивый прииск надежды. Мальчики на скамейке сидели, как галчата, играли в шарики, подпрыгивали на месте... но все-таки быстро замерзли, залезли на чердак и там их катали. В тех стеклянных, битых, исцарапанных шариках вечная мелодия, она не сразу угадывалась, будто сила, ее сочившая, не торопилась, подбирала чувства, чтобы, однажды ожив, звучать веками, сопровождать человека, напоминать ему, что его жизнь рядом с ней — мгновение; немного печальная, завораживающая, не хочется шевелиться, чтобы не спугнуть это обволакивающее чувство, затягивающее в омут забытья. Во сне она бывает оглушительной, как труба архангела, даже страшно, звуки со скрежетом несутся сквозь меня, как эшелон; я бегу, сердце спешит, и вдруг, прижавшись спиной к колонне, глядя куда-то далеко, где под куполом блещет свет, точно мечется молнией птица, понимаю: это всего лишь стеклянные ноты давно сыгранной мелодии, которую зачем-то навевает мне память. Громко разругались, один убежал, тот, что остался, кричал ему вслед... некрасивые слова... а у меня в голове они переливаются, посверкивают, звуки шариков, легкий перелив тревожно зна-

---

[1] Война окончена — снова начинаем жить! (*фр.*)

комого ноктюрна и бранные слова, обещания заразить непри-
личной болезнью твою мать! Господи, как бывает гибок язык!
Настолько, что, произнеси я такое, меня бы освистали... на любой сцене я выглядел любителем; все знали, что я не тот, за
кого себя выдаю, всегда и всюду я был суфлером (история
мною шептала), но подменить мог кого угодно, заучивал пьесу
после первого чтения, письма помню все до единого, письмо —
это как монолог со сцены, исповедь, лукавая песня, сплетня,
крик. Я помню, как сквозь дымку проступали очертания церквей, как сияла россыпь росы на полях, пронзительно тоскливо
пели птицы, в машине меня растрясло, дорога была ухабистой,
бил легкий озноб, от бессонной ночи голова гудела, я никогда
не забуду тот изогнутый над Луарой мосток. Зыбкий туман над
водой. Шея и плечи Николая, руки, крепкие, решительные.
И грохот инструментов за спиной. Может быть, теперь того
моста больше нет. Но во мне он есть! Тот мосток, он был точно
таким же, как этот серп, — казался хрупким, но острым. Выдержит? Должен. Что за странный вопрос? Мир кажется совсем другим, когда ты везешь труп. Это точно. Серж, как звали
того, что выловили из реки? Он был в том кафе, помнишь? Мы
его плохо знали. Кем он был? Без документов. Поляк? Еврей?
Еврей из Литвы, который бежал в Польшу? Бежал из гетто, из
лагеря, отовсюду. За что его? Сифилитик-стукач. Проститутка-
травести. Пышные имена альфонсов. Слоновый бивень на стене. Африканские побрякушки. Кальян. Гашиш. Опиум. Свечи.
Бумажные китайские цветы. Бахрома балдахина. Раздвинутые
ноги в черных чулках. Большая бледная грудь. Бубенцы на со-
сках. Сиплое дыхание. Чахотка? Пружины. В ее клозете он нашел китель офицера абвера. Дай-ка примерю! Как я тебе? То-
щие длинные ноги. Нестриженые ногти. Фу! Как его звали?
Франк. Еврей в кителе немецкого офицера. Верхом на шлюхе
немецкого офицера. Нюхает порошок из кармана кителя не-

мецкого офицера. Пьет вино из бокала немецкого офицера. Хихикая изливает семя на живот шлюхи немецкого офицера. Ругается и плачет. Истерично захлебывается в слюнях. Ползает по полу. Срывает с себя китель. Топчет его ногами. Два трупа: шлюха и офицер. Сам не заметил. Нашло. Его прятали. Подвиг психопата. Убийца-насильник-герой. Война создает мифы. Прятали и боялись. И он всего боялся. Сначала немцев, потом большевиков. Приходил и говорил: «За мной следят. За мной ходят». Никто не верил. Параноик. И вдруг труп в реке. Сам сиганул? В кафе было полно народу. Кто угодно мог слышать. Журналист и полицейский молчали. Что тут поделаешь? Он предупреждал: за ним следили. Вы сказали: ему казалось, что за ним следили. Полицейский: он покончил с собой, точка. Серж им говорил о своих пропавших знакомых. Люди исчезают. Это другая история, она не имеет отношения к трупу в реке. Ваши знакомые скорее всего бежали. Куда? Куда-нибудь. Нет, их тоже похитили. Кто? Советские агенты. Чушь! Зачем вы им нужны? Не выдумывайте! Все русские сами с удовольствием возвращаются. Сходите в Борегар или в Рёйи — поищите ваших знакомых там. Смеетесь? Вам смешно? Вы не понимаете, как это опасно. Опасно? Сотни русских сдают паспорта, берут советское гражданство. Сходите на Мальзерб — там очередь! На рю Гальера сотни советских патриотов устраивают концерты, поют русские песни. Они счастливы! Русский хор лагеря Борегар дал незабываемый концерт в «Аполло» — высшее руководство Франции, а также посол Богомолов присутствовали, аплодировали, кричали «браво!» и «бис!» В каждом из семидесяти пяти транзитных сборных пунктов в ожидании возвращения на родину бывшие советские граждане, чисто одетые и сытно накормленные, ходят строем, делают все вместе гимнастику, поют и танцуют, восхваляют Отца народов! Посвящают ему стихи и былины! Кричат ура! Ура! Ура!!! Крик раздается по всей

Франции. Во всех закутках слышно. Каждый француз знает: русские счастливы, что едут домой! Они горды, что возвращаются в Великий Советский Союз! О чем вы говорите? Борегар забит до отказа. Поезда работают каждую неделю. Самолет только сел, снова взлетает. Люди ручьями тянутся к лагерю со всей страны. Многие эмигранты тоже едут с ними. Они хотят на родину, которая одержала победу в великой войне! Вы понимаете, что это пропаганда и на самом деле все обстоит иначе? Какая разница, что об этом думаю я? Вы лучше сами мне скажите, почему вы не подумаете о том, чтобы вернуться?! Кто-то разбил бокал. Ругательства. Оправдания. Завыл патефон. Кашлянули прямо за ухом. С журналистами нет смысла говорить... в газетах беспорядок... Толкотня за спиной. Простите-подвиньтесь. Какой у нее кардан, однако. Воняет перегаром и мочой. Откройте окно, дышать нечем! Чиркают спички. Рваные чулочки. Чашки, рюмки. Перестаньте меня щупать, я не девушка! Посмотри-ка на ту черномазенькую. С большими грудями. Она не алжирка, она цыганка. Все равно присунуть можно. Где негра грудастая? Люблю черненьких. Чо ты чихаешь мне в лицо? Эй, придурок, я тебе передал деньги, где мой пастис? Сколько у них юбок... пока все снимешь... Зачем снимать?.. можно так... Я сказал не грудастая, а глазастая. У них у всех одинаковые. Мне никто не передавал никаких денег. Вы говорите глупости. Засунуть поглубже. Есть и те, кто не хочет возвращаться. Вам сказали, все советские граждане должны вернуться. Ялтинская конференция... де Голль в Москве... Уговор есть уговор, он что, святая вода! Из-за этих закорючек сотни тысяч людей отправятся в ГУЛАГ. Кто распорядился их жизнями, а, мсье либерал? Мы с вами в Европе или где? Я говорю о демократии и правах человека! Нет, мсье, вы говорите о нелегальной миграции. В этом смысле вы ничем не отличаетесь от большевиков. Я ее прямщас в туалете. Вы меня оскорбляете, потому что я даже не русский. Пардон, а кто вы? Отцепись от меня, я сказала! Эти янки хорошо надрали нам зад. Они родились от регбистов. Не янки, а шотландцы. Все равно, их отцы и деды были регбисты. Мой друг не хотел уезжать, он не был гражданином СССР, он был из Литвы и его убили, полиция нашла его тело в Сене, почему вы не хотите понять очевидного? Напишите об этом! Полицейским плевать. Конечно, им наплевать! Знаете, сколько работы у них сейчас? Сколько ворья и убийц! Не всех шупо[1] поймали. Прощупывают каждого бездомного, каждого бродягу. В подвалах прячутся германские ополченцы. Беглецы из приютов. Бездомные негодяи, которые с удовольствием напялили форму ополченцев, чтобы законно грабить. У них никогда не было документов. Подумаешь, похитили каких-то литовцев. Вытащили русскую бабу из койки французского студента — его родители только рады будут! А вы мне говорите: труп в реке... Un sans papier polonais?[2] Их каждый день жандармы отлавливают. На днях привезли американцы из Шербура в грузовике двадцать пять русских. Радуются: Сталин приберет их к рукам! Многие из них были в Остентруппен. С вами, вижу, разговор теряет смысл. Еще пива! Мне и моему русскому брату! Толкают в локоть. Заведи патефон! Что за мычание? Уберите этого янки, слушать тошно! Кажется, назревает скандал. Не пора ли нам? К выходу, к выходу... Большевики хотят вывезти всех. А я что могу? Я пишу о спорте, о выкидышах, которые случаются у артисток прямо на сцене... о разбитых машинах и черепах... о бездомных детях... понимаете, у нас много бездомных несчастных детей!.. это проблема!.. я об этом пишу... мамаша нашла свое дитя — искала три года — сюжет — кино-

---

[1] Schutzpolizei (Schupo) — ответвление полицейских внутренних войск Третьего рейха.

[2] Поляк без документов? *(фр.)*

лента — эпические слезы на глазах миллионов... изможденный отец возвращается домой — ноги подламываются под грузом детей и любимой — слезы, поцелуи, слезы... вся страна рыдает от счастья — вся страна на седьмом небе!.. Вот!.. Après le pain, l'érection est le premier besoin d'un peuple![1] А кто пишет о похищениях? О похищении мы уже писали — на rue Erlanger, 16... на rue Neuve des Boulets, 11... и еще на rue Linné, 5... И похожие эпизоды в Руане, Кане, Шербуре, Тионвилле... о военных рейдах советских солдат писали? Вы многого от нас хотите... Вы пишете только тогда, когда ломают вашу дверь... не хотите сделать простого вывода о последствиях Ялтинских соглашений... Выводы — это политика... я не пишу о политике... Подсуньте тому, кто пишет о политике! Вы не слушаете меня, я же сказал: министр иностранных дел пытался вмешаться — его отправили в отставку! Вы поняли? Министра — в отставку! министра!.. Идут разговоры о единой синхронизированной печати! О чем тут говорить? Скоро все будут танцевать под дуду большевиков. Радуйтесь, что де Голль у власти, а не ФКП. Сталин — слишком большая фигура, никто с ним не хочет ссориться. Не стоит дразнить льва, особенно когда он стоит над растерзанной тушей. Никому нет дела до ваших беженцев, сейчас все завертелось очень быстро. Сумасшедшие деньки. Человечество томится в своей человечности, как пациент психиатрической клиники в «мягкой палате». Я столько раз видел, как Париж склонялся над бездной, как накренившееся судно, и опоенные штормом пассажиры, свесившись с кормы, черпали ядовитую пену бунта, пили и сходили с ума. *Les Années folles*... Потом тридцатые... Город был на грани дезинтеграции... Проскальзывая между копыт по февральскому льду, они бритвами перерезали сухожилия полицейских коней, надевали кагу-

---

[1] После хлеба самое важное для народа — это эрекция! *(фр.)*

ли, исчезали в сумерках... Одни кричали: «Лучше Гитлер, чем Блюм!»[1]; другие бросались в объятия Сталина, их детей крали и прятали, дети выросли, они строят баррикады, с воплем *vive le socialisme!* разбиваются о щиты CRS; они тоже могут надеть кагули и исчезнуть в сумерках... Я смотрю в глаза Клемана и вижу трещины... Он — живая пробоина в чреве Парижа... новое дитя, молодая душа новой республики... Я слышу треск тканей... улицы расползаются... грядет другой Париж, в котором мне больше нет места. Я вижу зарево... это горят дома, машины, мечты, которые, воспламеняясь быстрее эфира, сжигают память обо мне, с мечтами сгорает Париж-который-я-знал-и-любил... пепел и пламя... тот Париж, в который был влюблен мой отец, в котором была жива мама... дым, опилки, битое стекло... Аполлинер, Арто, Теодор, Бретон, Вера... и многие, многие другие... газ, крики, кровь... тот Париж, с которым я сросся... связки рвутся, кости хрустят... вместе с тем городом я прошел первую мировую, испанку, оккупацию, я был на краю в дни освобождения, когда чуть не попал под горячую руку. Задержали по доносу. Сопливый октябрь 1944-го, бульвар Монпарнас, два часа пополудни: на меня указали пальцем, когда я выходил из «Селект», скрутили возле «Ротонды». Все произошло мгновенно. За мной шел человек, которому *показалось*, что я работал на немцев. Не поленился. Он не знал наверняка, но, *как ему показалось*, он видел меня в комендатуре. Он не был уверен, но, *кажется*, он видел в моей руке зелененькое удостоверение. Этого было достаточно. Арестовали и отвели в одну из комиссий CFLN[2]. Две недели в Dépôt: много знакомых лиц, со мной здоровались, как со своим, давали советы: «Хотите наружу, мсье? Нужен адвокат. И не какой-то там, а —

---

[1] *Леон Блюм* — премьер-министр Франции в 1936—1938 годах.
[2] Le Comité français de Libération nationale — Французский комитет национального освобождения.

лучший! Нужны деньги, мсье, и не меньше ста тысяч!» — «???» — «А вы как думали! Вон, Монморен просидел три месяца, выложил двести тысяч и вышел...» Ого! 200 000!!! «Ну, так он герцог!» Таких денег у меня и в помине не было. Ни денег, ни титула... К тому же — un bosch d'origine russe, moi!.. Может, второе перевесит первое?.. Держи карман шире! Поставят к стенке рядом с Жеребковым! Три недели, четыре... Молитесь, мсье, молитесь! На днях расстреляли Суареса...[1] Ах ты, черт! Я его неплохо знал... И вы тоже? Да, влажное мягкое рукопожатие... Все время нервничал, потел, от него пахло... Ну, в сравнении с ним я был младшим сотрудником... Все равно — к стенке... Как там мои мальчики? Мы вслушивались в каждый звук: трамвай проехал, клаксон, выстрел... палили из пушек в честь взятия Страсбурга... сколько было разговоров... пересудов... спекуляций: почему палят?.. что такое? Что происходит? Qu'est-ce qui se passe?... Тюрьма шелестела... Газеты кружили нам голову... мы получали их с отставанием в несколько дней... помимо военных сводок, писали в основном о коллаборационистах, о жертвах нацистов и героях Сопротивления... Сначала разберутся с такими, как Альбертини, и потом за нас возьмутся...[2] пресса тех дней была совершенно бестолковая...

---

[1] *Жорж Суарес* — главный редактор *Aujourd'hui* (рупор маршала Петена и нацистской пропаганды в период немецкой оккупации), расстрелян, невзирая на то, что пытался вызволить из Кампьенского лагеря Робера Десноса.

[2] *Жорж Альбертини* (1911—1983) — французский политик, социалист, миротворец, в период оккупации — секретарь «Национально-народного единства», правая рука Марселя Деа. Я с ними часто сталкивался в редакции *L'Œuvre*, там же встречал Робера Десноса, который, как оказалось, тоже, как и я, работал на Сопротивление (погиб в Терезинском гетто). До ареста Альбертини maquis схватили его жену и сына — годовалого ребенка отправили в приют, где он вскорости умер, жену допрашивали (по слухам, пытали), выуживая местонахождение мужа. Попавшись, Альбертини признал свою вину, каялся и получил пять лет, из которых отсидел три с половиной.

аресты, грабежи, налеты, с какого-то поэта-педераста сорвали
штаны, изнасиловали и обобрали... Черчилль и команда ВВС
прибывают на Елисейские Поля!.. отвратительные нападки
Арагона на Жида... Тоска и рютабага[1], хлеб с мякиной, вместо
табака — смоченная никотиновым опрыскивателем бумага...
Угнетало то, что арестанты Dépôt — функционеры, спекулянты, газетчики и просто неплохо жившие под немцами аристо-
краты — были «тоже невиновны». Доказать их причастность
к преступлениям нацистов не могли, но не выпускали, потому
что те были не в состоянии опровергнуть предъявленные им
обвинения, — неоспоримость вины крепчала по мере того, как
таяли шансы доказать обратное. «Все настоящие фифи ушли
на фронт, — сквозь зубы говорили заключенные, — а эти
строят новый мир при помощи веревки, пыток и допросов. Лучше не увидеть то, что они построят». Поговаривали о переводе
во Fresnes, и тут совершенно случайно в коридоре по пути на
очередной допрос меня заметил Дмитрий Михайлович Одинец,
который состоял в одной из подобных комиссий от «Русского
патриота». К счастью, он знал, чем я занимался при немцах.
Я и предположить не мог, что ему было известно обо мне! В тот
день Дмитрий Михайлович хлопотал совсем о другом человеке,
тоже по ошибке попавшем под суд. Когда мы вышли на улицу,
он, с приказом об освобождении своего подопечного (машина
ждет), предложил меня подвезти, я отказался, хотелось пройтись. Он настаивал: «Лучше отсидеться вам в эти дни... Того
гляди ненароком опять схватят...» Я сказал, что мне надо подышать (мне показалось подозрительным, что у него есть машина
и шофер — как он получил машину? ладно машину — откуда
бензин?). Перед тем как уехать, он сумбурно и очень эмоцио-
нально рассказал об одном нашем общем знакомом, который,

---

[1] Брюква.

как выяснилось (после тщательной проверки), донес немцам на свою жену-еврейку. «Немыслимое, неслыханное злодеяние, — вздыхал Дмитрий Михайлович (чувствовалось, что ему самому до конца не верилось). — Но так и есть, я своими глазами видел письмо, его рукой написанное. Там он писал на немецком, четко, без ошибок, о тлетворном влиянии, которое оказывает на его детей воспитание его жены-еврейки. Ее сразу же арестовали и отвезли в Дранси. Представляете! А потом и детей туда же! А? Что скажете? Вот, а мы-то думали... Он так плакал: мои дети, моих детей, моя семья... всех... А оказалось-то, оказалось! Непостижимо. То, что вас арестовали, Альфред Маркович, большая ошибка. Вы столько для Сопротивления сделали. Правда, кому это было известно? Все же было в полной секретности. Отсюда и недоразумение. Кстати, у вас жили еврейские дети. Об их отце что-нибудь слышно?» Я сказал, что его тоже увезли в Дранси, и все, о матери ничего не известно (она была с немцами, танцевала в кабаре под игривым прозвищем, как зверушка, — о таких вещах лучше не говорить, такое на мальчиках после скажется). «Ваш арест, — сказал Одинец торжественно, будто произносил речь на собрании, — это глубочайшее заблуждение или чье-то злое намерение. Зависть или месть. К сожалению, далеко не первый и боюсь, что не последний случай. С этим постоянно сталкиваемся. Слава богу, что худшее позади! Пока вы сидели, за нас вступилось полпредство! Да, французы-то массовые аресты произвели, и хотели всех эмигрантов перебрать, массовые показательные суды делать. Но, к нашему счастью, Александр Ефремович поговорил с де Голлем, все образовалось, никаких преследований не будет. Вам непременно надо с ним встретиться». Я спросил: с кем? «С Александром Ефремовичем Богомоловым, советским послом, он принимает всех, и вам работа найдется, приходите ко мне сначала, или к Маркову. У меня дел покамест по горло. Я каждый случай лично проверяю и французские комиссии прошу мне пересылать все русские случаи, чтобы все тщательно перепроверить. Одна промашка и — жизнь поломана навсегда». Я сказал, что никого, кроме трех человек, в Резистансе не знал лично, и если б меня взяли, я бы и выдать никого, кроме них, не смог. Со мной связывался безымянный курьер. Одинец махнул рукой и сказал, что все знает, он получил списки всей агентурной сети Лазарева. Сказал это и уехал. Я тогда почти ничего не знал о Лазареве. Мой ровесник, или чуть старше; непростая судьба: репортер в «Киевлянине», тайный курьер Шульгина в период Гражданской войны. Лазарев создал агентурную сеть для Сопротивления, его «Паутина» была зеркальной копией легендарной «Азбуки». Никто никого не знал. Десятилетия спустя люди с изумлением узнавали, что принадлежали к его агентурной сети. Если б Лазарев вовремя не предоставил свои списки Одинцу (могу себе представить, как неохотно он это сделал — люди пригодятся, ибо война никогда не закончится), меня поставили бы к стенке и — adieu! Господь разберется! В такие же шальные дни и погиб мой отец. Так это, наверное, и было. Какой-нибудь случайный большевик ткнул штыком или выстрелил в спину, в грудь, в голову — страшно подумать — возможно, никого рядом с ним в это мгновение не было... как и со мной, со мной теперь тоже очень мало тех, кого я знал, кто знал меня и тот мир, которому мы принадлежали; я встречал много людей, но мало кто из них меня понимал... Серж — единственный, кто знает меня, понимает, он — одно из стеклышек мозаики, внутри которой я живу, ибо моя жизнь — это призрачная паутинка света на стене мироздания (в погожий день такую паутину сплетает Сена на арке одного из мостов, случается такое чудо раз в триста лет), за последние годы узор обветшал, истончился, поблек настолько, что я больше не в силах себе лгать, что я существую. Например, дом, в котором жили Бриговские, — его больше нет. В моей памяти он есть, но на карте города вместо него стоит банк. Какая ирония! Я ей расскажу при встрече. Если допустят. Сильно сомневаюсь. Можно вообразить, что такая встреча будет нам отпущена. На несколько загробных секунд я увижу ее вновь. Что я ей скажу? Уж конечно, не это, не это... Тогда что? Есть ли во мне хоть сколько-то смелости, чтобы признаться? Что от меня осталось, помимо инерции? Одни воспоминания. Больше нет разницы между тем, что я вижу во сне, и тем, что со мной происходит наяву. Как только я отдам Богу душу, мой дом продадут те, кому я его завещал, его незамедлительно сроет экскаватор мэрии, чтобы заложить фундамент для нового здания (жаль, что у меня недостаточно средств, чтобы самому заложить театр или школу), вещи выкинут или отнесут на барахолку, книги разбредутся по букинистическим лоткам и бутикам, а эти бумаги... да какая разница, что с ними станет...

Альфред неожиданно понимает, что это не дождь за окном; это шипит радиоприемник. Голоса куда-то делись. Он ждет — ничего, выключает. Тушит свечи одну за другой. Катая воск на пальцах, замирает над шахматной доской. Партия напоминала аварию, столкнувшиеся стороны понесли большие потери.

Музыка в процессе сочинения соприродна напряжению шахматной мысли, и забывается она примерно так же: фигуры заброшенной партии неотзывчивы, как набросок недописанной нотации. Альфред передвигает белую башню, идет вокруг столика, задумчиво берет черную пешку, медлит... не ощутив искры в ржавом узоре, ставит ее на место.

Он оберегал не вещи, не дом, а — воспоминания, которые расхищают агенты времени, захлестывает поток жизни.

Стряхивая с пальцев воск... и дальше вслух:

— Я пытался заговорить память вещами, — взмахивает руками, обводит ими комнату, замирает, снова идет: — В расположении предметов, в их взаимодействии и противостоянии есть та же сила, что и в магических символах, заклинаниях и пентаграммах. — Берет карандаш, садится, пишет:

Как в шахматах. Как в музыке. Как в натюрморте. Но время сильней, его агенты повсюду. Они не дают тебе покоя: кривляются, подмигивают, усмехаются, напоминая: песочек сыплется, сыплется... пустыня надвигается... Я убедился. Но ведь я сам когда-то ходил, покупал, растаскивал, я тоже был песком пустыни... я тоже захлестнул чей-то мир, над кем-то хищно пролетел, скользнул тенью по чьей-то умирающей памяти... Настал мой срок платить по счетам. Ветви моего древа сохнут, перестают давать листву, тень моя бледнеет... зияния меж слов растут... яростная синь слепит... иссушающий ветер несет песок в глаза... скоро придет садовник, молодой и упрямый, с быстрыми блестящими ножницами и пилой... винт корабля истории поднимет волны, которые смоют мою паутинку... на прощанье киномеханик с рокотом прокрутит мне фильм, склеенный из забытых сцен, снимет бобину и, щелкнув замком металлической коробки, унесет мою жизнь во вселенскую фильмотеку на вечное хранение...

И еще. История мне представляется женщиной, властной, деспотичной. История — это война, революция, эпидемия... у нее много ипостасий... она огромна, как птица Феникс, пожирающая своих птенцов... многорука, как богиня Кали... иногда она харкает кровью, как чахоточная... а иногда, тихо напевая, с полуприкрытыми глазами душит своих детей... Нет, это не любовь, не поэзия, не красота... толпа, опьяненная жаждой разрушения, любить не может... разрастаясь, толпа преисполняется возмущением, как поток, который тяготится своими берегами, масса ненавидит улицы, здания, ограждения, она перекраивает топографию, узкие улицы она превращает в площади, а бульвары перегораживает, я своими глазами видел:

вдвоем-втроем они поднимали deux chevaux[1], еще, еще и — бульвар забаррикадирован. Они быстро взяли Париж. Мало им боли, крови, трупов. А скольких залатал Крушевский... говорил, что приходилось силой удерживать — рвались в бой, на четвереньках ползли: дайте убить еще одного фрица! Жажда крови. Гидра с горящими глазами металась по улицам; люди плевались во все стороны слепой смертью, толпа искала себе жертву. Гнев не утихал несколько месяцев. Казалось, могли растерзать без суда и следствия любого, на кого покажут пальцем. В двадцатые русские были готовы вернуться. Они еще верили в своих героев: Врангеля, Деникина, Юденича. Хотели бороться. Отказывались пускать корни. Немногие понимали, что это конец и надо жить, а не шататься по вокзалу в ожидании поезда... заблуждались, говорили глупости, переписывались с кем-то, шли на сделку с совестью... а какое комическое путешествие в Советский Союз совершил Шульгин — все равно как слетал на Луну! Его истории о бурном благоухании советской жизни были не менее фантастические, чем сочинения Бержерака и Свифта. Люди охотно верят в сказки... вместо того чтобы жить и жить, они спешат порвать паспорт, разметать клочки по комнате, поплясать по ним и ринуться в омут, ибо в омуте будет что-то новое и, как знать, может быть, это новое будет лучше или хотя бы занимательней набившей оскомину Франции с ее правилами и условностями. Импульсу поддаться легче, чем сопротивляться; обратиться в дикий многоногий табун — так просто. Шекспир был прав: life is a tale told by an idiot, full of sound and fury, signifying nothing[2]. Причины и основания искать не стоит. Есть явления, которые напомина-

---

[1] Микролитражный автомобиль, буквально «две лошадиные силы» (*фр.*).

[1] Жизнь — это история, рассказанная идиотом, полная шума и ярости, не имеющая никакого смысла (*англ.*).

516

ют друг друга своим умопомрачительным развертыванием в историческом пространстве, без каких-либо связей между собой. Закона нет. Буйство крови. Никакого скрытого смысла. Сполохи психических молний над океаном человеческих существ. Тезисы и лозунги значения не имеют. Кричать можно что угодно. Просто dada dada. Хлопай крыльями, разевай клюв! В двадцатые было то же самое: безумие витало в воздухе, словно кокаин смешался с цветочной пыльцой, эфир струился... опиумные огоньки курились из невидимых трубок... смирительные ремни трещали... корсеты рвались... свобода!.. свобода!.. свобода!.. l'émancipation totale!.. они заваливаются в траву, встают у столбов, отклячив зады, стонут и извиваются... я слышал отголоски древних оргий, дремучий зов, который рвет плоть на части во все века... Теперь, когда мне за семьдесят, все живые существа мне кажутся наполовину автоматическими, как те, что были на картинах Пикабиа, все живое стало искусством, каждая тварь — артефакт. Таково мое нынешнее восприятие. Тогда же я любил и поэзию, и женщин, и немцев, и французов, равно как сюрреалистов и социалистов, даже когда разносили театр Michel, это воспринималось как часть представления, как акт любви, как апогей чувственности. Сначала я решил, что все так и было задумано. Андре Бретон бегает по сцене и лупит актеров тростью. Что за ерунда? Ропот, гвалт. Да куда это годится? Начинается сутолока. Люди влезают на сцену, хватают Бретона, он увертывается, размахивает тростью, стучит по декорациям, по гипсовым головам, белые куски летят во все стороны, облако белой пыли, в которой мелькают руки, актеры наваливаются на него, вбегает полиция. Сколько-то времени я ощущаю себя невидимкой. Мне это снится, говорю я себе. Бретона выводят, еще нескольких арестовывают. Зрители успокаиваются. Вечер продолжается. Мы смотрим короткие фильмы, я играю Сати, начинается представление «Газоподвижного сердца». Вдруг я получаю толчок в шею. Что за черт! Не успеваю обернуться, как кто-то бьет меня в ухо. Не глядя отмахиваюсь, попадаю ладонью в какое-то мягкое пятно. Не сразу понимаю, что это лицо Поля Элюара, который вместе с другими скандалистами прочищал себе дорогу к сцене. «Вандал!» — я влепил ему смачную затрещину! Он набросился на меня, ударил кулаком в живот, я потерял равновесие, споткнулся о кого-то, покатился по полу, хохоча от восторга. Элюар тем временем влезал на сцену, чтобы устроить новую потасовку. Люди повскакивали. Вокруг творилось немыслимое. Настоящий вестерн. Рушились декорации. Актеры летели со сцены. Полицейские свистели, надувая щеки. Разгром театра запомнился гораздо лучше, чем сама пьеса. Вечер получился намного веселей, чем любые посиделки в «Хамелеоне». В улюлюканье, кулаках, плевках и матерщине, что сотрясали театр «Мишель» шестого июля 1923 года, было гораздо больше искусства, чем во всех рассуждениях и спорах о высоком, футуризме, дадаизме и сюрреализме; лучше катиться по полу и получать тумаки, чем сочинять манифесты или собирать чемодан, ехать в Америку или возвращаться в Россию, проклинать французов или евреев, читать «Новое средневековье», мечтать о царе Горохе и жареном петухе. После второй мировой те же симптомы, то же волнение. Взбудораженные души, горящие глаза, нервные руки, споры, ссоры, нетерпеливые жесты... Арсений Поликарпович разорвал свой французский паспорт. Это тоже было похоже на театральный номер. Он кричал, что никого слушать не будет, тут одно вранье, надо ехать в Россию, он идет получать советское гражданство. Достал паспорт из кармана заготовленным жестом — никакого в том сомнения! Собрав в складках у рта презрение, он красиво оттянул локоть (его предки так рубили сплеча), вынул паспорт, всем показал, несомненно любуясь собой, упиваясь моментом и полуприкрытыми глазами это упоение скрывая. Да, он сделал это нарочно, он играл на публику, все рассчитал: пришел с паспортом в кармане, сел в первом ряду и подгадывал, крутил головой, задрав бороду, ждал, когда Тредубов, устав бороться с толпой, сбился и замолчал, а народ, захлестнув оратора, зашумел, загудел, пустился в перебранки; выждав, когда волна ропота просела, старик поднялся, — со своим костылем он казался неожиданно высоким и даже величавым, — торжественно выпрямился, отставил костыль, сказал жене, чтоб подержала, она испуганно шептала: «Ты что задумал?.. ты что?..»; озорным взглядом старик окинул зал (*что-то будет*, мелькнуло у меня в голове), прочистил глотку и проревел: «А не надоело вам их брехню слушать? Мне так надоело!»; достал паспорт и, приговаривая матерно: «Так тебя, ёб твою! Хватит мне голову морочить!», — с каждым словом свирепея, он измельчил его, разбросал клочки, взмахивая клешнями над головой, — порывистый и размашистый, как большое старое дерево, которое раскачивает сильный ветер. И уханье вокруг него стояло! Уханье, похожее на хохот. Но то был не хохот, а вырывавшееся из глубины дыхание, его естество, накипевшая злоба. Он был не похож на себя. Любовь Гавриловна закричала так, словно у нее сейчас сердце разорвется: «Что ты делаешь? Остановись! Ой, стыд какой!» Ее голос утонул в воплях. Она хватала его за руки, он от нее отбивался. Со всех сторон подзадоривали: «Молодец, Поликарпыч!», «знай наших!», «едем домой!» Опьяненный собственным жестом, старик куражился и кричал жене: «Ты можешь оставаться, а я домой еду! Домой! Вот так! Срал я на вашу Францию!» Он улюлюкал и танцевал, шлепая себя по груди, его глаза блестели, пунцовый от бешенства, он не сознавал, что был на грани удара (до него это докатилось чуть позже). Любовь Гавриловна только охала, поднимала и роняла руки, выражая бессилие, возмущение и непонимание: мол, посмотрите-ка на него! и какая муха его укусила! Она мужа не узнавала, крестилась и громко дышала, хватая ртом воздух. Ей было нехорошо, я это понимал. За них обоих было страшно; но хуже было то, что своей выходкой Арсений Поликарпович высвободил пружину механизма, который заработал во многих домах: с водкой и матерком мужчины рвали французские и нансеновские паспорта, устраивали истерики, куражились над своими близкими.

Тредубов был унижен, взбешен.

— Черт подери, кто этот старик? — возмущался он, когда они вернулись ко мне на квартиру. — Что это за чумная обезьяна? Кто его подсадил перед сценой?

Я ему объяснял, что его никто не подсаживал...

— ...такая колоритная фигура, такой он на самом деле...

Тредубов не верил:

— Нет, его подослали! У негодяя было задание — все испортить!

Актера успокаивали, но все было тщетно, он решил, что это определенно был подсадной коммунист-провокатор. Вошел Николай и от имени всей семьи попросил прощения за своего отца.

— Для нас всех это позор, для всей семьи второй такой скандал за последние пять лет. — Николай бросил в мою сторону взгляд. — Никто не ожидал, что папан поведет себя так... так выругался... неприлично... — Он мял ладони, покусывал губу. — Не знаю, что на него нашло... никогда прежде не случалось... за редким исключением... ну, когда выпьет лишнего, разве что... а так, чтобы на людях, да еще паспорт... Лучше б и не видеть такого.

Тредубов был сражен этой речью; ошеломленный, он еле выдавил из себя:

— Так это... это был ваш отец?

— Да, мой отец. Прошу покорнейше простить, что так безобразно вышло... — и продолжал бубнить. Серж его взял под локоть и шептал что-то.

Тредубов совсем иначе смотрел на Николая: оказывается у его шофера есть отец, вот этот самый старик, который только что устроил скандал. Он вовсе не сумасшедший, нет, поймите, господин Тредубов, он — обычный человек, уставший от бесплодной эмигрантской жизни; достаточно намаявшись на чужбине, он хочет быть на своем месте; ему нужна родина, а не ее призрак — не занавески на окне, а сам вид за окном! Да-да, Николай, мы вас поняли... Но Николай продолжал бубнить: вот поэтому... вот поэтому папан собирается в СССР... Да, вот так он собирается на родину: порвал свой французский паспорт — завидная роскошь — разбросал клочки над головой, обругал всех, пустился в пляс, все испортил, вслед за его выходкой люди, как взбесившиеся, повскакивали, загалдели, унять их было невозможно.

— Ах, какой скандал, — стонал актер, — какое жалкое фиаско!

Ему становилось хуже. Держась за бок, он соскальзывал в бесконечно глубокое кресло. Николай невнятно оправдывал отца:

— ...папан таким прежде не был... это можно объяснить влиянием, весьма дурным влиянием одного человека... с довоенных времен его терпим, только деньги проедает... он нам всем уже надоел... кроме отца, который непонятно за какие заслуги высоко чтит и любит этого неприятного субъекта...

— Кто это? — заинтересовались все. — О ком вы говорите?

— Он приезжает из Англии, его имя Алексей Каблуков.

— Опять это имя, — сказал расстроенный Игумнов. — Что он такое, этот Каблуков?

— Язва, — отчетливо сказал Тредубов, — опять язва проснулась...

Все бросились хлопотать вокруг него, и я в том числе (Юрий страшно побелел, — возможно, не язва, а сердце).

— Отвезите меня домой.

— Вам бывало плохо с сердцем?

— Домой, прошу вас, домой!

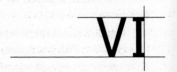

1

7.VII.1946

У Боголеповых чуть ли не каждый вечер обсуждают Сталинский Указ, жадно читают в «Русских новостях» речь посла и обращение митрополита Евлогия, который первым во Франции получил советский паспорт. На это мероприятие Арсений Поликарпович всю семью вывез к Йенскому дворцу; они рассказывают, что видели церемонию вручения, описывают подробно, хотя неизвестно, правду ли они говорят (Игумнов говорил, что митрополит уже не встает, и с видом на жительство все туманно); в тот день, пишут, на Йенской площади собралось две тысячи человек. Боголеповы вернулись разгоряченные, дверями хлопали и говорили очень громко, устроили праздник, ко мне стучали, я притворился, что меня не было. Арсений Поликарпович с того дня взбудоражен, ходит по людям и всех агитирует подавать на советское гражданство.

На днях приходил Севастьянов, старый мастер (чинит все: от ювелирных часов до игрушек), о нем я много хорошего наслышан: Моргенштерн рекомендовал его (подразумевалось, что я у Севастьянова должен был раза два в неделю обедать, но я постеснялся), Шершнев говорил, что Севастьянов многим помогал, для русских в Аньере его слово имело вес, но последние лет десять старик жил замкнуто, и его *забыли*. Он пришел образумить Боголепова.

«Арсений, если примешь советское подданство, потеряешь страхование по старости. О доме призрения забудь!»

«Плевать я хотел на ваши страховки и приюты!» — отрезал Боголепов.

Севастьянов посмотрел на него, повздыхал и ушел.

Вчера он опять приходил; было много гостей, шумели; Каблуков сидел тихо; Севастьянов слушал, а потом долго говорил, громко и вспыльчиво, с ходу сказал, что пришел не чай пить, а ругаться: «Мне не понравилось, Арсений, как ты мне ответил третьего дня!» — Боголепов сконфузился, сказал, чтоб тот говорил; Севастьянов сказал, что «пришел выразить свое возмущение». Все удивились: что за возмущение? Боголепов не позволил перебивать старика: «Пусть человек выскажется!»; и Севастьянов высказался: «Я пришел лично тебе, Арсений, в глаза сказать: ты не знаешь, на что людей подбиваешь. И мне важно тебе лично и твоим друзьям сказать, что я думаю по поводу всей этой аферы с гражданством. Я обман за три версты учую. Я в разведку не один год ходил, прошел три войны, и тут мне говорят: иди на бульвар Мальзерб... там тебе вернут Родину. Не понимаю, как в такие сказки можно верить! и как можно думать, что я туда пойду! Я помню Константинополь...»

«Я тоже! — громко крикнул Усокин. — Я тоже прошел три войны и Константинополь! Не вижу ничего странного в том, чтобы вернуться в Россию после такого длительного изгнания! Я отмучился. Я натерпелся. Я заслужил это Прощение!»

Арсений Поликарпович сильно ударил кулаком по столу: «Дайте человеку высказаться, наконец!»

Севастьянов помолчал, дождался тишины и заговорил: «Прощение? Не понимаю, о каком прощении ты говоришь. Неужели я, скажем, Мазепа-предатель какой-нибудь, чтобы прощать меня? За что? Я не Иуда и никогда не предавал страны моей, я не шел против русской земли, я за нее бился. Россия в руках врага. Враг нам прощение обещает... Скажите пожалуйста! И я в это поверю? Я жил в бараках Les Halles, работал в цехе Пежо. Я самое худшее прошел. Я научился обходиться без родины в изгнании. Детей не нажил, а были б дети, я бы им запретил думать о России. Живи там, где ты есть, и будь достойным человеком. Вот! Мне 75 лет. Я чиню да мастерю. Я себя за это уважаю и от других уважения требую. Я — конституционный демократ с 1906 года и остаюсь им по сей день. Был ротмистром. И официантом тоже был. Что делать? Из истории не вычеркнешь. Кем мы только не работали! И в прачечных вместе с князьями и генералами...»

Кто-то опять стал гудеть: «А мне в Париже как-то довелось посидеть на свадьбе за одним столом с графом, рядышком, локоток к локотку... Думал ли я в прежние времена, что буду в Париже сидеть с графьями за одним столом? Никогда!»

«Да замолчите вы или нет?!»

«Что я хочу сказать... — продолжал Севастьянов. — Пусть я влачу бесславное существование последние двадцать с лишком лет, мою жизнь я прожил со смыслом. Понимаете? Уже прожил ее со смыслом. Мне не нужны ордена и почести. Обелиск над могилой не нужен. Мне достаточно того, что я вижу людей, слушаю их, вижу жизнь. Она идет потихоньку. Мне этого достаточно. Я отдал долг Отчизне. Я пролил кровь. И свою, и врага. Я больше никому и ничего не должен. Я помню бои. Помню себя и друзей. Я знаю, кто теперь хозяин на Руси. Тот враг, чью кровь я проливал, и тот враг, который проливал мою кровь. Я умру с чистой совестью. Я не понимаю, о чем вы говорите. Арсений, о каком возвращении ты говоришь? Ты не в Россию возвращаешься, а едешь в чужую страну. В СССР. В страну врагов, которые похищали наших генералов, устраивали провокации. Наши мальчики и девочки попадались в их ловушки. Они погибли. Вы о них забыли? Неужели они напрасно погибли? Чем вы думаете? На что вы надеетесь? На какое-такое прощение? Боюсь, вы не понимаете, о чем говорите! Зачем мне возвращаться? Для меня это невозможно. Нет для меня возвращения. СССР — это другая страна, это уже не возвращение. Я фотокарточки посмотрю, старые вещи потрогаю — вот мое возвращение. Только так оно и возможно. Встали часы в гостиной. Починил. Пошли. Вот, пожалуйста, возвращение. Когда-то они тикали в России, я был молодой, думал, будущее есть, широкая дорога, все успею, ничего не успел, две войны, а тут и эта оккупация. Господа, наш поезд давно ушел. Той России уж нет и никогда не будет. Все, река времен ее унесла».

Как только он закончил, поднялся галдеж; у всех нашлось множество аргументов: в основном говорили о детях, «детей везем»; кто-то нагловато ляпнул, что Севастьянов, дескать, стар уже для возвращения, мол, век свой прожил... «Ну, ладно, я вас понял, господа», сказал Севастьянов и ушел. Я выбрался вместе с ним, предложил проводить, он согласился; я сказал, что мне Шершнев давал его адрес, но я так и не решился его потревожить. «Ну и напрасно, — сказал он, — так, теперь зайдете», и мы пошли к нему, пили чай, сыграли партию в шахматы; о том, что было у Боголеповых, не вспоминали.

Дома у него места мало; везде шкафчики, полочки, коробки с инструментами; рабочий стол, книги — безупречный порядок! Хозяйка, говорит, жалуется: «Превратил комнату в не-

весть что. Что делать с этим скарбом, когда помрете? Кто вывозить будет?» Севастьянов смеется: «Откуда ей известно, что
она меня переживет? Самоуверенность. Ну, старый я, ну и что?
Вон сколько стариков постарше меня — не сковырнешь, крепкие грибы».

И точно: настоящий гриб. 75 лет! В его дыхании чувствовались размеренность, надежность. Вот он — думал я — на
своем месте! Он не вцепляется в икону, не бегает в поисках работы, не ищет, где бы получше устроиться, а сам вокруг себя
место устраивает. Он как ядро силы тяготения; вещи ему по-
слушны. Вот что значит уметь проникать в сердца механизмов,
чувствовать вещи и читать характеры людей! Это не может
не восхищать. В каждом жесте проявляет себя опыт и самое
прошлое. Иной француз, глядя на Севастьянова, небось задумается: кем был этот старик в прежней России? И даже не
догадываясь, почувствует: каким бы ни был его ранг, был он
уважаемым человеком. Таким и остается, несмотря на всеобщее падение рангов.

27.VII.1946

Пришел к Моргенштерну, а там собрались: Игумнов, Пересад, Вересков, Тредубов, Лазарев и другие. Обсуждали Резолюцию 21 июня, сравнивали ее с принятыми в феврале[1], говорили о «веских возражениях»[2] и когда «возражения» можно
считать «вескими»; об обстоятельствах, при которых беженцы
и перемещенные лица перестают рассматриваться таковыми:
«квислинги» и прочие предатели, коллаборанты и дезертиры.

---

[1] Имеются в виду резолюции по вопросам о беженцах, принятые
Генеральной Ассамблеей ООН и Экономическим и Социальным Советом
ООН в феврале 1946 года.

[2] «Веские возражения, сделанные беженцами или перемещенными
лицами, против их возвращения в страну их гражданства».

«Тонкая грань, которую легко перейти», — заметил Игумнов. Пересад дрожащим голосом сказал: «Кого угодно можно объявить предателем», — и попытался усмехнуться, но вышло криво. Лазарев за каждым наблюдал, пил чай, дул на воду, сгоняя парок, а сам посматривал, зрачки его узких глаз цепко впивались в лица и одежду (даже ботинки осматривал), подсел к Пересаду, они говорили негромко. Дмитрий сидел несколько скрючившись, не совсем естественно. Лазарев рассказывал о своей деятельности, о Шульгине... Пересад кивал, кивал...

Альфред зажег свечи, закурил и по комнатам прохаживался, сквозь шторы выглядывал. Из своей комнаты, заспанный и немного встревоженный, вылез Егор, Игумнов подвел к Т.: «Вот человек, с которым вы, Юрий, мечтали познакомиться. Тот самый Егор Глебов. Теперь все истории подтверждаются, все связывается. Я боялся доверять слухам, но теперь понимаю: все правда. Вот, господин Тредубов, перед вами человек, который близко знал вашего Поремского, но в Мехенгофе не остался, бежал. Он никому не верит, даже нам. Так ведь? Не верите?»

«Ну а как же, — сказал Е. — воробей-то я стреляный».

«Un chat échaudé[1]», — сказал Т.

«Я был в таких лагерях, за которые меня запросто к стенке поставят. Так что, не подпадаю я под вашу амнистию. — (Наверное, Е. хотел сказать — резолюцию.) — Там-то с Владимиром Димитриевичем и познакомились...»

«Я вас не выдам, Егор, не бойтесь, — сказал Альфред бойко. — Живите у меня хоть всю жизнь! Вон, Шиманские живут и будут жить. Я их в Польшу не позволю вернуть. И вы оставайтесь!»

---

[1] *Ошпаренная кошка* — от французской пословицы: *chat échaudé craint l'eau froide* — ошпаренная кошка и холодной воды боится.

«Правильно делаете, господин Глебов, что боитесь, — говорил И. — Надо бояться, в такие дни не стыдно. И верно Альфред сказал: мы вас не дадим в обиду. Англичане уже перестали выдавать казаков и власовцев. Одумались».

Глаза Игумнова мрачно торжествовали; и снова он уговаривал Егора выступить: «...нужно говорить с людьми... рассказывать о том, что такое простой человек в СССР... Один раз выступите и потом уедете...»

1.VIII.1946

Идут горячие дни; не только погода, но и в людях жар. Люди разогреты напряженным размышлением: что делать? ехать или не ехать? Указ этот чертов всех русских будто подталкивает; стоят они, толпятся возле зева вулкана и, глядя в пекло, решают, спорят: прыгать? спускаться? нырять? Споры повсюду. Где крик и перебранку слышишь, безошибочно знаешь — там русские. Самые частые разговоры о деньгах: «Где и как вы живете? Сколько зарабатываете?» Никак не привыкну. Некоторые — вот как я — живут на две тысячи франков в месяц, а у кого-то и тысячи не выходит, слышишь ахи-охи: «Как выживаете? Как ухитряетесь еще Богу душу не отдать? На тысячу франков!», а их спрашивают: «А велика разница! Подумаешь у меня одна тысяча, а у вас две? Что одна, что две — никакой разницы!», и те думают: «А ведь верно, невелика разница, — и спрашивают: — А не думали подать на советский паспорт? Не махнуть ли нам на родину? Правда, что мне эти две тысячи?» Две Тысячи с завистью говорят о тех, кто получает три: «Три тысячи — это совсем другое дело!» Нет, это верно, между двумя и тремя тысячами пролегает настоящая бездна, если ты получаешь две тысячи, то ничего себе позволить не можешь, даже подумать ни о чем не можешь, строгая экономия, ибо если экономить не будешь, то враз все потеряешь: если держаться, то держаться тридцать дней в месяц; иначе сразу голод или в долги залезешь, либо ищешь того, кто бы угощал; а с тремя тысячами ты уже можешь и в кабак заглянуть, и в театр, и в кино пойти, и даже на такси прокатиться разок, да, три тысячи считается уже хорошо, им завидуют, их не любят, на них смотрят снизу вверх: «Вон, — шепчут, глядя вслед господину в шляпе и лакированных туфлях, — пошли Три Тыщи». Три Тыщи идет и никого не замечает, но как только заметит тех, кто получает пять-шесть тысяч, тут же бледнеет от зависти, съеживается, даже ботинки его перестают блестеть и одежда покрывается складками, Три Тыщи мрачнеет и думает: «Как бы мне так извернуться, чтобы у меня тоже пять или хотя бы четыре тысячи получалось? Потому что четыре тысячи — это уже не три, это уже вселенная возможностей, а пять... пять — это всё!» Но даже те, кто зарабатывает пять, до конца не счастливы, им пяти мало, даже они подают на советский паспорт, редко, но случается, и такие уезжают, потому что — «не в деньгах счастье... уважение и призвание за деньги не купишь... во Франции, чтобы выбиться в люди, надо быть французом и в Париже родиться в знатной семье» и т. д. Ну а те, у кого больше шести, ни на кого не смотрят, а все об Америке думают, говорят: «В Париже умирает русская эмиграция. Надо ехать в Нью-Йорк».

7.VIII.1946

В этой духоте ничего делать не хочется; меня мучают кошмары и вредные мысли — злюсь на весь мир, все мне кажется искажением правды; в первую очередь мое существование в башне — притворное: не живу, а изображаю жизнь, но у меня плохо получается. Все вокруг тоже изображают. Газета, которую выпускает Игмнов (да и другие газеты), не настоящая; полиция и их помощники — ряженые в закон разбойники; советский посол — клоун (очень любит красивую дорогую одежду, но выглядит нелепо, как переодетый в министра мясник); солдаты, поэты, женщины — все кривляки.

Эти дни я ходил с мольбой на сердце, жадно вглядывался в звездное небо по ночам, в церкви Св. Женевьевы на коленях вопрошал: скажи, Господи, когда начнется Жизнь? Скажи, когда кончится война и прекратится притворство? Чтобы воевать и убивать, нужно стать кем-то другим, чтобы видеть смерть, тоже нужно чуточку искривиться, прищуриться в душе. Война кончилась, второй год уж как, а они все такие же, с прищуром, с кривизной. Теперь понимаю: никогда это не кончится. Потому что: всегда было и есть и будет только одно — притворство. Нет никакой подлинной жизни. И до войны так же было, только я не видел. Я был слепыш-ребенок, идеалист, романтик. Война мне вырезала глазницы на сердце. Вижу: вокруг одно уродство и фальшь, низменное, плотское. Когда еду в набитом метро или в ужасных развалинах-автобусах, дурея от тошнотворного газа, на котором они работают, вижу толпу такой, какой ее изображали Босх, Брейгель, Энсор. Вот так отогнешь дощечку, просунешь руку за холстину, а там — пакля! самый дорогой человек паклей набит, трухой и опилками, словно чучело! Какая низость! Подлость! Ничтожество! Эта башня раздавила меня, она отняла у меня все! Она отняла у меня самое главное — веру в человека, на котором стоял мой мир. В годы войны я научился любить и ненавидеть людей всем существом, а разучиться теперь нельзя. В Борегаре я вглядывался в лица и видел: они все так же в плену.

14.VIII.1946

Зосим Фадеевич Теляткин, нищий от природы, как сказал про таких Достоевский, ко всем в услужении, вечный раб: не был бы и в России богат. Он ко мне часто заходит на чай, мы поссорились, когда он попытался ко мне с самогонкой зайти, душу развернуть, я прикрикнул на него, попросил в покое меня оставить, с того случая довольно времени прошло, сгладилось и забылось, наверное. Сегодня он на чай зашел, с чемоданом раскладным, усталый после шатания на вокзалах — он торгует всякой всячиной: часами, фляжками, ножичками, тряпьем, пуговицами и проч. На людях он — одно, с Боголеповыми — совсем что-то особенное, а с глазу на глаз — третье. Жаловался горемычный: «Ой-оюшки, как спина ноеть!» От усталости его поросячьи, узко посаженные глазки стали еще меньше. С ним я говорю почти чисто, без заикания, но от бессонницы и духоты я был мрачен, говорил все больше он, переливал из пустого в порожнее, чай пьем, и Теляткин журчит, я сказал, что вещи-то небось уже собрали в поездку, ответ его меня удивил: «Только никому не говорите». — «Хорошо», — говорю, а сам думаю: ого, что-то будет... «Обещайте!» Я пообещал. «Я не хочу, чтоб кто-нибудь узнал. Пусть сюрприз им всем будет». — «Какой сюрприз?» — «Жена ехать собирается. Я с ней тоже. Все как будто уговорено, что я еду. Вещи собрали. Но когда до самого отъезда дойдет, я сбегу». — Я ушам не поверил: «Куда?» — «Все равно куда. Убегу. Скроюсь. Не поеду с ними». Я растерялся: «Отчего так? Что делать станете?» Сидит довольный, улыбается, глазки от смеха блестят, слезятся. «Хи-хи-хи! Пусть едут. Ха! Мне вольней только. Буду тут один жить — припеваючи! Хи-хи-хи! Пусть едут на свою родину! Дышать одному легче. Меня тут все устраивает. Не было б их, я б... — Теляткин рукой махнул. — Ох, развернулся бы душою! Ведь это они, — он большим пальцем в сторону усадьбы показал, мол, они — Боголеповы, — нашли мне жену, свою родственницу непутевую, пьяницу, деспотицу. Тюремщицей моей ее сделали. Ох, я с нею горя натерпелся. Я б и не пил, коли не она. Все она! Споила! Себе уподобила. Я — человек мягкий. Так что ж, помыкать мною можно? Всю жизнь в служках у энтих. Чуть что, Теляткина им подавай. За меня лучше знают. Вот уедут, я вмиг свободным человеком сделаюсь. Жить начну наконец-то! Да и фургонет их приберу. Хорошая машина. Жаль такую оставлять! Там такого добра точно не будет». Фургонет ему жаль — это я понимаю. Хотел бы я знать, что такое в понимании Теляткина «жить». Кружку на стол громко поставил и ушел. Перед тем напомнил, чтобы я никому не проболтался. Я дал слово. «Вот сюрприз я им приготовил», — усмехнулся.

* * *

Александр захаживал к Севастьянову; ему нравилось с ним прогуливаться в парке, внутри которого стояло здание пансионата, в парке был пруд, вокруг него вилась тропинка со скамейками; в пансионате тоже было уютно и тихо, в вестибюле за ломберным столом сидела хозяйка дома и всегда улыбалась (первый раз, увидев его, она сварливо спросила, к кому он пришел, а после — только улыбка с хитро прищуренными глазками). У Севастьянова было хорошо и тихо; они сами иногда садились в вестибюле на маленькие, красной парчой обтянутые стулья и курили; из комнат появлялись русские пансионеры — самые разные: тихие, скромные, пугливые, важные. «Как в доходном доме Петербурга, — сказал Севастьянов. — В доме двенадцать квартир, в некоторых проживает две семьи вместе». — «Такая система мне знакома, — говорил Александр, — мы так в Брюсселе проживали». Он смотрел на жильцов, с жадностью воображая русскую жизнь; все они вежливо здоровались, улыбались, знакомились с Александром, к ним частенько с сигаретой присоединялся Василий Туманов, известный певец, сочинитель романсов, лет пятидесяти, человек с манерами.

— Так вы в Скворечне, говорите, живете? — удивлялся Туманов, вскидывая брови. — Ну и как? Ничего? Ну и ну... Я бы не смог... И как это так люди живут?

— Как живут, как живут, — закудахтал Севастьянов, — будто сами не помните, как жили в Константинополе...

— Ах, и не напоминайте!..

— Избаловались, *monsieur Toumanoff*.

— И не говорите, *monsieur Sebastianoff*. — Оба посмеялись негромко, Туманов продолжал: — А говорят, Арсений в Россию собирается, «Капитал» почитывает, неужто правда? — Крушевский кивнул, Севастьянов тоже, и Туманов издевательски хихикнул, неожиданно проказливым голоском. — Ну и ну! Вот так Арсений! Эк люди меняются!

— Нет, он всегда таким был, — вздохнул Севастьянов, — как флюгер: куда ветер, туда и он. Я знаю Боголеповых со времен Латвии. Любовь Гавриловна — божья женщина, она стерпит все, и мужа стерпит... — Он махнул рукой. — На издевательства всякие Арсений горазд, горький человек!

— Верующий был, говорят.

— В лимитизм он верил, лимитизм для него всем был в жизни. «Единственная философия, что и душе, и уму, и сердцу моим угождает». Вот так говорил, с жаром, не притворялся.

— И вы ему верили?

— Верил и до сих пор верю: не врал мне Арсений. Воодушевлял его Каллистрат Жаков. Правда, казалось мне, увлечение его не вполне под стать времени и обстоятельствам. Чтобы ездить слушать лекции, он работал на износ, и жена его тоже...

В те дни Арсений был еще молод, ему не было сорока, он попал в ближний круг тех, кто до глубокой ночи внимал Каллистрату Фалалеевичу на рижской квартире, после чего Арений шел дожидаться поезда на Двинск, поезда часто не приходили или стояли, и тогда Боголепов спал в привокзальной ночлежке. О тех ночах Арсений Поликарпович рассказывал Севастьянову с особой поэтической силой. Он так воодушевлялся ораторской мощью философа, что не мог спать, все в нем двигалось и полыхало; он слушал, как во сне ерзают и чешутся бедняки, думал о них, о себе, о своей семье, вспоминал мать, отца, брата, который жил нелепо и убил себя ни за что, Арсений перебирал в воспаленном уме слова философа, представлял неделимое зерно, из которого брали начало не только судьбы живых существ, но и сама бескрайняя вселенная; в те мрачные, кашлем, шарканьем и шумным мочеиспусканием в ведро перебиваемые ночи он чувствовал, как бесконечность колосьями прорастает сквозь него и других, рядом спавших бедняков; ему казалось, будто потолок и стены ночлежки светятся, точно камень изветшал до тонкости папиросной бумаги, и от бездны Арсения отделяет легчайшая китайская ширма. В такой ночлежке ему окончательно удалось переложить христианскую молитву на ноты одного из самых странных философских учений.

Туманов засмеялся.

— Что не привидится в религиозном экстазе!..

— Ну, кто знает, может, это у него было от угару, — сказал Севастьянов. — Знавал я те ночлежки, знаменитые рассадники всякой живности! Доводилось ночевать... Ох и чесался!.. Там, бывало, угорали на смерть, а то и пожары случались... Один дом загорится, за ним другой... третий... не успевали тушить... — Помолчали, покурили, и Севастьянов промолвил с грустью: — Вот и от лимитизма открестился наш Арсений...

* * *

Видимо, рукопись Палестинца и «тетрадки», что возил Игумнов в Кламар, Бердяева не сильно впечатлили: философ сдал свой французский паспорт и взял советское гражданство.

— А чему ты удивляешься, Анатоль? — усмехался Вересков. — Какие у тебя были на его счет иллюзии? Я никаких противоречий не нахожу. Au contraire, этот поступок соответствует его рассуждениям о формальной демократии и прочем. Жаль, что формальная демократия не выперла его из Франции в Большевикию раньше. Ничего, теперь поедет. Возможно, сам того не сознавая, все эти кламарские годы он дрейфовал в направлении Кремля.

— Не понимаю, — стонал Игумнов, для него поступок Бердяева стал ударом, — не понимаю...

— Чего же тут непонятного? Дорогой мой, Анатоль, все просто. Бердяев — близорукий и довольно пожилой человек.

— Он всего-то на пять лет меня старше...

— В наши дни это много. К тому же русские философы... Прости меня, ты со мной не согласишься, но я должен это сказать: русские философы, к сожалению, почти всегда были оторваны от действительности. Русская философия, увы, не лекарство от болезни, коей страдает русская действительность, а — яд. — Довольный собою, Грегуар выпучил глаза и посмотрел на каждого. — Понимаете? Яд! Да, и еще вопрос: возможна ли русская философия без российской действительности? Вот над чем стоит подумать, а не над решением Бердяева. Выкиньте его из головы! Я, например, с нетерпением жду, когда наш кламарский мыслитель переедет в СэСэСэРию.

— Нет, ни в коем случае нельзя допустить, чтобы Бердяев переехал в СССР. И потом, я с тобой не соглашусь, будто Бердяев дрейфовал в направлении Кремля. Нет, это далеко не так. Вокруг него вились людишки, которые подталкивали его в этом направлении. Он — фигура русской эмиграции и немалая. Склонив такую фигуру на свою сторону, пропагандистская машина получает огромное преимущество.

— У них уже есть один туз — Евлогий.

— Был, — поправил Игумнов мрачно, — загнали в гроб своими бумажками, до последнего Ступницкий бегал, носил на подпись. Вот, а ты говоришь: выкинуть из головы. Нет, не получается, нельзя! — Он в сердцах бросил карандаш в мусорное ведро и воскликнул: — Эх! Упустили мы Бердяева. Опередили нас. Это наша промашка. Александр? — Игумнов посмотрел на Крушевского. — Вы говорили, будто этот ваш Каблуков хвалился своим знакомством с Бердяевым?

— Да, и... переписывались...

— Вот видишь, Грег, они переписывались! Такие каблуковы втираются, а потом отравляют ум, капают, капают...

— Да подумаешь, какой-то Каблуков... Кто вообще он такой? Второй раз слышу.

— В том-то и дело. Мы им занимаемся. Поедем с Шершневым в Кламар. Надо только номер довести...

Со свежим номером «Русского парижанина» (на первой полосе большая статья о варварском преследовании литературных журналов и авторов в СССР[1]) Игумнов и Шершнев отправились к Бердяеву. Вернулись довольные произведенным на философа впечатлением; собрались в редакции: Крушевский, Вересков, Лазарев и прочие. Редактор долго бушевал, был он очень доволен своей ролью и тем, что застал Бердяева в негодовании (философ узнал о травле писателей до приезда Игумнова и Шершнева).

— Отрезвление! Вот что я видел в лице Бердяева! Излечивающее от иллюзий отрезвление! Бердяев разозлен. Он в ярости. Пишет немедленный ответ на эти гонения. Он вступается за Зощенко и Ахматову, за всех, кто попал под соху Жданова.

Вересков потирал руки, а когда Игумнов умолк, он спросил:

---

[1] Речь идет о постановлении, принятом в Оргбюро ЦК ВКП(б) от 14 августа 1946 года «О журналах „Звезда“ и „Ленинград“».

— А что, Анатоль, признайся, было приятно его таким увидеть? Бердяева...

— Не это главное, Грегуар. Мы расспросили о Каблукове.

— И что? Что он сказал? — оживился Лазарев.

— Переписывались они еще до войны.

— Да, — подтвердил Шершнев, — письма показывал...

— Кое-что проясняется, — забормотал Грегуар.

— А как вам показалось, — спросил Лазарев у Шершнева, — он письма наготове держал? Достал на всякий случай?
Или он их достал, чтобы перечитать?..

— Возможно, они были под рукой, потому что он перечитывал их, — предположил Игумнов, — или свои ответы читал... Он же, как все мудрые люди, делает копии своих ответов...

— Честно говоря, — сказал Шершнев, — у меня возникло
впечатление, что Бердяев взволновался, когда прозвучало имя
Каблукова.

Лазарев не унимался:

— А пачка была перетянута тесьмой? Или письма были
уже распакованы?

Ни Серж, ни Игумнов не смогли ответить на этот вопрос.

— Письма были длинные?

— Длинные, но мы их не читали, естественно, — сказал
Игумнов.

— Письма Каблукова были длинные, ровный крупный
почерк. Настойчивый человек, маниакальный, — сказал
Серж. — Я успел разглядеть кое-что. Каблуков писал от имени
какого-то общества или ассоциации...

— «Наш путь», — сказал неожиданно Крушевский, все
посмотрели на него. — Я отыскал ее. К-к-к-к... Каблуков был
к-к-к... корреспондент газеты «Наш путь». Я их нашел... много...
в Скворечне...

— Что?

— «Наш путь»?

— Не может того быть...

Крушевский пообещал принести несколько экземпляров.

— ВФП[1], значит. Во как! — Лазарев встал и пошел ходить. — Интересно, интересно. Как вдруг все развернулось в противоположную сторону! Не находите?

— Да, многие развернулись похожим образом, — сказал Игумнов. — Не стоит отвлекаться, господа! С Бердяевым все ясно. Надо двигаться дальше...

2

— Мсье *Альфред!*

Мсье *Альфред* — с ударением на первый слог. Когда меня так зовет Рута, мне кажется, будто буква А превращается в Эйфелеву башню и над моей головой образуется радуга (что-то есть в этом польском акценте), но я не люблю, когда так зовут меня другие...

— Мсье *Альфред!..*

Не оглядываясь, я знаю, что за мной бежит советский репортер из посольства, — он, наверное, тоже на собрание, которое устраивает Игумнов, будь оно проклято. Неужели придется ползти вдвоем...

— Вы меня?

— Да.

— В чем дело, мой друг?

— Мне нужна ваша помощь.

— Моя? А что я могу?

— Мне нельзя возвращаться в посольство. Они прислали за мной человека. Якобы с моими документами. Я сбежал. По-

---

[1] ВФП — Всероссийская фашистская партия.

нимаете? Это все. Точка. С концами. Остаюсь. Не еду. Понимаете? Мне нужно куда-то, хотя бы сегодня...

— Вы серьезно?

— Совершенно серьезно. Я давно решил, но не думал, что это случится сегодня. Думал, пойду схожу на собрание, приготовил блокнот, запасся карандашами, думаю, посижу, попишу, а тут мне говорят, что приехал из СССР человек, полковник, с моими документами... Слушайте, я его видел. Это палач. Он приехал меня отконвоировать. Такие приезжают только из одного места: из НКВД. И он меня повезет на Лубянку. Больше никуда. Моя песенка спета, мсье Альфред. Я сбежал прямо из-под носа. Сказал, я соберу вещи, и выскочил за машиной на проходной, вот так. Тютелька в тютельку.

— Стойте, вам нельзя на собрание. Там наверняка будут из посольства.

— О чем и речь. Я о том же. Мне куда-то надо идти. А некуда! Не успел подготовить себе берлогу. Эх, знал бы, так соломки постелил...

— Ну, это решаемо. Мой адрес помните?

— Да, я был у вас. Rue de la Pompe! Но это опасно... Шестнадцатый аррондисман...

— На первое время сойдет. Так, я вам сейчас напишу. Дойдете до Триумфальной арки, а там спросите. Вы же чуть-чуть говорите? Ну, вот вам записка Руте, то есть пани Шиманской, так и зовите ее, понятно?

— Так точно. Я и по-польски могу.

— Не пытайтесь с ней заигрывать, она замужем.

— Как можно.

— Сегодня переночуете у меня, завтра начнем думать. Я задержусь скорей всего до ночи. Говорят, Тредубов дает небольшой фуршет у себя после встречи, пани вас покормит.

— Обойдусь. Спасибо вам, мсье Альфред!

— Спасибо скажете, когда все уладится. Bon, à tout à l'heure.

— À tout à l'heure!

Собрание организовали в школе; первоначально «патриоты» зазывали — чуть ли не водочкой с хлебами — к себе на гие Galliera, но Игумнов отказался, сделал так, чтоб директор школы сам пригласил их на концерт, который устроили школьники: небольшая театральная постановка, пение и танцы, чтение стихов и т. п. Все это было предлогом.

Среди «советских патриотов» выделялась ударная троица: Марков, Ступницкий и Могилев. Посольские работники походили на неплотно прикрытые шкафчики, из которых они выстреливали фотографическими взглядами; их жены поражали воображение своими пышными безвкусными нарядами и прическами. Первые ряды заняли французские коммунисты, журналисты из ведущих газет, культурные деятели из франко-русского общества, обязательно явились переводчики, а с ними вместе, как на прицепе, приползли и писатели. Перед концертом директор школы произнес трогательно-наивную речь о сохранении русской культуры в эмиграции, — посольские работники умилялись, глядя на детей. (Я бы ни за что не пришел, но Серж обещал soirée в резиденции Тредубовых после всего.) Для меня стало сюрпризом появление очаровательной Жанны Чарской, которую я помню маленькой девочкой. Чарские жили недалеко от нас, на Клебер. Жанна была в трауре по родителям (проклятый Аушвиц). Ее отец, как и мой, в прошлом московский адвокат, открыл в Париже юридическое бюро, столько лет все было хорошо... когда я замечал его в городе (или проходил мимо здания, в котором он работал), я думал: так и мой папа мог бы... Жанна, конечно, сильно изменилась: суровость, хищный блеск в глазах, изумительно вычерченный строгий рот. На всех посматривала с брезгливостью; насмешка пробивалась сквозь холод бледной кожи (так вода ломает лед по весне). Ее почти не интересовало происходящее, она наперед знала, о чем пойдет разговор, она скучала. В Резистансе она писала в те же подпольные газеты, что и Сартр; говорят, была бесшабашной, расклеивала листовки прямо на окнах кантин, в которых питались жандармы. Они с мужем много переезжали, ютились в подвалах и на чердаках. Ее друзья взрывали полицейские участки, переодевшись в немецкие офицерские мундиры, освобождали своих комрадов. Теперь она писала для «Юманите», встречалась с Торесом, Дюкло, Тольятти, Вышинским и многими другими историческими личностями[1]. Она скучала — здесь не было исторических личностей! На таких, как я, она смотрела с плохо скрываемой неприязнью; Игумнов, Серж, Вересков и другие — все для нее призраки. Я задержался с сигаретой после концерта, родители уводили детей, я не торопился обратно, прошелся туда-сюда по Менильмонтану, а когда вернулся, Тредубов уже выступал, и сразу было ясно, что он провалился, потерял над собой обладание, его затянули в бессмысленный спор, как в болото, и он в нем барахтался...

Журналисты записывали; представители советской стороны делано зевали (стреляя взглядами из своих шкафчиков); члены различных дружественных Советскому Союзу обществ улыбались; Жанна казалась непроницаемой, только уголок рта вздернут и блеск в глазах, она ни разу ничего не записала, не дождавшись окончания дебатов, они с Надей вышли. Я тоже вышел, наблюдал за тем, как они прогуливались по дорожкам сквера. Они смеялись и смотрели друг на друга изучающе. Две повзрослевшие девушки, две дамы. Прощаясь, подержались за руки. К Тредубовым мы поехали в фургоне Николая. Серж

---

[1] После подавления Венгерского восстания Чарские сразу вышли из ФКП и с тех пор критиковали Советский Союз.

сидел впереди. Мы с Надей сели сзади, новая пассия Шершнева (сонная, полная, сильно надушенная дама) подсела ко мне с другой стороны, и я подумал, что Сержу стоило уступить свое место ей; я собирался вылезти, отправиться на метро или такси, но завелся мотор, мы тронулись, и Наденька громко возмутилась:

— А вы знали, что Жанна Чарская — коммунистка! Это неслыханно!

— Да, — сказал я, — сейчас многие вступают. Ну и что?

— Нет, но как это возможно? Jeanne!.. une communiste!..

Наверняка Надя разозлилась на нее за то, что та видела, как ее немолодой муж уступает в дебатах «советским патриотам».

— Она была в Сопротивлении, — сказал я.

— Одно дело борьба за освобождение Франции, но зачем восхищаться Сталиным?

— Надежда, — повернулся с переднего сиденья Серж, — все гораздо сложнее, чем вы себе представляете. Ее свекор с давних времен член Общества франко-советской дружбы[1]. Выучил русский, переводил каких-то поэтов, чуть ли не Маяковского... Сын тоже увлекся...

— Обстоятельства, Наденька, — примирительно сказал я, — обстоятельства...

— Не пытайтесь ее оправдывать!

— Я всего-то пытаюсь объяснить, как происходит путаница на свете, — кряхтел Серж, — я никого не оправдываю, Надюша, и не особо осуждаю, так как пожил достаточно, чтобы понимать такие вещи. Я видел людей, которые восхищались

---

[1] Общество возникло в 1924 году, одним из его активных членов был Э. Эррио — видный политический деятель, премьер-министр и министр иностранных дел Франции 1924, 1926 и 1932 годов, один из создателей Народного фронта.

Муссолини и вступали в фашистскую партию, чтобы бороться с большевиками. Жанна и ее друзья в основном поэты, артисты, музыканты, все они — Сартр-Мальро и так далее — романтики. Да, да, романтики! Они не понимают, кто такой Сталин. Они его называют Галилеем наших дней. Подумать только — Галилей! Но я знаю некоторых, кто одумался... Видите ли, это такая путаница... Ты доверяешь человеку, очаровываешься его взглядами, влюбляешься, разделяешь его судьбу, вот и все...

— Не такие уж они и молодые, — не соглашалась Надя.

— Молодые, молодые, — говорил Серж, — для меня все, кто родился в двадцатом веке, молодые... Ее мужу вот только тридцать стукнуло! Для меня он мальчик.

Touché. Я видел, как изменилось лицо Наденьки. Серж сказал, не подумав, — увлекся, противопоставляя себя Сартру и Мальро, — он и не думал ее обидеть; для него они и правда молодые, а такие, как муж Чарской, почти дети! Тридцать лет, что такое тридцать лет? Он забыл, что Тредубову за сорок. Наденька на эти вещи смотрела иначе. В ее глазах, несомненно, молодой муж выигрывал. Она больше не спорила. Ехали молча.

Наверное, Юрий тоже мучается, уже возникают сомнения и подозрения; может быть, даже чувство вины — за то, что он будто бы воспользовался ситуацией, чтобы овладеть Надей.

Я подумал о Лидочке Боголеповой; вспомнил те гадкие прозвища, которые она давала мне: *испорченный старик, старый развратник...* Был бы я хоть на пять лет моложе... Наверняка Тамара, все она... Сначала втянула Лидочку в движение Младороссов (Тамара вела какие-то образовательные курсы в женской ячейке), они вместе восхищались Казем-Беком, пели гимны, выкликали речовки, Лидочке нравилось ходить строем, скакать на лошадях, стрелять на полигоне (думаю, ее больше манили мальчики, палатки, посиделки у костра), к середине тридцатых годов ей все это надоело, Тамара постарела, пополнела и, став сильно похожей на Клару Цеткин, увлеклась «Друзьями СССР»[1]; тогда мне удалось на миг образумить Лидию, я увлек ее, Лидия забыла свою усатую матрону, перестала посещать собрания и читать советские газеты, но тут вдруг Тамара вернулась — и не одна: вместе с почетным редактором журнала «Россия сегодня» (Курмалин-Могилев — это триумф Тамары, достижение ее жизни). Нацисты входят в Париж, Тамара и ее муж-коммунист печатают советские листовки! По сравнению с этими героями я был просто жалким трутнем, которого надо было немедленно растоптать, что Арсений Поликарпович в порыве ярости чуть было и не сделал. Черт их возьми, они превратили орнитологическую башню в склад, где прятали этот идиотский журнал (в кучах всякого православно-либерального мусора), за что нацисты могли их всех запросто отправить в печь!

Мы встали на площади Гюго.

— А это неподалеку от тебя, Альф, — заметил Серж, открывая дверцу со стороны своей подруги.

— Так мы соседи? — улыбнулась Надя. — Заходите почаще!

— С удовольствием.

Особняк впечатлил. Беру бокал и отправляюсь гулять по апартаментам. Широкая лестница ведет на второй этаж. Там спальни, уборная, ванная, в которой можно вдвоем плескаться. Я пожалел, что не пригласили la jeunne stalinienne: все женщины любят роскошь, — посмотрел бы я на Жанну... Пять комнат в шестнадцатом аррондисмане, у ребенка нянька, ма-

---

[1] Просоветская французская организация, лидером которой был Анри Барбюс, возникла в 1928 году.

шина, обеды в ресторанах... Я знал... вернее, слухи донесли, что они жили в шикарном месте, но я не мог себе представить, что у них *настолько* великолепно идут дела! Все это просто так с неба не свалится. Кто-то их финансирует. Вот только кто и за что? Не за его пьесы, конечно. Даже если по ним собираются фильмы снимать. Ну и что! Гонорары? Не рассказывайте мне байки о Холливуде. Это все фантазии обывателей... Даже если Тредубова ставят на Бродвее... В Лондоне, Париже... У него появился меценат? Поклонник его таланта? Большие вазы, люстры. Наследство? Папа оставил миллион? Где ж он его прятал? Нет, даже для наследства это чересчур! Серванты из красного дерева. В кабинете Тредубова массивный стол и бюро, правда, не такие старые и интересные, как у меня, и все же... я-то знаю, откуда моя мебель... Сколько он платит ренту, хотел бы я знать... Подъехали Игумнов и Лазарев; Юрий повел их в кабинет, махнул и мне, с папиросой в руке я сделал движение в сторону балкона; двери за ними закрылись. Ко мне подошла Наденька — я передумал курить, похвалил их квартиру, она немного смутилась и сказала, что впервые оказалась посреди такой роскоши, ей неловко перед другими.

— Мама пришла в ужас... Папа ничего не сказал, но я поняла... Да и братья тоже, в общем, все теперь избегают нас!

Я вспомнил ее родителей: очень бедные люди, папа — инвалид, мать поднимала большую семью одна, все время шила и стирала. Могу себе представить, как они вошли в этот дом и подумали: *что скажут другие...* Надя снова заговорила о Чарской. Есть люди, кому падение своих кумиров доставляет огромное удовольствие; Надя топтала образ Жанны, рвала на части свои юношеские воспоминания. Раньше она мечтала Жанне рассказать об Америке. Когда находила что-нибудь интересное или отвратительное в Нью-Йорке, она думала:

при встрече расскажу Jeanne... и про роман Айн Рэнд "The Fountainhead"![1]...

— Вы читали?

— Нет, к сожалению...

— Она, наверное, тоже. И не станет слушать. Ее герой теперь — Сталин! Подумать страшно... А мой герой — Говард Рурк!

Тредубов, кажется, не пытался ее образовывать, и это было, несомненно, грубой ошибкой: одевалась она немногим лучше жен посольских работников, которые прохаживались по их квартире, посматривая на все с осуждающей завистью. Было много дверей. Люди прибывали. Казалось, они выходили из портретов и настенных зеркал — и туда же возвращались; многие выглядели растерянными, шагали, слегка покачиваясь — под руку с обмороком, волоча за собой войну, никак не желая с ней расстаться; я ловил на себе взгляды: а, и *этот* здесь; а *он* что тут делает? Скорчила физиономию и отвернулась Тамара Угарова, ее муж все-таки кивнул мне, а может, он не мне кивнул, а Наденьке; за ними плелся Ступницкий, наклонив голову, он прислушивался к шепотку Маркова. Раздавался смех Верескова, но сам не спешил показаться. Надя еще раз сказала, что в Америке они жили бедно, во время войны ей пришлось поработать: с клепальным молотком и дрелью она позировала для агитационных плакатов; и вдруг заметила нянечку ребенка. — Ой, пора укладывать малыша, простите.

Я взял еще бокал, прошелся, не сразу признал Крушевского, на нем был новый летний свободный костюм песочного цвета (спрятанный в рубашку галстук выдавал в нем нерусского военного). Он был не в своей тарелке, пожаловался на свет: слишком яркий, — показал на люстру; мы перешли в малень-

---

[1] Роман «Источник».

кую комнату, поближе к балкону, там был приятный сквозняк, мягко горели торшеры, на столике стояли бокалы и две бутылки вина. Мы расположились в креслах, выпили, Саша, почти не заикаясь, рассказывал о Боголеповых...

— На днях слышал, как Арсений Поликарпович громко заявлял: «Едем Царство Божие строить!». — Александр покачал головой. — Эх, спятил старик, все время твердит, что многое, о чем писал и говорил некий Ширинский-Шихматов, уже воплощено в Советском Союзе. «Затем и едем в СССР — чтоб привести слова Шихматова в дело до конца!» Вы понимаете?

— Не представляю, Александр... — Сверкнули очки Игумнова. — ...и не стараюсь постичь. Скажу вам только: не верю, что они уедут.

— Нет, они положительно едут...

— А у меня такое чувство, что никуда они не уедут, — сказал я твердо (у меня и правда было такое чувство).

Подошел Тредубов.

— А не привезти ли нам Егора прямо сейчас сюда?

Я замялся. Из-за плеча Юрия просочился голос Анатолия Васильевича:

— Это решительно безопасное место...

— Мы можем съездить на машине, — добавил Тредубов.

Я понял, что сейчас начнут уговаривать.

— Я пройдусь. Я тут в пяти минутах ходьбы... Но если он откажется, уговаривать не стану...

— Давайте, давайте!

Пересад и Глебов сидели как мыши, свет не включали. Они пили чай.

— Ну, что, заговорщики, — сказал я, — не хотите в гости сходить?

Они с испугом глянули на меня.

— Да не бойтесь вы! Никто тут не шастает.

— Напрасно вы так думаете, Альфред, — сказал Глебов. — Я уже третьи сутки примечаю: одни и те же лица ходят туда-сюда и на ваши окна поглядывают.

— Просто на этой улице, как и на многих других, живут одни и те же люди. Идемте со мной, Егор! Выпьем!

Егор согласился. Пересад наотрез отказался.

Когда мы пришли, Тредубов ругался с «патриотами», скакал вокруг них на своих длинных ногах, потрясая какой-то бумагой в воздухе, как тореро:

— Расскажите нам о циркулярах, пожалуйста, уважаемые господа.

— О каких циркулярах? — Марков со Ступницким прятались за спину Могилева, выталкивая его вперед. — О чем вы?

— А вот об этих! — Тредубов торжественно развернул на столе циркуляр.

Могилев шагнул вперед, наклонился, скорчившись от боли в пояснице, брезгливо посмотрел, вздохнул, с трудом распрямился и сонно заявил, что ничего насчет этой писульки, к сожалению, сказать не может, он-де не вполне знаком с этим документом.

— Это касается только членов Союза патриотов, — сказал Ступницкий.

— В нашем отделе, например, мы этого не получали, — добавил Марков. — Откуда он у вас, кстати?

— Не важно. Просто скажите, вы, как член Союза, будете следовать этой бумаге и составлять список русских эмигрантов, а потом следить за ними и доносить, а?

— Слушайте, мсье Тредубов, что вы на меня наседаете? — возмутился Могилев и вполоборота к своим встал. — Какой вы однако... Вам же говорят, в нашем отделе такой бумаги в глаза не видали, и, насколько я понимаю, — он приблизил бумагу к лицу, прищурился, — это все делается на добровольной основе.

— Ах, вот как! А мне-то показалось, что член Союза патриотов *обязуется*...

— Да нет, не обязуется, — сказал Могилев и притворно зевнул.

— А вы, господа, — Тредубов глянул за его спину, — ничего сказать не хотите? Разве вы не в самом Управлении Союза состоите? Вы там не самые главные?

— Нет, не главные, — сказал кто-то из них и исчез, вынырнув в другой комнате возле Надежды: — Вмешайтесь, пожалуйста, хозяйка, остановите безобразие. Ваш супруг, кажется, сильно выпил и скандалит...

Я хлопнул водки, оставил Егора с Игумновым, сделал кружок в поисках Крушевского, выпил с Грегуаром, покурил на балконе, вернулся — все изменилось. Я оказался в атмосфере, полной таинственного шепота; я не сразу догадался, что погасили люстры; и еще что-то гудело (подумал: наверное, пытаются завести патефон, — но музыки не последовало, это было что-то другое). Воздух казался густым, как смола, на моих глазах эта мнимая смола превращалась в янтарь: загорались свечи... В этом приглушенном свечении все знакомились с Глебовым. Могилев улыбался, прикладывал ладонь к своей груди, поглаживал Егора по плечу и посматривал на остальных, будто желая воскликнуть: экое чудо! Вокруг них собирались люди, они медленно подступали, глядя на Егора с какой-то настороженностью. Никто не спорил, шуршали платья, звякали бокалы... Ступницкий мямлил: «Говорят, молодой человек, вы из лагеря немецкого бежали...» Марков что-то шептал ему, делая вид, будто сморкается. «Вот какой», — сказал кто-то у меня за спиной. Люди тянули руки: «наслышаны... очень приятно... для нас это честь...» Глебов смущался, кланялся. «Не стоило его приводить», — сказал Лазарев (его слова были адресованы и мне, и рядом стоявшему Игумнову, да и вообще — *нам*). У некоторых в глазах тлела зависть, и было чему позавидовать: помимо физической красоты и молодости, чувствовалась в Егоре природная жилка, свежесть. Рядом с ним появился Тредубов, и я еще раз подивился тому, как плохо он выглядел, как одряхлел! Я с грустью подумал, что Лазарев прав: не стоило приводить Глебова... как все они на него смотрят-то...

Я сильно напился тогда... с кем-то поспорил, не помню о чем, не помню с кем. Крушевский читал свои стихи (он тоже неплохо выпил). Мы возвращались втроем, с одной стороны Крушевский, с другой — Глебов. Не знаю, кто-нибудь из нас оглядывался или нет? Фонари плыли в воздухе — желтые, голубые, оранжевые... На следующий день с утра пораньше я отправился в La Gare и, кстати или не кстати, видел советского офицера с латунными зубами, с ним была какая-то молоденькая эмигрантка, наверное, переводчица. Чем-то недовольный, он просил ее что-то сказать официанту, она отказывалась, он настаивал, она к дверям, он за ней. Когда я вернулся, мне все еще было не очень хорошо, и совсем напрасно затеял дурацкий бунт Пересад, он стал говорить, чтоб я немедленно устроил ему другое *местоположение*.

— Что вы этим хотите сказать? Какое *местоположение*? Вы недовольны комнатой? Другую комнату хотите?

— Нет, я хочу сказать, что недоволен тем, что на параллельной улице находится советская миссия, в которой заседают чекисты.

— А чего от меня вы хотите? Чтобы я попросил их съехать?

— Нет, разумеется. Съехать хочу я...

— Куда?

— Не знаю! Придумайте! Я тут не могу! Они в любую минуту могут ворваться!

— С какой это стати?

— А с такой! — Пересад хлопнул выпуском «Русского парижанина». — Ворвутся и...

— Не ворвутся! — разозлился я. — Двери прочные. Идите, проверьте! Такие двери не выломать. Калитка в сад на железном замке. На окнах ставни. Ярек на первом этаже дежурит, польский борец, между прочим! Силач. У Егора... Егор, покажите ему...

Глебов прочистил горло и неохотно достал из-за пазухи браунинг. Я взял металлическую кочергу из камина.

— Видали?.. Только кто вас будет здесь искать?

— После вчерашнего выступления Егора, они придут сюда и возьмут нас.

— Никому в голову не придет, что вы у них под носом. Потом, сами говорили, большую часть миссии отправили обратно...

— Да, но кое-кто остается...

— Да, кстати, только что в La Gare видел вашего товарища Железные Зубы...

— Майор Березин?! Да вы издеваетесь! Он еще в Париже... Да что же это... — Пересад ходил и бормотал: — Ну все. Пропали. Это ж волк! А он с ним в ресторане пьет!

— Волков бояться — в лес не ходить, мсье Пересад. Или мне надо было выгнать его из ресторана? Вы что подумали, мы за одним столиком сидели? Нет, конечно! Они меня и за русского-то не принимают...

— Это потому что вы так одеваетесь странно, как в пьесе...

— Верно. Таковы мои правила. А вы лучше выпили б чего-нибудь и почитали. У меня такая обширная библиотека, а вы до сих пор мне комплимента не сделали, а я, между прочим, всю жизнь ее собираю.

Пересад растерянно посмотрел на меня.

— Что? Какая библиотека?

— Ничего, Дима, — сказал Егор.

Через два дня Пересад меня спросил:

— И как вы думаете, долго нам тут ждать?

— Откуда мне знать? Никому не известно, что вы здесь.

— Как?! Я думал, ваши друзья уже готовят для нас документы...

— Нет. Никто ничего не готовит.

— Но как же так?

— А куда вы торопитесь? Живите себе! Пейте, ешьте, читайте книги, слушайте музыку! Учите французский, наконец. Вы же говорили, что хотели его выучить. Вот и учите. Мои мальчики прожили так два года во время оккупации. А Этьен Болтански все три — в одной комнате, и порой ему не с кем было обмолвиться словечком. А вы... дня не прошло, как хвост поджали.

— Два года, три года... Мсье Альфред, я надеюсь, вы шутите.

— Да шутит он, шутит, — сказал Глебов. — Сделают нам бумаги, отправят куда-нибудь, в Бразилию, Аргентину... А что, может, и правда — музыку, винца?

Пересад отказался, решил осмотреть библиотеку, но был рассеян, брал книги, листал и ставил на место; накручивая волосы на палец, пустым взглядом полировал театральную афишу, негромко вздохнув, сказал: «Они меня в лицо знают».

— Кто? — спросил я, он встрепенулся, прочистил горло и сказал некстати:

— Я устал жить в будущем.

— Что значит в будущем? А сейчас вы разве не живете?

— А разве живу? Я только и мечтаю, как буду жить...

— А что вам мешает сейчас жить? Неужели вам так плохо у меня?

— Нет, не плохо, но и жизнью это не назвать. Как в тюрьме.

— Ну, знаете ли...

Так мы прожили два с половиной месяца. Игумнов был у нас частым гостем; он выводил Егора в люди еще три раза; это нас беспокоило; собираясь на последнюю встречу, Егор покачал головой и шепнул мне: «Повадился кувшин...», я тогда же попросил Игумнова больше не испытывать судьбу, и он оставил нас в покое. Наступил 1947 год, январь выдался холодным, под прикрытием снегопада, нарядившись, как наполеоновские солдаты, мы выходили в парк, катались по льду, Ярек, Рута и дети были с нами, мы все бросались снежками, кругом был смех, визг и скрип полозьев, весь Париж был праздничный, царило веселье, вызванное снегом и крепким морозцем — никогда такого не было, настоящая русская зима! Французы разом поглупели, даже весьма важные господа валялись в сугробах и хохотали. В такой атмосфере всеобщего торжества Дмитрий забыл о своих страхах, радостно катал снеговика, а вот Егору разок взгрустнулось, я видел, как он тосковал, старался не показать, но я приметил.

У нас пропало электричество, сидели при свечах. По вечерам я выходил курить за ворота, притоптывал, трогал замерзшие ворсистые электропроводные шнуры, покрытые сосульками. Все придется менять, говорил Глебов, обещал помочь, но не успел — в марте пришли документы и инструкции, я сам лично купил Егору билет до Марселя, где его должны были встретить; мы приодели его в мой светло-серый плащ, было все еще довольно холодно, дали шарф и перчатки — в нем было бы трудно заподозрить беглого советского Ди-Пи. Я предлагал усы наклеить и парик, Егор отмахнулся, но согласился на большую фетровую шляпу.

Я проводил его до Gare de Lyon, посадил на поезд, и больше его никто никогда не видел: он просто не прибыл в Марсель, поезд пришел, но его в нем не было. Все засуетились, забегали, я много звонил и слал пневматички, никто ничего не знал... В те же дни из Марна выловили тело человека. Мы полагали, что это он, ходили в полицию на опознание: не он. (Один беглец утверждал, что видел Егора в Chapoly[1], но я не верил ему: слишком фантастические истории этот тип о себе распускал.)

Все были сильно подавлены. Крушевский несколько дней не показывался на работе, болел. Пересад паниковал, и его срочно отправили в Англию. Он живет в США. Из газет узнаю, что он бывает в Париже, читает лекции, подписывает книги, бережно, как иллюзионист, вынимающий из магической коробки попугая, он раскладывает перед слушателями свою многостворчатую легенду и прячет ее обратно, таинственно умолкая. Мои воспоминания о Дмитрии Пересаде не имеют никакой связи с той негромкой, но стойкой славой, что образовалась вокруг его имени (лучше бы он его сменил!), поэтому можно смело сказать, что от того человека, который жил у меня, ничего не осталось. В то время как от Егора у меня сохранились его немецкие сапоги с обрезанным голенищем. Я их не выбрасываю, и никто к ним не смеет притрагиваться. Еще остался нож. Мы с ним поменялись: я в дорогу дал ему тот, что мне в детстве папа подарил, а он мне свой, с которым он пол-Европы прошел.

---

[1] *Форт Шаполи* — один из узлов лионских фортификаций, после окончания Второй мировой войны был занят советской армией и превращен в тюрьму для военных преступников.

* * *

Мне часто снится один и тот же сон: будто в моей комнате, пробив стену, появилась труба, из которой вылетают пневматички, я их собираю и сортирую, раскладываю прямо у меня на полках. Капсулы летят одна за другой, вскоре на полках, столах и софе места не остается; не успеваю читать и сортировать послания, имена и адреса странные, некоторые написаны на незнакомых языках, всюду, куда ни посмотрю, лежат письма, прижатые то камнем, то бюстом, пресс-папье не хватает; во сне я почему-то должен расправить свернутый лист и прогладить его утюгом. На полу стоят тяжелые массивные утюги самого разного калибра и формы, некоторые похожи на копыто, один на гирю, три ядра средней формы — их я прокатываю по листу несколько раз (в более поздних реконструкциях этого сна вместо утюгов появляется *le mangle*[1], — сквозь валики этого чудовища я пропускаю письма, верчу ручку, ржавые шестерни скрипят, письма слипаются и превращаются в цветные обои). Бывает, снится, как я наклоняюсь за капсулой, а она исчезла, вот только что с громким стуком упала, и — нету! Ищу, ползаю по полу и незаметно — в силу какого-то абсурдного трюка — перемещаюсь на палубу огромного парома, поднимаю глаза, вокруг меня платья, ноги, трости, зонты, дамы и господа смотрят на меня, смеются, я спрашиваю, куда мы плывем, меня отправляют в каюту, уговаривают отдохнуть, принять лекарство, лечь и поспать, вам, мсье, надо выспаться, идите к себе и постарайтесь уснуть! Некоторые капсулы разрываются, переставляя все в моей комнате; или прилетают стеклянные и разбиваются, не оставляя после себя ничего, даже осколков (одна такая, с крохотным эмбрионом, уцелела). Похожий пневмати-

---

[1] Гладильный каток (*фр.*).

ческий сон уводит меня в подвал, который связан с коридорами почты. Я хожу по этим коридорам, отпирая тюремные двери, из камер выходят мои двойники, даже не двойники, а я сам из других временных промежутков; отперев дверь, я осматриваю себя, точно гляжусь в зеркало, вспоминаю, когда это я так выглядел, по какой оказии надевал костюм, розочку или бабочку, выдаю из кармана список лиц, с которыми мне надлежит встретиться, бумаги с репликами и ключевыми фразами, что необходимо сказать этим лицам, даю кое-какие советы; иду к следующей двери — процедура повторяется; иногда над головой раскрывается люк, мне кричат отборные русские ругательства, я слушаю и иду дальше. В одном из тех коридоров мне попался барон Деломбре, я застиг его за странным занятием: он укладывал в большие стеклянные капсулы тела людей; не задавая вопросов, я помог ему с телом молодой женщины, которая умерла от испанки в Les Halles, мы аккуратно уложили ее в капсулу и накрыли тяжелой стеклянной крышкой, — ни дать, ни взять кукла в подарочной коробке! — барон дернул какой-то рычаг, и капсула улетела в трубу. Я не успел спросить его, что это все значит, потому что мне приснился другой сон. Мои строчки похожи на те коридоры, я могу по ним долго ходить, всегда куда-то выйдешь, иногда я оказываюсь в кресле кинотеатра, на экране всегда вижу какую-нибудь странную сцену. Вот, например: Николай Боголепов разговаривает с Егором Глебовым, который находится в клетке, вся сцена снята в конюшне, какие были в герцогских владениях, в моем сне это происходит в конюшне при замке Beauregard, Глебов арестован и просит о чем-то Николая, на экране показывают ключ, большой и блестящий, он свисает на цепочке с крючка над столом, за которым, уронив голову на руки, спит красноармеец, Николай отрицательно мотает головой, красноречиво отказываясь помогать, его шикарные есенинские кудри разлетаются, голубые глаза опущены вниз, он боится, ему стыдно, его большой красивый рот приоткрыт, виден ровный ряд крупных зубов, во сне он сильно хорош, много лучше, чем в жизни, Егор в отчаянии дергает решетку, молит, расстегивает рубашку и крест показывает, глаза навыкат, из его обрамленного щетиной рта летят слюни, появляются титры в виньетке: «Я тебя умоляю! Спаси меня! Христа ради! Христом Богом молю!»; Николай крадет ключ и отпирает Глебова, тот пытается убедить Николая бежать вместе с ним, хватает за руку, тянет, что-то шепчет, сжимает кулаки, но Николай отказывается, Егор обнимает его на прощанье и убегает. Смешной и горький сон. Режиссер моего подсознания, должно быть, из жалости ко мне снимает утешительные сцены, спасая Егора, не в первый раз: снилось, как мы играли с ним в шахматы, вместе шли встречать Крушевского, который возвращался из Германии; в одном из последних и самых загадочных снов я встретил Егора на Gard du Nord, он был с небольшим чемоданом, в длинном сером плаще, широкополой шляпе, в очень модных брюках клеш с хорошо отутюженными стрелочками и лакированных ботинках былых времен, он выглядел, как популярный эстрадный музыкант, я с трудом узнал его, подошел, он меня тоже узнал, подал знак, чтобы я себя вел спокойно, — «конспирация, Альфред, строгая конспирация», — я изображаю, что не знаю его, жду, объявили отбытие поезда, он ехал в город с неразборчивым названием, в его звучании было что-то тирольское (тут что-то щелкнуло у меня в уме: «Он же собирался в Марсель», — и другая мысль мелькнула словно внахлест: «Зачем он выбросил парик?»); Глебов пошел на свою платформу, я за ним, перед самым отбытием мы все-таки обменялись рукопожатием, я проснулся с онемевшей рукой. (Мои строки, как трубы, по которым летят послания, крадутся сновидения, уносятся покойники, текут воспоминания, как кровь по венам.)

* * *

5.IV.1947

Слабость, я чувствую внутреннее иссушение. Перед приступом происходит отлив сил. Я похож на иссохшее море, из которого растут пирс, мост, скалы, видишь на сухом дне ржавые остовы машин, велосипеды, каркас утонувшего буксира, якорь с оборванной цепью, водоросли сохнут, рыба, труп утопленника. Когда я видел все это? Откуда эти видения? Мое дно, мой скелет. Чем меньше остается сил, тем пристальней всматриваешься в себя. Когда у человека есть энергия, он, как сытое животное, здоров и резв. Он себя почти не замечает, что-нибудь ищет, изучает мир. Но когда ты — едва живой скелет, который еле держится, кости вот-вот распадутся, связки скрипят, узлы ослаблены, и мир внешний тебя больше не волнует, ты всматриваешься в себя, будто ползаешь по дну в поисках крупицы силы, ты уже не надеешься бороться за себя, искать пищу там, где царствуют сильные, сытые, поблескивающие металлом вояки, ты как безумный ищешь ее внутри себя, в журчащем потоке своего сознания, пустого, прозрачного и холодного, как родниковая вода. (О Егоре — ничего. Где искать? Куда бежать? Не уберегли мы его. Заходил в редакцию, там пили чай и молчали, как на поминках.)

7.IV.1947

Свет накатывает из-за спины. Прошлой ночью думал: начнется. Миновало. Все случится этой ночью. Прямо сейчас. Пишу непосредственно пред этим. В животе тяжесть, даже твердость, а не тяжесть. За спиной растет плотная стена света. Сдвигается плита. Приближается. Я лег на левый бок, положил листки перед собой. Карандаш — держусь за него, как корабль за якорь. В другой руке деревянная ложка, что мне

Егор вырезал, не раз выручала. Думаю о нем каждый день, каждый день. Кажется, будто проваливаюсь в постель. В ногах слабость. Дрожь. Сон невозможен. Мое состояние — бдение, обостренное и безумное. Чешуйки света. Летят как снежинки. Частый свет. Мерцание. Сознание вспыхивает и гаснет. Я не теряю себя. Отпустить? Нет, держаться. Бессильный рыхлый орган. Об этом я в стихе писал. Сейчас меня ампутируют, отключат от жизни.

9.IV.1947

Заставил себя пойти в башню вчера ночью; зажег свечи, постелил на полу, попил крепкого чаю с лекарством, которое дает мне Этьен, лег и ждал, долго ничего не было, а потом опять появилось ощущение, будто я стою, а не лежу, стою, прислонившись спиной к стене, за которой раздается страшный гул, будто я удерживаю спиною дверь, в которую рвется ураган, а передо мной — звездное небо, которое медленно перемещается, и вот уже я повисаю над этим небом, как над бездной, а надо мной — буря, тот самый взрыв, который случился в форте, он разрывается у меня за спиной, а я его сдерживаю, не даю себя столкнуть в пропасть. Внезапно стена из-за спины отступила, я почувствовал, как она откатилась назад, и я провалился в образовавшуюся пустоту, и тут из всех звезд, как сквозь пулевые отверстия, хлынул свет, розовато-бледный, как ранним слегка туманным утром бывает заря пробивается и все окрашивает розоватым, и этот розоватый свет залил все, он пронизывал все. Мне казалось, что я лечу кувырком; я потерялся в водовороте образов. Огоньки свечей плыли, все двигалось, я шел по деревянному полу, как по живым льдинам. Голова кружилась. Я подошел к окну, посмотрел на город. Река, дома, мост — весь Париж тонул в этом свете. Свет был бесконечным, он уходил высоко в небо, он был дальше, чем звезды, он шел сквозь воду и землю, мир висел в этом розовом воздухе, как островок, плавающий в океане бледно-розового света. И был еще какой-то звук, едва уловимый и очень меланхолический. Он наполнял мое сердце чувством безысходности. Я хотел проснуться. Но я не спал. Это было наяву. Из моих глаз катились слезы, но я не плакал, слезы сами текли. Мне хотелось лечь и умереть, но я себе не позволил лечь. Я впился руками в оконную раму и смотрел в эту бессмысленную бездну. Где-то внутри я всегда знал, что так оно все и устроено, и что любое человеческое усилие, даже самое героическое, самое высокое устремление — все ничтожно в сравнении с этим величием, все потонет незаметно в безграничном светящемся океане.

21.IV.1947

Долго не было желания что-либо писать или делать, я даже не ходил на работу, просто слонялся по Аньеру, сама мысль идти в Париж мне почему-то казалась глупой, будто город был осквернен моим видением. Но неделю назад произошел курьезный разговор с женихом Лидии. И я себя уговорил вернуться к записям, а вместе с тем постараюсь и в обычную жизнь окунуться, вопреки бессмысленности и проч. Мы встретились у Боголеповых. Опять появился Каблуков. Нас всех пригласили. Обещали, что Каблуков нам что-то сообщит. Его ботинки стояли в прихожей и предупреждали о чем-то. Их так поставили на видном месте, чтобы все понимали: человек много троп исходил. Мне было безразлично и даже как-то немного смешно, в сравнении с моим ночным видением всякая суета не имела смысла. Однако Каблуков нам ничего не поведал, он был слаб, простужен и сильно устал от своей поездки в Нормандию. «Там дожди, все время дожди... Погода семь раз на дню меняется», — и все. Пил чай с задумчивой улыбкой, чесал бороденку, покачивал ножкой. Ему выдали особенные тапки: с длинным загнутым вверх носом, очень похожие на персидские, сказочные, обшитые бисером. Сразу чувствовалось, что это особенный гость. Пришли все те же лица. Усокин не прибыл только. Был и вечно небритый Гривенник. В последнее время он стал молчалив и угрюм, что-то переживает. Он меня опять подловил у дверей, когда я с досадой возвращался к себе.

«Александр, погодите! Извините, что спрашиваю. Вы тут все-таки проживаете, а для меня это важно».

«Что именно?»

«Дело в том, что я сюда, как вы уже догадались, не просто так прихожу, у меня вполне серьезные намерения, я хочу предложить Лидии руку и сердце, а папан ее, кажется, торопится в СССР ехать, что меня никоим образом не устраивает. Вы тут живете и каждый день его видите, может, даже говорили с ним об этом. Мне ваше мнение знать хочется для того, чтобы самому действовать решительней. Я-то в СССР, — он некрасиво усмехнулся, — ни за какие коврижки не поеду, пусть я тут хоть и буду унижаем, хоть каждый день, хоть трижды на дню, все равно, не поеду. Так вот, скажите мне, вы что думаете, поедут они? Все это серьезно или так, пустая болтовня?»

Я подтвердил, сказал, что старик твердо хочет ехать — у такого старика не бывает пустой болтовни.

«Сегодня петуха съели...»

Он не понял; я сказал, что мы все — и он в том числе — сегодня ели их петуха; обратного пути нет.

«Вот так, значит, — промямлил Гривенник (кажется, он не совсем меня понял). — Ну, спасибо, что предупредили».

3.V.1947

Тредубов, Шершнев, Игумнов и с ними Моргенштерн — отправились в турне давать концерты, поездка будет долгая, конечная цель — Бержерак; в каждом городе, где намечается остановка, они будут давать концерт, показывать короткий документальный фильм, снятый эмигрантами вместе с французами (еще не видел), распространять газеты, агитировать; вперед поехал Вересков, он все это и устраивает. Где-то в городах есть люди, которые клеят афиши, ходят в клубы, раздают пригласительные. Это происходит прямо сейчас, в эти волшебные весенние дни. Может быть, что-то изменится. В редакции — Роза, еще двое молодых и я: дел невпроворот, на почте тоже много работы, французы шутят: «Май — влюбленные завалили нас почтой».

11.V.1947

Игумнов планирует новую поездку по Франции. Тредубов, невзирая на слабое здоровье, жуткий провал, что устроил ему старик Б., и обескураживающие дебаты в школе, все время выступает, у него новая идея: создать сильную русскую общину во Франции, чтобы отстаивать интересы эмигрантов и влиять на взаимоотношения с СССР. Его статья вышла в Paris-Presse. Говорят, будто у него появились связи с RPF[1], он им интересен (антибольшевик и гражданин Франции).

3

Николай держался очень по-взрослому и не был похож на вчерашнего мальчика на побегушках; вошел в мой дом не тредубовский шофер, а молодой человек с достоинством, выглядел собранным. С какой-то целью, — догадался я. Он привез Маришку, я собирался пойти со всеми в парк, предложил ему поговорить по пути, он очень настойчиво попросил меня задержаться:

---

[1] *Объединение французского народа* — правая консервативная партия, основанная Шарлем де Голлем.

— Это требует вашего внимания, — сказал он, — по пути в парк не выйдет.

Хорошо, сказал я и попросил Руту отвести детей, позаниматься с ними, пока мы с Николаем беседуем; про себя подумал, что молодой человек рисуется, сейчас будет играть в коммуниста, вся эта серьезность, решил я, несомненно, напускная, он же дружил с Чарской и ее компанией, он распространял их листовки, а теперь возит листки Игумнова, возит Тредубовых, видимо, назрел внутренний конфликт. Я был уверен, что он в душе симпатизировал Чарской. Если бы мне пришлось выбирать между Игумновым и Жанной Чарской, я бы пошел за ней, за этими длинными ногами, шапкой каштановых волос, и какая разница, что говорит она, во что верит, когда она так хороша, остальное не имеет значения. Я поднимался к себе с подносом — кофейник, чашки — и думал, что сейчас молодой человек мне сообщит, что он вступил в коммунистическую партию, и всем отношениям с Игумновым и Тредубовыми должен наступить конец. Может быть, он и Маришку привозить не будет? А может, он пришел спросить моего совета, как бы помягче выбраться из неловкой ситуации? Он дружил и с Наденькой... он был в нее влюблен... но — Наденька замужем за Тредубовым. Тут все так непросто...

Он садится напротив меня. От выпивки отказывается:

— Не пью. Не нравится.

— Кофе?

— Черный без сахара, конечно.

— Конечно.

— Отлично. Voila!

— Merci. Спасибо, то есть.

— Ну-с, об чем у нас с вами будет разговор? — спросил я, и выпил мою рюмку коньяку.

— Боюсь, что у меня дурные новости, Альфред Маркович. Вся наша семья собирается в Советский Союз и это...

— Черт! Вы серьезно?

— Да, боюсь, что так.

Вот так так! Черт, черт, черт!

— Я потому к вам, Альфред Маркович, и пришел, надо было раньше, но я не думал... Я очень забеспокоился вчера.

Мои пальцы затряслись. Я не заметил, как оказался на ногах, сел, налил, выпил. Так, так...

— Боюсь, и нас скоро...

Он тоже дрожал. Странно. Во время оккупации он совершал много дерзких поездок, делал вещи, за которые, попадись он, его обязательно расстреляли бы; про него говорили, что он бравый малый. Я ничуть не подвергаю это сомнению, но смелость ведь не часовой, она и отдыхать иной раз должна. Он боялся, и я это видел.

— До вчерашнего я думал, что все это не так чтоб серьезно...

— Так, так. Ну, ну...

— Думал, ну, поговорили, дальше посиделок не пойдет. Но люди, с которыми папан общался и собирался ехать колонию строить в СССР, они уже тю-тю...

— В смысле?

— Уехали. Два дня назад целый состав ушел в Марсель. Я ходил провожать на Гар де Льон. Пышные были проводы. С оркестром, речами... Мы, говорят, подвинулись в очереди. Получили повестку.

— Стойте-ка. В какой очереди? Есть очередь?

— Есть, люди ждут. Отправка идет полным ходом. Людей из Европы увозят. Корабли, поезда, самолеты. Всеми возможными средствами. Людей много... Я думал, это будет когда-нибудь, не завтра, а тут...

— А Маришка?

— Вот о чем я и пришел говорить, Альфред Маркович. Я же вижу, какая несправедливость по отношению к вам, к ней происходит. Вас не спросили. Они ее увезут.

— Нет!

— Я тоже против.

— Нет, нет, нет... — Я ходил по комнате, я метался по ней. — Нельзя! Ни в коем случае!

— Я пришел предупредить: ее увезут и вам не скажут. А ведь никто больше, чем вы, Маришку не любит. Лидия не в себе, Альфред Маркович. Я это не вполне сознавал. Она поступает с ней не всегда хорошо. С мужчинами фривольна. Пьет.

— Она не оставит ее мне?

— Не думаю.

У меня вдруг все поплыло перед глазами, поплыло, закачалось, я взялся за подоконник и держался, пока не отпустило. Я едва слышал, как Николай продолжал говорить, его голос доносился до меня издалека, как из какого-то туннеля:

— ...хотя бы из вредности... ее характер вы знаете... вчера опять устроила... такую выходку матери... Альфред Мар... затем, чтоб насолить вам, не оставит. Они о вас нехорошо говорят... Вам бы не знать, как плохо про вас дома говорят... Совсем некрасиво...

Я прочистил горло: «могу представить», и выпустил ухмылку, слабую и ненужную. Надо успокоиться, взять себя в руки. Сесть, поиграть на клавикорде, пописать чего-нибудь или... На все это нет ни минуты времени!

— У нас вообще дома разлад. Мать против всех идей отца. Лидия атакует мать. Из-за козы чуть не поубивали друг друга.

— Из-за какой козы? Из-за той?

— Да, Егоза. Мы забили ее... Тогда еще... Я забил. Отец хотел, она, мол, не доится. Мать встала в дверях: не пущу! Лидка на мать — дурой обозвала. Отец на нее: как ты с матерью разговариваешь? Скандал. Дети смотрят. Я пошел, зарезал, чтобы не грызлись. Ой, что творится... Стыдно, стыдно... Не знаю, откуда в нас это вдруг...

— Господи, из-за козы... И что теперь? Вы в СССР поедете с ними?

— Да. Не хочу, но поеду. Не оставлю же я маман и сестер?! Как вы думаете? Маман тоже не хочет, но поедет. Куда деваться? Семья. Единственно, не хочу, чтоб Маришку увозили. Зачем ей? Пусть останется с вами! С вами ей будет лучше.

— И когда вы едете, известно?

— Нет, очередь. Позавчера ушли Тумановы...

— Как Тумановы?

— Вот так...

— Господи! Василий... Он же не хотел! Он все время смеялся, над женой подтрунивал: Россия — СССР...

— Махнул рукой: все едут, и я еду. И по правде сказать, куда он без жены денется? Куда жена, туда и он.

— Они же не так плохо жили... Господи, ну, слушайте, ну, как так можно? А нельзя это отменить?

— Что?

— Да переезд ваш в СССР. Нельзя его остановить? Пойти в посольство, сказать, что передумали, то да се, получить паспорт обратно?

Он замешкался. Совсем по-мальчишески почесал затылок. Пожал плечами.

— Ну, наверное, можно.

— И я думаю, что можно. Советский паспорт — это, конечно, никуда не годится, все привилегии теряются, но пока не уедешь, остаешься во Франции. Так хотя бы как-то жить можно. И можно ходатайствовать о том, чтоб получить обратно французское гражданство. Разве нет? Возня, конечно, но все еще можно повернуть вспять, пока не вошли в эту реку. Понимаете? Я видел, как ваш папенька порвал французский паспорт. Думаю, он был не вполне в себе. Думаю, играл на публику. Простите за откровенность. Он думал так: все тем и ограничится. Но вы же не хотите ехать! Николай, вы можете... Вы должны его переубедить.

— Нет, — он хлопнул ладонью по подлокотнику кресла, — не могу и не стану. Я... — Он встал, начал собираться. — Пора, мы сегодня в Нормандию...

— Это с Тредубовым?

— Да, надо за Шершневым заехать...

— И Серж с вами?

— Да, дела. Дорога. Меня ждут. Я ничего дома не скажу и вас прошу о нашем разговоре никому ни слова.

Он встал и пошел вниз, так и не притронувшись к кофе, что мне не понравилось (плохой знак — то ли недоверие ко мне, то ли Николай уже отсутствовал). Спускаясь за ним по лестнице, я обещал, что никому ничего не скажу. В дверях он постоял и негромко попросил меня что-нибудь предпринять.

Что предпринять? Что же тут предпринять?

И тут меня озарило...

— Хорошо, — сказал я шепотом. — Разрядите ружье.

— Какое ружье? — спросил он (тоже шепотом).

— Ружье вашего отца разрядите и спрячьте патроны.

— Зачем?

— Я приду говорить.

— Хорошо. — Он кивнул, сильно посерьезнев. — Угу. Я прослежу. Когда?

— Сегодня же.

— Ох, тогда мы должны заехать к нам. Детур, значит.

— Хотите, перенесем?

— Нет! Дайте мне час. И о нашем разговоре...

— Ни слова. Не беспокойтесь, Николай.

Мы пожали руки крепче обычного и посмотрели друг другу в глаза с открытостью. Я даже захотел его обнять, но он поспешил уйти. Я набросил пиджак, надел туфли и побежал в парк к моей дочке. Мало того что Лида взяла с меня эту ужасную клятву, тем самым отнимая у меня моего ребенка, так она еще и увезти ее хочет. В СССР! Меня поразила готовность (почти библейская) Николая следовать за отцом. Ехать не хочет, но ни слова против не скажет. А разве не последовали мы за отцом во Францию? Я был еще юн и целиком ему доверял, не знаю, спорила ли мать. Думаю, нет. И если б отцу взбрело ехать в Германию, мы послушно поехали бы в Германию. Патриархат есть патриархат. Как-то Теодор в шутку мне сказал: «А вот переехали бы вы в Германию, и тогда, может быть, мы стреляли бы друг в друга?» Уверен, что на войне он ни разу не выстрелил. Возможно, во мне нет осуждения именно потому, что я понимаю механику случая, и насколько она важна в жизни человека, далеко не все в наших руках, есть где-то Парки, и они прядут нити. Никто не скажет наверняка, что с нами случилось бы, если бы отец предпочел Германию Франции. Может, я стал бы нацистом, как мои кузены. Говорят, судить надо уметь, без суда жить нельзя. Не согласен! Не судил, не хочу, не буду!

Договорившись с пани Шиманской, что они с Яреком отвезут Маришку в пансионат за город, где на каникулах обычно отдыхали мальчики, таким образом, имея ход в запасе, я направил мое воображаемое войско в Аньер. Предупредительная вылазка конем. Легкий аллюр перед калиткой. Подразним Минотавра! Я шел и улыбался. Нервная дрожь унялась, как только я начал действовать. День был теплый, ветреный, ароматный. Двадцать седьмое мая, 1947. Трамвай подпрыгивал, искрился, стрелял солнечными зайчиками, загребал раскрытыми окошками жирную сирень, кондуктор чмокал недовольно губами, на остановках метелочкой выгребал листья, цветы. Арсений сидел в беседке, пил чай. Меня завидев, он нахмурился, поднялся и, некрасиво налегая на костыль, выгибаясь, как птица, волочащая сломанное крыло, направился мне навстречу. Дальше забора я не пошел. Кусты ощетинились.

— Что надо? — сурово зарычал старик.

— Добрый день, во-первых...

— Говори, что надо!

— Вы можете ехать куда хотите, но Маришку я не отпущу. Достаточно я терпел ваши издевательства. Я вел себя с вами как цивилизованный человек. Я пришел вам сказать, что своим самодурством вы, о том не подозревая, исчерпали мою чашу терпения. Маришка остается со мной. Больше вы ее не увидите!

— Знаешь, а ты у меня первый в списке. Номер один. Так что, приводи девочку, а то хуже будет.

— Можете вызывать полицейских.

— Нет, я не в полицию пойду, а кое-куда в другое место. Есть на вас, сволочей, управа.

— Давайте, давайте! Идите в свою управу! Знайте: я ни вас не боюсь, ни ваших волкодавов железнозубых.

Тут из дома выскочила с ружьем Лидия; она что-то кричала, но ее гримасы, порывистые движения (какие бывают у психически нездоровых людей) — меня оглушили, и я не понимал, что она вскрикивала, это было больше похоже на лай, визг, но не на язык. Подбежала к забору. Собачку взводит...

— Убери ты, дура! — Арсений Поликарпович одним грубым жестом отобрал у нее ружье. — Иди в дом!

Она решительно подошла к самому краю забора, вытянулась вперед и плюнула в меня (я отступил, но брызги почувствовал). Захохотала. Глубокий, утробный, жуткий смех. Больной человек, подумал я. Все это мелочи. Главное — не дать им девочку увезти. А это-то — пустяки!

— Завтра, — сказал старик, показывая мне ружье, — приводи девочку завтра, а лучше — сегодня вечером.

Я ничего не сказал; разговаривать тут нет смысла. Поехал домой, по пути я перебирал впечатления от этой стычки. Они повели себя не так, как я представлял. Я думал, что старик меня поколотит или хотя бы толкнет, и надеялся, что Лидия его оттаскивать от меня будет. Что-то такое я воображал, пока ехал к ним. Я боялся насилия. И насилия ожидал. Получилось совсем не так. Он даже не вышел за калитку! Стоял и покачивался. Сильно сдал за последние шесть лет; а Лидия — подурнела, ох, подурнела, стала настоящей матерой бабой, плоть и животность в ней взяли верх над той девушкой, которую я знал.

Дома открыл бутылку вина, беспокойно ходил, вспоминал каждое слово, каждый жест, дуло, плевок... А ведь я веду в этой партии! Так я считал: каждый ход за мной! Вновь и вновь перебирая фразы, взгляды, жесты, я вживался поочередно в каждого участника, пытаясь увидеть случившееся чужими глазами; представлял, как мы со стариком стоим у забора, как нас увидела из окна Лидия, как она взбесилась, схватила ружье, побежала к нам, выкрикивая грязные слова; вот Арсений Поликарпович увидел ее с ружьем, вот он стоит и видит, как его дочь направляет дуло на отца его внучки — и что он думает? Я ведь и бровью не повел! (Не от геройства — я же знал, что Николай его разрядил, а времени у нее на то, чтобы зарядить, не было.) Старик увидел, что она готова убить меня, а я стою и с равнодушием смотрю на нее, — что он подумал в те мгновения? Почему не дал ей попытаться спустить курок? Наверное, побоялся полиции... Ага! Голова-то соображает! Не был он безрассудным. Даже половины того июльского куража (когда он свой паспорт на людях рвал), теперь в нем не было точно! Ненависть ко мне, видел я, поубавилась... не тот старик, что когда-то бил меня... не кипит он больше, не кипит... Или я для него не тот? Пустое место. *Нечего на него тратиться...* — так, наверно, подумал. Да! Тут меня осенило: он одной ногой уже отбыл! Он уже почти в России! Я понял, что бояться мне нечего — никаких последствий не будет: во-первых, плевать ему на меня, во-вторых, я всегда смогу обратиться в полицию. Полиция! Суд! La bureaucratie française legendaire![1] О-го-го! Все это затянется... Как я буду доказывать, что она — моя дочь, это дело пятое. Инцидент — вот что важно. Свидетелей я найду — Крушевский. Ружье! Ружье... Eccelente![2] От восторга я поцеловал шепотку пальцев. Ох, старый смотритель собачьего кладбища славился своей пантомимой с ружьем... не раз видели, как он направлял дуло на проходимцев... Ружье-то мне на руку. Да тут целая тяжба! Пока суд да дело, — а суды во Франции медленные, очень медленные, — мы что-нибудь придумаем... придумаем... не дадим девочку увезти... нет, не дадим, старый черт, тебе девочку! Лидия — истеричка, в госпитале Святой Анны держали... Еще один плюс. Нам плюс, вам — минус. Тра-ла-ла! Я ходил, пританцовывая, пил вино бокал за бокалом и посмеивался. Как я их!

Поздно вечером, уже в полной темноте, когда я дремал при свечах, ко мне ворвался Серж. Он был сам не свой. Мне даже страшно стало.

— Что случилось? Серж, что такое? Почему ты не в Нормандии?

Он ничего не мог сказать. Выпил, посидел и, после длинной паузы, собравшись с духом сказал:

---

[1] Легендарная французская бюрократия! *(фр.)*
[1] Превосходно! *(ит.)*

— Не знаю, как это объяснить, Альф, но... дело такое... Ты только послушай... Случилось нечто небывалое...

— Что?

— Тредубов исчез.

— Как? Уехал?

— Нет, в том-то и дело... он был с нами... в машине...

— Да, вы ехали в Нормандию...

— Угу, а по дороге случилось кое-что... необъяснимое...

Он снова выпил, закурил и сбивчиво рассказал: по пути в Нормандию — ехали через какие-то городки, куда по просьбе Игумнова они завезли номера «Русского парижанина» и «Социалистического вестника», — они остановились перекусить в таверне, снова поехали, у Тредубова было отличное настроение, Юрий и Серж выпили немного, Николай был трезв, все время молчал, напряжен и сосредоточен — то ли на дороге, то ли чем-то удручен (мне было понятно, чем он был удручен); встреча с литейщиками была намечена на завтра, Тредубов не волновался, в Лизьё всегда хорошо принимали, мало кто оттуда собирался уезжать, людей приходило все больше, там появились активисты, которые хорошо распространяли и «Парижанина» и «Вестник», так что остановка там должна была быть короткой и легкой; Тредубов что-то говорил про местные сидр и кальвадос, про средневековые церкви и базилику Святой Терезы в Лизьё, делился с Сержем своими планами, говорил о своем романе, в общем, был немного под мухой и говорил не столько с Сержем, сколько с собой; ехали довольно быстро, вдруг машина попала колесом в колдобину или на кочке подскочила, встряхнуло хорошенько, в воздухе что-то будто лопнуло, все подумали: колесо, но тут тихо стало как-то, тихо стало оттого, что Тредубов умолк, умолк он потому, что его не стало! Вот только что он сидел сзади, Серж сидел рядом с водителем, Тредубов сидел один сзади, рядом с ним были журналы, книги, вещи, его голос, казалось, все еще звенел в воздухе, ощущались и запах от выпитого вина, и магнетическое воздействие, какое исходит от людей творческих, — по всем признакам он обязан был быть в машине, машина-то не останавливалась! она только на кочке подпрыгнула... или в рытвину заглянула... и его больше нет!

— Нету, понимаешь, Альф?

— Нет, не понимаю. Что ты говоришь? Куда он делся?

— Я не знаю. — Серж беспомощно разводил руками, протирал платком лоб, его глаза бегали: — Не понимаю, как это так получилось... не понимаю...

— Серж, человек — не монетка, под диван не закатится. Вы были в одной машине. Ты должен знать!

— Должен, Альф, знаю, что должен, но — не получается, не понимаю... не понимаю...

Он высморкался, чуть не плача. На него было жалко смотреть. Это была растерянность ребенка.

— Соберись, Серж, подумай, что ты скажешь в полиции.

— Полиции? — На его лице появился испуг, он икнул. Я подал ему воды.

— Да, конечно, полиции. Что ты им скажешь? Туда нельзя в таком виде прийти: *я не понимаю, я не знаю* — это не пойдет!

— Да, ты прав, ты прав, — он ощупывал себя, свои карманы, и вдруг завыл жалобно: — Альф, я не знаю, что произошло... Не знаю!

Он сел на софу, я присел рядом, обнял его левой рукой. Он плакал! Он плакал, как дитя, навзрыд. Я дал ему выпустить слезы, дал ему время, потом опять начал.

— Тебе надо собраться, успокоиться, прийти в себя и хорошенько подумать...

— Да, да, — повторял он, — верно, ты прав... успокоиться, прийти в себя...

Мы как следует выпили, его отпустило, он начал говорить связно, несколько раз начинал свою историю — все шло четко, но как дело доходило до самого происшествия, его рассказ делался каким-то странным, он говорил обрывками, будто он был в полусне.

— Мы вышли из таверны и сели в машину... поехали... ехали довольно быстро, я хотел Николаю сказать, чтобы он потише... трясло на кочках, вот, трясло... встряхивало... вещи на заднем сиденье... я пересел... сначала я ехал с ним рядом... а потом пересел вперед... когда же я пересел? Не помню... машина подпрыгнула... и вот мы уже снаружи... ищем... да, мы искали... Николай все подтвердит, он сказал, что придет к тебе, я его просил... Мы искали, я даю тебе честное слово...

— Искали?

— Да. Даже звали его, в кусты заглядывали, у дороги росли кусты... Но это невозможно. Машина-то, понимаешь, не останавливалась. Не мог он выпорхнуть!

— Не мог. Никак не мог.

— Но вот нету.

— Испарился?

— Не знаю, Альф, не знаю... Мне стало так страшно... мне и сейчас страшно... И Николаю тоже стало страшно... Так мы напугались... Такой холод меня объял... Понимаю, что что-то происходит, только понять не могу. Только был человек, и вдруг нигде его нет. Ни в машине, ни на дороге, ни у дороги, нигде. Аукали, нету... Не знаю, что делать. Что сказать Игумнову?

— Да черт с ним, с Игумновым. Что ты его жене скажешь? Подумай о полиции! Они на вас посмотрят как...

— Не знаю, Альф, не знаю. Как такое расскажешь?.. Бедная девочка...

После исчезновения Тредубова в городе поднялся переполох. Игумнов бегал в полицию и к журналистам, выпустил экстренный выпуск номера, поднял на ноги всех, в дело немедля включился Лазарев, который пустил в ход какие-то свои тайные связи, все забегали, возили Сержа искать таверну, где они останавливались с Тредубовым, насилу отыскали место, расспрашивали хозяина, тот что-то подтвердил, а в чем-то не совпал с версией Шершнева; они пытались добраться до Николая (все его называли «шофером», будто у него и имени не было), большой делегацией (человек пять) отправились на Разбойничий остров, но Арсений никого на порог не пустил, закрыл Николая, сам вышел и сказал: «С полицией будем разговаривать, с полицией приходите, а с вами, господа, никаких разговоров у нас не будет»; ругались с ним только напрасно — тот становился злей, намекал на поддержку «Союза патриотов», говорил *мы*: «Не дадим *нашего сына* в обиду!», под конец, совсем выйдя из себя, старик, как заведенный, повторял: «Это все ваш Моргеншлюхинсын устроил! Идите с ним разбирайтесь! Его работа! Подлеца за версту чую! Его крысиный след... Еще на моего Коленьку своих шавок настрополил, видали! Брысь отсюда!»; ушли ни с чем, Игумнов объявил: «Всё ясно — они замешаны, эти люди, несомненно, замешаны в это дело!»; Шершнев спорил с ним, выгораживал Николая, Крушевский тоже не верил, и я ни на минуту не поверил в причастность Николая: *тут что-то не то*, думал я, *что-то другое*, — разумеется, Николай не имел к этому отношения, я пытался разубедить Игумнова, но с тем что-то случилось, он твердил свое, поругался с Шершневым — «Да что ты бормочешь такое? Ты говори, как дело было!» — кричал он, а Серж в ответ: «Я и говорю... Так все и было...» — Игумнов не стал слушать, в сердцах даже застонал, ушел к себе в редакцию, больше мы его не видели. Ко мне тоже прибегали самые разные люди, которые выясняли: насколько хорошо я знал Тредубова? куда он, по-моему, мог деться? кого я считаю причастным к этой «акции»?

и тому подобное. Засомневавшись в том, от кого эти люди, я не стал на их вопросы отвечать. Они прохаживались по улице, поглядывали на мои окна. Я не задергивал шторы, устроил комнатный концерт, пригласил моих друзей-музыкантов, в гостиной играли джаз, пели-танцевали, а в кабинете Лазарев, Вересков, Шершнев думали, что делать... Попытки подключить жандармерию провалились — они считали, что Тредубов мог в любой момент объявиться. Дни были неспокойные, погода виляла хвостом: то дождь, то ветер, то нежданная духота. Газетчики не торопились ничего писать — а что писать? Мало ли куда он уехал. Не сегодня-завтра объявится. Зачем шуметь? Надя в отчаянии звонила в больницы, полицию, морги, даже на Гренель ходила, говорят, в ноги Богомолову бросилась и молила вернуть мужа, там ей посоветовали не в моргах искать, а по борделям пройтись, у нее случился припадок, она запустила в кого-то чернильницей или карандашницей, после похода в советское посольство ей стало сильно нехорошо, к ней приехали сестры, врач прописал ей успокоительное, я тоже к ней ходил, принес снотворное, пытался отвлечь беседами, но с ней не удавалось побыть тет-а-тет, ее неприветливые сестры на меня странно смотрели как на врага и все время говорили об одном и том же: «Где же он? — говорила одна. — Куда подевался?» «Да уехал он куда-нибудь?» — отвечала легкомысленно другая. «И куда он уехал? Почему не предупредил? Все волнуются...» «Да мало ли мест, куда можно поехать...» и так далее... Она на них кричала: «Никуда он не мог уехать, никуда не уехал!» «Где же он тогда?» — говорили они, она в бессилии: «Убили!» Они не понимали: за что и кому надо было убивать ее мужа? Самая старшая некрасиво ухмылялась. Я не понимал, почему Надежда их не выдворит совсем... И всегда кто-нибудь еще приходил; я советовал к ней не допускать, но меня не слушали, да и Надя сама настаивала, чтобы впускали, ждала, что сообщат: нашли, — хотя бы тело нашлось, говорила она, я ее понимал, но эти визиты ей не давали отдохнуть, она была в страшном напряжении (мои капли не имели на ее взвинченную психику действия), мне казалось, она могла умереть от разрыва сердца, она часто бредила наяву, однажды мне показалось, что она связно начала мыслить и тогда рассказала, что в Америке с ними тоже происходили странные вещи, почти до такого однажды дошло... Я спросил, какие именно «странные вещи»; она не ответила, опять засобиралась на Гренель; я встряхнул ее и строго сказал:

— Образумьтесь, пожалуйста! Не поможет это! Не поможет!

Она вскрикнула и заплакала, нет, заревела, начала метаться, я укол барбитала ей сделал. Барбитал подействовал. Уснула. Когда я уходил, ко мне в прихожую вышла ее мать и жутким голосом сказала:

— За все платить приходится...

Я не понял, спросил, о чем она говорит? за что платить? Недовольная, — как это я не понимаю? — женщина обвела рукой вокруг себя:

— За все это — *платить*! Поняли? Вот так-то. — И головой покачала.

Тогда же под вечер ко мне явился Николай, его трясло, глаза огромные; я подумал: неужто еще что-то приключилось? У меня не хватило бы сил на большее... Как гранату, он держал капсулу для пневматички. Я спросил, зачем ему капсула, он вопроса моего не расслышал, заговорил чужим голосом, быстро, отрывисто:

— Дома у нас, Альфред Маркович, знали бы вы, что творится дома... Все сошли с ума.

После исчезновения Тредубова он отвез Сержа в Париж, возвращается домой и видит сцену: в гостиной стоит открытый чемодан, наполовину наполненный вещами, в прихожей и комнатах и на лестнице, что ведет на второй этаж — везде разбросаны вещи, за столом, подперев голову руками, сидит отец, на его лице муки головной боли и раздражения; Лидия и мать ссорятся. Лидия бегает, хватает вещи и бросает их на пол. Мать на нее смотрит и бессильно дышит: «Да как ты можешь? Как ты так можешь? Бросить? Родную дочь?» «Пусть остается! Наплевать! Поедем без нее!» Николай не сразу догадался, что речь шла о Маришке, которой Лидия готова была пожертвовать. «Поскорей отсюда! Надоело! Правильно папан говорит: надо ехать, жизни здесь нет!» Мать не выдержала и на пути у нее встала: «Никуда не пущу! Не дам родное дитя бросать!» Лидия толкнула ее сильно в грудь и завопила совсем ненормальным голосом: «Прочь! Надоели вы мне все! Чтоб вы попередохли здесь!» — и выбежала из дома. Любовь Гавриловна схватилась за сердце и слегла.

— Отец отказался везти ее в больницу, сидит с ней сам и теперь себя во всем винит, кается и плачет. Она ему говорит, чтобы он ехал, раз не может иначе, а он ей говорит, что без нее никуда не поедет. Мать молит вас вернуть девочку, Альфред Маркович.

— На одном условии, Коля: Маришка не покинет Францию, — сказал я как мог твердо.

— Не покинет. Никто из них. Я вместо всех поеду.

— Что?

— Да, я все решил и все объяснил. Отец и мать согласились. Мы договорились. Я еду первым. Все там выясню, устроюсь, и тогда им дам знать, куда ехать, что с собой брать, каковы там условия жизни и так далее. Первым поеду. В разведку. Они уж потом. Вот тогда и держите Маришку. Я вам тоже напишу. Не беспокойтесь. Только скажите, чтоб Маришка вернулась.

— Завтра Ярек съездит. Не погоню же я человека на ночь глядя.

— Нет, конечно. Хотя я мог бы... Ну, нет, не поеду. После такой поездочки хоть век за руль не садись, фу!

— Завтра вечером привезу. Сейчас уже поздно. Да и сил никаких нет. Вина выпьете?

— Пожалуй, выпью.

Мы пили до глубокой ночи, стараясь говорить о чем угодно, только не об исчезновении Тредубова и не о ссорах у Николая дома; я ни о чем его не расспрашивал, по глазам видел, что он именно об этом и думал, глаза у него были жуткие, и в них было недоумение, растерянность, я понимал, что расспрашивать его не имело смысла: вряд ли он значительно дополнил бы рассказ Сержа; робко он спросил, как там Наденька, не известно ли мне...

— Известно, — ответил я, — очень плохо.

Он вздохнул и ушел спать в комнату, где ему постелили, только, кажется, он не спал. Похмелье меня подняло ни свет ни заря, выхожу на кухню воды попить, а там Николай сидит: свеча перед ним почти вся сгорела, а он сидит и что-то пишет. Я не стал мешать, попил воды, он письмо в трубочку свернул, в капсулу завинтил, поблагодарил меня (глаза стеклянные) и ушел. До сих пор не понимаю, зачем ему нужна была капсула. Если хотел отправить, так отправил бы обычным способом. Зачем капсула? А потом подумал, что может, он не хочет обычным способом...

На следующий день мы с Сержем отправились в школу к Игумнову. Тот был сражен, потрясен; в редакции все остановилось, в общем-то от нее ничего не осталось. Анатоль сидел в пустой классной комнате на полу и на разбитую пишущую машинку смотрел, вокруг него — разгром... Я предположил, что тут обыскивали, но нет, это у редактора случилась истерика, он сам все разгромил, а после всплеска обессилел. Неизвестно, как долго он там сидел. Может быть, два дня. Роза Аркадьевна сказала, что после всех своих хождений и экстренного выпуска, который делали в лихорадочной спешке («Это был какой-то психоз», — сказала она), он впал в столбняк («Нервное истощение, полное, коллапс!»). На это не сразу обратили внимания; вечером он сел за свой стол, перед ним стоял чай, все ушли, он ни с кем не попрощался, утром приходят — так и сидит: перед ним чай вчерашний, а он в стол смотрит, никого не замечая, только слышно, как он повторяет: «Тредубов... Глебов... Я во всем виноват... Егор... Моя вина... Юрий!» и тому подобное. Так он просидел весь день, а потом взорвался, сбросил со стола все бумаги, даже машинку бросил, с криками — «Все бесполезно! Все напрасно!» — всех разогнал. Роза Аркадьевна наблюдала за ним с улицы, из темноты, она видела, что происходило внутри: Игмнов метался по ярко освещенной классной комнате, жестикулировал и кричал, книги и бумаги летали, портреты и чучела падали, а потом редактор сел и больше не показывался. К нему заходили, но он всех выгонял, закрылся, и его так оставили, решили, что само уладится (Роза директора уговорила потерпеть еще день, а сама к нам побежала). Нас он принял. Открыл, впустил и на пол сел, перебирал детали разбитого «Ундервуда», крутил в руках, бессмысленно, говорил бессвязно; на Сержа почти не обратил внимания, — мы опасались, что Игмнов будет на него ругаться, — никакой реакции; со мной он общался, как с врачом, и я, как врач, посоветовал ему поесть теплого бульона, принять успокоительное, лечь спать, а потом, набравшись силы, Анатолий Васильевич, возьметесь за дело. Серж тоже буркнул:

— Да, Анатоль, так и сделаем, да?

Сил у Анатолия Васильевича определенно не осталось совсем, он легко уступил нашим увещеваниям, покачиваясь, ничего вокруг не замечая. Он пошел вон из школы. Мы гасили свет и запирали за ним. У него подгибались ноги, терял сознание на ходу. Поддерживая, проводили домой, зашли, чай ему сделали, побольше сахару насыпали (у Сержа в кармане был кулек, для примирения). Я позвонил Розе, чтобы она проверила своего редактора поутру. В кровати он дрожал, стучал зубами и шептал: «Моя вина... во всем я виноват... один я».

Уладив это дело, мы съездили к Наде. Она снова потребовала, чтобы Серж все рассказал:

— Вы-то, я надеюсь, мне врать не станете...

Серж повторил свой рассказ — в который раз! Она замахала на нас руками, убежала — не поверила. Пришла через какое-то время вся в слезах.

— Зачем вы так со мной? Я не ребенок... За кого вы меня принимаете?

Смотрела то на меня, то на Сержа, я сказал, что не могу подтвердить, меня там не было, но Сержу и Николаю можно доверять.

Она засмеялась.

— Николаю? Доверять? Вы даже не представляете, какие безумные вещи он мне наговорил, — она сделала таинственный жест в сторону окна, подошла и отодвинула занавеску: стекло было разбито. Я спросил, что случилось, но она не обратила внимания на мой вопрос. — Это просто какой-то дурной сон. — Не замечая нас, она ходила по гостиной и повторяла: — Он приедет. Скоро. Завтра. Он обязательно приедет.

Но Тредубов не приехал. Поиски, которые по-настоящему начались где-то дней через десять, когда ни у кого не осталось сил просить об этом, не дали никаких результатов; с тех пор «Русский парижанин» перестал активно действовать, номера выходили редко; многие отвернулись от Шершнева — невразумительность его рассказа вызвала волну сомнений, клеветники поговаривали, что он сексот НКВД, подозрительность в среде русской эмиграции, как и бедность, были и остаются хроническими; быстро помирившись с Сержем, Игумнов отстаивал его честь, советуя ему поменьше обращать внимание на болтовню. «Нас не так просто сломить. Грош нам цена, если мы остановимся. Ничего, ничего... Продолжаем свое дело. Делаем следующий номер».

* * *

— Не беспокойтесь так, Роза Аркадьевна, — ласково говорил Каблуков, — подумаешь, не успели заявление подать. Это всегда исправить можно. Нет никаких ограничений. Поверьте мне, заявление и теперь примут, и с радостью! Я могу вам устроить аудиенцию с товарищем Богомоловым...

— Неужто он меня примет?

— С превеликим удовольствием, дорогая Роза Аркадьевна. Такие люди, как вы, на вес золота. Россия нуждается в таких людях, как вы...

— Да в чем же моя ценность? Я всегда работала в таких организациях, прямо скажем, антисоветских. Неужели мне все это простится?

— Это больше ничего не значит совершенно. Война многое изменила, в том числе взгляды на эмиграцию. Эмиграции просто не должно больше быть! Всем надо вернуться, потому что Россия нуждается в вас... Я был в СССР. Говорил с людьми, видел многое. Возрождение православия — вот главное, и оно мне внушает надежду на многое. Но, как бы я ни радовался этому, однако, должен заметить: не хватает духа прежней России. Такие люди, как вы, как Анатолий Васильевич, как многие, многие ваши друзья, просто обязаны вернуться, чтобы возродить из пепла и руин нашу Родину. Неужто сама по себе эта цель не воодушевляет? Да и что тут думать? Посмотрите, как вы мучаетесь в проклятом Париже. Комнатка у вас маленькая, платите вы небось за нее половину того, что получаете, а получаете от силы три тысячи франков. Сколько можно терпеть?

Дверца большого платяного шкафа со скрипом отворилась. Каблуков от неожиданности встал. Роза Аркадьевна тоже встала и отошла в сторону от стола. Несколько секунд они стояли в немой и полностью неподвижной сцене, ожидая: что будет дальше? Пауза. Вдруг внутри шкафа послышалось шуршание, точно занавес раздвигался. Чертыхаясь и кашляя, стряхивая с себя пыль, из шкафа вышел Анатолий Васильевич Игумнов.

— Ну, все... Простите, Алексей Петрович, что не дал вам довести ваш... изумительный монолог до конца...

— Вот так фокус! — скрипнул Каблуков, весь бледный и растерянный от злости. — Ах, вы, Роза...

— ...и вы, Роза Аркадьевна, ради Бога, простите... Не вытерпел!

— Правду говорят, странный вы человек, Анатолий Васильевич.

— Здравствуйте, господин Каблуков, — кряхтел, распрямляя спину, редактор. — Ох, и тесно же там! Ну, вы из Англии прибыли, а там такие странности должны быть в порядке вещей...

— Нет, господин Игумнов, не бывало. Ну и методы! Подслушивание! Да вы — комедиант!

— Методы, методы... Да те же, что и у вас, другого не заслуживаете, мсье. — Игумнов сел на место Розы Аркадьевны (она уже звякала чашками на кухоньке), взял со стола бумажку, стал обмахиваться. — Ух, пыльно же в моем шкафу! Пока в него сам не залезешь, не узнаешь.

— Так это что же, получается, ваша квартира?

— Да. Разыграли вас, Алексей Петрович, разыграли... Вот как попались...

— Ох и бедно вы живете, Анатолий Васильевич. А могли бы...

— Бросьте! Со мной даже не начинайте! Вот что я вам скажу...

— А почему вы решили, что я стану вас слушать? Могу повернуться и уйти.

— Не уйдете. Садитесь, садитесь.

— Силой удерживать будете? — Каблуков сел.

— Нет, зачем же?

— Тогда почему?

— Вы, мсье Каблуков, человек тщеславный. Вас до безумия интересует все, что думают про вас другие люди, иначе вы бы такую интригу не сплели в нашем обществе. И теперь, когда я такую комедию разыграл, вы наверняка от любопытства умираете. Хотите знать, что меня заставило на вас охотиться таким оригинальным образом.

— Ошибаетесь. Я и так знаю ваши причины. Про шкаф не знаю, не скажу, это уж причуды ваши, гадать не стану. А то, что вас интересую я, это мне вполне понятно, так как преуспел я поболее вашего. Интрига тут простая. Она есть соперничество. Что тут еще скажешь? Вы тоже тщеславны и амбициозны, и вы, заметив мой успех в вами упущенном обществе, не могли не испытать укола самолюбия, зависти, ревности, тщеславия. А когда-то вы пинали меня...

— Я? Вас? — Игумнов нахмурился, делая вид, будто пытается припомнить.

— Не вы лично, но — ваше окружение, вами созданные демоны... Не пытайтесь напрягать вашу память, мсье Игумнов, было то давно, да, дела давно минувших дней... Но не удивительно ли, как история все расставляет по своим местам и выявляет победителей! Этим я всегда восхищался. Не могу без восторга смотреть на наши дни. В любопытнейшее время живем, не правда ли? В оборотное! Реки людские вспять текут, а? И на нас с вами, господин Игумнов, смотрю с удовольствием. На наш с вами финиш, так сказать. Все-таки история — марафон. Кто-то на белом коне, а кто-то из пыльного шкафа выползает чертыхаясь. Подвели вас ваши недальновидность и прямолинейность, подвели...

— Вы считаете?

— Да, да...

— Неужто не на ту лошадку поставил?

— И это тоже. Вы — консерватор, но прежде всего вы — гуманист, мыслите себя спасителем душ. Ходите, людей отговариваете, думаете, что спасаете, только заблуждаетесь. Общему делу от этого только хуже. Не стойте на пути у стада — сомнет! Остановить их нельзя, потому что толпой руководит импульс. В основе всего он. Это как звериное чутье. Рыба ищет, где глубже, а человек, где лучше. Куда один, туда другой, за ними остальные.

— Вот вы как о людях, — покачал головой Игумнов.

— Но признайтесь, вы тоже сгораете от любопытства. Хотите знать, зачем я все это делаю. Признайтесь?

— Нет. Мне все ясно. Яснее ясного!

— И?

— Деньги. Личная выгода. Власть над человеком. Склонить старого эмигранта, настоять на своем, задурить голову, внушить свою ложную веру, внушить фальшивую картинку действительности — вот оно, ваше удовольствие. Вы действуете подобно сектанту, который затягивает в свой вывернутый мир слабых людей. Только потом вы их сдаете на растерзание НКВД, а сами за то барыши получаете.

Каблуков разразился громким ненормально визгливым смехом. Он, наверное, хотел захохотать, но так как смех тот был притворным, вызванным злобой, то и походил он скорее на крик от боли, будто какому-то карлику прищемили дверью палец ноги. Игумнов даже глазом не повел. Он ожидал такой реакции. Он и хотел вызвать ее, чтобы Каблуков разозлился и наговорил как можно больше (авось взболтнет чего-нибудь).

— Нет, ну, какие ж тут деньги?! — Отдышавшись, он больше не смеялся, но все еще хмыкал носом, изображая, что презрительно усмехается, было очевидно, что он задет, и задет довольно глубоко; он помотал головой, с неудовольствием шмыгнул, достал платок и высморкался. — Эх, мсье Игумнов, главный редактор несуществующей газетенки, учитель эмигрантской словесности и отец мертвой журналистики в изгнании, вот как вы меня, значит, мелко оценили, — он снова покачал головой, вздохнул и усмехнулся еще более язвительно. — Вы меня разочаровали. Я вас переоценил. Неважный вы психолог, Анатолий Васильевич, неважный... Боюсь, мой ответ уложит вас на лопатки. Будете сейчас биться в истерике.

— Валяйте. С нетерпением жду истерики.

— В Россию должны поехать все. В том числе и мы с вами, мсье Игумнов. Мы и есть те люди, которые ее преобразуют, потому что мы — совесть народная. Все последние поколения, те, кто родились в тридцатые, они впитают нас, они изменятся, они поймут, кого вырезали большевики, поймут, чего лишены были предыдущие поколения и какой могла бы быть Россия. Только с нами вместе Россия вновь станет собой! И это возможно, только если мы туда уедем.

— Вы хотите, чтобы мы туда полетели и стали бомбами, которые упадут в бездонный колодец народной совести. А если нас просто уничтожат?

— Всех?

— Всех или почти всех.

— Нет, всех не вырежут. Так или иначе, в любом деле жертвы неизбежны.

— Жертвы... Ну-ну... Так, допустим, а если нет никакой народной совести? Я понимаю, вы, возможно, психологом стали...

— Есть! — воскликнул Каблуков и ударил кулаком по столу. — Я знаю.

Его глаза блестели от ярости.

— Это всего лишь теория, которая, возможно, связана с вашим собственным чувством вины, а?

— Нет! Я тут ни при чем.

— Ладно, все равно, я не верю ни вам, ни в вашу теорию народной совести. Мне она кажется жалкой ширмочкой. Настоящую вашу цель вы мне не сказали. Впрочем, я не нуждаюсь. Мне и так все ясно. Я сказал вам, что я думаю. На лопатки вы меня не уложили. Истерики не случилось. Всего доброго. Не хочу вас видеть. Насмотрелся. Дверь. — Игмнов, не глядя на Каблукова, махнул рукой, небрежный жест брюзги, который выводил очень многих нерадивых авторов. Каблуков вздрогнул от ярости. Глаза его вспыхнули и тут же погасли, он побелел.

— Напыщенный высокомерный глупец, — прошипел он. — Жалкий старик.

— Ну все. Идите, идите.

Каблуков порывисто встал, еще раз напоследок кулаком ударил по столу и пошел к дверям. Там он столкнулся с Розой Аркадьевной, которая несла кофе на подносе, грубовато оттеснил ее (чашечки возмутились) и распахнул дверь.

— А я вас вспомнил, мсье Каблуков, — крикнул Игмнов запланированную фразу (он давно его вспомнил). — Вы читали лекцию о православном фашизме в тридцать первом, что ли, году...

Дверь громко хлопнула.

— А как же кофе? — спросила Роза Аркадьевна.

— Ну, мы с вами попьем.

4

Un jour noir plus triste que les nuits[1]. Всю неделю мы с Сержем не расставались, он у меня зажил, ему было страшно. Он говорил, что боится исчезнуть.

— Вдруг и я, как Тредубов, возьму и исчезну, Альф?

— Ерунда, — отвечал я, — невозможно.

— Но Тредубов же исчез! С ним случилось, почему со мной не может? Или ты не веришь?

— Серж, я не знаю. Я не был с вами в машине тогда. Как мне поверить? Сам рассуди, может человек взять и раствориться в воздухе? Что тебе здравый смысл шепчет: нет, он шепчет, не может.

Серж тянул волосы, закутывался в покрывало и лежал на софе, выставив свои огромные ноги в рваных носках. Я его успокаивал, говорил, что верю ему, но, возможно, произошло нечто такое, о чем он просто не может говорить...

— Нет, — стонал он, — нет, не так...

Я пытался поговорить с Николаем, хотел расспросить насчет того странного письма, но он избегал встречи с нами, однако встреча все-таки состоялась, только никто и представить не мог, что она произойдет при таких мрачных обстоятельствах. Было пасмурно, несколько дней то шел, то затихал дождь. Суббота. Сначала пришел Крушевский. Он был взволнован. Сказал, что только что разговаривал с Каблуковым. Тот сам к нему

---

[1] Черный день, печальней всех ночей *(фр.)* — из поэмы «LXXVIII — Spleen» Шарля Бодлера.

постучал: Саша затаился, думал не открывать, но тот сам влез, дверь открыта была, он вошел, как ни в чем не бывало предложил прогуляться. Они отправились в сторону Аньерского моста, прошли по rue de Château, Каблуков все время говорил, он был очень подавлен, пытался вызвать в Александре жалость к себе.

— Александр, меня здесь никто не понимает, — брюзжал он, — признаться, я разочарован в людях. Я не должен себе этого позволять, но так получается. Поэтому я уезжаю. Сначала в Англию, там подам на советское гражданство, а потом, когда получу разрешение на переезд, вернусь на Родину.

Крушевский ему не поверил, но объяснить нам почему, не смог.

Каблуков выглядел старым, усталым, восковым. Они свернули к церкви Св. Женевьевы, зашли внутрь, постояли; Алексей Петрович тихо восхищался, вздыхал и смотрел на все, как будто прощаясь, — и взгляды и вздохи Каблукова казались Александру притворными.

Вышли, по Аньерскому мосту перешли на другой берег, все время почетный секретарь какого-то там общества продолжал брюзжание:

— Вера моя в людей слегка подорвана. Люди не верят. Или они верят во что-то другое. Большинство думает, что СССР — это какая-то темница. Их обманывают мелкие людишки, которые приехали из Советского Союза и, соблазнившись красивой и легкой иностранной жизнью, не хотят возвращаться. Потому что там им предстоит работать, отстраивать страну, жить трудовыми буднями, а здесь им видится превосходная возможность увильнуть от трудностей и ответа за свои поступки. С одной стороны, заполучить на подносе Париж со всеми своими изысками и развратом, а с другой — схорониться... Многие тут не понимают, что имеют дело с необразованными, ленивыми беглецами или предателями, власовцами и прочим отребьем, кто прислуживал немцам, вступил в их войска, стрелял в своих. Разумеется, они не хотят возвращаться, а такие, как Игумнов и Лазарев, из этого драму делают. — Перейдя мост, Каблуков остановился поглядеть на Сену, на чаек, на Разбойничий остров, опять вздохнул. — Люблю это место, но у Боголеповых полный хаос. Они тоже утратили веру. Легко разбилась их вера, как фарфоровая чашка. А не должна была, не должна... Вера дает надежду. Вера связывает человека с жизнью. Вы — по-настоящему верующий человек, Александр. Именно поэтому я с вами говорю теперь. Я решил, что вы будете последним, с кем я говорил во Франции. Я уезжаю. Больше не вернусь. Вера должна связывать человека с будущим, в конце концов. Без веры нет и будущего. Если вера не обновляет тока дней, не вносит в них надежды на то, что в новых днях, благодаря вере, будет приятная новизна, то и смысла жить нет... У тех, кто уехал, у тех, с кем я говорил, у них есть вера! Они устремлены! Ах, как приятно смотреть им в глаза, как они светятся! Вера в новую жизнь там сильнее и больше, чем вера в Бога. Вот с чем я столкнулся в СССР. Там верят в светлое будущее сильнее, чем все католики и православные верят в Бога. Я был этим поражен. И знаете, я почувствовал, что там я ближе к Богу. Я такое там почувствовал, такие у меня были ночи, такие просветления по утрам... Не описать! И это не все, далеко не все... Я верю, что у меня многое получится там, в России, потому что я вижу первые всходы, первые изменения, которые начались уже давно, о чем предупреждали мыслители. Например, поразительная вещь, но в СССР сейчас власть соборная, это то, о чем писал Спасовский[1]... Много удивительного происходит

---

[1] *Михаил Спасовский* (1890—1971) — идеолог русского фашизма в эмиграции, глава Верховного Совета Русского фашистского союза, член РОНДДа и других националистических организаций.

в нашей стране, и не жить в ней, упускать эти чудеса, означает лишать себя самого прекрасного, что только дано русскому человеку в жизни.

— Александр, как вы думаете, а почему он вам все это говорил? — спросил я. Крушевский не смог ответить. — Он разве не знал, что вы у Игумнова в редакции работаете?

— Не знал. Я писал под псевдонимом. Самое интересное случилось потом. Мы долго гуляли, долго прощались, никак он не хотел меня оставить. Я ему пожелал счастливого пути и сказал «Бог с вами», но он ждал большего и даже обнял меня. Когда я вернулся к себе, дома был беспорядок. В каждой комнате был обыск. Все перевернуто. С первого этажа до самого верхнего. Порылись везде. Даже доски от пола и стен отодрали.

— Обыск? — удивились мы. — Вы уверены, что это был обыск, а не воровство?

— Не знаю, не знаю... Ценное не взяли... Никакого воровства не заметил... Деньги, провизия, инструмент, табак — табак не взяли! А табака у меня сейчас много — на месте. Кто-то что-то искал. Я спросил старика, не видел ли он чего-нибудь. Тот сказал, что не видел. Он был в мрачном настроении. Жена его в больнице. Николай собирает чемодан. Младшая дочь выходит замуж за француза и дома не показывается, с ней все ясно, ее старик зовет *предательницей*. Старшая в загуле, возвращается пьяная, гуляет с советскими. Он ее материт. Племянников пришлось в орфелинат сдать. Постыдный поступок, Арсений Поликарпыч и от этого тоже страдает. Сидит и курит. А может, он сам и искал... Я его спросил об этом. Он страшно удивился. Пошел со мной, посмотрел и почесал затылок. Вот и все. Удивился, но без интереса. Он сильно расстроен. Ему не до меня. Он хочет поскорее уехать и на жену свою злится, на всех. Ему мнится, будто все ему препятствуют умышленно, будто жена заболела не естественно, а намеренно.

— Ехал бы один, — сказал Шершнев.

— Нет, один не поедет, — сказал я. — Ему главой семейства надо быть. Без семьи он ничто.

— Да, — подтвердил мои слова Крушевский, — только вы упускаете кое-что важное: обыск у меня случился, пока Каблуков меня за нос водил с моста на мост.

Я предложил Александру остаться у меня, хотя бы на пару дней, но он отказался, сказал, что будет порядок наводить. Робко попросил пару чемоданов. Я дал. Он сказал, что соберет вещи и перенесет временно ко мне. Сколько угодно! Живите тут! Он ушел. Тем же вечером, почти ночью, в сильный дождь, он приехал на такси. Стучит в дверь. Ему открыли. Он весь трясется. Пришел ко мне, гремя и спотыкаясь на лестнице, плюхнулся в кресло, руками голову обхватил, сам на себя не похож, твердит:

— Я его убил... Я его убил... Я не хотел... Поверьте, не хотел... Это вышло случайно...

Он разбудил весь дом. Мальчики выскочили на лестницу в пижамах, Шиманские испуганно смотрели на нас. Я всех разогнал по комнатам, мы заперлись в гостиной. Совершенно лохматый Серж, в безрукавке, теннисных шортах и длинных белых носках был похож на шотландца, он с удовольствием налил всем виски и сказал:

— Вот, выпейте покрепче. А теперь говорите: что случилось?

Это подействовало. Крушевский сказал, что ночью к нему в Скворечню влез незнакомец. Они сцепились, покатились по лестнице, незнакомец сломал себе шею. Ничего больше он сказать не смог.

— Так, все ясно, — сказал я, нашел ему сухую одежду. —
И ты, Серж, живо переодевайся! Нужна машина.

— Зачем?

— Как зачем? Надо отвезти тело незнакомца подальше.
Шевелись!

Он забегал. Крушевский тоже отвлекся переодеванием
и перестал трястись — не хватало, чтоб у него *началось*.

— Где ты возьмешь машину?

— Ты поговоришь с Николаем. Уговори его дать нам фургонет. Некогда сидеть. Надо ехать. Скоро светает.

Со мной не спорили; казалось, прими я самое безрассудное решение, и тогда со мной согласились бы. Мы нашли такси
и поехали к Боголеповым. Было очень темно; дождь лил стеной. Я попросил таксиста остановиться на площади Вольтера,
щедро с ним расплатился. Подкрались к дому. Крушевский
не решался подходить, поэтому завел не туда. Я его попросил
собраться. Серж его взял за плечи и приказал быть мужчи-
ной. (Мы говорили шепотом: как только дождь перестал, мы
перешли на шепот.) Александр дышал ненормально, громко
и прерывисто, со стоном, и все время что-то пытался сказать,
но сильно заикался, слов не было слышно, будто ему не хватало воздуха, его трясло от холода. Он был на грани припадка. Серж дал ему хлебнуть виски из своей фляжки. Кажется,
он пришел в себя немного. Подкрались со стороны пристани.
Подходя к Скворечне, я впервые заметил, что она слегка на-
клонена. Юркнули между кустами, дождь зашелестел с новой
силой. Река тоже шумела, но это был шум пустой. Над берегом
и кустами висела дымка, как легкая серебристая вуаль. Прикрываясь грохотом поезда, как большой тенью, мы проскочили
незаметно в Скворечню. (Я несколько раз глянул на усадьбу —
она спала.) Только внутри я понял, что мы насквозь мокрые;
и — как все неладно-то: все было вверх дном, в прихожей по

полу валялись ботинки, сапоги, щетки, банки, инструменты; на кухне горела свеча, доски отодраны, тряпье, бумаги, веревки... Мои чемоданы на все это смотрели с возмущением. Хорошо, сказал я тихо, надо пойти глянуть на тело. Александр сказал: нет, сел на пол, у самой печки, тут у него началось. У Сержа скулы свело, он отвернулся. Я держал голову, она стукалась о заслонку, ручка бряцала, очень звонко, на всю глушь. Затих. Я ощупал его затылок — кажется, разбил в кровь, нет, это была не кровь — от дождя влажные волосы... положил голову на рукавицы, которые валялись тут же, мы с Сержем подождали минут пять, передавая флягу... Саша успокоился, взгляд его — все еще печальный — прояснился. Дали попить воды. Светлело, но не становилось светлей, будто мрак задерживался в предметах и в нас самих. Марево, как старое ветхое кружево, рвалось и разбредалось. Надо смотреть, сказал я. Сейчас посветлеет, надо торопиться. Александр сказал, что идти не может, еще слаб, дайте минут пять. Я сказал ему лежать. Схожу один. Где он? Александр сказал, что он лежит в помещении, где есть боковая дверь. Вышел один. Поискал боковую дверь. Это было непонятно. Разок привиделась коза — но ее же... Нет, рубашка упала с веревки и болталась на кустах. Вот пристройка, какой-то сарай сбоку. Тьфу ты, лужа какая! Там, что ли? Ботинки хлюпали. Вернулся уточнить: там ли тело, в сарае? Он меня не понял. Я повторил: сарай?! Меня начало колотить изнутри. Он смотрит — взгляд стеклянный, как у оглушенного. Серж нерешительно: пойдем, что ли, посмотрим. Подожди. Несколько раз спросил: там ли тело? Я хотел посмотреть один (мне подумалось, что смогу что-то узнать, если побуду с покойником хотя бы минуты две наедине). Александр кивнул, сказал, что спрятал его в сарайчике, в котором должен был быть погреб, но погреб так и не сделали. Я попробую с вами, он встал и пошел с нами. Его шатало. Там ничего, кроме метлы и ведерка, не было. Именно туда он его и оттащил. Никакой крови. Труп лежал под американским пальто Крушевского. У него торчал язык, как у повешенного. На шее были следы рук. Я не обнаружил ни ссадин, ни синяков. Если бы я был один, может быть, я бы что-нибудь понял. Однако то, что он не упал с лестницы, было и так очевидно. Ничего не сказал. Серж наклонился и глянул через мое плечо, я почувствовал, как он отпрянул и прошипел:

— Тьфу, Иуда!

— Кто это, Серж?

— Четвергов.

— Да неужели тот самый?

Я снова глянул на труп. Я никогда не встречал Четвергова, но лицо его мне казалось знакомым. Мне подумалось, что совсем недавно я видел его.

— Я, кажется, видел его, — сказал я и тут же припомнил, что он прогуливался с зонтом по моей улице, я неоднократно видел, как он медленно идет с зонтом, на нем была широкополая шляпа, воротник был поднят, шарф вокруг шеи по самый подбородок. — Эти усы... Их я не помню... Они как приклеенные... — Я подергал усы, но они не отдирались, Серж меня попросил не делать этого, но я дергал, Крушевского вырвало, Серж его увел внутрь, я закрыл сарайчик и пошел следом за ними. — Мне надо выпить, — Серж дал мне флягу. — Кажется, я видел его возле моего дома...

— Он шпионил за мной, — сказал Крушевский.

— Так, ну, все, — скомандовал я, — зови Николая, Серж.

— Как?

— Камушек в окошко кинь, что ли. Только аккуратно. Так, чтоб никого больше не разбудить. — Серж проворчал: «попасть бы в такое окошко», я не выдержал: — Уж попади, прошу тебя! Александр, вы сидите у себя как ни в чем не бывало, наведите порядок тут. Что у вас все разбросано? Чай заварите, помойте посуду, займитесь делами. Остальное мы сами сделаем.

— А что вы сделаете? — спросил он испуганно. — Что вы собираетесь делать?

— Как это что? Хоронить, конечно.

— А можно мне к вам потом переехать?

Я сказал, что, конечно, можно, уговор в силе, и посоветовал собрать вещи.

Пришлось поговорить с сонным Николаем, он долго ничего не понимал, пока я не показал ему тело. Откинул пальто.

— Узнаете его?

Николай молчал. Он стоял надо мной и смотрел на мертвого, не моргая. Я смотрел на него снизу, он казался разозленным. Он что-то знал, но не хотел говорить.

— Ну? Узнаете?

— Да, — наконец он вздохнул и тут же выпалил: — Черт, откуда он тут взялся?

Я шикнул на него, потребовал, чтоб он говорил тише. Он присел рядом со мной на корточки.

— Отец крепко спит, две ночи не спал, с маман в больнице сидел все время, плакал, теперь уснул, Катюши нет дома, Лидка пьяная, тоже спит... Откуда он, мать его, взялся?..

— Четвергов? — спросил я так же строго.

— Угу, — промычал он, потупив глаза. — Жил у нас почти всю оккупацию. Потом уехал. Откуда теперь он взялся?

Я сказал, что он ночью напал на Крушевского, упал с лестницы и сломал себе шею.

— Говорят, беда не ходит одна...

— Ладно. — Я накрыл лицо мертвого, поднялся, Коля тоже. — Надо спрятать его, — говорил я, направляясь в башню, — и как можно скорей... — Я старался давить на парня, не давать ему спуску, — надо действовать, пока не рассвело...

Нам фургонет его нужен, даст фургонет и пусть идет спит дальше, если сможет.

— Торопиться надо, Николай, понимаете?

— Да, Альфред Маркович, да...

Мы вошли. Крушевский сидел на кушетке и смотрел на свои руки, мне это не понравилось, я попросил его сделать мне папиросу, и Николаю... спросил парня, будет ли он курить...

— Что?.. Да, если позволите... Ну и дела... ну и дела... — повторял он, озираясь, — а что у вас такой бедлам, простите?

— Похоже, этот Четвергов тут шарил, что-то искал, — сказал я, взял флягу у Сержа, — выпейте!

Он выпил, поморщился и сказал:

— Покойника надо поскорей увозить отсюда.

— Да, конечно, Николай, — подхватил я, — мы этим и занимаемся. Нельзя, чтобы у вас его нашли! Поможете нам?

Он подогнал удобно фургон; мы с Сержем кое-как взялись, и ботинок с ноги соскользнул, пальто упало, Серж стоит, ботинок держит...

— Серж, не стой! Хватай! Понесли!

Затолкали втроем в фургонет. Николай накинул брезент поверх тела, прижал лопатами сверху, за руль и — поехали.

— Четвергова к нам привел Каблуков. Они с отцом долго беседовали. Убедили его... Отец сказал, что, если мы проболтаемся, того убьют, а заодно и всем нам будет несдобровать. Я знал, в чем Четвергов был виноват, и мне это было отвратительно, я был не согласен с отцом и помогать мерзавцу не хотел, но спорить тогда не решился, никогда не шел наперекор, до недавнего времени я соглашался со всем, что бы он ни сказал.

— Наверное, вам очень непросто...

— Очень даже просто. Вы и представить себе не можете, Альфред Маркович, как мне просто теперь.

— Я хочу, чтоб вы знали, Николай, — сказал Серж с заднего сиденья, — это был несчастный случай.

— Мне можно это не объяснять. Даже если тут и что-то другое...

— Ничего другого, уверяю, мой друг, — настаивал Серж. — Но это случилось бы, рано или поздно, случилось бы... Удивляюсь, что он так долго продержался...

— А так долго продержался потому, Серж Иваныч, что мы его прятали. Теперь получил заслуженное наказание, — последние два слова Николай произнес и громче, и тверже, дернул рукоятку скоростей и прибавил газу, выехали из Аньера, стало светлей, легче.

— Николай, то, что мы сейчас делаем...

— Я не в первый раз везу труп, Альфред Маркович, и это совсем не страшно. Покойника везти не так страшно, как... Тогда было страшно, правда, Серж Иваныч?

— А?

— Я про тот случай говорю, Сергей Иваныч, когда господин Тредубов исчез из машины. Помните, как это было?

— Да, это было... Не знаю, как сказать...

— Мне никогда так страшно не было, Альфред Маркович, никогда... — Некоторое время он молчал, и было слышно, как сзади вздыхает Серж. — Мне это все надоело.

— Что именно? — спросил я.

— Да всё! Творить нечеловеческие вещи надоело! Прятать людей, бояться, что тебя поймают. Второй год как война кончилась, а это все, кажется, никогда не прекратится. На каждом шагу засады. Во что-нибудь да вляпаешься. Одни за, другие против. Надо знать кому что сказать или не сказать. Это ж какое мучение! Я хочу уехать поскорее и все забыть. Уеду и все забуду, к чертовой матери! И отца, и сестер, мать, всех. Я не дам им поехать в СССР. Катя не хочет. Мать больна, очень больна, она не выдержит. Она уже не встает!

Вот как! Для меня это было полной неожиданностью.

— Так вы... не собираетесь их перевезти в Россию?

— Нет, ни в коем случае. Пусть остаются. Я один еду и с концами!

В его решительности и горячности я расслышал интонации старика Арсения, только Николай немного другое имел в виду, хотя говорил с отцовым раздражением, и так же рельефно: «с концами», «уехать и забыть»... Я помолчал, выждал и сделал слабую попытку его переубедить: сначала поспрашивал, что говорят врачи о состоянии его матери, кто лечит, где она лежит; он отвечал, отвечал, я вздыхал...

— Неужто вот так плохо? Все время лежит? Беда-то какая... Конечно, в таком состоянии нельзя из больницы выписываться... Я к ней сегодня же схожу... Слушайте, Николай, но ведь вместо СССР можно и в другое место поехать! Вот недавно Игумнов рассказывал, помнишь, Серж, про бывшего полковника Оземцева? Им сплин овладел, расстройство духа. Собирался в СССР. Подал заявление. Сказал, что уезжает, потому что больше не может во Франции. Жена умерла, детей нет. От Парижа его тошнит, просто с души воротит. Что тут сделаешь? Игумнов отговорил, устроил ему переезд в Англию. Сказал: попробуйте там пожить, если и там то же, то поедете на родину, что уж тогда. Он уехал в Англию, там ему работу нашли тихую, живет в пансионе, завел знакомства, ходит в клуб инвалидов Первой мировой, там нашлось у него много друзей, и англичан и русских, в бридж играет, ни о какой России не думает.

— Это не мой случай, Альфред Маркович, — сказал Николай. — Сами сказали: у вашего полковника никого не осталось. Говорите, куда поедем.

Мы были растеряны; просто катили наугад подальше от Парижа, высматривали место. Дождь кончился, над дорогой и полями висела дымка, небо было серым, с пролежнями. Серж бормотал: рассвело, упустили время, надо было в полной темноте дело сделать; Николай тоже считал, что стало слишком светло, кто-нибудь заметит... Нам попадались велосипедисты и редкие машины. На душе было пусто и мрачно, меня это чувство не покинуло даже тогда, когда прорезалось солнце и стало пронзительно ясно. Ехали в направлении Орлеана, но так и не решились остановиться; Орлеан не приближался, а затем как-то внезапно мы миновали его, а города я и не заметил. Николай сказал, что проехали стороной, и спросил, что дальше. Серж предложил поехать в Saint Genou, лопаты положительно брякнули сзади; проехали Saint Genou, Серж так и не сказал, где остановиться, а предложил La Brenne.

— Едемте в La Brenne... Я там бывал на пленэрах...

Поехали в направлении Châteauroux, но усталый Николай зазевался и сбился, вместо Châteauroux он свернул на Châtellerault, на себя рассердился и на нас стал ворчать. Громко переехали через мост и увидели развалины церкви.

— Туда, — сказал Серж.

— Да, — согласился Николай, — хватит петлять. Немцев хоронили, меньше боялись. А тут такой подонок...

Я подумал, что совсем не узнаю его.

Все сделали второпях. Обратно ехали молча. Николай заправил машину из канистры, которую предусмотрительно взял с собой. Когда прощались, он добавил:

— Вряд ли теперь свидимся. Что бы там ни было, писем писать не стану. Не поминайте лихом, как говорится.

Был он очень холодный, чужой. В глаза избегал смотреть. Я почувствовал в нем жесткость и подумал, что он так поступает потому, что помог нам: чтобы мы не винили себя за то, что втянули его, а может быть, он в нас разочаровался, может быть, он нас тоже видел другими глазами; но причина была, как всегда, в другом, я это понял тогда, когда ко мне Маришку привела Катя, она сказала, что чуть ли не в тот же день Николай собрался и уехал в Борегар. Она сообщила об этом спокойным голосом, как о рутинном событии в ряду других событий. От ее голоса у меня холод пробежал по коже. Я предложил ей чаю, она, к моему удивлению, не отказалась, всегда отказывалась (потому что, наверное, отчасти верила в то, что я — насильник, живодер, похититель женщин, Синяя Борода). Обиняками я попытался выяснить, не знала ли она чего-нибудь о нашей вылазке, — кажется, не знала: она все время проводила со своим женихом, о нем и их совместной счастливой жизни она повествовала тем же усталым безрадостным тоном; он жил в Beauvais, они торопились пожениться — «вот только маман поправится, и сыграем свадьбу». Я хотел искренне порадоваться за нее, но чего-то не хватало, она так мрачно сказала «вот только маман поправится» и затем сделала паузу, будто не верила, что она поправится — возможно, дело совсем плохо, подумал я (так и было). Катя призналась, что отношения в доме последние два года невыносимые. Николай получил уведомление о том, что он отбудет в СССР через две недели; не желая оставаться под одной крышей с отцом (скрытая к нему ненависть все чаще вырывалась наружу), Николай решил дожить свои последние французские дни в лагере. С матерью не попрощался: «Передай матери, — сказал он Катерине, — что скоро напишу, устроюсь там и напишу, вы приедете, и все мы снова будем вместе».

— Мы оба знаем, — сказала мне Катерина, — что никогда все вместе уже не будем. Мне пришлось идти к маме в больницу и врать за него. Сам бы пошел...

— Так он еще в Борегаре?

— Должно быть.

Ее ответ мне показался очень странным. Тихая вода! И это все, что она может сказать? Я был поражен... спросил, неужели она не хотела бы с ним проститься?

— Так простились уже, — ответила она.

Я смотрел, как она пьет чай, и молчал, мне нечего было сказать; я недоумевал; потому что я видел, как родственники и даже незнакомые люди до последнего дня ходили провожать тех, кто уезжал, даже не близких, даже незнакомых провожали; я знаю и не знаю, почему они это делали; на поверхности я протестую и не желаю этого принять, но где-то глубоко внутри мне понятно, почему человек, у которого никого нет во Франции, идет на вокзал или в лагерь и там шатается, заводит разговоры с незнакомыми людьми, он им задает простые человеческие вопросы: откуда они приехали, где жили, как жили, куда собираются, — он слушает их, что-то рассказывает, а потом желает счастливого пути и уходит; я видел одиноких женщин, которые плакали, провожая совершенно чужих людей, они плакали не потому, что верили, что тех ожидают впереди невзгоды, лагеря, полная несчастий советская жизнь, нет, я уверен, об этом они не думали, — о советской жизни многие оставшиеся имели такое же туманное представление, как и те, кто уезжал в СССР, — они не оплакивали отбывающих, они были всего лишь растроганы, и растроганы они были потому, что им просто по-человечески было грустно, и о себе в эти вокзальные, полные шума и суеты мгновения они плакали тоже: трудно быть там, где ты есть, и еще трудней оставаться на своем месте, когда видишь тех, кто радостно уезжает, и когда ты в преклонном возрасте, ты понимаешь: не уезжаешь с ними — вряд ли уедешь когда-нибудь вообще; оставаясь на перроне, ты определенно остаешься навсегда, поезд ушел, ты на нем не уехал (ведь иногда хочется запрыгнуть в уходящий поезд просто так, просто так), ты должен возвращаться к своей одинокой скудной жизни, в которой вряд ли что-нибудь изменится; наверное, у меня ушло бы очень много чернил и бумаги, если бы я попытался разобраться и в этом странном явлении, и в тех, кого я знал — а знал-то я многих, очень многих, и кое-кто из них ходил на вокзалы — и вообще, вокзалы, вокзалы — о вас я мог бы многое рассказать, и я бы справился и с вокзалами, и с поездами, и с пассажирами кораблей, и с отелями и их постояльцами, уверен, было бы мне отведено чуть больше времени, я, исписав чемодан-другой бумаг, истощил бы свое чувство беспокойства и грусти, которые меня нередко посещают, когда я думаю о них, когда в моем сознании возникают их фигуры, их образы, их силуэты: они стоят на платформе, они подходят к улыбающимся людям, они что-то спрашивают, а потом отходят и тихо стоят в стороне, неподвижно, почти не моргая глядя вслед поезду, они стоят в тени чужого путешествия, мир за окном поезда вертится, он кажется веселым, а когда ты возвращаешься с вокзала пешком, потому что не можешь себе позволить такси, мир кажется очень медленным и тяжелым, его непросто сдвигать в такие минуты... в конце концов, я научился бы уживаться с ними, я описал бы их всех, их внутренний мир, их судьбы, взгляды, слезы и поношенную одежду, в которой они являлись и продолжают являться мне во снах... но я не мог и, боюсь, не смог бы, сколько бы ни исписал бумаг, понять Катерину, вывести ее голос, выделить эти ноты (так звякают кубики льда в бокале), я был бессилен перед ее спокойствием... я знал, что Лидия не пойдет провожать брата, Катерина сказала, что Лидка плюнула вслед Николаю, когда он уходил со своим легким чемоданом, она плюнула ему вслед и все, Катерина не усмехнулась, не пожала плечами, но ровно перешла к другим деталям, связанным с отъездом Николая, который был «какой-то растрепанный, непричесанный и выпивал накануне с кем неизвестно», я понимаю реакцию Лидии, но не понимаю, почему младшая сестра рассказывает об этом без возмущения, а со скукой, я даже понимаю, почему старик не поднялся и не посмотрел в окно, тут, может быть, суеверие какое-то примешалось... я даже могу понять Изабель!.. никто не понимал ее поступка: почему она бросила детей?.. почему привела?.. почему тебе?.. почему она тебе оставила детей?.. а?.. Почему мне?.. Да, почему *тебе*? Они не понимают, с подозрительностью смотрят, идиоты! а я — понимаю! Сорок второй дался особенно трудно, после событий в Северной Африке немцы были повсюду, теперь мы поняли, что такое оккупация, настоящая оккупация началась в сорок втором, зима случилась исключительно холодная, я болел, но старался ходить на работу каждый день, другого выхода не было, надо было ходить каждый день, в те дни точно нужно было вынюхивать каждый божий день и как можно дольше, и тут появилась Изабель, она сказала, что Бенжамена забрали, оставила мальчиков и ускакала, а ведь он так заботился о ней, привел с улицы девочкой, отец с двенадцати лет сдавал ее богачам на веселье, Бенжу ее буквально похитил, заботился, как о младшей сестре, а когда выросла, женился на ней. «Его увезли в Дранси», — сказала она. Ни слез, ни сожалений, ни надежды. Опустошенная и будто разозленная чем-то — женщина, которой все надоело. «Дети, — говорила она, точно те были пробковыми манекенами. — Кто-то о них должен позаботиться, пока их тоже не забрали...» *Кто-то*... Она стояла с ними, уже не держа за руки, и говорила со мной при них так, будто они глухие или не понимают ее... *Кто-то*... Они смотрели на меня. Я — на них. «Кто-то вроде вас, мсье Моргенштерн...» Ну, что я мог сказать? Я сказал: «Хорошо, Изабель... Почему нет... Почему нет...» (Со мной точно им хуже не будет.) Сначала я решил, что мальчиков надо непременно отправить на юг, сразу, сразу на юг, но затем поразмыслил и решил, что у меня им будет безопасней. Несмотря на то что на нашей улице был отдел гестапо — нет, именно *потому что* на нашей улице был отдел гестапо, я решил: тут им будет спокойней! Куда-то везти, доверять кому-то... кому-то, кого не знаешь... Очень многие в процессе перемещения исчезали, их возили в грузовиках, в подозрительных грузовиках, грузовики останавливали, проверяли, людей находили, выводили и... или их сдавали, прятали в каком-нибудь месте, а потом сообщали нацистам, где они спрятаны, и все — никто ничего не видел, как если б ничего не было; так поступали в расчете на то, что никто никогда не узнает о том, что они так поступили... можно всегда сказать, что никто ничего не делал: их просто нашли, их выследили, кто-то донес, не ты лично, а кто-то... так поступали даже свои, и у них на то были причины, оправдания и — веские основания, именно так: *веские основания*, — черт возьми, люди, которые не понимали, почему Изабель пришла с мальчиками ко мне, принимали основания и оправдания тех, кто доносил о том, где прячутся евреи! Ах, как сложно устроен человеческий ум! Нет, ни на кого полагаться было нельзя. Чуть позже привели Шиманских, которые за нами всеми присматривали. Восемь месяцев я жил в настоящей подпольной семье. Теперь думаю, что я не утратил рассудка в основном благодаря им... Никто не понимает, почему она привела мальчиков ко мне, все думают: потому что мы с Бенжу дружили... но ведь это не так! Не так уж мы и дружили... Выпивали, играли в бильярд... Я понимаю, почему Изабель ко мне привела детей, понимаю — она сорвалась... может быть, всю жизнь ждала... да, это странная логика, и тем не менее ее можно понять, но равнодушный голос Катерины — его я не мог понять... я смотрел на нее и злился: она так спокойно пьет чай, аккуратно помешивает ложечкой, ест варенье... так буднично, так — как если бы сидела в ресторане, или репетировала перед тем, как пойти в ресторан или на прием... я смотрел на нее и думал: скорей бы ты расправилась с чаем и убралась отсюда, в свой чертов омут! Как только она ушла, я поехал в Борегар, попросил на воротах, чтобы ко мне вызвали Николая Боголепова, сказался его родственником. Один из двух охранников ушел и долго не возвращался, второй рассматривал меня с любопытством, задавал много нелепых вопросов, спросил папиросу, я дал, он попытался завести разговор, что-то мне по сердцам рассказать, но я не поддержал, и он хмыкнул, сказал: «ну-ну, вот такие вы тут, значит», и молча курил. Наконец, первый охранник вернулся, сказал, что Николая Боголепова нет в лагере.

— Отбыл.

— Когда?

— Вчера, наверное, — ответил безразличный охранник. — Каждый день летают. Откуда знать? Всех по именам не знаем.

* * *

Время шло, а писем от Николая не приходило. Французская полиция приступом взяла Борегар. Два десятка «советских патриотов» были арестованы и высланы в СССР немедленно, аресты продолжались. Кто-то злорадствовал, а Шершнев писал и говорил, что высланных «патриотов» следует оплакивать так же, как тех, кого похитили органы НКВД. Игумнов с ним спорил, но печатал, зато окончательно разругался с Вересковым. Никто не знает, что стало причиной ссоры, утверждают, будто главный редактор кричал и бумагами швырялся, Грегуар вышел из редколлегии «Русского парижанина» и никогда добрым словом Анатолия Васильевича не поминал. Вскоре он появился у меня на пороге. Сетуя на всевозможные неудачи, хотел просить в долг, но я нашел в себе твердость и, до того как он успел попросить, дал ему понять, что у самого неурядицы и всевозможные обязательства. Больше мы не виделись. Александр уехал в Брюссель. В январе сорок восьмого по особому распоряжению министра внутренних дел Франции «Союз советских граждан» и их печатный орган закрыли. Надежда Тредубова год или два предпринимала отчаянные попытки найти мужа (говорят, ей помогал Лазарев), растратилась совершенно и уехала в Америку. Любовь Гавриловна на поправку так и не пошла, ее привезли из больницы домой, однажды утром Арсений Поликарпович нашел ее холодной, два дня над ней проплакал, и плакал бы дальше, если бы не Лидия, которая приехала и, как она выразилась, «это безобразие раскрыла». Ее похоронили на Сент-Женевьев-де-Буа. Старик сильно горевал, отказывался от пищи, вскоре заметили, что он говорит невразумительно и сделался неловким на левую половину, не мог подняться, а когда ему помогали, он сильно волок ногу и шепелявил. Показаться врачу отказался, из Аньера не выезжал, на что жил — неизвестно, он почти ни с кем не разговаривал, гремел костылем, шуршал старыми газетами в вокзальном кафе, вздыхал: «Так и не написал нам Коленька... Так и не написал наш дорогой Николаша». Телятькин устал с ним возиться, открыл свою лавочку и сидел в ней, и когда его спрашивали, как там Поликарпыч, он резко отвечал, что не сторож ему.

Усокин отправился в СССР, но в пути передумал. С самого начала все было не так: не было банкета, не было пышных речей, ему не понравилось отношение охранников, шутки офицеров сопровождения, да и сами вагоны, в которых они ехали, его сильно расстроили. Торжественное отбытие на Родину Усокин рисовал себе совсем иначе. Два последних года он жил ради этих мгновений, мечтал произнести короткую, но яркую речь, хотел самодовольно помахать тем, кто его отговаривал уезжать, кто над ним смеялся, он воображал их на станции, даже тех, кто давно умер, представлял, как они выйдут на перрон Восточного вокзала, увидят его и их физиономии вытянутся; он думал об этом дне, как о триумфе, но триумфа не было. Ранним октябрьским утром 1947-го их вывели из лагеря и колонной повели на станцию Буживаль. Конвой подгонял их, как скотину, которую тайком уводят у хозяев. Усадили в вагоны и повезли. Точно так же, тайком, негромко переговариваясь, ему много раз приходилось разгружать чужие вагоны. Он ждал, что будет вокзал, и там будет праздник, но они ехали и ехали... Он думал, что его сердце будет радоваться, но оно грустило, и чем дольше они ехали, тем пронзительней была грусть, что-то ему нашептывало, что поезд был не тот и вез он их не туда. Это чувство усилилось в бывшем нацистском лагере Mittelbau-Dora, где, в ожидании другого состава, их держали взаперти вместе с перебежчиками, которые служили в немецких войсках и не хотели возвращаться — и не вернулись бы, если бы не попались агентам НКВД. Невозвращенцы проклинали свою судьбу и жаловались на эмигрантов: дескать, сдали их господа, снюхавшись с большевиками. В сознании Усокина все перевернулось. Подслушав, что трое украинцев готовят побег, он бежал с ними, вернулся во Францию, помог беглым устроиться, в «Русском парижанине» вышла его беседа с Игумновым, в которой Усокин покаялся, со всеми простился и сразу, точно все еще был на мази, отправился в Аргентину к какому-то своему дальнему родственнику. Через год-два он прислал фотографии, на которых наслаждался жизнью, на нем было сомбреро, в зубах — сигара, он отрастил пышные усы, носил белую свободную рубаху во всю грудь не застегнутой, рядом с ним улыбалась очаровательная латиноамериканская жена. «Кто бы мог подумать, — с восторгом хрипел Арсений Поликарпович, — какой нежданный поворот Фортуны! И в шестьдесят пять не поздно все начать сначала! Человеку главное найти свое место».

Два или три года Боголепов ждал вестей от сына, держал чемоданы наготове, говорил, что, как только сын напишет, он сразу тронется в путь.

Где-то в начале пятидесятых из России прислал фотографию Василий Туманов, без жены (в письме коротко написал: похоронил год назад), но с родственниками: двое сильно похожих друг на друга мужчин и три женщины, пятеро чужеватых, слегка напуганных детей. Туманов в черном пиджаке и кепке, каких никогда не носил, с очень прямой спиной сидит за столом на фоне белой хаты и фруктовых деревьев, дальше — забор, за ним — огороды. Самым подозрительным было в этой фотографии то, что все эти лица, чертами не схожие, имели нечто общее, поэтому многие и восклицали: «сразу видно — родня!», но я не поверил. Этими людьми, считаю я, могли быть кто угодно, фотография, без сомнения, была постановочной (уж в этом деле я знаю толк). Подлинными были глаза всех ее невольных участников — их роднил страх. Прошло еще несколько лет, и Василий Туманов запел на советской волне для эмигрантов в передаче «Край родной», пел он все тем же слегка нервным тенором, от которого у меня начинали дрожать руки, после двух-трех песенок ведущий пускался с ним в задушевную беседу, Туманов отвечал не сразу, он вздыхал, вздыхал, как паровоз, отправляющийся в долгий путь, а затем, под душещипательный перебор струн и похоронную скрипку, приступал к повествованию о «тоскливой, едва ли выносимой, горькой доле эмигрантской». Передача завершалась минорными аккордами на рояле — одной этой музычки было бы достаточно, чтобы испытать отторжение, но я знал людей, которые с удовольствием слушали те передачи, никуда уезжать не собираясь, они включали радио, пили водку, слушали и грустили.

От Николая так ничего и не было; одичавший старик начал произносить имя сына со злостью: «Что, забыл нас Николя?» Дочери разговор с ним не поддерживали; поссорившись между собой, они и отца окружили мстительной тишиной, теснившей его и подталкивавшей на беседу с собственной совестью, старик ругался: «Проклятый мальчишка! Наплевал на родных, выкормыш». А потом и вспоминать перестал, точно никогда у него не было сына; чуткие сестры, не сговариваясь, не вспоминали при нем брата и мужьям и Маришке внушили не произносить при старике имени «Николай», о ком бы ни шла речь. Лидия вышла замуж — за химика тридцати семи лет, без волос, с плохими зубами и слабым зрением, он с утра до ночи пропадал в лаборатории Éclair, занимался разработкой новой кинопленки. Лида с гордостью говорила: «мой муж — ученый». Она переехала с дочкой к нему в Épinettes, в новый, только перед войной выстроенный шестиэтажный дом, они жили в трехкомнатной квартире на пятом этаже, целый год она пребывала в эйфории, всем говорила, что живет в Раю и наконец-то по-настоящему счастлива, даже пневматические послания отправляла тем, с кем давно не общалась; по словам Катерины, Лидия и отца изводила своим счастьем, рассказывала, как ей хорошо живется с мужем! В последний такой визит Лидия застала отца за странным занятием: «Он пилил ружье», — сообщила она полиции после того, как его нашли застрелившимся из того самого ружья, которое он умышленно укоротил. Она не посчитала нужным упомянуть, что на крыльце видела разложенными на газете кости; когда она спросила отца, что это такое, он коротко сказал, что это его грехи[1]. Тело Боголепова обнаружил Теляткин (позже, раскаиваясь, он признавался, что зашел к старику позубоскалить, помучить его немножко[2]): в не-естественной позе, весь в крови, Арсений Поликарпович лежал на мраморных плитах, украденных с мемориала немецким служебным собакам. Дверь, крыльцо, окна, ступеньки и лужайка были забрызганы его кровью, капли крови нашли даже на им построенной беседке. Судебно-медицинская экспертиза пришла к заключению, что это было самоубийство: покойный выстрелил себе в голову из короткоствольного оружия дробью крупного калибра с очень близкого расстояния, нанеся таким образом множественные ранения как на поверхности черепа, так и внутри: пробоина чешуи левой височной кости и повреждение клиновидной кости повлекли за собой проникновение отломков костной материи в вещество мозга, разрушение перекрестка зрительных нервов, органов слуха, canalis caroticus и внутренней сонной артерии, что и стало причиной быстрой смерти.

---

[1] Эксгумированные на собачьем кладбище останки (о вандализме несколькими днями ранее заявлял новый смотритель), завернутые в православную крестильную рубаху, находились в собранном для поездки чемодане, вещей было немного: церковная свеча, два коробка спичек, нож, детские фотокарточки Николая Боголепова, Библия, в спичечном коробке лежал серебряный крестик на серебряной цепочке, икона Николая Чудотворца и пузырек с водой. Судебные антропологи установили, что останки принадлежали двум детенышам шимпанзе.

[2] За этим признанием последовало другое: летом сорокового года, во время «парижского исхода», под черным от пепла дождем, Зосим Теляткин и Арсений Боголепов занимались *комбриолажем* — т. е. вламывались в покинутые дома и виллы, вследствие чего сделали немалый капитал, о чем никто не подозревал, т. к. они жили в показной бедности: Боголепов громко жаловался на судьбу, Теляткина каждый день видели возле вокзала Сен-Лазар с его неизменным чемоданом безделушек.

VII

1

Альфред отправился на телеграф звонить в Канаду: нашлись какие-то картины, которые он разыскивал чуть ли не двадцать лет, — а я доковылял в моем балахоне до редакции; показывал фрагменты статей о Шершневе, Гвоздевиче, разговоры с Альфредом, — обещали посмотреть, но дали понять, что скорее всего газете это не подойдет: журнальный формат. Вазин ухмылялся, у него вышла большая статья про Бушенвьерскую мумию, настоящее расследование, он каким-то образом установил личность найденного тела. Улыбался и на меня смотрел свысока, кинул в мою сторону: «Вот вам газета — отнесите в полицейский участок». Я сделал вид, что не услышал. На собрании я заикнулся, что мог бы написать про Годара. Вазин громко фыркнул и сказал:

— Да зачем про это новое кино вообще писать? Какой еще Годар? Это тот мальчишка в солнечных очках? Он их носит повсюду, даже в помещении, как Поплавский...

Я не удержался и ответил, что два романа Поплавского, кстати, до сих пор не напечатали — надо что-то сделать... Вазин закряхтел, ему не терпелось меня заткнуть. Не обращая на него внимания, я продолжал — громче и громче — наверное, я побелел, потому что заметил, как на меня смотрит главный редактор, встревоженно, она видела, в каком состоянии я притащился, на костылях в гипсе, на мне были эти нелепые штаны, что сшила для меня Мари, с застежками на боку, потому что ни в какие другие нога не влезает, а также балахон Альфреда. Un vrai chiffonnier![1] Я плохо побрился утром, на лице остались порезы; плохо спал ночью — извилисто, как ручей; давно никуда не выбирался и сразу попал на собрание. Я сказал, что мог бы написать об «Аполлоне Безобразове»... хотел еще кое-что добавить, но меня снова срезал Вазин:

— Да зачем писать о том, что не было напечатано?

— Именно для того, чтобы напечатали наконец!

— Слушайте, что вы вообще в этом понимаете? Вы хоть знаете, почему его романы не напечатаны? — Я не успел рта открыть. — Потому что они дрянные. Такая же мазня, как и его стишки.

Тут я не выдержал.

— Знаете, что, господин Вазин...

— Так, — наконец-то очнулась редактор. — Прекратите немедленно!

Но было поздно.

— Что? Что? — спрашивал Вазин, привставая из своего кресла и глядя на меня в упор.

— Катитесь к черту! Вот что!

Я ушел из газеты. Забрал мои писульки. Все это ерунда. Ничего они не напечатали бы. Давно пора уйти, чтобы заняться делом. Хватит быть на побегушках, дергаться на телефонные звонки, сжигать время и нервы. Теперь я свободен! Разве что не так я хотел уйти. Не со скандалом. Стыдно. Многих я там уважаю... Меня пытались остановить. Вазин был доволен. Он выкрикнул несколько обидных фраз: «пусть катится!», «не пытайтесь примазаться к нам!» и еще что-то... Мне было все равно, что он там каркает, к нему уж точно я никогда не желал примазаться. Верно сказал Альфред: работать в газете — это

---

[1] Настоящий нищий! *(фр.)*

прежде всего заниматься историей того, кто кому наступил на ногу или в спину плюнул. Меня догнала Роза Аркадьевна, я ее успокоил: я иду на рю де ла Помп, все нормально, жизнь есть жизнь, съезжаю с квартиры на rue d'Alesia, покорнейше благодарю за все, долги верну несмотря на, пока что буду жить у мсье Моргенштерна... Что буду делать? Да то же самое — продолжаю разбирать рукописи Альфреда и пишу роман... О чем роман?.. Как вам сказать... обо всем, обо всем понемногу... сам толком не знаю... все будто в тумане... понимаете, Роза Аркадьевна, работы непочатый край, у Альфреда в подвале сундуки и чемоданы записей, у Шершнева, помимо романов, целая полка с папками, которые набиты путевыми записками и воспоминаниями, блокнотами и тетрадками, у Гвоздевича своя полка, у вас своя и так далее... у меня такое чувство, что я совершаю путешествие к центру Земли, только вместо динозавров я обнаружил залежи концентрированного сознания, рудники чувств и россыпи изящной словесности, и самое бесценное — неиссякаемые залежи памяти, которые я не устану изучать.

Так сказал и вышел за синие ворота, попрощался с душевным консьержем, сказал ему, что я, к сожалению, здесь больше не работаю, он произнес несколько утешительных фраз, пожелал мне скорей поправиться, добавил с юмором, что в наши дни почти никто не работает, и обнял меня. Я растрогался, внутри аж вздрогнуло. Тем не менее я был ослеплен гневом. Я был пойман меж двух странных и очень сильных чувств: сердце рыдало, ум полыхал от гнева. Я шел и скрежетал зубами, не позволяя себе расклеиться. Лучше гневиться, чем плакать, говорил я вслух, оглядываясь по сторонам. Люди на меня не обращали внимания, они куда-то шли, их было много, как в метро, отсюда возникало то странное чувство, будто я был в тоннеле — в тоннеле моих чувств, створками которых я был намертво стиснут. Нежность накатывала, когда я думал о Мари, и вместе с нежностью приходил стыд. Мне было стыдно за то, что я ее подвел своим поражением, не смог себя сдержать, взорвался как мальчишка, ушел из газеты. Было очень стыдно за мою вспышку и перед теми, кого я не хотел оскорбить, но все равно оскорбил, потому что в их присутствии наорал на Вазина, который того не заслуживал, меня вывернуло, я был не похож на себя, я не хотел, чтобы меня таким видели; чувство стыда было сложное, глубокое, и с каждым шагом оно становилось сложней и пронзительней, оно походило на эхо многих ног — тех, кто шел рядом, их призрачное присутствие меня тревожило, их голоса, их тени, их взгляды скользили по мне... чувствуя себя словно больным, я старался ни на кого не смотреть, чтобы не опалить моим гневом, не оскорбить ненароком кого-нибудь... низко опустив голову, я шел вместе с ними и говорил себе: лучше гневиться, чем плакать... Часть меня все еще находилась на собрании, я видел перед собой желчное лицо Вазина. Все-таки я проиграл. Удалось ему выжить меня. Как он был рад, ох, как он был рад: мальчишка сам ушел!.. сломался!.. не выдержал, щенок!.. В моих ушах звенели его слова: хотел к нам примазаться!

Глупо, глупо, примазаться...

Вазин сразу меня невзлюбил, при первой нашей встрече — ух! я запомнил его брезгливый взгляд — он пил коньячок, в вязаной кофте-безрукавке на деревянных пуговицах, в нарукавниках, важный, седой, сальный воротничок, перхоть... Любит чай с малиновым вареньем, отсюда и запах... мятые брюки, самомнение, церковно-славянские словечки... Он говорил о Домострое с какой-то молодой женщиной, они перебирали церковный календарь, говорили о том, что можно, а чего нельзя в церковные праздники... нужны традиции... зачем писать о Годаре?.. зачем писать о Поплавском?..

Я ковылял по улице Рокетт. Рядом со мной шли манифестанты. Они направлялись к площади Бастилии. Мы текли вместе. Я продолжал прокручивать мою ссору с Вазиным. Я был и доволен, и не доволен собой. Я взмок от нервов и ярости, подмышки и ладони ныли, нога болела, булавки, которыми Мари укрепила разрезанную штанину, натерли кожу на бедре. Я остановился у ниши с фонтаном, чтобы попить, отдышаться, остановить чертовы мысли, я сходил с ума от гнева; я пил, умывался и посматривал по сторонам, только тогда я понял, что иду не в простой толпе, а, можно сказать, принимаю активное участие в настоящем марше, мимо меня шли люди, участливо подмигивали, что-нибудь говорили мне, я кивал им, а сам продолжал думать о своем...

Моя жизнь — череда восхитительных совпадений; я случайно проходил мимо парикмахерской, в которой работала Мари, я ее увидел, она встряхнула волосами, я остановился: большие, слегка раскосые глаза, впадины под скулами, тени на висках... я открыл дверь и вошел... так и хожу, как в сказке, открываю двери лабиринта... меня с детства что-то словно звало или подталкивало, я выбегал из дома, летел не чувствуя ног, задыхался от ветра... мне казалось: передо мной все дороги раскрыты, все мне радуются; этот порыв сохранился во мне, я и сейчас готов бы побежать, но — гипс и костыли... я знаю, что впереди еще будет не одна дорога, и знаю: мне повезло, мне несказанно повезло — Фортуна перенесла меня сюда... я снова в потоке, который меня влечет, кто знает к какой дверце...

О чем мой роман, Роза Аркадьевна?.. обо всем сразу, обо всем... о моей матери, например... В те дни, когда умерла мама, у меня не было никого ближе Парнаха, своими стихами, своими историями он создал в моем воображении Париж... не этот Париж, по которому я иду сейчас, не этот — другой, и не будь его, разве ж оказался бы я здесь? Нет! Меня сюда манили миражи, с которыми мне расставаться не хочется... мать меня недолюбила, мы так жили, что на любовь ни времени, ни сил не оставалось, особенно в Чистополе — там, в интернате, я родителей почти и не видел, о ее смерти мне сообщили, когда я не видел ее три дня, они пришли и — как на холод выгнали, я сам побежал, был мороз, я в рубашке выскочил, побежал и не заметил, только вижу на каланче флаг — значит, ниже тридцати пяти, я так и встал, обратно меня несли на руках старшие мальчики, я заболел и на похоронах не был, три недели пролежал в изоляторе... еще до войны мама постоянно чего-нибудь боялась, всегда была напряженной и скованной... она меня часто одергивала, даже иногда говорила: «Что ты улыбаешься, как дурной? Перестань!»; она была моим учителем, воспитателем, даже тренером, дрессировщиком, я был еще та мартышка, а вот мамой, любящей и нежной, быть со мной она себе не позволяла, на это не было времени, она торопилась меня научить читать и писать, составляла диктанты из сложных слов (она выписывала их из энциклопедии) и поговорок, чтобы я их выучивал, в день по стиху Есенина, Багрицкого, Смелякова... потом они с отцом решили, что мне лучше будет в интернате: питание три раза в день, общение с детьми, они смогут больше работать, папа сможет писать свою повесть и так далее... я обиделся, я не хотел в интернат к чужим детям, а мама в те дни очень радовалась: ее взяли учительницей в школу, наконец-то она ушла с этой ужасной кухни... а я думал, что она радуется, оттого что от меня избавились; я с ней воевал, в школе чурался, она тоже говорила со мной, как не с родным... она откладывала любовь на потом, торопилась меня подготовить к жизни, но не случилось потом. Отец сразу сломался, до неузнаваемости. Мой отец — эгоист и слабый человек, не знал, что делать, тем более в такие-то дни, боялся угодить на фронт, он никогда со мной не занимался, да и чем он мог со мной заниматься, если по мячу попасть не мог, с велосипеда падал, он играл в театре, читал стихи, пел комические куплеты, писал свою детскую повесть о пионерах, с группой себе подобных чистоплюев он разъезжал по прифронтовым районам, собирал фольклор, подбадривал солдат; в интернате никто, кроме Парнаха и еще двух его друзей, меня не навещал; это произошло тоже совершенно случайно, я и не мечтал подружиться со взрослыми, они мне казались такими необыкновенными и неприступными, как-то я не пошел в школу, читал чью-то книжку, мне было очень скучно, я все время думал о маме, вдруг услышал музыку, вышел, оказалось, когда все дети были в школе, Парнах и его друзья приходили в наш красный уголок поиграть на пианино *что-нибудь необычное*, они мне удивились, я сделался заговорщиком, узнав, что я совсем один, они меня навещали, приносили сладкие слипшиеся подушечки, часто Парнах приходил со своим мальчиком, он был младше, мы с ним хорошо ладили... Я не примазаться приехал! Париж был моей единственной целью, он был моим стержнем, основанием, вершиной, я мечтал по ночам, изобретал побеги, я слышал много историй о беглецах, о Солоневичах... легенда... у меня была книга — «Россия в концлагере»[1] — я вшил ее в обложку «Повести о настоящем человеке», отец ее сжег с остальными, он все сжег; в той книге первых страниц не было, последние затерялись, в середине кое-что не стыковалось, я хранил ее как реликвию, хотел повторить их маршрут, но в Удельной меня переубедил старый контрабандист, которого пустили по этапу как политического, он уговорил меня идти через Ржавую канаву: «Зачем бродить в сопках, если можно спокойно скостить по Сестре?»; нарисовал карту, я выучил ее и съел, она стала частью меня. Закры-

---

[1] Книга Ивана Солоневича — сборник автобиографических очерков о жизни в СССР и побеге через советско-финляндскую границу в 1934 году.

ваю глаза — вижу рисунок, вижу его хитрую ухмылку. Финн по отцу, по матери комяк — у него было изможденное, похожее на деревянную маску лицо, которое почти ничего не выражало. Он старался казаться сломленным, сонливым, до слепоты безразличным, покорным. Редко доводилось заметить, как сквозь его узкие глаза просачивается свет веселости. О, как я хочу, чтобы его осветила изнутри непритворная радость! Чтобы он узнал как-нибудь... «Он узнает, — шептала Мари, — в последнюю минуту все всё знают». — «Правда? Ты так думаешь?» — «Конечно». Я ей верю: он узнает, что его карта пригодилась, он дал мне верный совет, он возрадуется, хотя бы в последнюю минуту, возрадуется, что насолил своим мучителям, и я утер им нос, его карта сработала!.. так я думал, обнимая Мари, вчера, это было вчера, я думал: я тут, в Париже, рядом со мной девушка моей мечты, мы курим, на глазах у меня слезы счастья, я так жадно ее люблю, я так сочно себя излил, так жарко, что она даже застонала: «тебя так много...» — О да, меня так много! Смотри сколько людей! Какая пестрая толпа, какие бунтари! Идут и идут — края не видать! Река людей! Повязки на рукавах, плакаты и флаги... мимо меня шествовали представители ультракрайних левых организаций! Среди них выделялись очень агрессивно настроенные бойцы, вооруженные палками, гаечными ключами, арматурой, обломками труб (некоторые трубы были с краном на конце), они бодро двигались сплоченными группами, с нетерпением в членах, с яростью в глазах. В тот день в направлении площади Бастилии стекались отряды настоящих разбойников; некоторые, тоже основательно побитые, как я, ковыляли, с перевязанными головами, руками... волны людей, готовых обрушиться на щиты и каски солдат, пасть под ударами дубинок, разорваться на части, прорасти невероятным будущим... калеки, пьяницы, злые бандиты с коварными бойницами глаз, холодными обескровленными лицами... покойники, выползшие из могил Пер-Лашез, духи всех прежних революций... они собирались разнести в пух и прах правительство, биржу, полицейских. Заметив меня, они подбадривали: «Молодец! На костылях! Ну, ты даешь! Мы гордимся тобой!» Я улыбался им, медленно крался вдоль стены, махал рукой, меня обгоняли новые и новые бойцы, в строительных и мотоциклетных касках, с длинными шестами и флагами, похлопывали меня по спине, что-нибудь говорили, подмигивали. Вот об этом мой роман! Об этом тоже! Все эти люди в моем романе, подле меня, они тут, в этих словах, в моей крови, в моем сердце, но я не с ними, я это чувствую, они в моем романе, но я не с ними, и это очень печально, мы идем по одной улице, и вроде бы в одном направлении, но — к разным целям... они сами не понимают, куда идут... а я?.. знаю ли я, куда иду?.. почему я уверен, что они не знают?.. откуда мне знать? Меня поразила эта мысль, внутри будто что-то шевельнулось, мелькнула какая-то тень, я остановился, меня обходили люди. «Отдохни, — говорили они, — день будет длинным». Я встал в стороне, прижался к стене, на которой шевелились огрызки плаката; я погрузился в себя, следил за внутренними сумерками, смотрел вглубь, в черноту. Там барахталась какая-то тень, как эмбрион, она толкала меня к бегству... Я подумал, как бы мне перемахнуть через эту людскую реку... На том берегу был маленький парк... Хотелось там затаиться... но как переметнуться через такой поток?.. Я стоял и беспомощно смотрел на толпу бунтарей, которые собирались разнести мир в щепки, такой дорогой мне мир... я хотел закричать, и закричал, но не ртом, а сердцем — крик полетел внутрь, как если б я кричал в колодец...

Разве ж я не понимаю, что это невозможно?.. разве я не понимаю, что никогда не стану парижанином?.. сколько бы лет ни прошло — хоть сорок, хоть пятьдесят... я останусь другим, кем был всегда и везде... я знаю это, с самого начала знал: тень прошлого будет за мной ползти, возможно, до конца жизни, на сердце моем клеймо; я помню о том, через какие котлы прошел, в каких печах меня обжигали, моя кожа впитала запахи советчины, с меня их не смыть, никакими духами не перебить; но я могу любоваться тополями, платанами, фонарями, я могу сидеть на птичьим пометом заляпанных скамейках, вдыхать запах Сены, жмуриться на ее блики, гулять по набережным и мостам, я могу любить этот город, оставаясь чужим, я могу любить Мари — этого у меня никто не отнимет, этого мне запретить нельзя, нет таких скрижалей, где сказано, будто надо быть парижанином для того, чтобы любить тебя, будто я должен быть кем-то с именем и положением в обществе, — нет, ни одно чудовище не способно мне эту мысль внушить, потому что я сильней, я больше, чем просто парижанин или эмигрант, я даже больше, чем человек, у меня другое представление о том, что такое человек, потому что во мне есть бездонный колодец, туннель, по которому ночами я лечу со скоростью ветра. Я и теперь — одной ногой на улице Roquette, а другой ощущаю холод подземного мира.

2

Люди много толкуют о счастье, по большей части напрасно. Никто, кажется, не знает, что это такое, никто понастоящему счастлив не был. Я знал счастье, — пишу эти слова и испытываю, как внутри меня набухает свет. Да, знал, хотя в нашем веке мир переворачивался не один раз, все мы ходили вниз головой, не ведали, что творили, мы жили как в плотном тумане. В плотном тумане шли, действовали, не всегда понимая, ради чего, кому на пользу наши действия: ты мог быть убежденным либералом, а поступки твои были на руку экстремистам; один не верил в бога и не ходил в церковь, а его дети сделались младороссами-сектантами, все бросили и уехали в СССР. Мы шагаем рука об руку с абсурдом, приближаясь к бездне. Я видел, как уходили мои близкие, исчезали друзья, и даже после этого я был счастлив, глубоко и почти противоестественно. Я не могу постичь законы моей внутренней жизни и природу этого преступного, как иной раз мне казалось, чувства. Не скажу, что я постоянно с легкостью на сердце разгуливал, — нет, состояние полной свободы наплывало, как редкое облако, подкрадывалось и набрасывалось на меня, как слепой дождь или стыдное желание, как воровской порыв овладеть какой-нибудь вещицей, как маниакальная тяга к опиуму или сон, живой и мгновенный. Счастье мной овладевало, и тогда я был не в силах его гнать, потому что в эти мгновения — случалось раз в год, а то и реже — я проникался ощущением связности и смысла всего на свете. «Понимал» — не подходящее слово. Обретал ясность, не требующую рационального доказательства (именно поэтому озарение не осмыслить, оно похоже на безумие, эпилепсию, обморок, эпифанию), что все — не только абсурдное, но и самое ничтожное, низкое — имеет предназначение и высшее происхождение (мир — это чудо, настолько совершенное, что в нем есть место и для всякого безобразия). Подумать только, даже зверства, которые разорвали гуманизм, как оберточную бумагу, разбили драгоценные представления о человеке, которого заботливо лепили, как античную вазу, кропотливо создавали, как фрески эпохи Возрождения, и в считанные годы лишили всякой святости, втоптали в дерьмо, в лагеря и газовые печи; даже самое страшное, уродливое, и оно тоже пришло в мир с особым замыслом, из тех же чертогов, откуда изливалось на меня и само это чувство!

О чувстве. Я не изобрел его для себя, дабы спасти рассудок перед лицом ужаса, с которым я сталкивался неоднократно;

я не обрел его в мудрости, молитве или в жизни без тревог. Если чье-то счастье находится где-нибудь в Шарметтах[1], его можно получить чуть ли не по талону (непритязательный набор: дом, корова, жена, пастораль), то мое счастье, увы, неуловимо и необъяснимо, сверх того: над ним не властны обстоятельства, оно даже не зависит от моего состояния.

Мне было пять лет, когда со мной это случилось впервые. В беззаботнейшую минуту, в одном московском парке, — теперь и не соображу, в каком именно. С папой и мамой мы спрятались в ландо от грозы (что было до этого, не припомнить). Никогда прежде я не видел таких длинных ярких молний. Фантастическая иллюминация. Волнение, страх, восторг. Быстро стихло. Мама вышла на пустую улицу: «Дождя-то и нет», — и побежала к воде. «Идите сюда!» Мы с папой поспешили за ней. Втроем мы встали у воды, наслаждаясь тишиной. Все замерло. Омытый, мир был прозрачен и неподвижен. Большие плакучие ивы роняли капли. Как завороженные, мы смотрели на шикарную радугу. Над блестящими крышами, куда ни глянь, ползли фигурные облака, в стеклах дрожало сияние, за домами и куполами тянулась мгла, но где-то тучи дали брешь, сквозь которую сочилось солнце. Меня словно пронзила молния, мне показалось, что она сверкнула, и я несколько мгновений ждал грома, но его не последовало, а потом она сверкнула еще раз, и я догадался: это мой внутренний блеск, что-то во мне проворачивается, какое-то сияющее существо ворочается в складках моей души и мечет искры от радости и неги. О, как я был поражен! Молнией — в самое сердце! Нет, конечно, я не мог ни понять, ни объяснить, ни противостоять этому чувству, которое росло из той радуги, из того ровного падения капель на гладь

---

[1] Вилла в городе Шамбери (Савойя, Франция), где проживал Жан-Жак Руссо.

пруда, из того умиротворяющего покрякивания уток, шороха тростника и рогоза, безмятежного покачивания кувшинок и лилий, из веселого голоса мамы и спокойного присутствия отца. Все складывалось в живой узор, обретало неопределенное выражение. Мир говорил со мной, он изливал на меня свою любовь, и я отдавался этой любви с каждым таким случаем больше и больше, и радовался всему — вещам и людям, которые меня окружали, все казалось значительным, неповторимым: пение птиц, рычание машин, поезд, что стучал вдалеке, скрип половиц, хруст раскаленной на солнце черепицы, перелив солнечных лучей в реке, детские крики, доносящиеся с футбольного поля, и даже боль, которая все чаще рвет мое сердце, даже она превращается в источник немыслимого наслаждения, стоит только осмыслить ее в этом состоянии, как я вижу ланцет Провидения в руке Беатриче, ее улыбка надрезает мой сосуд, и я понимаю, что этот надрез избавит меня от дальнейших земных мучений, соединит с бесконечностью и теми, кого она мне ниспосылала для утешения.

Счастье любило разные места. Оно приходило внезапно. Во время прогулки по Вшивой горке (папа и мама любили туда ходить, но редко что-нибудь покупали, там было много странных личностей, случались забавные сцены, они туда ходили как в театр); это было в ноябре, стояли первые заморозки, я был в валенках, на рынок пришло всего-то несколько человек, стояли там и тут, что-то предлагали, совсем без сил; на склоне холма росли рябины и ивы, на рябинах краснели ягоды, и летали птички стайкой, сядут на одну рябину, тут же вспорхнут, покружат и на другое дерево садятся, но снова, недовольные, взлетают и принимаются кружить, я засмотрелся, вдруг до меня доносятся слова, которые мужик в драном кафтане говорит своей сильно укутанной в платки бабе: «Вишь, зяблики слетелись — к лютому холоду, мать», и у меня в горле заклокотало волнение, сквозь тело заструилось тепло, меня охватила невероятная благость, стая зябликов трепетала прямо над ветками дерева, садилась и взлетала, сама рябина, казалось, дрожит. В Немуре меня так укачало, я не мог даже саквояж нести, из порта в гостиницу меня отвез мальчишка-рикша, постояльцы пили чай, курили, негромко беседовали, кто-то мелодично стенал под вкрадчивое поскрипывание ребаба, все было окутано волшебством и предчувствием торжества — здесь словно собирались служить мессу назревавшему шторму, я снял обувь, тихонько распорядился отнести мой багаж, дал какую-то мелкую монету горбатому бородатому мужику, он поклонился мне и пошел наверх, я последовал за ним, узкие стены, белые, отполированные тысячами постояльцев, их плечи терлись о них, баулы оставили вмятины в глине, деревянные ступеньки горели стоптанной дорожкой, я думал, что мгновенно усну, но снял с себя одежду, надел халат, подошел к узкому арабскому окошку, распахнул ставни, увидел рынок, увидел гавань, и заплакал от счастья — а ведь это был грозный день! Средиземное море пенилось и злилось. В порту то и дело мелькали серьезные военные лица. На рынке суетились, собирались и переругивались. Надвигалась буря, — она разыгралась ночью, но меня это не беспокоило, я лежал на тростниковой подстилке, подо мной гомонили арабы, курился гашиш, играли лютни, — я плыл на мягких волнах, как гусиное перо, скользящее по шелковой ткани, и преступное счастье крыльями ангела обнимало меня. В Элефсисе посреди ночи я видел факельную похоронную процессию, солдаты несли на плечах гроб с усопшим генералом, точно так же — на плечах — несли большое распятие, полотнища с какими-то надписями и образами святых колебались, и почему-то думалось, будто это шествие колдунов, которые хоронят чернокнижника. Военный оркестр заунывно и нестройно играл марш, в церквях звонили слишком звонкие колокола, люди стояли вдоль улиц с зажженными свечами, процессия уходила по улице вниз, туда, где в тишине и мраке ночи располагалось кладбище... слаженно и верно, связно и четко... обволакивающий ритм процессии воспламенил во мне музыку, я долго шел вслед за толпой, вслушиваясь в ноты, которые переливались во мне, как рассыпанные в высокой траве разноцветные стеклышки... Куда бы я ни шел, всюду меня находило это необъяснимое чувство связи с миром, ощущение неслучайности каждой жалкой мелочи, намеренности всего. Я стеснялся моего счастья, я его не понимал; я ведь неглупый человек, я многое одолел, справился с религией, Марксом, Шпенглером, разнес в щепки Фрейда, запросто совладал с поэзией несчастного Ницше, я знаю: быть безумным (или бедным), креститься, рыдать, мрачной тучей плыть вдоль набережной, тащиться в направлении Булонского леса, прогуливаться под аркадами в поисках тощего юнца, искать мелкое удовольствие в интригах, изменах, предательстве, краже, шантаже, играть на бирже или в казино, заниматься спекуляциями, целовать в зад министров, политиков и многое другое, да почти все — гораздо проще, все это яснее ясного и как-то объяснимо, да, я это понимаю, жизнь (и ее абсурдность) так упрямо давит человека, что каждый имеет право ослабнуть однажды, пасть на колени и протянуть к небу ладонями сложенные руки, имеет право на поиск утешения в церкви или в вине, отдаться меланхолии, психиатрии, стать Иудой, убийцей, вздернуться или впрыснуть морфий — в этом есть логика. Когда, например, Поплавский умер от героина, никто его не осудил, и по сей день ни одна живая душа не промямлила, что он это напрасно сделал, мол, зря он это, — каждый знал: на то были весомые причины, настолько весомые, что каждый, если бы вдруг оказался под тяжестью того неба, под которым ходил Боб, не выдержал бы и сыграл в ящик гораздо раньше его, и я не осудил бы ни одного, как не осуждал моих друзей за пьянство, за бегство, за сифилис и возвращенчество, я никого никогда не осуждал, потому что, повторяю, причин для того, чтобы оступиться или сломаться, было предостаточно, мы их все знаем назубок: горе, беды, нищета, запертые перед носом двери, предательства, одиночество, несправедливость — все это четки в наших руках, четки, которые мы перебираем из года в год, изо дня в день, зернышко страдания за горошиной болезни, мы их гладим и перекатываем от пальца к пальцу в надежде, что выпадет удача, передышка, любовь... мне выпадает это странное счастье, и я не нахожу причин, не могу найти основания для этого захлестывающего мой разум восторга! Может быть, со мной что-то не так? Я слыхал историю о человеке, который бывал пьян без вина, выпивал стакан воды натощак и смеялся. Был человек, который мог не спать, а писали и про такого, который спал годами... Может, и я чем-то схож с ними? Химический состав крови? Говорят, Гёте писал нагишом, а у Шиллера был сундук с гнилыми яблоками, он повсюду возил его с собой. Но я-то не писатель, я — кто знает, что я такое (чтобы стать великим человеком, нужен тяжелый груз на совести, а я — легок, как перо!), мне в себе никогда не разобраться, я — случайная игрушка века, из меня делали то клоуна, то поэта, то манекена. Я пытался быть полезным, но и тут не вполне получилось. Ничто не объясняет эти лазоревые наплывы, которым я подвержен с детства. Я пробовал поститься — это ничего не изменило. Говорить с другими об этом не хочу, боюсь, не поймут, даже Серж, иногда он наотрез отказывается понимать простую вещь, ты ему говоришь, а он стоит на своем, а казалось бы, сделай шаг в сторону, наклони набок голову, как он обычно делает перед картиной, сделает этот свой танцевальный шажок, голову наклонит и все увидит иначе: нет, говорит, не годится, вот тут надо было размазать побольше, густо здесь, пятно на пятне, нет, не годится.

С картинами он справляется, для художников у него находятся и глаз, и чувство, и терпение, а когда я его прошу выслушать, он глух.

Только в тридцатые, дурманом затянутые годы, где-то между любовной одержимостью и жалостью ко всему живому (хрупкость: в каждом человеке я видел ребенка), в который раз перечитывая Il piacere[1], я вдруг узрел: Андреа Сперелли переживает схожий восторг, который д'Аннунцио называет наслаждением, приписывая его чрезвычайному напряжению нервной системы и крайней впечатлительности своего героя (он восстанавливается после ранения, полученного во время дуэли).

3

— Мсье Моргенштерн?

— А?

— Очнитесь, Альфред.

Виктор стоит над ним с газетой в руках.

— А, это вы, мой друг.

— Да, я только что из редакции.

— Ну и как там дела?

— Неважно. Я ушел оттуда, — и швыряет газету на столик. — Не могу больше!

— Хорошо, хорошо, — взмахивает рукой Альфред, — только спокойно, не надо истерик, ничего не случилось. Ушли из газеты — делов-то. Знали бы вы, из скольких газет я ушел...

— Ну, это совсем другое.

— Чем займетесь?

— Буду писать.

---

[1] Роман Габриэле д'Аннунцио «Наслаждение».

— Вот и отлично. Не беспокойтесь, о нас с вами пани Шиманская позаботится. Да, и у меня есть кое-что из антиквариата, можем продать... Покупателей я знаю... Терпеть их не могу, но... что поделать, англичане все купят, и мы с вами будем спокойно делать свое дело...

— А как там ваши картины? Дозвонились в Канаду?

— Ах да! Да! Мы можем надеяться на неплохие комиссионные! Я нас всех поздравляю! — Мсье Моргенштерн поднимается и начинает ходить. — Знали бы вы, Виктор, какая это история! Какая замечательная история. Сегодня, можно сказать, окончилась моя эпопея. Вот послушайте.

В 1920-е годы, когда Альфред недолго принимал больных на дому, привели к нему как-то маленького мальчика, у которого болели уши; его звали Роберт — щупленькому застенчивому мальчику имя совсем не шло; он был из австрийской семьи мелких буржуа, привела его бабушка, настоящая австрийская тетушка, слегка чопорная, но, как все австрийцы, через некоторое время она стала весьма разговорчивой, и чем дольше доктор возился с ушами мальчика, тем более болтливой она становилась, говорила о многом, но не сказала, почему они переехали во Францию и чем занимаются, зато сказала, что в Париже очень грязные рынки, кафе, больницы, поэтому они специально выбрали доктора с немецкой фамилией — такой известный доктор; в школах бедный Роберт ничего не понимает, ужасно плохие злые учителя, и, между прочим, в Австрии она сдавала квартиру Густаву Климту, в период, когда у него совсем не было денег, он расплачивался с ней своими картинами! Доктор Моргенштерн заинтересовался, где теперь те картины? Остались в Австрии? Нет, картины в Париже, у нее дома. Альфред не вытерпел и напросился в гости, и денег с них за прием не взял. Это были замечательные акварели и несколько рисунков — серия фрагментов-набросков к «Медицине». Золото! Забывшись, Альфред предложил их купить, но старушка отмахнулась и усадила гостя пить чай, целый час болтала о всяких пустяках, а потом мягко выставила гостя. С тех пор он и думать забыл о них. В сорок пятом он ходил с Александром Крушевским к Этьену Болтански и встретил там того самого Роберта; если бы он сам не вспомнил Альфреда, не напомнил о себе и бабушке, мсье Моргенштерн ни за что бы не узнал его — это был взрослый мужчина, который провел около пяти лет в немецких лагерях для военнопленных. Он говорил на прекрасном немецком — в лагерях поднаторел; рассказал свою историю: еще до войны они переехали в Лилль, на фронт пошел добровольцем, в плен угодил по нелепой случайности, уже после капитуляции, о которой ничего не знал, Роберт бродяжничал по селам в форме; как раз черешня поспела... Роберт не удержался, повесил ружье на ветку, влез на стремянку: не пропадать же! Вдруг кто-то тряхнул стремянку, он посмотрел вниз, а там — немцы. Альфред спросил про картины. Дом разграбили, картины пропали. С тех пор мсье Моргенштерн искал их, потихоньку рассылая письма во все концы света. Поиски осложнялись тем, что никто не знал, как те наброски назывались (возможно, никак). И вот, двадцать три года спустя, приходит извещение: похожие по описанию картины находятся в музее Торонто. Он отправился на телеграф, звонит в Торонто, выдает себя за представителя семьи X, говорит с заведующим, описание картин совпадает до мелочей, никаких сомнений: это они. Он звонит в Лилль. Отвечает дочь Роберта.

«Сабин, как поживает отец?»

«Это кто?»

«Это Альфред Моргенштерн из Парижа. Как там Лилль?»

«Мы бастуем».

«Что? И Роберт бастует?»

«Отец на собрании рабочего комитета. Я зашла перекусить и тотчас убегаю на улицы».

«Куда смотрит мать?»

«Она тоже бастует вместе с остальными водителями трамваев».

«Мой Бог! Она тоже...»

«А вы как думали!»

«Ладно. У меня для вас хорошие новости. Нашлись ваши картины Климта — они в Канаде».

«Что? Какие картины? Те самые, бабушкины?»

«Да, да, те самые...»

«Пусть остаются в Канаде. У нас и так хламом забита квартира... Ну, все. Я побежала!»

— И бросила трубку! Представляете? — Мсье Моргенштерн хохочет. — Мне не терпится рассказать Сержу. Хочу увидеть его лицо. Он же без ума от Климта... Он будет смеяться до слез... Хламом забита квартира... Хламом!

— Что же вы празднуете?

— Картины нашлись, самое главное сделано. Этот балаган скоро пройдет, Роберт остынет, соберется с мыслями... я его приведу в себя, устрою аукцион... Не в первый раз... Так, пресса. — Альфред берет газету. — Что тут у нас?

— А, ерунда. Ничего интересного. И вообще, я больше газет не читаю. Решил — буду писать роман, а помимо романа, буду редактировать ваши записки, кое-что я перепечатал, вам следует посмотреть, надо сделать хронологию или какой-то стержень придумать, хотя можно было бы связать истории, фрагменты, что-то вроде рассказов, которые, как ожерелье...

— Вот черт! — Альфред встает на ноги, широким шагом выходит из гостиной. — Рута! Рута, позвоните Сержу, будьте добры, скажите, что его срочно ждут на rue de la Pompe! —

Возвращается в гостиную, ищет очки. — Да где они? Ах, вот... — Надевает, встает с газетой посередине комнаты, жадно читает. — Проклятье... Вазин... каналья!

— Что случилось?

— Cochon![1]

— Да что такое?

— Вы видели, что он пишет? Видели?

— Да, видел, ну и что?.. Дрянь.

— То-то и оно, что дрянь, — говорит Альфред, не отрывая глаз от статьи. — Ах ты, мазила! Что ж ты тут ляпаешь? — Бросает газету. — Quand je dis *journaliste* je dis *salaud*[2]. — Снова берет, сворачивает в трубочку и засовывает в карман своего летнего плаща. — Откуда он взял, что... нет, ну, откуда *он*-то взял?.. А видели, какой слог? Самоуверенный, будто все на свете знает!

— Вазин никогда ничего не знает, он только фраерится.

— А? — Альфред смотрит на Виктора, словно не вполне понимая, откуда тот взялся в его комнате. — Ах да, да... — Достает газету, разворачивает, читает, снова сворачивает и кладет в карман плаща. — Нет, надо же, как скудно! Как плоско! Из его статейки выходит, будто Четвергов все это сделал из-за денег. Но ведь это было не так! Глупости! Деньги — ерунда! Другого он хотел, конечно. Славы. Утереть всем носы, вот чего, а не денег. Как это все... поверхностно, мелко... Вы знаете, даже Четвергов, он хоть и дурак был, примитивный человек, но Вазин рядом с ним просто блоха!

— А кто был этот Четвергов?

— Вот так жизнь превращается в строчки, пустые, ничего не значащие... Был человек, а стал... клочком бумаги... газетная

---

[1] Свинья (*фр.*).

[2] Когда я говорю «журналист», я говорю «мерзавец» (*фр.*).

статейка. Ну, рано или поздно все исчезнет. Все смоет к чертям Новый Потоп.

— Кстати сказать, из-за этого Вазина я и ушел...

— И правильно сделали.

Альфред берет трубку, ищет спички, один коробок пустой, ищет другой, трясет — есть, но нигде нет табака, ходит, забыв трубку в кармане халата.

— А что я искал?.. Вы меня извините, Виктор, мне надо кое-какие дела обсудить с одним человеком... К вашему увольнению из газеты мы вернемся... Не думаю, что от этого все рухнет. Вы по-прежнему остаетесь на rue de la Pompe, вам ясно?

— Так точно.

— Мы не пропадем. Барахла много. Магазинчик хоть и простаивает, но... Если с умом за дело взяться... что-нибудь продадим... Будем работать. Я займусь Климтом... Издадим, наконец, мои записи, авось что-нибудь заплатят...

— Тогда я к себе, — Виктор встает на костыли. — Не буду терять время даром. Займусь писаниной.

— Валяйте! Увидимся за ужином.

Альфред спускается по лестнице, звонит Лазареву.

— Не хотите поиграть в шахматы?

— Жду вас в Люксембургском саду за столиком, мон ами.

Альфред одевается. Из комнаты Виктора доносится стук пишущей машинки. Как же все-таки меня это успокаивает! Удивительно. Сколько жизни в какой-то механической штучке... стук-стук и — совсем другое дело! Лазарев. Посмотрим, что скажет. Он знал Петра Четвергова. Но что он о нем знал? Знал ли он, что Четвергов был гадюкой с семью головами? Что у него из карманов вывалились порнографические картинки? Карандаш, блокнот с дурными сентиментальными стишками, философствованиями, адресами... Ему многие помогали. Имен-адресов было... Его берегли лучше, чем некоторых богатых евреев. Мы все сожгли. Шершнев утверждал, что больше в карманах ничего не было, но ошибался, ошибался... А если б проверил получше... Эх, не заметил бумажку... Но я бы и того не смог. Ничего бы не смог. До сих пор содрогаюсь. И это после стольких покойников. После испанки. Тысячи и тысячи покойников, к которым я прикасался, поднимал, укладывал, аккуратно брал за ноги, под мышки, за руки, под мышки, голову — чтобы не ушибить, покойника — не ушибить! аккуратно! Но этого я запомню. Такое не получается забыть. Мы его украли, утаили, лишили упокоения. Это было неправильно. Но я не чувствую вины перед законом, не перед людским, во всяком случае. Французский суд не может меня судить. Французы сами в те годы убивали на улицах своих «четверговых». Что они знают о нем?.. о нас?.. Для них мы осколки чужой истории. Им не было дела до нас в те дни. Они стучали в жандармерию на беглых советских Ди-Пи, которые не хотели возвращаться в СССР. Разве это не преступление? И кто судит тех стукачей? Да никто! Поэтому не им меня судить. Я увижу его перед смертью. Вот какой будет мне суд. Из тех тысяч и тысяч он будет особенным. Из тех, что умерли у меня на глазах в восемнадцатом году, многих не вспомню, а этого не перепутаю, он никогда не затеряется в моей памяти, не забудется. Будь он проклят! Даже сдохнуть подлец просто так не может. После него столько хлопот, столько вони, столько банальной вони!

— Пани Шиманская, скажите, Ярек не собирался съездить в наш бутик?

— Собирался.

— Пусть поймает меня на улице. Я выхожу.

— Сейчас скажу ему.

— Благодарю вас.

Шиманский негодовал.

— Город превратился в кучу хлама. По улицам ходить невозможно. Могут запросто схватить. Просто так!

— На Cimetière du Montparnasse прорвемся?

— Да, думаю, пока что да, но скоро и до него доберутся. Помяните мое слово, мсье Альфред, нам и на кладбище спокойно не будет.

— Ах! Какие верные слова, Ярек! Как верно ты сказал, как верно!

Через кладбище шли студенты. Они дали сигарету странно одетому пожилому господину в легкой соломенной шляпе.

Сигарета быстро сгорает. Легкая. А солнце-то слепит. Дыма не видать. Чего бы покрепче, погуще. Гашишу бы! Что мог Вазин знать о Петре Четвергове? То же, что он написал про «Трест» и Союз солидаристов. Кстати, Четвергов вовлек и их. Пятеро из чертовой дюжины были солидаристы. Они шли через Польшу. Чем они думали? Так он и писал: **чем они думали, когда отправлялись**...

По пути в Люксембургский сад все улицы подозрительно пусты. Из окон выглядывают люди. Быстро закрывают окна. Мусор, всюду мусор и кирпичи... Полицейские. Группа CRS охраняет связанных студентов — некоторые стоят и переговариваются, некоторые сидят, скрестив ноги, и курят, рядом стоят их девушки, вынимают сигарету и передают другим, двое лежат прямо на мостовой, к ним никого не подпускают, девушки бранятся и требуют, чтобы ребятам позволили сесть или встать, но парень в шлеме их не слушает, поочередно он ставит ногу на спины связанным, придавливая их к мостовой, давит до тех пор, пока не услышит стон; медицинские работники и перевернутые машины; полыхающая витрина магазина; груда сцепленных велосипедов...

Лазарев играл с каким-то щупленьким очкариком, который чесался и дрыгал ногой. Очкарик быстро проиграл. Подтянув штаны, спросил у мсье Моргенштерна сигарету. Увы, мой друг... Очкарик, подергиваясь и почесываясь, перешел к столику, где играли с часами: лысый старик в ермолке и с белой накидкой на плечах против крепкого сухощавого алжирца; у алжирца папироса в зубах, у старика крупная трубка. Мгновенно оценив ситуацию на доске, Альфред ставит на Трубку. Ты крепкий игрок, Папироса, но эта партия не твоя. Хотя кто знает, кто знает... партия в самом разгаре, оба уверенно бьют по часам через ровные промежутки времени. Настоящее болеро. Постукивая газетой по шахматной доске, Альфред садится перед Лазаревым.

— Ну, вы знали, что это был Четвергов?

Лазарев делает крысиную гримасу.

— Это не так важно, дорогой друг. Дюрель в больнице. Ему досталось по голове. Вчера. Играть будете?

— Играть?

— Да, играть. Вы же поиграть меня пригласили?

— Не в этот раз, — точно угадывая каждый удар по часам за соседним столиком, Альфред постукивает по столу газетой: не в этот — стук! — раз. Стул покачивается, стол тоже стоит неровно. — И что Дюрель? Жив?

— Да. Беда в том, что это было не случайное столкновение на улице.

— Ах, вот как.

— Дюрель преследовал кого-то, кто оказался ловчей его. По описанию — высокий, худощавый, с бородой, лет пятидесяти. Значит, опытный. Дело передано выше. Нападение на сотрудника полиции при исполнении. Международный шпионаж. Теперь делом занимаются на высшем уровне. Не мы одни под колпаком. На прошлой неделе бывший советский агент был найден в лионском кафе мертвым. Никто ничего подозрительного не заметил. Хозяин кафе думал, что он дремал. Первоначально решили, что у него был сердечный приступ, но теперь поговаривают: укол, яд кураре предположительно. В тот день был дождь. Вероятно, использовали зонтик. Альфред, вы не договариваете. Я не хочу расспрашивать. Это может быть что-то очень личное. Вы бы могли хотя бы намекнуть. Ибо мое неполное знание сути дела связывает мне руки. Мы оба знаем: blood will have blood. — Лазарев картинно разводит руками. Игроки за соседним столиком ускоряются, и Альфред тоже постукивает по столику чаще и чаще, молчит. Слышно, как сопит и переминается очкарик.

— В таком случае, — вздыхает Лазарев, надевая шляпу и поднимая воротник, — все, что я могу посоветовать, — это на всякий случай исчезнуть из города или совсем уехать.

— Куда? Куда сейчас можно уехать? Даже из Парижа...

— Ну, как утихнет, так и поезжайте...

— Куда? — машинально спрашивает Альфред, ударяя газетой по своей ноге. Он смотрит на шахматные фигуры, они его раздражают; люди, фонтан, плеск воды, покачивание ветвей, облака, в конце концов, даже облака намалеваны некстати...

— Куда угодно. В Америку. На неделю, другую. Чтобы не подвернуться под руку. Кажется, начинается охота за перебежчиками и членами НТС...

Лазарев тоже раздражает. Удар. Альфреду надоел этот античный заговорщик. Ему хочется взбаламутить сознание этой шахматной куклы. Еще удар! Он хочет крикнуть ему: дело вовсе не в этом!.. Бац! Не в этом! Только бы он замолчал; но Лазарев продолжает бубнить что-то о Надежде Тредубовой...

— Что-что?

— ...подала иск против американского правительства.

— Кто? Наденька? Да вы что! Когда?

— Да вот буквально на днях, открываю International, а там она — заявляет, что ее муж пропал при исполнении спецзадания, спланированного разведывательным управлением США, и никто не может сказать, жив он или нет, в плену, в ГУЛАГе или где?

— Я так и думал. — Быстрей, быстрей. — Так и думал!

— Да? А я нет, и до сих пор думаю, что она не понимает, о чем говорит, боюсь, ей предстоит ответить за свои слова. А почему вы так думали?

— Слишком на широкую ногу жили...

— Ах нет, вовсе не на широкую... Разве это?.. Ну, что вы! Грегуар — вот кто жил на широкую ногу! А Тредубовы... нет-нет, они снимали апартаменты, в которых на втором этаже ютились хозяева — пожилая французская пара, которым не на что было существовать, они сдавали Тредубовым квартиру за смешные деньги и почитали их за благодетелей. Нет, вы ошибаетесь, не так уж они и шиковали...

— Бурбон, дорогие вина... Не просто так!

Разъяренные игроки лупят по часам. У них осталось совсем мало фигур. Мало фигур, мало ходов, мало клеток, мало времени. Быстрей, Папироса, быстрей! Давай, Трубка! Покажи ему! Еще быстрей! Очкарик рядом с ними не может устоять, он кусает ногти. Он непроизвольно взмахивает руками, как дирижер. Стук. Вот так! А вот так! А мы вот так! А что на это скажете, мсье? А вот что скажу, мсье!

— У него Холливуд купил пьесы.

— Пьесы...

— Он был в зените славы.

— Как скажете. Не люблю спорить. Но остаюсь при своем. Ну, что она там еще заявляет?

— Обвиняет правительство в бездействии. Тут раскопали эту мумию. Она, видимо, в газете прочитала, пыталась узнать, может, тело Юрия нашли. Оказалось, что не он. Тогда все это отчаяние с новой силой навалилось. Все всплыло. Молодые офицеры открывают старые папки. Это совсем другие люди, и смотреть на факты они будут по-новому. Мумия больше не мумия, а труп. Труп — это убийство. Тело кто-то спрятал. Спрашивается кто? Зачем? Кто-то покушался на жизнь детектива, расследовавшего убийство. На территории Франции! Почему? Вопросы, вопросы... Дело идет наверх. Чекисты, несомненно, тоже хотят знать, все ли следы замели. Там тоже дело идет наверх. Все друг за другом шпионят, никто не хочет терять уровень компетентности. Уверен я, что этого Четвергова они сами убрали. И не просто так. Было за что. Четвергов провалил большую операцию. Он работал с обширной сетью агентов. Его нашли и устранили. Не забывайте, что на территории Борегара было обнаружено оружие. Писали о подготовке переворота в стране. Почему не допустить, что Четвергов имел к этому отношение? А что? Был одним из координаторов. В стране было сто тридцать семь советских лагерей! Помимо них, были миссии, квартиры, агенты, а также советские патриоты, повоевавшие в Сопротивлении. Мы вообще не представляем, к чему все шло. Где-то должен быть архив, который, возможно, перевернет наши представления о тех событиях, а того гляди и политическую расстановку сил в мире. Почему нет? Никто не стал бы бить французского полицейского по голове просто так. Тредубов исчез — куда делся? Жена и сын желают знать, где он. Все зашевелились. Все!

Voilà!

— Мне тоже не дает покоя его исчезновение. Что-то там непонятное...

— Я говорил и с шофером, и с Шершневым. Оба вспоминают щелчок и встряску. Потом шофер, как его...

— Николай Боголепов.

Et voilà!

— Да. Уехал в СССР. Остался только Серж. Я пытался его уговорить пройти сеанс гипноза...

— Зачем?

— Серж помнит только то, как они пили в какой-то таверне, а потом толчок машины.

— Я ему верю, — газетой по столу: верю!

— Я тоже, Альфред! Я тоже верю! У него очевидный провал памяти, и это не ушиб, не травма, иначе он помнил бы, как пришел в себя.

— Может быть, их отравили в таверне...

— Может быть. Но шофер не пил, так утверждает Серж, а помнили оба одно и то же! Это подозрительно.

— Да...

— Но нам сейчас не до этого. Надо о себе позаботиться. Черт знает кто тут крутится. Может, какой-нибудь очередной Хохлов-Сташинский[1] делает карьеру в КГБ, по трупам идет в гору, выслуживается, орден себе зарабатывает. А вдруг нас всех хотят смести? В конце концов, неужели вы не допускаете, что этим могут заниматься из банального чувства мести?

— Что?

— Чему вы удивляетесь? Мелькнули в одной машине с активным членом партии солидаристов. Помогали ему? Помогали. Где он теперь? Укрывали беглых советских граждан? Думаете, этого мало, чтобы угодить в черный список? Или: всех смыть, потому что могу!.. Вот: потому что могу. Наверху решили — всех косить, и будут травить, похищать налево и направо, только потому, что это можно провернуть. Всё дозволено. Что, если они там, на Лубянке, по-своему к этой формуле пришли?

---

[1] *Николай Хохлов и Богдан Сташинский* — агенты КГБ, перебежчики.

Обрели сверхчеловеческую вседозволенность, постигли безнаказанность, усыпили совесть. Мы не знаем, какие они опыты ставят. Годы идут, лаборатории не стоят, будьте покойны, организация растет и действует, все деньги вкладывают в оборону, в КГБ. Они развивались, так сказать. Не только яды совершенствовали, но и отравителей. Новые яды, молодые агенты — надо испытывать. Почему бы не на таких, как мы? Новая волна террора. Вы забываете, какие выводы делал наш общий знакомый господин Игумнов. Он писал, что большевики, как клещи, держатся на борьбе за власть. Они вгрызаются и грызть должны безостановочно. Для них борьба за власть и есть существование. Клещ не может не впиваться в тело — большевик не может не бороться за власть: если он бороться перестал, значит, он — либо мертвый большевик, либо не большевик. Об этом забывать нельзя. Подозреваю, что у них идет обновление кадров. Новые люди горят желанием проявить себя, доказать, что могут в любую нору забраться, и в Париже и в Лондоне как у себя дома орудуют, любого из-под земли достанут. Чтоб боялись. И тому подобное... Откуда мне знать, какие на то могут быть причины. Да и нужны ли причины? Неспокойно мне, и давно так неспокойно не было. Вы как хотите, а я уезжаю, надо переждать. Сержу скажите, чтоб тихо сидел, не вылезал, или сидите где-нибудь вместе, пейте чай с мятой и вспоминайте старые добрые деньки. Чую я, то ли еще будет...

Баста! Внезапный порыв ветра завертел у Лазарева перед носом яркий шелковый платок, мелькнули мягкие белые птицы, брызнули искры... Раздался удар, а за ним щелчок! Самый мощный: треск! Старый шахматист вскрикнул, изо рта выпала трубка. Часы взорвались — по столику разлетелись механические внутренности, вылетела пружина и поранила руку алжирца, он не сразу почувствовал боль, брызнула кровь, скользя по гладкой поверхности, ручеек крови побежал к краю, за ним, как напуганные статисты, спешили забрызганные кровью фигуры, они скатывались со стола, мягко толкаясь, как землетрясением напуганный народец. И все опрокинулось: стол, поляна, оранжерея, терраса, статуи поднялись в воздух, марионетки с криками выпрыгивали из взвившегося в воздух театра, вокруг шахматного закутка кружились карусели, из люлек смотрели напуганные дети, игроки попадали со своих стульев; весь в крови, с торчащей из ладони пружиной, лежал молодой алжирец; от другого остался только плывущий в воздухе талит; как мыши, копошились в траве шахматные фигуры. Небо наклонилось. Юродивый очкарик, задирая коленки, с визгом прыгал между столиками, показывая пальцем на Альфреда Моргенштерна. Лазарев обомлел. Перед ним с распростертыми руками в странной позе на стуле возвышался Невероятный Человек: холодная улыбка, потусторонний блеск в глазах и — безмолвие... Безмолвие такое, что щемило сердце. Парк затих, юродивый превратился в статую, ни один лист не шевелился. Все смолкло. Кажется, даже случилось затмение. Медленным жестом правой руки Невероятный Человек вынул из кармана черного короля, сжал руку, раскрыл — на его ладони была зола.

Не попрощавшись, Альфред уходит, пускается бродить по Люксембургскому саду. Игроки лупят по часам. Сжатые зубы. Злые удары. Сухие щелчки, как выстрелы. Щепки ругательств. В мое сердце... Скорее под деревья, укрыться в сочном шелесте листвы. Разиня в очках. Что? Закурить? Сказал же — нету! Я бы сам сейчас с удовольствием покурил. Как надоело все. Как он надоел со своей манией преследования! Сколько можно? Но если ничего другого не осталось... Bon, dans ce cas-là, c'est tout à fait naturel...[1] Паранойя — это унизительно, но что

---

[1] В данном случае, это вполне естественно (фр.).

поделать, если надо доигрывать партию до конца... Не хочется, но надо. Прилечь. Всплеск эмоций. Затмение. Опять все перевернулось, смешалось в голове. Мы две куклы, которые бессмысленно, как обезьяны, лупят по источнику времени. Сбываем отпущенный нам отмер, так уродливо, неловко, коряво... Ах, какой стыд! Предстать в таком виде перед сущим... Любая портниха куда ловчей и с большим толком... Где тут скамейка? Лечь, поскорей. Лазарев-то занервничал. Меня испугался? А погода стоит — красота!

Походкой пьяного Альфред ходил по дорожкам, отодвигая от лица низкие ветки, срывая и бросая случайные листы, точно крошки в сказочном лесу, он выискивал себе подходящую скамейку. В голове черт знает что: ветер, как в метро, и — вагоны, вагоны, вагоны... Тредубов был хорошим актером, умел перевоплощаться, стать тем, кого хотел в нем видеть режиссер, но в те дни был он собой, я видел, он был собой, не играл, он болел за дело. Никто не знает, куда он делся. Надо прилечь. Так и бьет — в шею, в виски, в темени что-то сгустилось и давит, как на солнцепеке. А может, прямо на травке? Уж если Лазарев так паникует... Куда, черт возьми, ехать? Подозревает меня, да. Кто может сказать Наденьке, что случилось с ее мужем? Двадцать один год. Чем я занимался все это время? Работал на почте, преподавал в вальдорфской школе сценическое искусство, давал уроки фортепиано... Что еще? Магазинчик, аукционы... Безобидный старик... который когда-то закопал в церкви тело негодяя. Сидел в одной машине с Тредубовым. Четвергова раскопали, а где Тредубов? Гниет на дне какого-нибудь озера или реки? Неопознанных трупов не счесть... их ловят сети, сети рыбаков... ловцы тел человеческих... они даже не сообщают, хоронят молча на берегу, выпьют и снова за весла. Вот скамейка, и никого вокруг. Можно на минутку вытянуться.

Он укладывается. Одной ногой на земле, другую вытягивает. Под голову руку. Старая рана еще чувствуется. Будет шрам. Червям на съедение. Тут они меня нашли? Они никогда не слыхал о Четвергове. И лучше бы им не знать. Виктор... а какой он все-таки молодой! Многое повидал, но молод и свеж, жизнь ему интересна. Для него вся наша суета в новинку. Это совершенно точно. Глаза не врут. Да и спит он плохо, я слышу, спит так же плохо, как я... и кричит во сне... Маришка сказала, что напугал ее, говорил во сне, плакал, просил о помощи... И как верно он сказал: «В Советском Союзе все было предельно ясно. Ты знал своих врагов в лицо. Ими были практически все. Любой мог оказаться стукачом. А тут — минное поле». Так и есть. Встречаешь старых знакомых в кафе, пьешь с ними кофе и гадаешь: коммунисты они или нет? Все-таки мы во Франции много суетимся, торопимся, говорим, говорим, а потом жалеем, и снова торопимся... Вот и Жан-Жаку не повезло по той же причине: написал чуть-чуть не то, отправил чуть-чуть не туда... и все...

Альфред закрывает глаза. Ветерок ласкает лицо, шею, волосы. Если бы все было так просто... ветерок, солнце, журчание фонтана... но нет, есть Каблуковы, Четверговы... не те, так другие... есть тайная полиция, агенты и прочая нечисть. Газета, смятая вчетверо, карман некрасиво оттопыривает проклятая газета...

Он достает ее, раскрывает, снова принимается читать; на его лице раздражение. **Кто спрятал тело Четвергова?** От этих слов его начинает подташнивать. Он отодвигает газету. Смотрит в небо. Яркое, слишком яркое. Закрывает глаза. Яркие, как негатив, отпечатки букв всплывают на веках. **Кто спрятал тело Четвергова?** Да что ты знаешь, чтобы задавать этот вопрос? Что ты в жизни видел? Для тебя это праздное любопыт-

644

ство, повод для того, чтобы размять пальцы, попрыгать ими по пирамидке кнопок: стук, стук, стук! Он представил Вазина. Где бы взять сигарету? Ему было двадцать с чем-то, когда он появился в редакции Игумнова. Роза Аркадьевна заботилась о нем тоже. Вечно она со своей материнской заботой пеклась обо всех, а после смерти мужа с удвоенной нежностью иногда становилась до неприличия навязчивой. Игумнов, Крушевский, Шершнев, Вазин... Вазин... У него была бородавка на виске и брезгливые губы. Как его звали по имени? Его как-то звали, странное прозвище (в уме Альфреда всплывает мягкая игрушка для иголок и булавок). Сигарету, сигарету... Не имеет значения. Что он мог знать о Четвергове?

Четвергов был нескладный (его было неудобно нести, самый неудобный из всех покойников) и гадкий, что-то было в нем змеиное, и ведь глуп был, по глупости он влез в эту историю, и если судьба его берегла, до тридцатых годов не подпускала к очагу, со временем он научился залезать во всевозможные щели, отыскивать ходы, найдет человека, который, как ему казалось, знает, где есть заветная дверца, знает пароль, чтобы приняли тебя в какую-нибудь партию, и обхаживает его, забирается в душу, роет нору, обустраивается, — так он подкапывался под многих и, в конце концов, нашел себе тепленькое место. Верно пишет, верно...

Дурные качества вырабатываются в людях именно от неустройства быта, нехватки средств, от того, что вовремя не признали, не поддержали: сунулся человек в одну партию — не взяли, постучался в другую организацию — дали по носу, и начинает он придумывать и болезненно вырабатывать в себе, как яд, способность к проникновению, учится лебезить, врать, притворяться, придумывает планы по ночам. Бессонница многих эмигрантов превратила в хамелеонов, сломала не один хребет! В эмиграции были сотни таких Четверговых, сделались они пресмыкающимися. Распахнуло бы перед ним двери какое-нибудь литературное общество — скажем, «Зеленая лампа», — глядишь, ничего бы и не было. Из снобизма и брезгливости, надев белые перчатки, давали щелчки по носу Четверговым и Горгуловым, и вот что в результате вышло! Как и Горгулов, который был одержим своей собственной «зеленой партией», скифством и графоманией, Четвергов верил в свою миссию, грезил, что выведет русский народ к лучшей жизни. Горгулов...

Да зачем про Горгулова столько? Не достоин он того. Зачем? Чтобы сочней статейка вышла? Или что, думаете, все забыли о нем? Напомнить нужно? Да и разница между Четверговым и Горгуловым тоже есть. Разница — колоссальная! Горгулов-то психопатом был, а Четвергов на НКВД работал. Горгулов сам себя целиком сочинил, он выдул себя, как пузырь, из грязной пенки славянского национализма и черносотенной злобы, и, срыгнув себя в машинописное пространство, собственным образом залюбовался до психоза. Говорят, стучал на машинке денно и нощно, не давал соседям спать, на него жаловались. А Петра Четвергова подпитывал идеями проклятый Каблуков, о котором вы, мсье журналист, ни слова не пишете, ни полслова! Да и откуда вам знать, господин Вазин? Начинали-то в «Русском парижанине» со всякой чепухи, помню, как передирали из французских газет всякие курьезные случаи, — колонка общественной жизни... или как там у вас это называлось? Написали бы нам о жизни Петра Четвергова. О том, как бедно и страшно он жил, без иронии, без насмешки, о том, что ел, что пил, что писал, какие книжки читал. Каким его видели люди. Никого не было у него. Отец умер. А почему? Мы не знаем. Узнайте! Напишите! Где его мать? Как умерла и когда? Разузнайте! Не надо нам наскоро настриженных фраз — дайте-ка полнокровное существо дела! Жизнь каждого человека — роман. А что такое газета... Памфлет. Как все-таки унизительно попасть в такую статейку. Представляю, что бы он написал о нас с Шершневым, принеси ему сорока на хвосте новостишку... Газета оскорбляет жизнь, потому что даже такая блоха, как Четвергов, достойна большего, чем вот это. Знали бы вы, мсье борзописец, как его гоняли во французском банке, как выгнали без выходного пособия, как он работал курьером в модном магазине дамской одежды, носил шляпки и прочие коробки, по черной лестнице крался, в парадное не пускали консьержи, а потом уборщиком в ресторане, питался объедками. Вот так, объедками! Унижение, мсье Вазин, какого вам терпеть не приходилось. Сами-то выдержали бы? После всех пинков и унижений Четвергов оказался под крылышком Алексея Каблукова, вот кто его приютил, змееныша, такой же ползучий. Отогрел в своем Ордене и превратил в монстра. Впервые они встретились на литературном мероприятии (какой-нибудь поэзо-концерт, устроенный в День Русской Культуры, кого-нибудь чествовали или хоронили; Алексей был частым гостем на разного рода собраниях, чтениях, вечерах, он цеплялся за арматуру разбитого здания русской литературы, рассылая во всевозможные журналы свои писульки, расширял круг знакомств, собирал кивки, рукопожатия, влезал в списки и фотографии, вбивал гво́здики в память стареющих патриархов, чаще молчаливо слушал, — так он карабкался по лесенке, заполняя пустеющие кресла). Сойдясь, они совершили паломничество на Валаам. Затем Каблуков уехал в Англию, осел в Оксфордском аббатстве, начал выпускать свои опусы и на несколько лет потерял Четвергова из виду, забыл о нем, а тот ушел почти на самое дно, иной клошар жил в меньшем отчаянии. Вторая встреча произошла в начале тридцатых годов, когда Каблуков создавал свою Академию Христианских Социологов, руководил Братством Святого Антония и заигрывал с фашистами Родзаевского, подчас пытаясь втянуть кого-нибудь в свою паутину, он делал нелепые ошибки (например, однажды он предложил С. Франку сотрудничать с фашистской газетой «Наш путь», что было в высшей степени faux pas). Алексей бывал в Париже наездами; в 1927 году в зале Общества методистов на Denfert-Rochereau он читал одну из своих православно-фашистских статеек, Поплавский не дал ему закончить, выкинул его взашей и гнал пинками аж до rue de Rennes. Город отверг и унизил Каблукова, и Алексей этого не забыл; поквитаться с Парижем стало частью его большого амбициозного плана, для этого он сюда возвращался в новом образе — эремита англиканской церкви — да с новыми идеями (Братство Святого Антония распалось, зато появилось Общество Святого Иоанна Дамаскина, Академию Христианских Социологов с фашистским придатком заменил Орден Рыцарей России), очаровывал русских парижан, печатал слабые стихи, раздавал комплименты, писал рецензии, оказывал услуги, давал взаймы и забывал, устанавливал связи, долго переписывался, находил важных, как ему казалось, персон, приезжал, ходил по городу с неторопливой значимостью, покупал газеты, сидел в кафе, смотрел на людей, приподняв подбородок и прищурившись, подавал нищим, обращался в гостинице с боями, подражая повадкам лондонцев, за которыми следил с завистью нелюдя, — словом, в Париже он играл другого человека. Читал лекции перед той публикой, которая не могла над ним посмеяться (о самоубийстве Поплавского Каблуков выслушал с особым наслаждением, сочувственно покачал головой, причмокнул с притворным сожалением и сказал: «Как печально! Лучшие сыны отечества бесславно гибнут в эмигрантской рутине, не найдя своим талантам применения!»). На одну из таких встреч с англиканским прелатом, устанавливающим связи между Западом и Востоком, пришел Четвергов, и как только прелат закончил читать, Петр бросился обнимать своего старого товарища. «Я был ошеломлен и даже немного напуган его поведением, почувствовал в нем страсть, одержимость. Его сухощавое тело было напряжено. Бледностью и измождённостью он мне напомнил моего брата. Я так был тронут его объятием, что у меня невольно выступили слезы на глазах. „Четвергов, ты ли это?“ — так и вырвалось из моих уст. Несвойственная мне порывистость. Но она сыграла нам на руку. Встреча получилась успехом. Люди, увидевшие наши чувства, были подкуплены, смотрели на нас и вздыхали, понимая: два старых друга, старых духовных бойца встретились чрез годы! За все время моего визита в Париж, с момента встречи в салоне г-на N, Четвергов не отпускал меня от себя ни на шаг, и тратился на меня чрезмерно. Хотя жил в нищете. Я побывал у него дома: келья Рахметова! да что там! комнатка Раскольникова — и в той было больше солнца на закатах! А у Четвергова — стена соседнего дома в окошке, огарок на столе и пустая кружка, на полу матрас[1]. Мы и входить не стали, он вручил мне свои записи,

---

[1] Нищенское существование Петра Четвергова не вымысел и даже не преувеличение. В середине двадцатых годов в одном из номеров литературного сборника «Терновник» напечатали новеллу «Сумасшедшие колеса», длинную и расхлябанную; в ней Четвергов описал, как его семья бежала из России через Константинополь в Париж, как они жили в Менильмонтане. Его отец — бывший офицер царской армии — работал половым в ресторане, мечтал стать шофером такси, откладывал деньги на автомобиль, и вся семья Четверговых трудилась ради осуществления этой мечты, которая и погубила его: вскоре после приобретения авто отец разбился, получил серьезную травму спины и был прикован к постели несколько лет до самой смерти. Новеллу поругали, но не очень сильно, в ней разглядели много «полезного»: и «суть французской действительности», и «мучения русского эмигранта», и еще много всякой необходимой всячины. Написана она была от лица сына, на глазах которого вся эта история произошла. Самыми худшими

и мы отправились на Монмартр. Я запыхался взбираться — засиделся я в Оксфорде, слаб стал сердцем. Он был легок и напряжен, его шаг был пружинист, он оглядывался, щурился, его горло пересыхало, порывистые жесты выдавали, что он сильно взволнован. Когда мы взобрались, я увидел, что он весь в поту, но это был пот не от физической усталости, не из-за всех ступеней, что мы преодолели, а он был как в умственной лихорадке. Он был как влюбленный. Читал мне свои стихи. Брался устраивать встречи, хотел быть в чем-то полезным. Я заметил, что люди, к которым он меня подводил, с сомнением протягивали мне руку и с подозрением поглядывали на него. Я подумал: уж не дурная ли у него здесь репутация? Поспрашивал о нем — никто ничего толком не сказал, промямлили что-то

страницами были «исторические рассуждения о причинах падения государства российского», самые яркие — о первых парижских годах, когда отец, вот только что уважаемый в обществе человек, хоть и пьющий, непутевый, но «важный и нужный элемент российского общества», вдруг становится гарсоном в ресторанчике третьестепенной французской гостиницы, и с этого момента рассказчик внимательно следит не только за моральным падением отца, которого растлевают выпивка и чаевые, и развитием *l'idée fixe fatale*, но и за тем, как в нем самом растет к отцу презрение («у этого гадкого чувства, овладевшего мною, не было дна: презирать человека можно бесконечно»). Новеллой был потрясен великий Мозжухин (Иван Ильич Мозжухин (1889–1939) — актер российского и французского немого кино), он собирался ее снимать с Туржанским или Волковым, снесся с составителями «Терновника», разыскал молодого автора в меблирашках Менильмонтана, описанных им ужасно коряво, но, как утверждал актер, правдиво. Семья Четверговых жила именно так, как в его сочинении: каждый в своей отдельной маленькой комнатке, комната отца напоминала больничную палату умирающего. Мозжухин горько и драматично говорил: «Писатель ничего не придумал», — что звучало отнюдь не в пользу «писателя» (кое-кто возмутился: автор писал, будто его отец умер, в то время как тот был еще жив! — я же усмотрел в этом акт художественного милосердия). Жаль, что из этого замысла ничего не вышло; может быть, фильм, поставленный по его новелле, что-нибудь изменил бы в судьбе Петра Четвергова, но в который раз удача от него и всех нас отвернулась.

жалостливое, мол, жаль его, а отчего жаль, не объяснили. Порой он вел себя так, как я сам частенько веду себя с важными персонами, и эта зеркальная тождественность наша на меня наводит грусть, потому как, глядя на его нервную суету и старания угодить (благоговел передо мной, и если бы я, подобно г-ну Кармазинову, уронил ридикюльчик, он бросился бы его поднимать), узнаю себя и себя стыжусь». Так Алексей писал про Четвергова в своем дневнике, отмечая «влажное рукопожатие», «конский душок», «плохие редкие зубы и слипшиеся жиденькие волосики». Не успел Каблуков вернуться в Оксфорд, как приходит страстное послание от Четвергова, который «жаждет всецело служить делу, хотя сам не понимает, какому делу, видно, что человечек отдать душу хочет, и, кажется, все равно ему, в чьи руки отдать себя». Каблуков поддерживает Четвергова и высылает программу своего Ордена, который только-только получил в его уме оформление. Несмотря на то что Алексей устанавливал мосты между Западом и Востоком, устраивал лекции, на которые приглашал симпатизирующих Советскому Союзу европейских политиков и мыслителей, он годами вынашивал идею Ордена.

Орден Рыцарей России должен был стать достойной заменой таких радикальных организаций, как «Народный Союз Защиты Родины и Свободы», «Центр действия», «Борьба за Россию» и др., и цель Ордена Рыцарей России была та же, что и его предшественников: вести непримиримую и вполне конкретную борьбу с большевиками. В Орден мог попасть член любой партии при условии, что он поклянется вести по мере сил своих борьбу с большевиками, невзирая на некоторые разногласия с членами других партий, которые вступили в Орден. Четвергов зарекомендовал себя преданным и активным членом быстро развивающейся организации. К 1938 году организация насчитывала полторы тысячи человек, по большей части в нее вошли молодые, уставшие от нерешительности старых лидеров РОВСа члены НТС НП, некоторые бывшие активисты выше упомянутых центров и союзов, разочаровавшиеся фашисты и младороссы, мечтавшие прогреметь, как прославленные подрывники партийного клуба на Мойке в 1927 году, также — что несколько удивительно — большое количество членов Трудовой Крестьянской Партии. В своих мемуарах Аристарх Гдынев-Рохлов («Воспоминания старого рыцаря») и Ольга Феофанова («С высоко поднятой головой») вспоминают, что ритуал посвящения был весьма впечатляющим театрализованным действом: на лидерах Ордена были белые просторные плащи с красным крестом, какие носили тамплиеры. Посвящение проходило в заброшенной церкви под Парижем (уж не в той ли самой церкви? коли так, то можно допустить, что Четвергова убили из мести! — ну, это не нам разбираться, а французским детективам), инициация сопровождалась ударом настоящего (!) клинка по каждому плечу с возложением оного на чело, в то время как посвящаемый, держа правую длань на Библии, повторял вслед за своими Наставниками витиеватую клятву. Два или три года Петр Четвергов был почетным секретарем Ордена, возглавлял листок «Меч и Огнь», в 1937 году его назначили руководить парижским отделом Ордена, в тот и последующий год, как лидер организации, он много ездил по Европе, вербовал новых членов, устраивал ритуалы, читал лекции, занимался агитацией, а вскоре сообщил, что в СССР якобы появилась подпольная группа молодых антикоммунистов, которые именовали себя Борцами (группа собиралась в подвале борцовского клуба, где под шум спортивного зала они печатали свою подпольную «газету»). Четвергов убедил руководство в том, что Борцы готовы начать активную деятельность на территории России: сманивать к себе студентов, распространять запрещенную литературу, множить ячейки по всему телу страны. Четвергов считал, что для Ордена установить с Борцами связь и сотрудничество жизненно необходимо, поддержать это начинание, снабжать хорошо написанной и качественно напечатанной литературой очень важно. По воспоминаниям некоторых членов Ордена, его основным аргументом было то, что он мог раздобыть на все это средства («и обещание сдержал, денег было много, — пишет А. Гдынев-Рохлов, — говорил, что деньги ему давали англичане, но уж подозрительно много»). Орден отправил семь или восемь человек в СССР через Польшу и Прибалтику. Все они, за исключением одного, погибли, выживший сошел с ума. Его нашли в каком-то подвале на приграничном эстонском хуторе, он был не в своем уме совершенно. После разоблачения Петр Четвергов бежал и скрывался, его местонахождение оставалось неизвестным до сих пор, пока французские криминальные специалисты не опознали его в Бушенвьерской мумии.

Ну во-первых, не «семь или восемь», а тринадцать; во-вторых, даты перепутали. Деталей много, а все не то! Ах, господин Вазин, вилами по воде пишете. Так и хочется воскликнуть: дела давно минувших дней! Зачем нам это? Все ушло. И ваша статейка пропадет втуне, потому что не доведена она до конца. Спрашивается, что знал обо всем этом — о Борцах и связи Четвергова с ГПУ — сам основатель Ордена? Очевидно, что Четвергов и Каблуков были частями (вроде конденсатора и змеевика) большой организации, по своей структуре напоминающей перегонный куб. Можно только гадать, кем разогревался этот аппарат. Как знать, сколько десятков, а то и сотен эмигрантов было вовлечено в процесс дистилляции. В газетах мелькали обвинения в адрес какой-то анекдотической фигуры с неправдоподобной фамилией Лисистратов (артистический псевдоним — говорят, устраивал выступления казаков, концерты с саблями и коленцами), судить его не могли: в Европе правоохранительные органы всех

стран, граждане и не-граждане которых пострадали, остались
к этому делу привычно равнодушными, невольно подталкивая
на самосуд, — незадачливый антрепренер отвертелся и накануне входа нацистов в Париж сбежал в Южную Америку,
больше о нем не слыхали... может, и миф... может, все это придумали... Сколько глупостей писали об этом деле! Сколько воз-
мущений было! Вспоминали «Трест», предательство Скобли-
на, похищение глав РОВСа — Кутепова и Миллера, убийства
Коновальца и Троцкого... шумели, шумели... и в этом шуме, как
в мареве, Алексей Каблуков растаял... Если бы Четвергов в те
дни подвернулся под горячую руку, его бы точно убили. Всю
оккупацию он таился, перебегал с одной квартиры на другую.
Так и не выдал своего *наставника*. Никто ничего не знал —
ни в сорок шестом, когда Каблуков агитировал русских парижан ехать в СССР, ни тогда, ни теперь не знают, а через десять
лет одни умрут, другие забудут, все перепутается. Кто станет
разбираться? Взять камень и запустить им в полицейского
с криком *Mort aux vaches!*[1] намного проще, чем снимать ко-
росту с тела истории. Штрейкбрехеры, провокаторы, мароде-
ры, полыхающие здания профсоюзов, избиение темнокожего
студента; бесполезные конференции ООН, светские рауты,
рукопожатия и даже поцелуи в губы лидеров стран экономиче-
ской взаимозависимости; споры на радио о том, кому первым
разрезать ленточку, триумфальное мировое турне плюшевого
космонавта — все это вроде бы пустяки повседневной жизни,
они настигают тебя в метро, в поликлинике, в трамвае, в кафе,
в серванте пожилой уважаемой дамы ты видишь фотокарточку кудрявого советского поэта — нет, казалось бы, безобид-
ная мелочь! — но именно так начинается эпидемия: с дохлой
крысы у твоей двери, а потом едва заметная сыпь, за нею жар,

[1] Смерть гадам! (*фр.*)

одурение, которое, быстро передаваясь от одного человека другому, охватывает миллионы... виток за витком... слепец за слепцом... круг замыкается — человечество танцует на костях по колено в крови.

4

Первого июня мы пили чай у Шиманских внизу и все вместе смотрели по телевизору шествие голлистов. Белый от бешенства, играя желваками, Клеман смотрел на экран, мял Le Monde, заглядывал в него, снова смотрел на экран, прищуривался, кривил губы и бранился:

— Quel bordel! C'est la fête des morts! C'est fini! Finito! Kaputt![1]

Елисейские Поля были запружены представителями респектабельного общества. Проплывали меха, плюмажи и платья, важно вышагивали смокинги и фраки. Рабочие комбинезоны подносили плакаты: «Мир и Покой — с Шарлем де Голлем», «V de la victoire» и совсем простенько: «С Шарлем!» Помахивая в камеру белыми перчатками, элита прохаживалась возле Триумфальной арки. Ряженые в одинаковые свитера несли для удобства на части разрезанный плакат: «вперед», «циркуляция», «неустрашимо», «организм», — не хватало глаголов и предлогов. Наверное, отстали. Все равно нонсенс. Я сходил покурить в сад, долго сидел, смотрел на цветы, слушал пение птиц и гул города, который никак не отшумит, как пьяный. Вернулся. Возле Эйфелевой башни — «Верность! Надежность! Стабильность!», «Нет анархии!» На Вандомской площади — та же картинка: шарики трех цветов и буквы CDG[2].

---

[1] Какой бордель! Торжество мертвецов! Это конец! Конец! Капут! *(фр., ит., нем.)*

[2] Инициалы Шарля де Голля.

На площади Согласия: митинг предпринимателей; ветераны алжирской войны с триколорами, в костюмах хаки с орденами и медалями; похожие на рестораторов и акционеров крупных компаний мужчины в возрасте и холодные женщины с впечатляющими прическами нескладно выкрикивали: Pompidou avec nous! Mitterrand, charlatan! Pompidou avec nous! Mitterrand, charlatan![1] Серые плащи, кожаные куртки, солнечные очки, береты, кожаные перчатки... срывают плакаты, комкают листовки, ломают двери лицея Кондорсе... Размахивая кулаками, политики что-то кричат, гул и вялое пение Марсельезы, всюду безликие индивиды в темных очках... похожие на агентов тайной полиции.

— Переодетые полицейские, — уверен Клеман. — Кто ж еще! Все это — армия де Голля!

Мсье М. ему от всей души сочувствовал, тот огрызался:

— Мне не нужны сочувствия голлиста.

Я тоже ему сочувствовал.

Показали вчерашние кадры с place de l'Opéra; там правые размахивали своими омерзительными флажками, облепили дворец Гарнье и веселились. И снова люди в плащах и темных очках — прогуливаются, не вынимая рук из глубоких карманов. Приглашенные на это торжество пожарники штурмовали раздвижными лестницами дворец, срывали красные и черные флаги, чтобы водрузить взамен те, что подавали снизу. Люди в касках и кожаных куртках перелезали через запертые ворота — крупным планом показали крепкие зады; чиновники изучали замусоренные коридоры театра с видом возмущенных беспорядком хозяев, которые вернулись к себе домой и обнаружили, что их обокрали; с балконов сбросили флаги и удовлетворенно махали кепками, снизу им аплодировали шляпы.

---

[1] Помпиду с нами! Миттеран — шарлатан! (фр.)

Вылетел, изогнулся и решительно упал впечатляюще длинный транспарант (я тут же вспомнил, как его несли!); человечки в плащах и пиджачках бросились на него, рвали, тянули друг у друга из рук, наконец, заполучив свой кусок, каждый поджег его, — с брезгливо-насмешливым видом они помахивали тлеющим картоном, дули на разлетающийся пепел, дули и смеялись, будто пускали пузыри. Это вызвало во мне сложное чувство: смесь негодования по отношению к этим муравьям и жалости к студентам, которые сочиняли, делали, несли и с трогательной торжественностью водружали транспарант.

— А вот и Тиксье-Виньянкур[1] собственной персоной! — воскликнул Шершнев, показывая на пожилого толстячка, горячо произносившего речь на ступенях дворца. — Жаль, не разобрать, что он там вякает... Хотя легко себе представить...

Глядя на чинно шагающую демонстрацию стариков с портретами Шарля де Голля, мсье М. морщился и вздыхал:

— Безобразие... ужасно...

По экрану проплывали напыщенные фигуры, костюмы, френчи, смокинги; медали, ордена, розочки, ленты; напудренные старушки в париках с ожерельями и вуалетками; лица, лица — чванливые, преисполненные гордости, вызова, спеси — они проворачивались на экране, как грандиозная карусель масок.

— Какое жалкое зрелище!

— Ну, просто *Въезд Иисуса Христа в Брюссель*[2], — мрачно сказал Шершнев.

Наконец, не выдержав, Клеман воскликнул что-то вроде «жить не хочется, глядя на это», хлопнул дверью так, что зазвенело стекло в серванте.

---

[1] *Жан-Луи Жильбер Тиксье-Виньянкур* — французский политик, лидер ультраправых сил Франции 1960-х годов.

[2] Картина Джеймса Энсора «Въезд Христа в Брюссель».

— Бедный мальчик, — сказала пани Шиманская.

Серж вздохнул и налил себе коньяку.

— Я, конечно, был против беспорядков, но это... просто цирк какой-то! Альф, нам с тобой лучше не показываться на улицах несколько дней.

— Ты прав, ты прав, — сказал мсье М., поднялся на ноги, посмотрел на всех и объявил: — Ну-с, дамы и господа, паны и пани, mesdames et messieurs! Революция окончена! Ждать больше нечего. Как сказал бессмертный классик: когда вас одолевает хандра, вам нужна смена обстановки. Change of scenes.

— Что ты хочешь этим сказать, Альф?

— Едем отсюда. Вон из Парижа! Теперь все время будут скрести, чистить, стучать, голова от них разболится. Едем в Кабур! Кутить так кутить! Один раз в жизни мы можем себе это позволить.

Через день-два на колонках появился бензин, и мы отправились в Нормандию, на двух машинах: одну вел Ярек, другую Серж. Ехали вспять потоку возвращавшихся в город парижан. Мы им махали и сигналили; в ответ нам тоже. Нога мне сильно мешала, она затекала, случались судороги; часто останавливались, я выходил размяться, во время одной такой остановки Альфред принял решение устроить пикник у реки, было весело, много вина, мясо, пирожки, кофе, аперитив. Я лежал на траве, глядя на то, как ползут по небу пухлые ватные облака, надо мной склонилась Мари, пощекотала травинкой, я засмеялся.

— В одной книге написано, — сказала она, — что нет ничего грустней, чем уезжать из Парижа. А мне нисколько не грустно!

— Ну, это смотря как уезжать, — ответил за меня Серж.

На место мы прибыли к ночи. Темень, шум волн, ветер. Утром я проснулся очень рано. Меня разбудила хлопающая ставенка. Я подумал, что начинается шторм, вышел на променад. У меня перехватило дыхание. Море и бескрайняя песчаная полоса. Я заметил мсье Моргенштерна, он гулял по песку в халате, босиком, у самой воды. Я пошел к нему.

— Вам тоже не спится? — спросил он.

— Да.

— После парижской квартиры от воздуха у меня разболелась голова. Ну, как вам здесь?

Что я мог сказать. Я был в восторге.

— Ваша нога теперь скоро пойдет на поправку. Всем нам будет полезен морской воздух. Жаль, что Клеман не поехал.

— Он сказал, что подъедет.

— Я ему не верю. Он не хочет видеть своего брата.

— Я познакомлюсь с Мишелем?

— Да. Он скоро будет. С детьми, с женой. Целый обоз. Вот увидите, еще то зрелище.

Море клокотало и фыркало. Чайки негромко вскрикивали.

— Какая прелесть, — негромко сказал он.

— Да.

— Можно вас попросить кое-что сделать?

— Да, конечно.

— Я бы хотел, чтобы меня кремировали и прах развеяли над Луарой. Серж знает место.

Я помолчал и сказал:

— Вы, пожалуйста, ему это тоже скажите.

— Я ему напишу инструкции чуть позже.

И ушел. Безразличное море продолжало гнать на меня волны, дышать в лицо, шипеть и чавкать, как бормочущий во сне великан.

После полудня я увидел его в саду возле отеля; он курил в большом плетеном штрандкорбе, вытянув ноги на выдвижной подставке; я прошел бы, наверное, мимо: полоски его пляжного костюма смешивались с полосами глубокого кресла и навеса, мсье М. помахал мне, только тогда я заметил его; на столе стояла бутылка белого вина, несколько стаканов, вода в графине, изюм, вокруг: апельсиновые, абрикосовые, персиковые, лимонные деревья — и все утопало в аромате, солнце и птичьем щебете. Я налил себе вина и сел в соседнее кресло-короб...

— Ах, красота-то какая!.. Как тут ноги-то вытянуть?..

Мсье М. подсказал покрутить скрытую под полосатой материей ручку; плавно вращая ее, я поднимал мою больную ногу... со скрипом: это нас развеселило, — «а вы заржавели, мсье», — посмеялись...

— Слышите этот звук? — вдруг сказал Альфред. — Вот это тьюинь-тинь-тьюинь? Слышите? Это мухоловка. Ах, какой необыкновенный Stimmung! Не только в средиземноморских городах случается такой час...

Мы выпили, и он долго рассказывал о своем отце, говорил, что тот любил деревянные вещи, любил деревья...

— Ему бы понравилось сейчас тут...

Альфред сокрушался, что не знает, был ли он похоронен... и неожиданно сказал, чтобы я бросил писать.

— Намучаетесь только, я же вас знаю. Вы такой же, как я. Потянув за эту ниточку, вы уже не остановитесь, будете всю жизнь тянуть. И ничего, никаких ответов не будет. Поверьте старику, я за это жизнь положил...

— Надо довести до конца начатое.

— Вы еще не поняли. Конца нет и не будет, в этом деле конца не бывает.

— Да нет, точку поставил, и все.

— Это только сказка кончается, когда поставили точку. Я же о другом, о сущностном. Вы-то никуда не исчезнете. Вам вновь и вновь ставить точку придется. Слова будут возвращаться и терзать. Они не уйдут так просто. Такова их природа. Запомните, человек как сосуд, в него слова приходят, вы их только пригласите, как бесы слетятся, не отделаетесь. Во всем будет казаться основа, в каждой ерунде начнете видеть намек, знак, указание. Так и будете с карандашом и бумажками бегать по миру, топить свою душу в чернильнице. А потом появятся призраки...

Я посмотрел на него.

— А вы как думали! Я не шучу, — сказал он. — И это тоже только полбеды...

— Призраки ко мне уже являлись. Я, когда ногу сломал, все время в комнате сидел, много печатал на машинке, и вот дошел до такого состояния, когда ко мне явился один очень странный тип. Я еще долго решал: он настоящий или мнимый...

— Вы сейчас не шутите?

— Нет, правда! Помню, как он зашел, бесшумно вплыл в комнату. Я подумал: а это кто такой? И откуда у него ключ? Он гулял по квартире, осматривался с любопытством таким, будто он знает тут все. Я решил, что он наверняка тут жил до меня. Покойник, такова была моя мысль. Мы с ним поговорили...

— На каком языке, любопытно?

— Он русский. Хотя у него был акцент или... Не знаю, как сказать... Он говорил с одышкой...

— Заикался?

— Как будто...

— Он не представился, конечно.

— Нет. Он вообще странно говорил.

— Ну, да... И что, что он вам сказал?

— Да как и вы: бросайте писать, уезжайте, вам угрожает опасность, за домом следят...

— Как он выглядел хотя бы?

Описал наскоро. Тут я заметил Мари, в легком белом платье, с оранжевым полотенцем на шее. Я тут же все на свете забыл.

— Пойду.

— Идите. Идите.

Ковыляя вниз по холму, я заметил Шершнева. Он сидел в стороне и тайком рисовал Альфреда.

Это был последний его портрет, и это был последний раз, когда я видел мсье Моргенштерна живым, — после его исчезновения я нашел в кармане моей рубашки аккуратно свернутый листок:

цикады и птицы нагнетают адажио, но это еще не пик жары, я безошибочно улавливаю трель мухоловки, тяну за ниточку, тяну, — она пробуждает самые давние воспоминания, эти звуки сопровождают меня с самого раннего детства…
Птичка-Печалька, Птичка-Печалька!
закралась ко мне в ухо и свила гнездо
Птичка-Печалька, Птичка-Печалька!
поет, навевая сон
(сон и есть жизнь, а музыка — бытие, как пел Орфей)
5 июня 1968

* * *

Променад, широкий и ослепительно белый; большие важные дома (у каждого два фонаря — стоят навытяжку) сверкают огромными стеклами; балюстрада, за ней песчаный откос, скольжение, преломление перспективы. Жара похожа на длинный коридор, по которому редко пробегает прохладный худенький ветерок. Прохожие с веерами, зонтиками и лимонадом прогуливаются и негромко переговариваются:

— Какая жара.

— Рановато для такого солнца.

— Зато спокойно...

Шум моря — это огромный сказочный лес, он крадет крики детей, они вырываются, взвизгивают, и вновь пропадают — их смыла жадная людоедская волна, чтобы наполнить воздух новыми криками. Пробуждалась, замирала и вновь оживала далекая песня... Гармоника, скрипка... Нет, скрип колес. Это передвижная мороженная лавка. И наконец — само море, ничем не схожее с лесом, плоское, серо-голубое, как литография.

Мари потянулась и томно простонала:

— Хочу мороженого.

Мы целовались, лежа на песке, ели мороженое, снова целовались... она много мне рассказывала о своем детстве: она помнила этот пляж — ее сюда привозил мсье М., когда ей было пять... и добавила таинственно:

— Я тебе соврала, когда сказала, что почти ничего не помню о моем дяде... Я должна буду тебе кое-что рассказать... но не сейчас, договорились?

— Конечно. Когда тебе угодно будет.

Вечером к нам зашел Клеман.

— Не видели Альфреда?

— Нет...

Он был сильно расстроен. Предложил покурить гашиш. Мы не отказались.

Это был очень крепкий гашиш; мне стало нехорошо, я провалился в дурной сон и стал кем-то другим...

Я выброшен бурей на берег острова. Обломки моего прежнего мира, с каждым мгновением отбывающего в забвение, появляются на побережье: облизанные волной, покрытые тиной, пушистой пеной украшенные, застоявшиеся в соли и кораллах воспоминания, переваренные до неузнаваемости слепки личностей. Вижу на канатную веревку похожую мать, в бутылку запечатанный палец отца. Я помню этот палец, он двигал шахматные фигуры, на него отец плевал, чтобы перевернуть страницу. Другие куски всплывают и, не подхваченные взглядом, уходят в туманные воды. Буквы на песке, ракушки на камнях, соленый ветер, зелень окиси крыш и трубы города. Я заглядываю в дома, вижу спящих, они слегка мерцают. Теперь я представляю, где нахожусь, ступаю осторожно, придерживаясь одной рукой за трубу, я чувствую, как в трубе летят капсулы с посланиями, тут все немного сквозит, мелкие трещины пропускают синеватые отблески, так проглядывает бездна, я знаю, всегда знал, что она рядом, иногда видел, как такой же голубоватый свет сочился и сквозь линии на моих ладонях, выступал из-под ногтей. Вижу дрожащие капельки воды, они густеют, наливаясь нектаром, выпускают лепестки, внутри капли можно разглядеть крохотный эмбрион, это жизнь, когда тебя разворачивают и читают, она выходит крыльями из спины, это я — росток — капля — слово. Слышу, как в ушах спящего под мостом плещется река. Переливаясь, сон проворачивается внутри человека, как неторопливое сверло. О, человеческое тело, какое ты хрупкое! Время — как радиация — пронизывает всех и всё; люди и вещи, напитавшись им, словно заболевают одним вирусом, вирусом определенной светимости времени. В Люксембургском саду вместо статуй на пьедесталах стоят: Парнах, Шершнев, Гвоздевич, Моргенштерн... а также те, о ком читал или знал понаслышке... и Поплавский, в очках, конечно, в крепко облегающем пиджаке военного покроя, слегка коротковатом... над городом плывет медленный дирижабль... Слышу гул... тяжелые долгие ноты... гул заводских труб... Вижу мальчика. Он сидит на полу в большой комнате, играет со шкатулкой, в которую встроен зеркальный лабиринт с куколками. Мальчик смеется. Я тоже смеюсь. Слепну от счастья. Ветер подхватывает и несет. Зарево над морем. Кабур. Странная грусть. Этот рассвет не похож ни на один другой. В моей руке записка. Складываю вдвое. Вхожу в соседнюю комнату. Вижу себя спящего и Маришку. Смущаюсь. Чувствую себя вором. Отвожу глаза. Вкладываю записку в карман моей клетчатой рубашки. Оставляю деньги на столе. Спускаюсь по лестнице в вестибюль. В соломенном кресле сидит Жан, в руках книга, чашка кофе на столе.

— Салют, Жан.

— Ты чего так рано?

— Надо съездить по делам в Париж. Вот, — достаю деньги.

— Даже не думай.

— Я настаиваю.

— Я отказываюсь принять.

— Мы заняли четыре комнаты.

— Ну и что? Хоть весь отель!

— В общем, так, это за четыре ночи, я оставлю их здесь, в ящичке, — открываю ящичек его бюро, — заодно ключ от моей комнаты сюда, на полку...

Жан встает с хрустом и ругается.

— Ты не можешь так со мной поступать! Я тебя десять лет ждал, а ты...

— Я тороплюсь.

— Когда тебя ждать?

— Через два дня буду.

Я вхожу в поезд. Выхожу из поезда. Иду по улицам Парижа. Gare du Nord. Никакой толкотни. Дорогой Серж, я не усидел. Покупаю билет. Я кое-что понял. Мне надо это проверить. Виктор сказал, что к нему заходил какой-то незнакомец. Он заикался. Человек с чемоданом обгоняет меня. Чемодан задевает бедро. — Простите. — Пустяки. Но даже такая мелочь сбивает с толку. Сбивает настолько, что не могу вспомнить, ни кто я такой, ни куда иду. Погода так себе. Черемуха и прочая чепуха. Я не усидел и решил навестить Сашу. Нет, имя лучше не писать. Брюссель не упоминать. Навестить К. в городе Б. Задачка из учебника. Я пытался ему написать. Не знал, с чего начать. Слова разбегались. Как такое описать? Мне снился сон. Александр, твоему старому другу приснился причудливый сон: крокодил, который полз по каминной полке, возле камина в кресле сидел мой кузен, он плакал, на столешнице поднос, на подносе, как отрубленная голова, лежала кинокамера, кто-то прохаживался, тень, силуэт, мой кузен гладил кинокамеру и говорил, что уезжает в Аликанте. Вряд ли мои сны что-нибудь значат. О его смерти я прочитал в Der Spiegel, тоже во сне, но умер он на самом деле и тут же приснился, я почему-то хочу, чтобы ты знал, он был старше меня, ему пришлось через многое пройти, его отец был истый вагнерианец во всех смыслах, мой кузен был обречен, я всегда это понимал — обреченность быть сыном своего отца, с этого надо начинать, он пошел дальше: первые шаги по типографским ступеням, легкие и безответственные, — сборник эротических новелл, стихи, пьесы, глупости, его отец взял свое, согнул сына в бараний рог, и тот стал кинохроникером, вступил в НСДАП, был ранен на войне, отец гордился им и гордо умер под музыку Вагнера после известия о капитуляции Паулюса, мой кузен был в плену, лет пять сидел в тюрьме, затем крутил фильмы в кинотеатре Касселя, ходил мимо особняка, в котором умер его отец, мимо пепелища их фабрики, по улице, что построил его прадед, — умер в полной безвестности, никто никогда не вспомнит его имени, снятые им кинохроники, наверное, еще будут крутить в назидание потомкам, но имени его не вспомнят, нет. Сон на мгновение заместил поезд. Узкий коридор вагона. На перроне множество лиц, глаз, рук, ног. Против встречного потока. Трудно. Идти против ветра. По грудь в жизни. Серж, я просто устал ждать. Устал от того, как давит история. Будь что будет.

Брюссель. Отдаленный бой колоколов. Во рту образуется металлическая сухость. Праздник какой-то? Какое сегодня число? Солнце в дымке. Чья-то рубашка в фонтане. Предгрозовая духота. Предчувствие. Тяжелые тучи на востоке. Здесь тоже были беспорядки. Захожу в открытое кафе. Мсье? У меня только французские франки. Идет, месье. Беру вина. И у вас беспорядки... О да, мсье. Еще какие! Месье из Парижа. Да. Ну и как там? Пошло на убыль. У нас заседают в университете, на улицах стало спокойней. Еще вина? Да. Третий бокал за счет заведения. Так и быть. Выпиваю и третий. Оставляю щедрые чаевые. Белой паутиной затянутые стекла витрин. Раскуроченные решетки. Выгоревшие окна. Грубой белой краской сикось-накось призывают к освобождению сознания. *Plutôt la vie* — Ah, c'est la même chose partout![1] Мусор. Гипс. Арматура. Деревяшки. Сорванные козырьки. Закрашенные рекламы. Наполовину обломанные вывески магазинов. Мир похож на театр Michel. По этим декорациям прошелся тростью Бретон. Сейчас прорвет холстину чей-нибудь ботинок. Выбегут ряженые в кубические костюмы персонажи. Разобьется лампой солнце. Ворвется кулак Бенжамена Пере. С хохотом влезет рожа Элюара. Их нет, но... они есть. Тут нет противоречия, не правда ли, Серж? Как ты возмущался!.. Но разве это было не веселье? Ради такой потасовки можно было пожертвовать балаганчиком. Почему мы перестали все это любить? Когда мы постарели? Где лежит тело нашей молодости? Смотри, на гие Haute кое-где витрины разбиты. Ты бы мог нарисовать их... Шатаются попрошайки, взглядами цепляют.

— Bonjours, monsieur.

— Bonjours.

---

[1] *«Уж лучше жизнь»* [Стихотворение А. Бретона] — Ах, повсюду одно и то же! *(фр.)*

Подаю французскую мелочь. Обескуражен? Других нет. Не спеша иду дальше. В моих карманах и во всех складках одежды еще живет запах Франции. Люди, кажется, на меня пристально поглядывают. Инородец. Rue Haute. Сколько раз по ней мы гуляли с К. Что с ним стало? Вот телефонная будка. Звоню. Волнение. Сердце стучит. Гудки пронзительные. Штормом врываются в мою пещеру. Поток. Течение. Оно вращает меня. Подхватывает и выносит. Я вижу бородатого человека. Он сидит в тусклой комнате. Задернутые шторы. На столе газеты. Машинка. Бумаги. Чернильница. Много карандашей. Беспорядок. Незастеленная постель. Он курит и прислушивается. Звонок. Выглядит напуганным. Руки трясутся. Тяжело дышит. Курит. Звонок. Встает. В нерешительности ходит по комнате. Звонок. Он стоит возле телефона. Крупный квадратный аппарат с металлическим барабаном. Буквы потерты. Он снимает трубку.

Я сижу на скамейке прямо против собора Saints Michel et Gudule. Ветер гонит облака. Тени, изменчивые тени, они дышат, и плитки площади будто шевелятся под ногами прохожих. Красивый готический собор. Кормлю голубей. Это успокаивает. Бросаю крупные куски хлеба, голуби бегают, суетятся. Ходят люди, играют дети. Из ниоткуда появляется он, садится рядом. Я не сразу его узнал: скрючившийся старик! С бородой и трясущимися руками. Его рот открыт от напряжения. Странная гримаса. Он часто дышит и озирается. Не здороваясь:

— Смотри-ка, развязался шнурок на ботинке. Так даже лучше... Пусть так и остается...

Но это он. Александр Крушевский, никаких сомнений не остается. Он весь перекошен и помят, как замусоленная купюра. За пазухой что-то прячет. Двубортный серый пиджак на нем сидит криво. Притоптывает ногой. Он как в чаду. Говорит и говорит... Он видел, как вода в реке остановилась, замерла и стояла, как лед... Я его не понимаю. Пытаюсь с ним заговорить...

— Саша, я слышал, ты был в Париже и не зашел ко мне...

Он захохотал!

— Да, я был в Париже, был... Я же об этом и рассказываю! Об этом страшном месте... ты видел, как они устроили... чтобы небо заглядывало сквозь окна сразу в глаза... где еще ты такое видел?! Да, я был там недавно... на этой неделе вернулся... Ах, что за город... Он залез мне в душу и вывернул там все... В моей комнате все вверх дном... За мной всюду шпионят. Всюду!

— Подожди, если ты о полиции...

— Нет, не о полиции... Что полиция может знать? Они же ничего не видят... Нет, это не полиция, Альфред... Это кое-что другое...

Его голос жужжит и не прерывается. *Другое... Потустороннее... Исчадия Ада...* Некоторые люди так говорят — все время издают звук. Он несет околесицу. Его голос как виолончель. Расстроенная виолончель, которую кто-то пилит и пилит, чтобы надоедать. Он говорит, что разговаривал с Игумновым, но ведь он умер, десять лет как, Серж, у него в голове все перемешалось, там вращается карусель, завывает ветер и хлопают ставни, беспрерывно, и еще там Егор Глебов, который ждет его на какой-то станции... Господи, как его лихорадит! И что он говорит! Что он говорит! Это безумие. Мне страшно. Серж, мне страшно. Я полагал, что меня уже ничто не напугает. Он смеется, а из-под моих ног земля уходит.

— Раз уж ты здесь, Альфред, значит, и ты понял, что все мы связаны в один клубочек. Ты понял...

— Думаю, ты ошибаешься, Саша. — Стараюсь не смотреть ему в глаза. — Я ничего не понял и ничего не понимаю. Может, ты мне объяснишь... Затем я и здесь... — Это чужие глаза. Я не понимаю, что он говорит, это какая-то бессмыслица!

— Кто-то должен ниточку оборвать, кто-то сегодня ниточку оборвет... Не век нам на ней болтаться...

— Какая ниточка? О чем ты, Саша? Почему не зашел ко мне...

Что с ним стало? Почему? Это больше не он. Не тот Александр, которого я знал.

Ветер наклонил листву над нами; тень омыла нас и схлынула; Саша вздрогнул, оглянулся, у него был взгляд только что проснувшегося человека...

— Может, мне даже полегчает... и проще будет сделать задуманное...

...и заговорил связно, его дыхание стало ровным, гримаса расправилась, он расстегнул рубашку, вытер пот, вздохнул и посмотрел на меня — он меня увидел, он стал собой.

Все оказалось до глупости предсказуемо. Как ты и боялся. Когда Саша прочитал в газете о Бушеньверской мумии, он бросился в Париж и только в поезде задумался: а зачем он туда едет?.. к кому?.. В Париже он нашел дешевую гостиницу и пустился ходить по городу. Его приезд ему самому стал казаться подозрительным. Он хотел пойти к тебе, Серж, но отказался от этой мысли. Он пошел на rue de la Pompe, ко мне, но не дошел. Он сказал, что за моим домом наблюдали. Наверное, то был миньон нашего Л. Саша бродил по городу. Все было почти так же, как в сороковых. Он снова был неприкаянным и словно никого не знал. В гостинице все было ужасно. Тонкие стены, тараканы, на улицах беготня, полиция, шум. Он не мог спать. Не выдержал, решил пойти к Розе. Но снова задумался: а что он ей скажет?.. зачем приехал?.. Он отправился на Разбойничий остров. Там все изменилось. Не было ни орнитологической башни, ни усадьбы Деломбре. Только деревья стояли те же. Он их узнал. Долго стоял и смотрел на деревья и реку. Река текла как прежде...

— Так зачем ты приезжал в Париж?

— Я не знаю. Что-то толкнуло меня. Голос сказал: «Поезжай в Париж!» Альфред, я не все вам с Сержем тогда рассказал. В ту ночь все было не совсем так.

Он встает и идет к церкви.

— Что ты хочешь сказать? — Я иду за ним. — Что не рассказал?

Мы входим внутрь. Никого. Он идет между рядами, находит место.

— Тут мы с отцом впервые сидели. Я помню тот первый раз, Альфред. Было величественно, невероятно величественно...

Я сажусь рядом. Он смотрит в сторону алтаря. Наверное, он смотрит на распятие... и говорит:

— Я убил его.

— О ком ты?

— Ты знаешь о ком.

— Случайно, Саша, это было случайно.

— Нет. Это я так сказал. Я солгал. Я убил его намеренно. Этими руками задавил. — Порывисто поднял руки, опустил, посмотрел на свои скрюченные пальцы.

— Тихо, Саша. Ты наговариваешь, придумываешь...

— Нет. Зачем мне это?

— Но я не понимаю. Почему? За что?

— Это было предопределено. Мы следуем замыслу. Есть замысел, Альфред. Я в этом убежден. Бог каждого видит, каждого ведет... Я неслучайно угодил к Боголеповым. В Скворечне оказался неслучайно. Меня туда привело Провидение. Оно меня все время беспокоило и подталкивало. Не сиделось мне. Все я должен был что-нибудь делать, наводил порядок, перебирал хлам, рылся, возился... и вот, как-то я стал ремонтировать стену, потому что сквозило и доски в одном месте отвалились, за ними обнаружился тайник, в котором были документы. Я думал, что бумагой утепляли так стену, ну, мало ли, вынул — черт меня дернул — стал читать. Многое было неясно. Это интриговало. Сразу же понял — списки. Агентура, подумал, вот самое то, Игумнову пригодится, принесу, произведу впечатление. Помнишь, какой он был? Требовательный. У меня мало что получалось. Я хотел его поразить. Вот, мол, вам, Анатолий Васильевич, держите! Вот я и пригодился. Я не сразу понял, что за агентура, кто эти списки составил. Многое было зашифровано. Надо было поработать, я читал, расшифровывал, и вскоре понял, что это сеть агентов, которые работали на Четвергова, там было написано, какую информацию и кто кому передавал, кто сколько денег в фунтах и долларах получал. Я обрадовался, ушел с головой, и вдруг среди них нахожу наш брюссельский адрес, сначала подумал, что это ерунда, а потом — Кр-ский, В. Я не поверил. Все встало. Замерло. Голова налилась. Я смотрю и не верю, не верю! Я отказываюсь верить глазам. Но потом стало совершенно ясно — это был мой отец, обозначенный как «брюссельский профессор». Мой отец был агентом, Альфред. Нет, он не был каким-то важным лицом, он ничего не мог разузнать, он просто был курьером, мелким посыльным. Ах, ты не можешь себе представить, что я почувствовал. Отец и Четвергов. Это ничтожество давало задания моему отцу. Альфред, ты не знаешь, какой это был удар для меня. Четвергов платил моему отцу! Проклятая бухгалтерия! Там было записано все. Сколько. До последнего пенни. Не всегда было сказано за что, но разве это так важно? Сама услуга...

— А годы?.. там было написано, в какие это было годы?

— Тридцатые... Тридцать пятый, тридцать седьмой... Но какое это имеет... Пойми, мой отец — вот что важно! Он получал деньги, чтобы выполнять маленькие задания ГПУ. Я вспомнил его поездки, которые случались внезапно. Я перебрал в памяти. Да, он уезжал, а возвращался с деньгами. Мы жили по-прежнему довольно скромно, даже очень скромно, но мы смогли переехать в Брюссель, у меня была одежда хорошая, я пошел в университет, выглядеть хорошо было важно. Он нанял для меня учителя фламандского, чтобы я выучил, наконец, этот язык, но я... Да все равно теперь... Даже если я смогу себя убедить в том, что мой отец не понимал, для кого он выполнял те задания, даже если так, то... Нет, мой отец и политика, он и деньги...

Почти все в его истории было так, как он нам тогда рассказал. Был сильный дождь, и когда он вернулся в башню, не сразу услышал, что наверху кто-то есть; он переоделся, затопил печь, и мало-помалу стал прислушиваться, наконец, он понял, что наверху кто-то ходит. Он решил, что это мог быть Арсений Поликарпович. Александр поднялся по лестнице, вошел в *библиотеку* как раз в тот момент, когда из люка выбирался незнакомый человек. Заметив Александра, он вздрогнул, его глаза блеснули, и Александр понял, кто это, его охватила дрожь сильного волнения, он испугался, что сейчас начнется приступ, все поплыло перед глазами. Теперь Саша добавляет от себя, будто тогда в первое же мгновение понял, что перед ним человек, которого ему предстоит убить, но я полагаю, Серж, что он это — *предопределение, предвидение, рок* — придумал позже, все это добавилось значительно позже, вместе с болезнью...

«А, здравствуйте, господин Крушевский, — говорил по-домашнему незнакомец, как если бы ждал Александра, он с большим трудом выбирался из *хранилища*. — Меня зовут Петр Четвергов».

«Я знаю, кто вы такой». — Александр проглотил ком, у него затряслись руки.

«Ну вот и познакомились. — Четвергов захлопнул за собой люк, распрямился и отряхнул колени. Украдкой поглядывая на Александра, он продолжал ворковать: — Фух, давненько я здесь не был. Хе-хе... Отвык от этой гимнастики. А вам как? Как находите сие сооружение, а? Аляповато, не правда ли?..»

И он снова притворно засмеялся. У него были плохие зубы. Александр не ответил, не улыбнулся, он рассматривал него-дяя. Четвергов запыхался. Он выглядел очень плохо, как по-сле тяжелой болезни: маленький, худой, измотанный, лицо се-рое, морщинистое, длинные сальные волосы, гадкая бороденка и тяжелые тени под быстрыми трусливыми глазами. Его руки тряслись, как у пьяницы. На нем был запачкавшийся в пыли черный пиджак, мятые коричневые брюки, грязные ботинки. Воротничок белой рубашки потемнел. Поэтому он носил старо-модный платок, который сбился набок. Глядя на него, можно было подумать, что он вылез из подземного притона, в котором несколько лет интенсивно предавался разврату. Стараясь дер-жаться непринужденно, словно в его появлении в Скворечне не было ничего неестественного, он взял со стола им оставленную шляпу, нервно отряхнул ее от капель и с карикатурным жестом надел, поправил влажные волосы, платок, сделал еще несколь-ко быстрых мелких движений — и все время говорил, говорил... «А я вижу, вы тут навели недурной порядок. Н-да, н-да... Вы — молодец, Александр, нечего сказать, молодец... Вот и полочки починили... Помыли окна... Шторочки сняли... А я их специально вешал... Я ведь тут в Резистансе жил, мы тут газету выпуска-ли... Вы — Александр, молодец... Арсений Поликарпович о вас много хорошего рассказывал, да и господин Каблуков, — тут он метнул в Крушевского прищуренный взгляд и заговорщицки подмигнул, — тоже вас рекомендовал».

Сашу возмутили эти слова, эта фальшивая развязная поза, он хотел воскликнуть: «что значит *рекомендовал*?! что вы тут воображаете!», — но едва справился с дыханием, его душила ярость.

674

«Вижу, перебрали мои книги... — продолжал Четвергов, прохаживаясь, — все так красиво расставили... Я тут решил кое-что забрать из своих вещей, — он кивнул в сторону раскрытого чемодана, который Александр только теперь заметил, — надеюсь, вы не будете против... Простите, дорогой друг, что я так странно заявился без предупреждения...»

Четвергов сделал шаг в его сторону, протягивая руку, но Крушевский шарахнулся от него, и Петр руку спрятал. Его напугал этот порывистый шаг, и дыхание, он услышал хриплое громкое дыхание Крушевского.

«А почему вы так дышите? Что с вами? — Присмотревшись к Александру, он хитро прищурился и сказал: — А, да я вижу, вы их нашли. — Крушевский ничего не ответил, он продолжал смотреть на него страшным взглядом и дышать. — Вижу, что нашли, вижу. Ну, что ж, тем проще будет объясняться, тем проще. — Четвергов ухмыльнулся, потер ладони, сделал оборот вокруг стола, с каждым шагом, с каждым движением он перевоплощался, с него слезала чешуя притворства, маленький, хлипкий, он раздувался от важности, в его голосе послышалась насмешливость, и даже напыщенность. Он стал похож на дельца и хозяина башни, он вел себя так, будто собирался продать ее Крушевскому или потребовать с него арендную плату за год проживания просто так, потому что ничего просто так не бывает, за все платить надо. — Ну-с, молодой человек, раскрывайте карты! Признавайтесь, что вы сделали с моими бумагами? А дайте-ка угадаю! Не говорите ничего... Я уверен, что вы их расшифровали и обомлели. Какая находка! Подумать только! Бумаги того самого Четвергова! Сенсация! Да? Ведь так было, признавайтесь? Вижу, вижу, именно так и подумали, небось лихорадка пробежала по телу. Такое волнение, знаю... А потом, когда своего папеньку там обнаружили...»

— Я его повалил на пол, схватил за горло и давил, давил, он хрипел, а я давил... — Крушевский задрожал, его лицо потемнело от прихлынувшей крови, глаза увеличились, на губах появилась слюна. Отвратительно корявые жесты. — Ты не представляешь, Альфред, какую силу я в себе ощутил. Он дергался, вырывался, а я давил и давил. Я овладел им! Он никуда от меня не мог деться! Я был такой сильный. Я — монстр. Это было убийство, Альфред. Это было подлинное убийство. Я — убийца.

Он на него не сразу набросился. Саша говорил очень сбивчиво, опять заикался, путался (казалось, в нем пробудилось несколько человек, которые спорили, перебивали друг друга); мне трудно склеить его рассказ; у него было несколько версий убийства (проговори мы дольше, уверен, эти версии множились бы и множились), но все они сходились в одном: в том, что он его убил, на этом Александр настаивал, это было невозможно отменить. Он внезапно менялся и менялся столь сильно, что казался мне другим человеком, незнакомым и... Я с ужасом думал: а не Четвергов ли это? Но ведь это невозможно! Я отгонял эти мысли и внимательно слушал, пытался обнаружить зазор, спасительную лазейку, через которую я мог бы вывести его из этой безумной метели, как в сказках спасают ребенка, но его руки свело судорогой на горле Четвергова, эти пальцы уже не разжать. Александр был в Скворечне, он проживал это вновь и вновь, набрасывался на свою жертву, валил Петра Четвергова и душил — то на столе, то на ящике с книгами, то на полу, Четвергов сопротивлялся, ему удавалось вырваться, они продолжали свою беседу, некоторое время они говорили, а затем убийство возобновлялось, Саша душил его платком, шарфом, запихивал в рот бумаги, затем они опять говорили, Четвергов что-нибудь рассказывал, он оказался разговорчивым, он вздумал покаяться, его распирало от слов, он не мог остановиться,

Саша слушал, слушал, терпел и, точно шторм, с новой волной подминал его под себя, они проваливались через люк в хранилище, или скатывались вдвоем по металлической лестнице вниз, путались в вьюне, проворачивались, кувыркались бесконечно... Это был кошмар! И он жил в этом кошмаре! Серж, я старался его растормошить, чтобы он очнулся, но ничего не мог сделать. Поверишь ли? Я отвлекал его, задавал вопросы... спросил, что случилось с архивом.

— Я сжег его. Сразу после того, как получил от отца письмо.

— Ты получил от отца письмо?!

— Да. Мне передали его через посольство. Я получил приглашение на Гренель. Там мне передали письмо. Я уже знал, что мой отец был замешан, поэтому никому ничего не сказал, я скрывал это от всех, я таил это в самой черной комнате моей души, которую даже от себя старался держать закрытой. Прочитав письмо, тут же его уничтожил. А мне в лицо смеялись. Что ж вы так, говорят, с письмом отца поступаете? Они несомненно были в курсе, кем он был. Они меня сразу взяли на крючок. Думали, что теперь я целиком принадлежу им. Не хотите ехать, не надо. Оставайтесь. Но вы — наш.

— Так и сказали?

— Не так прямо. Им не надо было что-то говорить. Все было и так ясно. Раз отец у них, я буду им служить. Но я не служил! А все подумали бы...

— Я бы не подумал.

— Ты нет, не подумал бы. Но ты — не все. Они приходили ко мне. Всегда следили за мной. Всю жизнь намекали: знаем, что вы сделали... знаем... Куда бы ни поехал, житья не было, и жизнь моя после убийства будто остановилась. Одно и то же, изо дня в день, одна и та же мысль: сгубил душу — зачем жить? Куда ехать? Я бежал. Но всюду натыкался на кого-нибудь. Они подсовывали под дверь послания. Отец писал, что у него все хорошо. Живет в Москве. Преподает в университете. Я переезжал, а он меня находил как-то, передавал мне сообщения через своих соглядатаев: получаю пенсион как узник нацистского концлагеря, в магазинах колбаса появилась, взял для нас сразу по талонам... Ну и прочая брехня. Я не верил ни единому слову. Ложь, все это ложь. Даже если и правда, все это... пенсия, карьера, квартира... Это ничего не значило! Или значило только одно: отец стал другим. Что там думать! Самое худшее было сделано. Он был подлец, а я — сгубил душу, свою душу, пойми, Четвергов своей смертью меня за собой утянул. С какой стороны ни посмотри, все пустое. На первом месте стояло убийство и цифры, горло Четвергова, как оно хрустело у меня в руках... Снимаю трубку, а в трубке хруст, стук его ног, они, как палки, там стукали, дергались, и английские фунты, фунты, фунты... отцу он выплачивал фунты... аккуратно все было записано... сколько... каждый раз... Цифры! Понимаешь? Все точно и достоверно. Цифры сильней всего. Если б их не было, может, я бы даже убийство забыл, может, смог бы убедить себя в том, что это было не со мной... приснилось... со мной случается... кошмары, видения, голоса... с каждым годом все больше... очень многое путаю, говорю одно, потом другое... меня поправляют, говорят, что того и этого не было, придумал... смог бы и эти ноги забыть... горло, синее лицо... мало ли я покойников видел?.. поехал бы к отцу, да, и поехал бы... но были фунты, аккуратно записанные и ровно подчеркнутые суммы... можно ли забыть цифры? Нет! Они ни за что не уйдут из головы, на них все держится, так и стоит перед глазами, как виселица! Цифры — это неизбежное. Это был уже не мой отец. Он и фунты — несовместимо! Немыслимо... Он же... он и прикасаться к ним избегал, с брезгливостью расплачивался, не любил считать, не умел... беречь и экономить... Говорил: унизительно... Презирал европейцев за это, считал, что он выше, с этого презрения, наверное, и началось... Вместе с тем... Я понимаю, что он пошел на это ради меня, сам он не нуждался в улучшении своего положения. Он настолько не устроенный в быту человек, впрочем, как и я сам, что для него наверняка эта подпольная служба стала решением многих сложностей. Вот о чем я говорю. Он не задумывался над тем, что делает. Чтоб было полегче жить — мне, ему, нам, он служил ради поблажки. Я уверен. Знаю его склад... Он махнул рукой, сделал, получил деньги и был доволен: оплатил мою учебу, купил мне ботинки, например, сводил меня в театр... Маленькие радости, которые были куплены на кровавые деньги. Вот так все вернулось и обернулось кровью на моих руках. Это больше, чем фунты! Это черт знает что! Деньги — черт знает что это такое! Страшно подумать, если бы я ничего не узнал, я бы поехал к нему в СССР. Не к нему, а к потерянному человеку. Это был не мой отец. Я все равно жил в долг. Я столько раз думал: как было бы замечательно, если бы я ничего не узнал! Не пошел бы я жить к Боголеповым, а остался бы в Сент-Уане, с Глебовым, мыл бы вагоны, разгребал руины, с головной болью, в холодной вонючей ночлежке обитал бы с другими такими же, но не знал бы! И все было бы не так ужасно, как теперь. Но я струсил, сбежал от трудностей, предал Егора, ушел из Сент-Уана, мне захотелось пожить одному... Вот тебе расплата! — И он снова вернулся к убийству, снова сжимал горло, смотрел в глаза жертве, я одернул его:

— Ты уверен, что поехал бы к отцу?

— Поехал бы куда угодно. Даже если б знал достоверно, что он в лагере, поехал бы. Ты не веришь?

— Верю, конечно.

— Но не к кому было ехать. Давно... он призраком стал. Он не был человеком. Он был пустотелым. А я не замечал. И сколько всего вокруг вот так не замечаешь, страшно поду мать! Живешь с человеком, а это не человек. Читаешь книгу, не понимая, что она давно выветрилась. А многие книги изначально написаны пустыми людьми, которым нечего сказать, но зачем-то их надо читать. И что потом происходит с душой, когда так мучаешь себя? Понимать бы изначально, какие книги тебе нужно читать, за кого держаться... Все эти годы я хранил его тайну. Она съедала меня. Впрочем... убийство... выжгло меня! И вдруг в газетенке пишут, что в кармане у мумии нашли какие-то документы. Ты не представляешь, как я взбесился. Я потерял голову. Ринулся в Париж. Но что я мог сделать? Куда пойти? Как узнать — есть в тех документах мой отец или нет? Я был бессилен, бессилен... И опять этот город, он издевался надо мной!

— Я ничего не знал о документах.

— Это и сводит с ума. Пойми, никто не должен знать. Я не могу больше терпеть. Этого разговора не было. Слышишь? О моем отце никто не знает. Я уверен. Я сжег все. Все! Для очень многих это большое облегчение. Пусть спят спокойно. Никто не узнает. Ты поклялся, что никому не обмолвишься ни единым словом о том, кем был мой отец.

— Да, да.

— И ты ни слова никому не скажешь.

— Не скажу, Саша, не скажу.

— Никто не должен узнать. Поклянись, что никому не расскажешь.

— Клянусь.

И с новой силой:

— Я убил его, убил... я набросился! — Он резко протянул руки и растопырил пальцы, его лицо исказила жуткая гримаса. — Сразу схватил и повалил. Как только он заговорил об отце, я набросился и начал душить, чтобы ни слова не вышло из него, ни слова больше, ни слова, ни одного слова, тварь! —

Пот на лице, вена на виске вздрагивала. — До того он говорил о многом, огульно, обо всех понемногу...

Новая петля, опять он об этом, у меня не было сил это слушать, я перестал его перебивать, дал ему говорить, слова его увлекали, он был там, с Четверговым...

— Он расхаживал, как индюк, важный, рисовался, поправлял на шее платок, засунул одну руку в карман пиджака, другой рукой он то поглаживал бородку, то покручивал пуговицу. Он пытался шутить, философствовал, с удовлетворением подводил итог. *Что ж, я свою миссию выполнил, сделал даже больше, чем хотел.* Так он сказал. Самодоволен был. А как он презирал людей! С каким блеском в глазах он говорил о них — *ничтожества, твари, человеческие вши.* Он их в СССР по сговору с НКВД сознательно направлял. Сознательно. Намеренно. Расчетливо. Он удивлялся тому, насколько это просто получалось. *Они уходили так легко, так слепо... дверцу приоткрыл — они и полетели, как мотыльки на свет. Мне не приходилось усердствовать, уговаривать. Они все сознавали опасность своей миссии, но удержать их было невозможно, они так жаждали дела, как можно было их лишить такого счастья — умереть за Родину...* Он не таился, не опасался разоблачения, никто и не заподозрил неладного, настолько все были ослеплены *целью,* обещанным подвигом, все так стремились в его ловушку... Раскаяния он не чувствовал. Он всем сердцем желал им страшной смерти. Можно ли помыслить более коварного озлобленного человека? Он отворил для них ворота в ад, назвал пламя адово «высшей целью», «Россией», «борьбой» и наблюдал за тем, как души стремятся туда, на погибель. Я не выдержал, спросил: как так можно было поступать? «Можно, — говорит, — очень даже можно. Потому что презираю, ненавижу, потому что гадки мне все здесь. Подло живут люди в эмиграции. Каждый за себя. Свой угол прежде всего». Он так сказал: «Меня все унижали, никому не было дела до того, какая у меня ужасная жизнь, как мучаюсь я! Во мне человека уничтожили, сделали из меня Калибана. Пусть их дети в аду горят и в камерах гниют большевицких». Он погубил самых лучших и самых невинных из всех нас. Такова была его месть. И еще, ему нравилось наблюдать, как начинают с ним люди меняться, когда он денежками их соблазнял. Ему нравилось, как отцы им отправленных в ловушку детей способствуют, за деньги служат ему. В этом он находил особое удовольствие. Смаковал! *Пообещал за услугу деньжат, они и завертелись, заюлили возле меня. Кое с кем, конечно, повозился, не без этого, люди-то разные, каждый своего подхода требует, что ж, я ходил вокруг да около, терпеливо выжидал, прежде чем склонить. Попадались крепкие, я ждал, пока человек ослабнет. Жизнь трет-трет, он слабеет, надо уметь вовремя предложить помощь...*

— Каналья!

— О, что ты! Не то слово! Паук! В конце концов, уступали и продавались все, порой за очень небольшие деньги.

— Ты с ним долго разговаривал?

— Долго?.. Не знаю... Наверное... Нет, не долго... Да я почти не говорил... Он, все он, его прорвало... Я слушал... Может быть, десять минут... За десять минут многое можно сказать... И не поверишь... Бездна! Страшные вещи, последние вещи... Видишь, обычно как говорят, люди шутят или врут, притворяются, остается что-то за словом, а в том разговоре все было так обнажено, была изнанка, отвратительное нутро! Уж лучше б врал!

И опять он был с ним, в той страшной комнате, в предрассветных сумерках, при свете керосиновой лампы, среди книг и беспорядка, шел дождь, заливал окна, ветер раскачивал ветви, фитиль коптил, пламя дрожало, черные мотыльки вырывались из лампы и кружили вокруг Четвергова, он улыбался, он снова был живой...

— Он знал меня, помнил юношей, видел, когда встречались с отцом... Я его совсем не вспомнил, и сейчас... Ну, сейчас я помню только одно, это лицо, пунцовое, распухающее. Я помню только это. Про моего отца ввернул, что не был он исключением, служил ему, угождал, исполнял поручения. Большего я не дал ему сказать. Не хотел знать. Все из-за меня. Я себя теперь ненавижу.

— Ты тут ни при чем, Саша!

— Я был ребенком, нуждался в заботе, а потом я был глупым подростком, мечтательным дураком... каким же дураком я был! Романтиком! Это ведь я его довел, я вынудил отца пойти на унизительный и подлый союз с этой мразью. Я был для отца пыткой. Если б не был, то он и не задумался. Теперь я вижу. Все связано. Если б я не имел к тому отношения, не потянул бы за нить. Мы с Четверговым теперь одна семья. С того дня как мой отец с ним связался. А как я придушил его, так и подавно. Слились наши души и горят вместе. Я не знаю, что я тут делал все эти годы. Бегал, суетился, ездил... Зачем себе отсрочку устроил? Зачем? Я давно уже там... Все было решено, заранее решено. Нет, конечно, я неслучайно там оказался. Не кто-то, но я. Я и только я должен был его... Вот такой мальчик, тот самый, который впервые здесь проникся Христом, смотрел на эти статуи и своды... Тот самый! Я и не знал. Говорю же — слепой мальчик. Я и не понял, как все случилось. Я просто хотел, чтобы он исчез. Чтобы его не стало. Чтобы все, что я узнал, тоже исчезло вместе с ним. Но он лежал на полу, а мои руки были на его горле, синие, черные, лицо его багровое. Это было так вдруг, словно все свечи задуло. И я остался совсем один! Наступило черное прозрение! Я слышал Глас темноты!

Он ничего хорошего не предвещал. Он был завыванием бури. Клекотом вулканов. Хрустом костей. Я не мог находиться в Париже... Улицы сдвинулись. Все поменялось. Этот город, о, какой же это страшный город! Как он подыгрывал Сатане! Как он водил меня за нос, издевался... Париж меня и сгубил. И как в нем живут? Как ты в Париже всю свою жизнь? Во мне было столько силы... я его тело тянул на себе из башни по лестнице до того сарая! Один! С легкостью неимоверной! А потом страх и слабость... восторг убийства схлынул, наступило похмелье... меня обступил мрак... я испугался, впервые молил Бога послать мне припадок, чтобы забыться, но припадок не шел, не шел, как назло! А потом не принес облегчения... тогда, в кухне, ты держал мою голову — а я все видел, и все помнил, такая устрашающая ясность, я себя чувствовал куклой, куклой в шарманке мироздания... Все дни в Париже было не так... город преследовал меня! Цеплял! Подсылал людишек, которые намекали, что им все известно, они говорили знаками, намекали, что им, мол, все известно, смотрели с хитрецой... если б ты знал, через какие я муки и кошмары прошел! Не рассказать! Все насмехалось надо мной: дома, машины, деревья, каждый предмет... но потом стало еще хуже... когда я поехал в Германию, а оттуда в Швейцарию — лечиться, куда бы я ни поехал, все мне казалось ненастоящим. Мир повсюду был каким-то завороженным царством. Он стал механическим, а люди — автоматами. Я пытался вывернуться через философствование: если все кругом неживое, стоит ли так переживать из-за содеянного? Сверх того, кого я задушил? Одним словом — гниду. Но не помогало, не помогало... Не тот я человек, чтобы душить мерзавцев, чтоб человека гнидой звать. Не я это. Не нашел в себе этого умения вывернуться через презрение к человеку. Искал... Ни одно лекарство, ни один психолог, ни одна философия не помогли. Я никому не открылся. Никому. Жил как в тюрьме. Это невыносимо в себе носить. Пойми, в себе таиться — самое мучительное для человека. Пытка, которая иссушает душу. Может, если бы на лбу мне клеймо выжгли, так чтоб каждый встречный сразу понимал, кто я, может, тогда легче бы было. Я такую слабость в себе ощущаю, ты не поверишь, мне кажется, я сейчас развалюсь, как намокший картон...

Я попытался его обнять, но он отстранился.

— Не смей! Не прикасайся. Я не достоин этого.

Он посмотрел на меня странно, с мольбой, и сказал:

— Ну, все, теперь уходи.

Я увидел в его руке пистолет и не мог сдвинуться с места: на меня навалилась тяжесть, руки и ноги налились свинцом; я хотел сказать, чтоб он не думал даже... мое горло пересохло, а он, глядя на то, как я пытаюсь его переубедить, с грустью сказал:

— Нет, Альфред, даже не пытайся, это решено, задолго до твоего приезда, решено... когда ты позвонил сегодня, я понял, больше нельзя ждать... когда ты позвонил и сказал, что хочешь увидеть меня, я понял, ты кое-что знаешь, и это стало невыносимо, как никогда... Нет, нет... Ну, не мучай ни меня, ни себя! Уходи! Пусть все кончится! Пусть поскорее совсем кончится.

— Саша, нет, Саша...

— Уходи, Альфред, уходи!

Я не помню, как ушел. Он меня вытолкал. Махал оружием. Мне стало плохо. Вышел на воздух. Дверь хлопнула... Какая-то струнка звякнула. Что-то внутри дернули. Я схватился за уши. Оглох. Эй! Мимо бежали. Взмахи. Суета. Подошла и мне в лицо посмотрела женщина. Она открывала рот. Наверное, кричала. Я не слышал. Кричала или что-то пыталась мне сказать. Отшатнулась. Побежала направо, потом споткнулась и пошла налево, но, утратив понимание смысла в направлении — и правда: куда бежать и зачем? — остановилась и смотрела вокруг в полной растерянности... ужасом наполненные глаза, растрепанные волосы, слабые ноги... в теле волнение... пошатнулась и упала в обморок, ее подняли, отнесли на скамейку, под деревьями она, должно быть, пришла в себя, я не видел... дверь — я понял: это была не дверь, это громыхнул выстрел. Серж, он застрелился — прямо в церкви... у выстрела было обширное эхо, оно разнеслось по всему городу, по всем церквям и часовням, дальше, дальше, оно звенело в стеклах и посуде, заставляло воду дрожать, оно зазвучало в каждом помещении, в каждой голове, оно было как клич, приглашающий умереть... его смерть была столь просторна, что, казалось, могла вместить всех прихожан, всех случайных прохожих, эхо вырвалось и мчалось по улицам, как сошедший с рельсов поезд, оно хлопало ставнями, распахивало двери, забегало детворой в чужие квартиры, поднимало на ноги мертвых, приглашая их жить, места хватит на несколько составов, его смерть была похожа на храм, больницу, призывной пункт или какое-нибудь учреждение, где люди стоят в зале ожидания день и ночь в надежде получить работу или пособие, сидят, слушая, как за дверями по справкам лупят печатями, люди спят с детьми на руках на полу, ждут визу, вид, какое-нибудь разрешение — право на глоток воздуха, право носить тень, они стоят на ступеньках в очереди у дверей в Soupe Populaire[1], и вот, представь, что все эти двери внезапно распахнули! Поверь мне, Серж, та пуля, которую пустил себе в сердце Крушевский, была громче взрыва, она могла всех, кто стоит теперь в очередях, вздеть на нить смерти и утянуть за собой в гудящую бездну.

Там, в соборе, по ту сторону грохота... столько всего раскрылось в этом человеке с неожиданной стороны, что он мне за несколько минут стал чужим, незнакомым и снова родным! Мы за несколько минут всю нашу жизнь вновь прожили, про-

---

[1] Бесплатная столовая для бездомных и безработных.

летели сквозь нее, как на салазках, и она была вихрем, льдинками, снегом в лицо... Помнишь, ты мне рассказывал, что знал кого-то много лет, он был твоим учителем или наставником, кумиром юности, и вот однажды ты увидел, как небрежен он со своими очками, и все представление твое об этом человеке полностью изменилось. Ты еще удивлялся: как раньше не замечал? Вот у меня с Сашей так получилось, я даже по имени его теперь не в силах называть, не совпадает оно с тем человеком, что мне приоткрылся... он оказался куда более сноровистой личностью, чем мы оба себе могли представить; и крепких убеждений, жестких представлений — но не мне же судить его! Не мне... я и не знал его совсем, хотя мы с ним сквозь многое прошли, но, видимо, на пороге вещей, где они линяют, теряя очертания и имена, все иначе, и правда: что мы вообще знаем?

Надеюсь, что я прибуду раньше, чем ты получишь это письмо, и всё сам тебе расскажу, но опасаюсь, что не доеду. Сердце разрывается на куски, и каждый из них спешит из груди, как искра фейерверка, улететь и погаснуть во мраке непроглядной вечности.

У вокзальных ворот меня окликнули писклявым и очень знакомым голоском, мой шаг замедлился, я прислушался, опять: *vous n'auriez pas une piece de monnaie, mon gentil m-sieur?..*[1] Не может того быть! Я остановился... посмотрел на попрошайку: это была крохотная женщина, завернутая в тряпки, как кукла, лица не разглядеть. Я запустил руку в карман, чтобы достать ей несколько монет, замешкался — мне захотелось, чтобы она повторила свою реплику, подумал: ослышался?.. Но она тут же развеяла все мои сомнения, произнеся те же слова и тем же голоском — жалостливым и по уличному мелодичным. Ее голосок напоминал журчание дождевой воды,

---

[1] У вас не найдется монетки, мой добрый господин? *(фр.)*

сбегающей по карнизу; случается, такой поток смоет с крыши какую-нибудь жестянку или кусок стекла или гвоздь, эта штучка застрянет в водостоке и бьется, позвякивая. Так и голосок той старушки казался и напевным, и заунывным, но в нем было легкое мелодическое позвякивание, одна безошибочная нота из детства, которую я слышал возле лицея, в полдень после уроков. Я достал несколько монет и вложил в ее руку. Она благодарила, скулила, кланялась, *merci mon bon m-sieur*, ниже, *vous êtes très gentil monsieur*, поклон еще ниже... Я сказал ей несколько добрых слов, таков был мой предлог, я хотел рассмотреть ее, заглянуть под тряпки, увидеть лицо, я хотел его вспомнить, я склонился и взглянул в тень, которая скопилась у нее под платком, за этой тенью она от меня скрывалась, я согнулся и еще глубже заглянул, но опять не увидел лица — старушка отворачивалась, пряча свои монетки в кошелечек, она продолжала ласково благодарить меня за мою доброту и щедрость, она желала мне здоровья, всех благ, чтобы Господь Бог обо мне позаботился, я сказал, что и ей желаю, чтобы Бог о ней позаботился, а сам протянул руку и — отвернул платок: там не было лица!.. там не было ничего, Серж, ты слышишь!.. там ничего не было! Кроме струйки воды, которая убегала по канавке в подземный лаз, и в этой пустоте слабо-слабо звучал ее голос, я пошел за ним, как за скользкой тенью, по коридору, мне надо было посмотреть — кто это там, в темноте, говорит, — чтобы понять, откуда берется эта нота, что заставляет меня мучиться, вспомнить... я грешил на музыку, уверял себя: музыка меня подвела, потому что она разбирает звуки, музыка — как язык — на самом деле обкрадывает нас, звуки ей не принадлежат, точно так же как весь мир — не собственность языка, за языком и музыкой стоит нечто большее: разлад главенствует над всем, в основе мироздания — бунт, удар кирки, разжатие пружины, раскол коры звука... искусство — это трещина, сквозь которую ты набираешь сок небытия, а потом носишь в себе, пьянея... все это мое, я в этом пребывал, произошел из хаоса, только всю жизнь отговаривал себя: забыть, забудь!.. прятал от себя, чтобы не бояться сияния, которое пронзает эту бесконечную черноту, я вступил в нее, как в чернильную кляксу, ошибочно приняв туннель за полоску мрака, или наоборот, да, конечно, тут меня уже подводят как слова, так и ритм, я теряю способность мыслить, потому что колеса, они так оглушают, перебивают мысль, которая ветвится, железные колеса, что ножи гильотины, ты думаешь, что возвращаться легче, но это не так, ты, как никто другой, должен помнить, что вернуться нельзя, а уйти от колес подавно, они рубят мысль, режут, кромсают, мысль намного важнее, чем все на свете слова, и вот она: Серж, он застрелился!.. прямо там, в церкви, как только я вышел, я услышал выстрел. Ужас что было, люди кричали, полиция съехалась, слетелись ангелы, статуи сошли с колонн, я видел, как его тело, Серж, я видел, как его тело несли на гранитной плите, Иуда плакал, уронив свой мраморный топорик, Дева Мария воспарила голубкой, села на грудь, простреленную, разорванную, из раны била ключом кровь, апостолы спешно обернули тело в саван песочного цвета и понесли, с глаз долой... Серж, слышишь? Саша застрелился! Александр Крушевский ушел в звенящую зеркальную вечность, и в этом звоне пребудет. Он стал частью каждого звука. Любая дрянь, что звякнет на улице — крышка помойного бачка, которую поднимет клошар в поисках полезного мусора, разбившаяся вдребезги бутылка, мяуканье, лай, карканье — всё теперь он, и всё кончено. Нет никаких агентов. У страха глаза велики. (Отчасти Л. прав, но верить ему все равно что поступать матросом на корабль запуганных дураков.)

Береги себя, Сережа. Мне что-то нехорошо. Мир будто пятится. Солнце превращается в сияющий рельс. Или это солнечный блик? Блик, бритва — все едино. Цикада-поезд старается, набирает обороты, будто по спирали уносится в небо. Пассажир передо мной — равнодушный, чистый, скуластый. Весь в белом. Умереть перед ним будет неловко. Но неизбежно проход делается тесным, плотным, дверь за моей спиной со скрипом закрывается — полоска света тоньше, тоньше струйки, вот она с ниточку... Передай Маришке... Нет, лучше обними ее, поцелуй и скажи, что я... Нет! Не надо никого обнимать. Доеду, доеду. Довезут, уж точно, довезут. Лучше беги от всех! И это письмо разорви. Потому что мы всю жизнь прожили во лжи. Нас окружали фантомы и галлюцинации. Как этот сытый, скучающий господин. Кто он? Думал: фламандец, валлонец, немец, француз? А потом вдруг решил — европеец! Так просто... Такой же европеец, как я и ты... моя зеркальная копия... Понимаешь? Зачем я жалуюсь, если я сам себе купил билет на этот поезд, как всякий другой, я сам вошел в него, меня сюда никто не приглашал. Так глупо. Перед отходом поезда я в киоске купил газету. Саша вот только что покончил с собой, а я — послушный своей привычке — покупаю газету в дорогу! Глупо, стыдно. И все механическое. Оглянись вокруг? Эта агония, судорога тела, высвобождающего дымок последнего вздоха... с газетой в руке... словно не по моей воле, а само собой, автоматически... и весь мир так же... Ты не поверишь, моя жизнь в эти минуты мне представляется руинами так и не построенного замка. Я хожу среди громадных шахматных фигур... пытаюсь понять, кто играл в них, кто заигрался и забыл о назначении всего этого дивного материала?.. стараюсь увидеть, кому угрожает этот всадник... пытаюсь постичь значение ходов, разглядеть другие фигуры, которые затаились, ждут выхода... понимаю, что попусту напрягаю ум высматривая ходы — не мне решать, другие силы вовлечены, те, кто не понимает, что однажды станет жертвой собственной увлеченности, как и я, и другие до нас... и после придут себя растратить... во веки веков... Скажи, чем я был? что создал? имеет ли оно какую-нибудь ценность, и если да, то какую? Иногда отчетливо понимаю, что ничего не было. Совсем не было. Все показалось. Сон, понимаешь? Как у Кальдерона. Актеров, как кукол, сложат в коробку и под мышкой унесут. А потом опять откроют балаганчик. На раскаленном песке будут танцевать огоньки. Осоке — шуршать, звездам — подмигивать. Ночь вползет в город. Туман наполнит улицы призраками. Эхо. Труба старого крематория. Вижу вылетающие искорки. Они садятся на песок. Сырость на стенах замерзает, и блестит лунный свет слюдяной. Сети сновидений крадутся неводом, ловя спящих, как рыбу. До чего меня довели эти ночи. В них столько коридоров. Залы, чьи-то головы, насаженные на спинки кресел, сцены, экран, слова... знаешь, слова — еще неизвестно, откуда они берутся... часто мы бросаем их на ветер, как конфетти, а потом, оказавшись на пороге, когда к нам все возвращается, мы видим, как они летят обратно, ветер забивает ими рот... Сейчас все тебе станет понятно. Да, иногда я пишу так, будто в моей руке не карандаш, а бенгальский огонь. Перехожу к главному: я в пустоте, у меня не осталось никого, мне не об кого удариться, никто меня не оттолкнет, потому что я ни к кому не тянусь. Я абсолютно свободен. Вот она, граница. Поезд стоит. Идут пограничники. Сейчас они меня найдут. И это послание будет отправлено. Свобода разрывает и уродует. Прощай, презренный мир! В замке твоем не обретут себе прибежища ни верность, ни справедливость! Ибо в тебе ничто не постоянно. Я видел столько смертей, унижений, потоки человеческих масс... и внутри каждого, как в раковине, сидит сжатое в пульсирующую точку нечто, оно оберегает свое тельце любыми средствами, создает скорлупу, плетет паутину, воздвигает мосты и крепости, отсылает корабли и самолеты, разбрызгивает отраву, сбрасывает бомбы, выпускает из себя ядовитые чернила, бактерии, газ... Я больше не могу сочувствовать и чувствовать, жалеть или ненавидеть, я ничего не испытываю по отношению к этому нечто, которое выдумало миф, будто есть человек; назвавшись человеком, нечто пошло дальше, оно изобрело человечность, на этом фундаменте оно возвело культ человека. Но я раскусил скорлупу, а внутри — монстр, маленький, жалкий, как креветка. Пойми, скорлупа мешает, скорлупа препятствует росту. Перегородки в земных домах так тонки, а плоть человеческая столь эфемерна. Я знаю наверняка — часто по ночам сливался с другими. Сам по себе человек из себя ничего особенного не представляет, но у каждого в глубине есть сад, а в саду — дверца: вот за ней-то все самое интересное и начинается... И один в поле воин! Так будь воином, друг! Хоть в последний день... Никогда не поздно. В этом таинстве одно мгновение содержит всё время и всю жизнь. Можно спастись. А спасешься сам, и других спасешь. Нет смысла прятаться за философией, искать уют в искусстве. Можно юлить сколько угодно, но рано или поздно вместо карниза на твою шею падет всамделишная гильотина. Неминуемо пробуждение. Сказка о человеке мешает на пути к большему. Я верю в чудо. Это больше, чем гуманизм. Верю в то, что из креветки можно превратиться в сияющий во тьме луч, который разрежет материю и уйдет в бесконечность. Я верю, что, изменив представления о себе, можно изменить мир. Как-то, продав на аукционе клавикорд (Schiedmayer&Sohne начала девятнадцатого века в превосходном состоянии) за баснословную сумму, я увидел в метро спящего нищего, я шел из ресторана, очень веселый и хмельной, город был затянут какой-то лазурью, май 1961 года, было душно, поэтому я и нырнул в метро, нищий лежал на узенькой темно-красной скамье. Над ним с рекламного щита ухмылялся

Кларк Гэйбл, Мэрилин Монро в платье с вишенками, приоткрыв губки, замахивалась пинг-понговой ракеткой. На голове у спящего был бумажный пакет, нос торчал, рот был открыт. Сложив вдвое тысячу франков, так чтоб Ришелье смотрел на меня, я ее вложил ему в рот, как в копилку. Она осталась торчать. Нищий ничего не заметил, его дыхание приводило купюру в движение, она складывалась и раскладывалась, как шевелящая крыльями бабочка, Ришелье поднимал на меня глаза и опускал их, будто глядя в зев нищего. Залюбовавшись, я и не заметил, что за мной наблюдала Маришка. Она заметила меня на улице и бежала за мной, в метро, а когда увидела, что я творю, не в силах была остановить, отвлечь меня, потому что — вот оно! — сама была заворожена, и я тогда понял, что мы с ней одно. Я не могу это объяснить лучше. В то мгновение мы были одно. Больше, чем просто отец и дочь, больше, гораздо больше. Я смотрел на нее и видел в ее глазах такое понимание, какого никогда не находил ни в одном живом существе. Я знал, что мы с ней будем неразлучны всю вечность, которая нам предстоит после того, как закончится это судорожное разделение надвое. Несколько лет спустя она вспомнила тот случай, я смутился, она сказала: «Я знаю, что ты пытался сделать». Я спросил: «Что же?» Она сказала: «Ты пытался его расколдовать». Она это поняла по-своему. Я видел жалость в ее глазах, она испытывала жалость ко мне, к моей маленькой причуде, к моему трюкачеству, к моей болезненной экстравагантности — которые были следствием чувства вины за спекуляции. Понимание возможно только в жалости и прощении. Когда прощаешь, когда жалеешь человека, тогда ты все понимаешь. И еще, последнее... Вот они подходят, сейчас меня понесут, но не обращай внимания, я скоро закончу (покачивает, как в лодке). Сегодня я забрел в un parc d'attractions, я видел, как дети катались на маленьких машинках, сталкивались, кричали, плакали, смеялись, кто-то с гиканьем выскакивал из своей машинки и убегал. Так это происходит, понимаешь? Ты — свет, лучистая капля, которая врывается в материю, обретает плоть, сталкивается с другими живыми существами, ужасается смерти, боится, любит, чувствует, злобствует, а потом, когда наступает порог терпения плоти, свет выскакивает и стремится дальше... Помнишь, я какое-то время работал в Вальдорфской школе? У меня были умственно отсталые ученики. Знаешь, они частенько забывали дату своего рождения, и тогда другие им напоминали. Так, помогая друг другу, они помнили. Серж, передай Маришке, что в жизни всегда так будет — будто за каждую руку держат тебя десять слепцов, тянут в мрак и твердят: в мире все уже было, ничего больше не будет, все серо... не верь им, слышишь! мир не стареет, он всегда чудесен и нов! не позволяй им обокрасть себя! Ну, вот и всё, кажется. Теперь хочу быть просто пассажиром. Едет себе безымянный человек. Не читает названий станций. Любуется деревьями, облаками, лугами, крышами церквушек. Не ищет знакомых в вагоне, не всматривается в лица на перроне. Когда погаснет небосвод, меня не будет. Собственно, это все. Прости, если можешь. Ты, конечно, помнишь тот мост над Луарой. Развейте мой прах там. Порви это письмо и брось его в Сену. С Набережной цветов. Только не плачь. Терпи. Смотри, как светлый день окунается в мутную воду. Не надо. Люди идут мимо и смотрят. Странный старик, думают они, одет как шут. Брюки в полосочку... Что за дурацкая бабочка? Усы щеткой... Успокойся. Дыши. Твое сердце тебе еще пригодится. Ты должен все рассказать Лазареву. Пусть знает: списки уничтожены. Нет, Саша не бил его миньона. Не знаю, скажи, что не знаешь. Возьми себя в руки. Иди своим любимым маршрутом, он тебя всегда выручал, в нем запечатан, как в лабиринте Дедала, твой кумир. Иди, пилигрим, иди. 12, Rue de l'Odéon. Ты каждый год туда ходишь. Твои идолы держат твой мир как атланты. В такой же светлый, слегка влажный день ты увидел его. Было немного душно. Ты волновался. Предстояла твоя выставка. Ты раздавал прохожим пригласительные. И вдруг тебя осенило: пригласить Адриенну, Сильвию, всех, кто окажется в магазинчике. Ты спешил. И когда вошел, ты впал в столбняк. Потому что увидел его. Ты сказал, что у него необычно выпуклый череп. Этим он напомнил тебе ненормального ребенка. Он сидел на стуле спиной к входу. Нет, немного боком. Ты не сразу понял, кто это. Да, растерялся. Ты мне тысячу раз это рассказывал. Я слышал, как ты пересказывал эту историю другим (им ты несколько иначе преподносил, но я не в обиде). Ты раздал пригласительные, вы обменялись несколькими фразами. Ты сказал, что являешься большим русским поклонником его дара. Он кивнул и что-то сказал по-английски, ты был растерян и не понял. Мимо идут, идут... Странный старик. С бумагой в руке. Люди, люди... Стоит и разговаривает со стеной.

5

Мсье М. умер на границе, в поезде, в транзитной зоне, между Бельгией и Францией. Смерть — это граница; по ту сторону бытия, кажется, все устроено, как у нас (а может, мы тут приспосабливаемся, скверно подражая): тоже есть таможня, которая отбирает у тебя нечто ценное, твое тело, и связанные с ним сенсуальные воспоминания, и прочую контрабанду, которую мы во время жизни не замечаем, возим с собой, как улитка свой домик, всякие пустяки, которым мы не придаем значения, без которых жизнь невозможна, — наверняка где-нибудь есть список запрещенных вещей.

Его привезли в парижский морг. Мы долго не понимали, где его искать. Все сделали Шиманские, нам осталось только присутствовать; в гробу он выглядел куклой (его сильно напудрили, я не понял почему — возможно, потому, что стояли жаркие дни); согласно завещанию, его кремировали, мы — я, Маришка и Серж — отбыли в Бушонвьер-сюр-Луар, чтобы выполнить его завет. Ранним подвижным утром 12 июня (день обещал быть пыльным и хмельным) Серж высыпал пепел с моста над Луарой. Постояли, глядя на реку. Мимо нас проехал на велосипеде мальчик, звякнул печально его звонок. Мари посмотрела ему вслед и зарыдала. Я обнимал ее, но не пытался успокаивать, бесполезно, как и удерживать ее волосы на ветру. Серж тоже расчувствовался, ветер трепал и его седую шевелюру. Мы пили сначала коньяк из его фляжки, затем сидели в таверне, оглушенные, напуганные, хозяин заведения пытался с нами говорить, но скоро понял, что с нами что-то не то, и отстал. Вывеска и погремушки над дверью тарахтели, зонты над столиками гнулись, раскачивались, танцевали, и один-таки упал. Серж дал нам почитать письмо, которое Альфред отправил ему из Брюсселя, — оно дошло уже после того, как он узнал о его смерти. В письме Альфред отписал пятнадцать тысяч франков на то, чтобы тело Петра Четвергова было захоронено подобающим образом, и просил Сержа проследить. Меня это поразило: какое ему было дело до того? Мари спросила, кто такой этот Четвергов? Сержа прорвало, он рассказал всё, даже то, чего, наверное, я знать и не хотел. Не потому что это к чему-то обязывает (приспосабливать дощечки своих разговоров к тем камушкам, по которым прежде мы не ходили), отягощает сердце или омрачает дни, — нет; внезапно всплывшие детали мешают видеть подлинный портрет месье Моргенштерна (бывает, смотришь старое кино, на экране возникают всевозможные мушки, полосы, царапины, словно смотришь фильм на улице во время дождя, но бывает так, что этот дождь делается ливнем и смотреть становится невозможно).

После Луары мы были опустошены. Поехали в Лион к Мишелю. Там, примиренные смертью, собрались все, изучали завещание, решали, как продавать дом на rue de la Pompe (я, разумеется, не участвовал и не знал, куда себя деть), никто не спорил, все были единодушны. Без мсье Моргенштерна в доме стало невыносимо. У пани Шиманской все валилось из рук, в комнате мсье Альфреда на потолке появились трещины, а когда Ярек сдвинул туристический вализ, он скрипнул и с треском развалился, все бумаги из него вылетели, и — что больше всего напугало Шиманских — на пол просыпалась зола. Сначала они подумали, будто бумага, выпадая из ящичков, обращается в прах, но это был сигаретный пепел: мсье Альфред забывал пепельницы в шкафу, задвигал их, накрыв случайным листом бумаги. Были и другие неприятности. Пани Шиманская негромко перечисляла: чернильница сделала мрачное пятно на ковре; ставня отвалилась прямо на цветочный горшок. Как-то разом стало все трещать — особенно лестница хрустела по ночам... Но пока дом не продали, мы продолжали в нем жить. Клеман тоже какое-то время держался, но недолго.

В начале августа мне наконец-то сняли гипс, я продолжал ходить с палкой; мы поехали с Мари в четырнадцатый аррондисман, гуляли, навестили мадам Арно, поболтали с Жераром: страховая компания отказалась ему компенсировать ущерб за разбитую машину, он подал на них в суд. Прошлись по rue de la Santé: вдоль всей охряной стены вокруг больницы и тюрьмы тянулись надписи; на улице Артистов Мари неожиданно стало грустно, она обняла меня, прижалась сильно-сильно и сказала:

— Давай уедем скорей! Серж сказал, что у него есть какой-то знакомый в Англии, у него в отеле найдется для нас работа...

По виадуку пролетел поезд.

Переговорив с Шиманскими, купили билеты на первое октября. Часто ходили в кино (в одном из фильмов, не помню в каком, мне показалось, что трафикан кокаина в поезде предъявил советский паспорт). Я хожу с тростью мсье М.; вчера забыл ее в кафе на улице Пасси, и нам ее прислали с курьером, который сказал: «Мсье Моргенштерн забыл свою трость», — все в доме были тронуты; Рута плакала. В Чехию вошли советские войска — *оплот Европы*, мон женераль? Начались дожди. Когда Мари уходила, я от тоски шел в кафе "Toltèques" на перекрестке Place de Mexico, пил кофе, читал газеты... все было вроде бы спокойно, но вдруг я наткнулся на статью о восьмерых отважных, которые вышли на Красную площадь с лозунгами против ввода советских войск в Чехословакию, и покой мой кончился, у меня снова тряслись руки, я представлял, что теперь будет с арестованными, я представлял это настолько ярко, что мне казалось, будто часть меня снова там, в психушке, меня даже подташнивало, как во время морской болезни, — так нельзя, говорил я себе, тушил сигарету, — так нельзя, и смотрел на перекресток, — мы едем в Англию, у нас будет работа, Мари, у меня есть Мари... руки сами разворачивали смятую статью, я читал, автоматически закуривал, заказывал еще кофе и читал, читал... после этого я перестал туда ходить, запретил себе даже думать о газетах...

Дни тянулись очень тягостные. Иногда Мари навещала родителей в Épinettes; Шиманские куда-нибудь уезжали, я оставался один в большом не вполне пустом доме, пил вино, много работал до глубокой ночи, хотел закончить перед отъездом большую часть рукописи Альфреда. Не спалось, что-то тревожное грезилось в полусне, будто во мне разорван лист: одна половина исписана понятным твердым почерком, другая — в бреду, и я пытаюсь перевести слова с языка бреда на другую сторону, и ничего, разумеется, не выходит, осколки мозаики превращаются в лед, он тает в моих руках, краски ускользают, испаряясь...

Дождь по ночам шуршал размеренно; днем город приводил себя в порядок: скребли улицы, вставляли стекла в витрины, чинили решетки, со стен смывали надписи, — по телевизору торжественно сообщали о том, что правительство приняло какие-то серьезные решения; трамваи, поезда, курьеры, почтальоны — все пришло в движение и побежало по налаженным маршрутам, а в голове моей еще шумели отголоски уличных боев: вой сирен, хлопки газовых ружей, крики...

Однажды в комнате Клемана включилось радио, сказало несколько слов и умерло. Вот только в мае оно работало каждый день, в коридорах и комнатах слышались голоса, мы с Мари читали записки Альфреда, рассматривали фотографии, пили вино, смеялись... Наша парижская жизнь подошла к концу, но английская не спешила начаться: где-то там, наверху, медленно сводили мосты судеб. Я не умею прощаться, не умею отпускать прошлое, лента времени порвалась, бобина крутится вхолостую, я напрасно склеиваю концы — все равно не сойдется... Начинается другой виток, подходящее время для того, чтобы шагнуть в новые обстоятельства, выйти к новым персонажам, которые еще не подозревают о нашем существовании: они там где-то ходят, а нас к ним несет потихоньку...

Клеман заглянул, выпил с нами вина, задумчиво покурил гашиш, тяжелым взглядом посмотрел на наши чемоданы. «Как твоя нога?» — «Ничего», — и рассказал об арестованных на Красной площади студентах, он покачал головой, собрал свои книги, тетради, бобины и ушел. «Скорей бы этот сентябрь кончился!» — сказала Мари, глядя ему вслед из окна, и заметила, что как-то рановато начали опадать листья. Я попытался ее развлечь шуткой. Грустно и как-то не по-русски улыбаясь, она погладила меня по щеке, хотела что-то сказать, — нас прервал телефон. Мсье Моргенштерну по-прежнему звонили старые знакомые, было много почты, агенты по недвижимости не кончались. Гладенький американец в старомодном костюме зашел выразить соболезнования, заодно сообщил, что он — коллекционер всякой всячины, в основном его интересует theatrical memorabilia[1], — попросили зайти на другой неделе...

Приходил Серж, пил чай, курил, я спросил его, как там у его друга дела, в Шамбери? Все устроилось как нельзя лучше: документы сделали, православная церковь предоставила ему полный пансион там же, на вилле, к нему приставили дьячка и трех послушников, которые потихоньку приводят дом в божеский вид, возятся в садах, чистят пруд. Не приготовил ли я чтонибудь из бумаг Альфреда? Я принес пачку — сто пятьдесят девять страниц. Серж аж крякнул: «Ого!» — «Не беспокойтесь, я приложил сопроводительное письмо по манускрипту, не заблудитесь». — «Да нет, я не беспокоюсь, в этом-то разберемся, получилось как-то неожиданно много». — «Я сохранил авторскую пунктуацию, нужен будет чуткий редактор». — «Само собой, само собой... А свое?» — Я сказал, что не готово. Он засобирался, в дверях замешкался: «Что-то забыл... Ах да!.. Роза Аркадьевна передает вам теплый привет, уговаривает остаться в газете». — «Как остаться? Мы уезжаем». — «Корреспондентом, будете писать из Англии». — «О чем?» — «Да о чем угодно!» — Я махнул рукой, согласился, всегда можно отказаться.

Накануне отъезда посреди ночи меня разбудил телефонный звонок.

Поднимаюсь, слушаю, как пани Шиманская говорит:

— Allo? Allo?! Je vous ecoute. Parlez, donc![2]

Вешает трубку. Я спускаюсь, спрашиваю, кто это был?

— Personne. Никто, — отвечает она. — Только шум...

---

[1] Театральные реликвии *(англ.)*.

[2] Алло? Я вас слушаю. Говорите же! *(фр.)*

Что-то разбилось наверху.

— Окно!

— Спокойно, я разберусь.

Иду осторожно — осколки, осколки... Гардины беснуются... Приближаюсь... Что за черт! От изумления не могу пошевелиться. За окном — другое! Другой фонарь, другие деревья... Это не rue de la Pompe! Какой-то человек прохаживается по аллее, курит... Первая мысль: зачем он разбил нам окно? И тут же я понимаю, что он не делал этого. Окно распахнул ветер, вот и все. Но что это за аллея? Здесь никогда ее не было! Чем-то знакомое расположение теней... Когда-то я видел это. Да, в далеком сне (возможно, переезжая с места на место, оставляешь сны в покинутой стране, они вспоминаются реже и кажутся тусклыми, как очень старые фотографии). Я глянул в ту сторону, где обычно видел Эйфелеву башню — ее не было. Блеклые редкие огни города таинственно мерцали, еще немного и они взлетят, как светляки, город исчезнет, унося с собой густо взбитый, как пена, дым, и большие черные трубы, и крепостную стену... Что это за город и кто этот человек? Как он мог закрасться в мою память? Человек снимает шляпу. Мурашки бегут по моей спине! Я всматриваюсь в очерк его головы, шеи, плеч... Какая поразительная беззаботность! Как он расслаблен! Его совершенно не терзают ни ветер, ни дождь... Да кто это?! Наклоняюсь вперед. Хочу крикнуть... Но все заволокло снегом. Невероятно! Тороплюсь вон из комнаты, бегу по лестнице — ступеньки тают под босыми ногами... больше нет лестницы, нет дома, вокруг свистит снежная мгла, сквозь нее едва угадывается зигзаг магистрали; калитку в сад подпирают тени деревьев... пытаюсь ее открыть — рука уходит в пустоту: сада больше нет. Передо мной раздвигается белоснежный занавес, открывается сцена, на которой, освещенный вспышками молний и лунными проблесками, стоит мсье Моргенштерн. На нем светло-серый костюм, соломенная шляпа с зеленой лентой, необычный фиолетовый галстук в косую желтую клетку, в одной руке он держит безупречно черную трость с набалдашником слоновой кости, в другой — марокканскую трубку, из которой вьется тонкий, но изумительно отчетливый дымок (похожий больше на нить). C'est lui, l'Homme Incroyable![1] Раздаются аплодисменты и восторженные восклицания. Он кланяется, жестикулирует, то двигается, то замирает в необычных танцевальных позах, будто передавая сообщение семафорной азбукой. Вокруг него порхают мотыльками снежинки (а может, это был прах, который Луара унесла в океан, и теперь, из этой бури, Альфред восстал?). Я хочу подойти ближе, но какая-то невероятная сила отрывает меня от материи, подбрасывает и, перехватив на лету, с нарастающей скоростью уносит прочь в безбрежную неизвестность.

---

[1] Это он — Невероятный Человек! (фр.)

Литературно-художественное издание

Иванов Андрей Вячеславович

ОБИТАТЕЛИ ПОТЕШНОГО КЛАДБИЩА

Ответственный редактор *В. Ахметьева*
Младший редактор *И. Кузнецова*
Художественный редактор *С. Власов*
Технический редактор *Г. Романова*
Компьютерная верстка *И. Ковалевой*
Корректор *В. Авдеева*

ООО «Издательство «Эксмо»
123308, Москва, ул. Зорге, д. 1. Тел.: 8 (495) 411-68-86.
Home page: www.eksmo.ru E-mail: info@eksmo.ru
Өндіруші: «ЭКСМО» АҚБ Баспасы, 123308, Мәскеу, Ресей, Зорге көшесі, 1 үй.
Тел.: 8 (495) 411-68-86.
Home page: www.eksmo.ru E-mail: info@eksmo.ru.
Тауар белгісі: «Эксмо»
Интернет-магазин : www.book24.ru
Интернет-дүкен : www.book24.kz
Импортёр в Республику Казахстан ТОО «РДЦ-Алматы».
Қазақстан Республикасындағы импорттаушы «РДЦ-Алматы» ЖШС.
Дистрибьютор и представитель по приему претензий на продукцию,
в Республике Казахстан: ТОО «РДЦ-Алматы»
Қазақстан Республикасында дистрибьютор және өнім бойынша арыз-талаптарды
қабылдаушының өкілі «РДЦ-Алматы» ЖШС,
Алматы қ., Домбровский көш., 3«а», литер Б, офис 1.
Тел.: 8 (727) 251-59-90/91/92; E-mail: RDC-Almaty@eksmo.kz
Өнімнің жарамдылық мерзімі шектелмеген.
Сертификация туралы ақпарат сайтта: www.eksmo.ru/certification

Сведения о подтверждении соответствия издания согласно законодательству РФ
о техническом регулировании можно получить на сайте Издательства «Эксмо»
www.eksmo.ru/certification
Өндірген мемлекет: Ресей. Сертификация қарастырылмаған

Подписано в печать 01.11.2018. Формат 76x108¹/₃₂.
Гарнитура «Literaturnaya». Печать офсетная. Усл. печ. л. 33,44.
Тираж 1000 экз. Заказ 10613.

Отпечатано с готовых файлов заказчика
в АО «Первая Образцовая типография»,
филиал «УЛЬЯНОВСКИЙ ДОМ ПЕЧАТИ»
432980, г. Ульяновск, ул. Гончарова, 14

ISBN 978-5-04-098685-9

9 785040 986859 >